ANDRUS KIVIRÄHK
MEES, KES TEADIS USSISÕNU

ANDRUS KIVIRÄHK

MEES, KES TEADIS USSISÕNU

EESTI KEELE SIHTASUTUS
TALLINN 2007

Kujundanud Andres Rõhu
Toimetanud Sirje Ratso
Trükitud AS Pakett trükikojas
Väljaandja Eesti Keele Sihtasutus

Autoriõigus: Andrus Kivirähk 2007

ISBN 978-9985-79-178-3

1.

Mets on tühjaks jäänud. Vaevalt kohtad kedagi, sitikad muidugi välja arvatud. Nendele ei mõjuks nagu miski, nemad ikka sumisevad ja pinisevad, nii nagu enne, nii ka nüüd. Lendavad verd imema või hammustama, ehk siis ronivad niisama mõttetult su jalale, kui sa nende teele ette satud, ja sibavad seal edasi-tagasi, kuni sa nad maha pühid või laiaks lööd. Nende maailm on ikka endine – aga ega see niiviisi jää. Küll lööb ka sitikate tund! Mina seda muidugi ei näe, keegi ei näe. Aga ükskord see tund lööb, mina tean seda päris kindlasti.

Ega ma enam kuigi sageli väljas käi, vast nii korra nädalas tõusen maa peale, lähen allikale, toon vett. Pesen ennast ja oma kaaslast, nühin ta kuuma keha. Vett kulub palju, mitu korda tuleb allikal käia; aga et ma tee peal kohtaks kedagi, kellega sõna juttu saaks vesta, seda juhtub harva. Enamasti pole mitte hingelistki, paar korda olen trehvanud mõnda kitse või metssiga. Kartlikuks on nad muutunud, pelgavad mind juba lõhnast. Kui ma sisistan, siis tarduvad paigale, jõllitavad mind juhmakalt, aga ligi ikka ei tule. Põrnitsevad otsekui ilmaimet – inimene, kes mõistab ussisõnu! See ajab neile veelgi suurema hirmu peale, hea meelega hüppaks nad pea ees võssa, annaks jalgadele valu ja põgeneks sellise imeliku värdja juurest võimalikult kaugele – aga ei tohi. Sõnad keelavad. Sisistan neid veel, juba tugevamini, sunnin neid karmi käsuga enda juurde. Lojused inisevad ahastavalt, lohistavad ennast vastu tahtmist minu poole. Võiksin neile halastada ja loomadel minna lasta – aga mistarvis? Mingi imelik viha on minus nende uute elajate vastu, kes ei tunne vanu kombeid ja kepsutavad mööda metsa, otsekui oleks see aegade alguses just neile vabaks püherdamiseks loodud. Seepärast sisistan ma veel kolmaski kord ja sedapuhku on mu sõnad kanged kui mädasoo, millest välja rabelda pole võimalik. Ogaraks läinud loomad sööstavad minu juurde nagu vibust lastuna, samal ajal kui kogu nende sisikond väljakannatamatust pingest plahvatab. Nad purtsatavad lõhki, nii nagu rebenevad liiga kitsad püksid, ja soolikad voolavad rohule. Jälk on seda vaadata ja ma ei tunne oma teo üle rõõmu – aga iial ei jäta ma siiski oma võimu proovimata. See pole minu süü, et need lojused on unustanud ussisõnad, mida mu esivanemad neile omal ajal õpetasid.

Kord juhtus siiski teisiti. Olin just allikalt tulemas, raske veelähker õlal, kui nägin korraga suurt põtra oma teel. Sisistasin sedamaid lihtsaimad sõnad, tundes juba ette põlastust põdra kimbatuse üle. Aga põder ei kohkunud, kuuldes ootamatult inimlapse suust ammu unustatud käsusõnu. Ta langetas hoopis pea ja tuli kiiresti minu juurde, laskis end põlvili ning paljastas alandlikult kaela, just nagu neil vanadel aegadel, mil me endile sel kombel kõhutäidet muretsesime, et põdrad enda juurde tapale kutsusime. Kui sageli olin ma väikese poisina näinud oma ema sel viisil meie perele talvevarusid hankimas! Ta valis suurest põdrakarjast välja kõige sobivama lehma, kutsus enda juurde ja lõikas siis ussisõnadele alistunud loomal kerge vaevaga kõri läbi. Täiskasvanud põdralehmast jätkus meile terveks talveks. Kui naeruväärne tundus meie lihtsa toiduhankimise mooduse kõrval külainimeste nõme jaht, kus ühte põtra pikki tunde taga aeti, hulk nooli huupi võssa läkitati ja seejärel ikkagi üsna sageli paljaste kätega ning pettunult koju mindi. Oli vaja ju vaid paari sõna, et põder enda voli alla saada! Nagu praegugi. Suur ja tugev põder lesis minu jalge ees ja ootas hoopi. Ma oleksin võinud ta ühe käeliigutusega surmata. Aga ma ei teinud seda.

Selle asemel võtsin ma õlalt lähkri ja pakkusin põdrale juua. Ta lakkus vaguralt. See oli vana pull, päris vana – pidi olema, sest muidu poleks ta mäletanud, kuidas peab käituma üks põder, kui inimene teda kutsub. Ta oleks rabelnud ja rapsinud, püüdnud kas või hammastega puulatvadest kinni hoida, samal ajal kui iidne sõnajõud teda minu poole kisub, oleks tulnud minu juurde nagu narr, kuna ta nüüd tuli nagu kuningas. Sellest pole midagi, et ta tuli tapale. Ka seda peab oskama. On selles siis midagi alandavat, kui alistutakse muistsetele seadustele ja kommetele? Minu meelest mitte. Me ei tapnud iialgi ühtegi põtra lõbu pärast – mis lõbu sellest teost ikka leida võib? Meil oli vaja süüa, toidu hankimiseks oli olemas sõna ja seda sõna tundsid ka põdrad ning kuuletusid sellele. Alandav on kõik unustada, nagu need noored metssead ja kitsed, kes sõnu kuuldes põiena lõhkevad. Või külainimesed, kes käisid kümnekesi püüdmas ühte põtra. Lollus on alandav, mitte tarkus.

Ma jootsin seda põtra ja silitasin ta pead ning tema nühkis oma koonu vastu mu vammust. Vana maailm polnud veel siiski päriselt kadunud. Nii kaua, kuni elan mina, nii kaua, kuni elab see vana põder, mäletatakse ja tuntakse siin laanes veel ussisõnu.

Ma lasin põdral minna. Elagu ta veel kaua. Ja mäletagu.

See, millega ma oma lugu tegelikult alustada tahtsin, on Manivaldi matused. Olin tookord kuueaastane. Mina polnud seda Manivaldi oma silmaga üldse näinudki, sest tema ei elanud metsas, vaid mere kaldal. Ma ei tea tegelikult siiamaani, miks onu Vootele mind matustele kaasa võttis. Teisi lapsi seal ei olnud. Ei olnud minu sõpra Pärtlit, ei olnud Hiiet. Ometi oli ka Hiie sel ajal juba kindlasti sündinud, ta oli minust vaid aasta noorem. Miks Tambet ja Mall teda kaasa ei võtnud? See oli ometi just üks neile meele-pärane sündmus – mitte selles mõttes, et neil Manivaldi vastu midagi olnuks ja et nad tema surma üle rõõmustanuks. Ei, seda kaugeltki mitte. Tambet austas Manivaldi väga; mäletan selgesti, kuidas ta riida juures kõneles: "Selliseid mehi enam ei sünni." Tal oli õigus, ei sündinudki. Tegelikult ei sündinud üldse enam mehi, meie kandis. Mina olin viimane, paar kuud enne mind oli tulnud Pärtel, aasta hiljem tuli Tambetil ja Mallel Hiie. Tema polnud enam mees, tema oli tüdruk. Pärast sünnitasid meie metsas veel ainult nirgid ja jänesed.

Siis Tambet seda muidugi veel ei teadnud ega tahtnudki teada. Tema uskus ikka, et kord jõuab jälle kätte aeg ja nii edasi. Ta ei saanudki teistmoodi uskuda, ta oli juba kord selline mees, kes pidas kangesti lugu kõikidest tavadest ja kommetest, käis iga nädal pühas hiies ja sidus tõsise näoga pärnapuude külge värvilisi riideribasid, uskudes, et toob ohvreid haldjaile. Hiietark Ülgas oli tema parim sõber. Või ei, sõna sõber siia ei passi, Tambet poleks ilmapeal hiietarka oma sõbraks nimetanud. See oleks tundunud talle matslikkuse tipuna. Hiietark oli suur ja püha, teda tuli austada, mitte temaga sõbrustada.

Loomulikult oli ka Ülgas Manivaldi matustel. Kuidas siis muidu! Tema oli ju see, kes pidi tuleriida süütama ning kadunukese hinge vaimudemaale saatma. Seda tegi ta pikalt ja tüütult: laulis, lõi trummi, põletas mingeid seeni ja heinakõrsi. Nii oli ajast aega surnuid põletatud, nii pidi tegema. Sellepärast ma ütlesingi, et Tambetile olid need matused väga mokka mööda. Temale meeldisid kõiksugused riitused. Peaasi, et tehti nii nagu esiisad, siis oli Tambet rahul.

Minul jällegi oli hirmus igav, mäletan seda selgesti. Manivaldi ei tundnud ma ju üldse, seega ei saanud mul olla ka mingit leina; vahtisin niisama ringi. Algul oli põnev näha surnu kortsulist ja pika habemega nägu – ning üsna jube kah, sest ma polnud varem surnud inimest näinudki. Hiietark loitsis ja manas nii kaua, et lõpuks polnud enam ei põnev ega hirmus. Oleksin hea meelega üldse minema jooksnud – mere äärde, polnud ma ju sealgi varem käinud. Mina olin metsalaps. Aga onu Vootele hoidis mind ikka paigal, sosistades kõrva, et kohe pannakse tuleriit põlema. Algul see mõjus, tuld tahtsin ma näha küll, ja eriti veel seda, kuidas põletatakse inimest. Mis tema seest välja tuleb, millised kondid tal on? Ma jäin paigale, kuid hiietark Ülgas ei lõpetanud ikka veel oma kombetalitust ja lõpuks olin ma tüdimusest poolsurnud. Mind ei oleks enam seegi huvitanud, kui onu Vootele oleks lubanud vanamehe laiba enne põletamist veel ka ära nülgida, ma tahtsin lihtsalt koju. Haigutasin valjusti ning Tambet jõllitas mind oma pungis silmadega ja urises:

"Vait, poiss, sa oled matustel! Kuula hiietarka!"

"Mine, jookse ringi!" sosistas mulle onu Vootele. Ma jooksingi mere äärde ja hüppasin riietega lainetesse, pärast mängisin liivaga, kuni nägin välja nagu mudatükk. Siis märkasin, et lõke juba põleb, ja jooksin tuhatnelja tule juurde, aga Manivaldist ei paistnud enam midagi, leegid olid niivõrd suured ja tõusid tähtede poole.

"Kui räpane sa oled," ütles onu Vootele ja katsus mind oma käisega puhastada, ning taas kohtasin ma Tambeti tigedat pilku, sest loomulikult ei sobinud matustel käituda nii, nagu tegin seda mina, ja Tambet pidas alati reeglitest väga täpselt kinni.

Mina ei hoolinud Tambetist, sest ta polnud minu isa ega onu, vaid kõigest üks naaber, kelle tigedus mulle korda ei läinud. Mina sikutasin hoopis onu Vootelet habemest ja nõudsin:

"Kes see Manivald oli? Miks ta mere ääres elas? Miks ta metsas ei elanud nagu meie?"

"Mere ääres oli tema kodu," vastas onu Vootele. "Manivald oli vana ja tark mees. Kõige vanem meie hulgast. Tema oli näinud isegi Põhja Konna."

"Kes on Põhja Konn?" küsisin mina.

"Põhja Konn on suur madu," vastas onu Vootele. "Kõige suurem, palju suurem kui ussikuningas. Ta on suur nagu mets ja oskab lennata. Tal on tohutud tiivad. Kui ta õhku tõuseb, varjab ta päikese ja kuu. Vanasti tõusis ta sageli taevasse ning õgis kõiki meie vaenlasi, kes oma laevadega siia randa jõudsid. Ning kui ta oli nad ära õginud, saime meie endile nende vara. Siis olime me rikkad ja võimsad. Meid kardeti, sest mitte keegi polnud neist randadest eluga pääsenud. Samas ka teati, et me oleme rikkad, ja ahnus võitis hirmu. Ikka uued ja uued laevad purjetasid meie randadesse, et meilt meie aardeid röövida, ning Põhja Konn tappis nad kõik."

"Ma tahan ka Põhja Konna näha," ütlesin mina.

"See pole kahjuks enam võimalik," ohkas onu Vootele. "Põhja Konn magab ja me ei suuda teda äratada. Meid on liiga vähe."

"Küll me ükskord jälle suudame!" sekkus Tambet. "Ära räägi sellist juttu, Vootele! Mis alandlik lora see on? Pane tähele – me mõlemad näeme veel seda päeva, mil Põhja Konn uuesti taevasse sööstab ja kõik närused raudmehed ja külarotid ära sööb!"

"Sa ajad ise lora," ütles onu Vootele. "Kuidas peaks see sündima, kui sa väga hästi tead, et Põhja Konna äratamiseks on vaja vähemalt kümmet tuhandet meest? Ainult siis, kui kümme tuhat meest üheskoos ussisõnu lausuvad, ärkab Põhja Konn oma salajases pesas ning tõuseb taeva alla. Kus need kümme tuhat meest on? Me ei saa kümmetki kokku!"

"Ei tohi alla anda!" sisistas Tambet. "Vaata Manivaldi – tema lootis ikka ja tegi päevast päeva oma tööd! Nii kui ta silmapiiril laeva märkas, süütas ta kuiva kännu, et kuulutada kõigile – Põhja Konnal on aeg ärgata! Aastast aastasse tegi ta seda, ehkki enam ammu ei vastanud keegi tema märgutulele ja võõrad laevad muudkui maabusid ja raudmehed tulid karistamatult maale. Aga ta ei löönud käega, vaid juuris ja kuivatas endiselt kände, süütas neid ja ootas – muudkui ootas! Ootas, et ehk kerkib siiski jälle metsa kohale võimas Põhja Konn, nagu vanadel headel aegadel!"

"Ta ei kerki enam kunagi," ütles onu Vootele süngelt.

"Mina tahan teda näha!" nõudsin mina. "Ma tahan näha Põhja Konna!"

"Sa ei näe," kostis onu Vootele.

"Kas ta on surnud?" pärisin mina.

"Ei, tema ei sure kunagi," ütles onu. "Ta magab. Ainult ma ei tea kus. Keegi ei tea."

Ma vaikisin pettunult. Lugu Põhja Konnast oli nii huvitav, kuid jutu lõpp oli kehv. Mis kasu on imeasjast, mida sa kunagi ei näe? Tambet ja onu vaidlesid edasi, mina aga lonkisin tagasi mere äärde. Ma kõndisin mööda randa; see oli ilus ja liivane ning siin-seal vedelesid suured väljajuuritud kännud. Need olid ilmselt needsamad, mida kadunud ja äsja ära põletatud Manivald kuivatas – et süüdata märgutuled, mis kedagi ei huvitanud. Ühe kännu kõrval konutas keegi mees. See oli Meeme. Ma polnud teda iialgi kõndimas näinud, vaid ikka kusagil põõsa all sirakil, otsekui oleks ta mõni puuleht, mida tuul ühest kohast teise kannab. Alati näsis ta kärbseseent ja alati pakkus ta seda mullegi, aga mina ei võtnud kunagi vastu, sest ema ei lubanud.

Ka sedapuhku oli Meeme kännu juures külili maas ning mina ei olnud jällegi näinud, millal ja kuidas ta tuli. Andsin endale sõna, et kord ma veel selgitan välja, missugune see mees kahel jalal seistes välja näeb või mil kombel ta üldse liigub – kas püsti nagu inimesed või neljakäpakil nagu loomad, või hoopis roomates nagu maod. Ma läksin Meemele lähemale ning nägin oma üllatuseks, et sedapuhku ei söögi ta kärbseseent, vaid rüüpab hoopis nahklähkri seest mingit jooki.

"Ähh!" pühkis ta parajasti suud, kui ma tema juurde kükitasin ja huviga lähkrist hoovavat võõrast lõhna nuuskisin. "See on vein. Hoopis parem kui kärbseseen, olgu need võõramaalased ja nende mõistuseraasuke kiidetud. Seen ajas hirmsasti vett jooma, aga see siin kustutab ühekorraga janu ja teeb purju kah. Suurepärane kraam. Ma arvan, et selle juurde ma jään. Tahad kah?"

"Ei," ütlesin mina. Ema polnud mul küll veinijoomist ära keelanud, aga arvata võis, et kui Meeme juba midagi pakub, siis pole see parem kui kärbseseen. "Kust selliseid lähkreid saab?" Metsas polnud ma midagi säärast iialgi kohanud.

"Munkade ja teiste võõramaalaste käest," vastas Meeme. "Tuleb neil lihtsalt pea lõhki lüüa – ja lähker on sinu." Ta jõi jälle. "Maitsev joogike, pole midagi ütelda," kiitis ta taas. "See lollakas Tambet võib ju kisada ja vinguda palju tahab, aga võõramaalaste rüübe on meie omast etem."

"Mida see Tambet siis kisas ja vingus?" küsisin mina.

"Ah, tema ju ei salli, kui keegi võõramaalastega tegemist teeb või isegi nende asju katsub," lõi Meeme käega. "Ma ütlesin küll, et mitte mina ei katsunud seda munka, vaid minu kirves, aga ta vigiseb ikka. No aga kui ma ei taha enam päevad läbi kärbseseeni süüa? Kui see siin on hoopis parem sodi ja hakkab kiiremini pähe? Inimene peab olema õppimisvõimeline, mitte kange nagu see känd siin. Aga sellised me just paraku olemegi. Mis see kangus meile kasu on toonud? Nagu viimased kärbsed enne talve, lendame aeglase põrinaga läbi metsa, kuni sopsatame samblasse ja kärvame."

Sellest jutust ei saanud ma enam midagi aru ja tõusin püsti, et onu juurde tagasi minna.

"Oota, poiss!" peatas mind Meeme. "Ma tahtsin sulle midagi anda."

Hakkasin otsekohe agaralt pead raputama, sest teadsin – nüüd tuleb kas kärbseseen või vein või mingi kolmas jälkus.

"Oota, ütlesin ma sulle!"

"Ema ei luba!" kinnitasin mina.

"Pea lõuad! Ema ei teagi, mida ma sulle anda tahan. Säh, võta endale! Minul pole sellega midagi teha. Riputa kaela!"

Meeme pistis mulle pihku pisikese nahkkoti, mille sees tundus olevat väike, kuid raske asi.

"Mis siin sees on?" küsisin mina.

"Seal sees? Noh, seal sees on üks sõrmus."

Ma harutasin kotisuu lahti. Tõepoolest, seal oligi sõrmus. Hõbesõrmus, suure punase kiviga. Ma proovisin seda sõrme, kuid sõrmus oli minu peenikeste näppude jaoks liiga suur.

"Kanna seda kotis," õpetas Meeme. "Ja kott riputa kaela, ma ju ütlesin."

Pistsin sõrmuse taas kotti. Oli see alles imelikust nahast tehtud! Õhuke justkui puuleht; kui käest pillad, kannab tuul kohe minema. Aga eks kallil sõrmusel pidigi olema peenike ja uhke pesa.

"Aitäh!" tänasin ma ja olin hirmus õnnelik. "See on jube ilus sõrmus!"

Meeme naeris.

"Võta heaks, poisu," ütles ta. "Mina ei tea, kas see on ilus või kole, aga vajalik on see küll. Hoia seda kenasti koti sees."

Ma jooksin tagasi lõkke juurde. Manivald oli juba ära põlenud, üksnes tema tuhk hõõgus veel. Näitasin sõrmust onu Vootelele ja onu silmitses seda pikalt ning põhjalikult.

"See on kallis asi," ütles ta viimaks. "Võõral maal tehtud ja tõenäoliselt omal ajal koos raudmeeste laevadega meie randa jõudnud. Ma ei imestaks, kui selle sõrmuse esimene peremees langes Põhja Konna saagiks. Ma ei saa aru, miks Meeme selle just sulle andis. Pigem oleks ta võinud selle läkitada su õele Salmele. Mida sina, poiss, metsas sellise kalli ehteasjakesega teed?"

"Mina seda küll Salmele ei anna!" hüüdsin solvunult.

"Ära anna jah," kostis onu Vootele. "Meeme ei tee kunagi midagi ilmaasjata. Kui ta sõrmuse sulle andis, ju oli siis niimoodi tarvis. Mina ei saa praegu tema plaanist küll aru, aga see ei tähenda midagi. Küll kunagi kõik selgeks saab. Lähme nüüd koju."

"Lähme jah," olin mina nõus ja tundsin, kui unine ma olen. Onu Vootele tõstis mu hundi selga ning me läksime läbi öise metsa koju. Selja taha jäid kustunud lõke ning meri, mida mitte keegi enam ei valvanud.

2.

Tegelikult sündisin ma külas, mitte metsas. Minu isa oli see, kes otsustas külla kolida. Kõik ju kolisid, või peaaegu kõik, ja minu vanemad olid ühed viimaste hulgas. Küllap ema pärast, sest temale ei meeldinud külaelu, teda ei huvitanud viljakasvatus ning ta ei söönud iialgi leiba. "See on solk," ütles ta mulle alati. "Tead, Leemet, mina ei usu, et see üldse kellelegi maitseb. Lihtsalt üks eputamine on see leivasöömine. Tahetakse kole peened välja näha ja võõramaalaste moodi elada. Hea küpse põdrakints on hoopis teine asi. Tule aga tule nüüd sööma, kallis laps! Kelle jaoks ma need kintsud siis küpsetasin?"

Isa oli ilmselt teist meelt. Tema tahtis olla uue aja inimene ja uue aja inimene pidi elama külas, lageda taeva ning päikese all, mitte hämaras metsas. Ta pidi kasvatama rukist, töötama terve suve nagu mingi räpane sipelgas, selleks et saaks sügisel tähtsa näoga leiba kugistada ja olla sedasi võõramaalaste sarnane. Uue aja inimesel pidi olema kodus sirp, millega ta sügisel küürakil maas vilja lõikas; tal pidi olema käsikivi, millega ta ähkides ja puhkides terasid jahvatas. Onu Vootele jutustas mulle, kuidas mu isa – veel alles metsas elades – ärritusest ja kadedusest peaaegu lõhki pidi minema, kui ta mõtles sellele, millist huvitavat elu naudivad külainimesed ja missuguseid põnevaid riistu neil on.

"Me peame kiiresti külla kolima!" oli ta karjunud. "Elu libiseb meist muidu mööda! Tänapäeval elavad kõik normaalsed inimesed lageda taeva all, mitte võsas! Ka mina tahan künda ja külvata, nagu seda tehakse kõikjal arenenud maailmas! Mille poolest mina kehvem olen? Ma ei taha elada nagu kerjus! Vaadake ometi raudmehi ja munkasid – kohe näha, et nad on meist oma arengus sada aastat ees! Me peame kõigest jõust pingutama, et neile järele jõuda!"

Ja ta viiki ema külasse elama; nad ehitasid endale väikese tare ja mu isa õppis kündma ja külvama ning sai endale sirbi ja käsikivi. Ta hakkas käima kirikus ja õppima saksa keelt, et mõista raudmeeste kõnet ja nende käest veelgi vahvamaid ja moodsamaid vigureid üle lüüa. Ta sõi leiba ja kiitis suud matsutades selle headust ning kui ta õppis veel selgeks odrakördi keetmise, polnud tema vaimustusel ja uhkusel enam üldse otsa ega äärt.

"See mekkis nagu okse," tunnistas mulle ema, aga isa sõi odrakörti kolm korda päevas, krimpsutas küll väheke nägu, kuid väitis, et see on iseäranis hõrk roog, mida peab lihtsalt oskama süüa. "Mitte nagu meie lihakäntsakad, mida iga loll mõistab õgida, vaid peenema maitsmismeelega inimesele kohane euroopalik toit!" rääkis ta. "Mitte liiga rammus, mitte liiga rasvane, vaid selline õhuline ja kerge. Aga toitev! Kuningate roog!"

Kui sündisin mina, nõudis isa, et mind söödetaks ainult odrakördiga, sest tema laps "peab saama parimat". Ka muretses ta mulle väikese sirbi, et ma kohe, kui jalad kannavad, saaksin koos temaga põllule küürutama minna. "Sirp on muidugi kallis asi ja võiks arvata, et titele pole mõtet seda pihku anda, aga mina pole sellise suhtumisega nõus. Meie laps peab juba maast-madalast harjuma moodsate tööriistadega," kõneles ta uhkelt. "Tulevikus ilma sirbita ei saa, las siis õpib kohe rukkilõikamise suurt kunsti!"

Kõike seda on mulle jutustanud onu Vootele. Mina ju oma isa ei mäleta. Ning emale ei meeldinud temast kõnelda, ta muutus siis alati nii kohmetuks ja tegi teist juttu. Kindlasti pidas ta end lõpuni isa surmas süüdlaseks, ja eks ta oligi seda. Emal oli külas igav; ta ei hoolinud põllutööst ja sel ajal kui isa tähtsalt kündmas käis, luusis ema mööda vanu tuttavaid metsi ja tutvus ühe karuga. Mis edasi sai, on vist täiesti selge, see on nii tavaline lugu. Vaid vähesed naised suudavad vastu panna karule, nood on ju nii suured, pehmed, abitud ja karvased. Peale selle on nad sündinud võrgutajad, kellele inimnaised liiati hirmsasti meeldivad, nii et nad ei jäta kasutamata ühtegi võimalust mõnele naisele ligi trügida ja talle kõrva mõmiseda. Vanasti, kui suurem osa meie rahvast veel metsas elas, tuli alalõpmata ette, et karudest said naiste armsamad, kuni mees lõpuks paarikesele peale sattus ja pruuni eluka minema kihutas.

Karu hakkas meil külas käima, ikka sel ajal kui isa põllul rühmas. Ta oli väga sõbralik loom – minu õde Salme, kes on minust viis aastat vanem, mäletab teda ja on mulle rääkinud, et karu tõi talle alati mett. Nagu kõik karud tollal, mõistis ka see ott pisut kõnelda, sest karud on loomadest nutikaimad, kui muidugi kõrvale jätta ussid, inimeste vennad. Karud ei rääkinud küll palju ja nende jutt polnud eriti arukas – kuid mida tarka peabki kõnelema üks armuke? Igapäevasemad asjad sai igatahes kenasti aetud.

Praeguseks on muidugi kõik muutunud. Paar korda allikalt vett tuues olen ma karusid märganud ja neile paar tervitussõna hüüdnud. Nad vahivad mind rumala näoga ning kargavad raginal põõsasse. Kogu see kultuurikiht, mille nad pikkade sajandite jooksul omandasid, suheldes inimeste ja ussidega, on üürikese ajaga maha koorunud ning karudest on saanud tavalised loomad. Nagu meist endistki. Kes oskab peale minu veel ussisõnu? Maailm on alla käinud ja isegi allikavesi maitseb mõrult.

Aga jäägu see. Siis, minu lapsepõlves, suutsid karud veel inimestega mõtteid vahetada. Me ei olnud küll kunagi sõbrad, selleks pidasime karusid endist ikkagi liialt alamaks. Lõppude lõpuks olime ju meie need, kes mesikäppi lihvisid ja ürgsest rumalusest kõrvupidi välja sikutasid. Nad olid omal kombel inimeste õpilased, sellest ka meie üleolek. Lisaks muidugi karude himurus ja see arusaamatu külgetõmme, mida tundsid nende vastu meie naised. Seetõttu vaatas iga mees karu kerge kahtlusega – ega see paks karvane armukott ometi minu naisega... Liiga tihti leiti oma sängist karu karvu.

Minu isal aga läks veelgi halvemini. Ta ei leidnud sängist mitte ainult karu karvu, ta leidis sealt terve karu. Iseenesest poleks sellest midagi hullu olnud – ta oleks pidanud vaid karule vägevasti peale sisistama ning teolt tabatud mesikäpp lidunuks metsa poole, kõrvad ludus. Aga isa oli hakanud ussisõnu unustama, sest külas polnud neid tarvis, pealegi ei pidanud ta neist eriti, arvates, et sirp ja käsikivi teenivad teda sootuks paremini. Seepärast pobises ta oma voodis karu nähes hoopis midagi saksa keeles, mispeale arusaamatutest sõnadest segadusse sattunud ning teolt tabamise tõttu erutunud karu tal pea otsast hammustas.

Loomulikult kahetses ta seda otsekohe, sest karu pole üldiselt verejanuline loom, erinevalt näiteks hundist, kes tõesti üksnes ussisõnade mõjul inimest teenib, teda oma seljas kannab ning ennast lüpsta lubab. Hunt on tõepoolest kaunikesti ohtlik koduloom, kuid kuna maitsvamat piima pole metsas mitte kellelgi, lepitakse tema pahurusega, seda enam, et ussisõnad muudavad ta vaguraks kui tihase. Aga karu on ikkagi mõistusega olend. Isa tapnud mesikäpp oli meeleheitel ja kuna mõrv oli toime pandud kiimahoos, karistas ta end sealsamas ja hammustas enesel riista küljest.

Siis põletasid ema ja kohitsetud karu isa surnukeha ning karu põgenes sügavale metsa, kinnitades emale, et nad ei kohtu enam eal. Ilmselt oli see emale sobiv lahendus, sest nagu öeldud, tundis ta ennast kohutavalt süüdi ning tema armastus karu vastu sai järsu otsa. Terve oma edasise elu ei sallinud ta karusid, sisistas kohe, kui neid märkas, ja sundis sel kombel oma teelt taanduma. See tema viha tõi meie perekonnale hiljem veel palju segadust ning tülisid kaasa, kuid sellest kõnelen ma hiljem, siis kui on õige aeg.

Pärast isa surma ei näinud ema enam mingit põhjust külasse edasi jääda, riputas minu endale selga, võttis mu õe käekõrvale ja kolis tagasi metsa. Seal elas endiselt tema vend, minu onu Vootele, kes meid oma hoole alla võttis, aitas meil onni ehitada ning kinkis kaks noort hunti, et meil oleks alati värsket piima. Ehkki isa surmast jätkuvalt löödud, hingas ema kergendatult, sest temale polnud metsast äraminek kunagi meeldinud. Tema tundis end hästi just siin ega muretsenud raasugi sellepärast, et ta ei ela raudmehe kombel või et tema majapidamises pole ainsatki sirpi. Ema majas ei söödud enam kunagi leiba, kuid põdra- ja kitseliha leidus seal alati mägede viisi.

*

Mina polnud veel aastanegi, kui me metsa tagasi kolisime. Seetõttu ei teadnud ma külast ega sealsest elust midagi, mina kasvasin üles metsas ja see oli mu ainus kodu. Meil oli tore onn sügaval laanes, kus ma elasin koos ema ja õega, ka onu Vootele koobas asus sealsamas lähedal. Tollal polnud mets veel päris tühjaks jäänud, veidi ringi liikudes kohtas päris kindlasti teisigi inimesi: vanaeitesid, kes lüpsid oma onni ees hunte, või pika habemega taate, kes ajasid juttu jämedate rästikutega.

Nooremat rahvast oli vähem ja nende arv kahanes pidevalt, nii et aina sagedamini võis sattuda mahajäetud eluasemetele. Need onnid kasvasid võssa, peremeheta hundid jooksid ringi ja vanemad inimesed rääkisid, et kord on täiesti käest ära ning see pole enam kellegi õige elu. Eriti kurvastati sellepärast, et enam lapsi ei sündinud, mis oli paraku loomulik – kellel neid sündima pidi, kui kõik nooremad inimesed ära külasse põgenesid? Käisin ka mina küla vaatamas, piilusin metsaservalt, lähemale minna ei julgenud. Kõik oli seal nii teistmoodi ja minu meelest palju uhkem ka. Oli palju päikest ja valgust, lageda taeva all seisvad majad tundusid mulle hoopis kenamad kui meie poolenisti kuuskede alla uppunud onn, ja iga maja juures nägin ma suurel hulgal lapsi ringi lippamas.

See tegi mind eriti kadedaks, sest mul oli vähe mängukaaslasi. Õde Salme minust eriti välja ei teinud – tema oli ju viis aastat vanem, tüdruk pealegi, temal olid omad toimetused. Õnneks oli olemas Pärtel, temaga koos me ringi jooksimegi. Ja siis oli veel Hiie, Tambeti tütar, aga tema oli jällegi liiga pisike, koperdas alles kangetel jalgadel oma maja ümber ja kukkus iga natukese aja tagant potsti istuli. Temast polnud esialgu mänguseltsilist, pealegi ei meeldinud mulle Tambeti pool käia – ehkki ma olin veel väike ja loll, sain ma ometi aru, et Tambet mind ei salli. Ikka turtsus ja puhises ta mind nähes ning kord, kui me Pärtliga marjult tulime ning ma murul ukerdavale Hiiele heast südamest maasikat pakkusin, karjus Tambet maja juurest:

"Hiie, tule sealt ära! Külarahva käest ei võta meie midagi vastu!"

    ANDRUS KIVIRÄHK

Ta ei suutnud minu perekonnale kuidagi andestada, et me olime omal ajal metsast lahkunud, ning mind ja Salmet pidas ta kangekaelselt külalasteks. Pühas hiies põrnitses ta meid alati silmanähtava vastumeelsusega, otsekui pahaks pannes, et meie-sugused külahaisuga rikutud olevused üldse nii tähtsasse paika trügivad. Ega ma hea meelega sinna hiide läinudki, sest see, kuidas hiietark Ülgas hiiepuid jänese verega kastis, ei meeldinud mulle sugugi. Jänesed olid nii armsad loomad, ma ei saanud aru, kuidas võis mõni inimene neid lihtsalt selleks tappa, et nende verega puujuuri niisutada. Kartsin Ülgast, ehkki väljanägemiselt ta kole polnud, pigem sellise heatahtliku vanaisa näoga ning ka laste vastu sõbralik. Vahel käis ta meil külas ja kõneles kõiksugustest haldjatest ning sellest, et eriti lapsed peavad nende vastu suurt austust üles näitama, enne allikal pesemist veehaldjale ohvri tooma ja pärast ämbriga vee ammutamist veel teisegi. Ning kui on soov jões supelda, tuleb lausa mitu ohvrit tuua, kui ei taha, et veehaldjas su ära uputab.

"Mis ohvrid need peavad olema?" küsisin mina ja hiietark Ülgas seletas lahkelt naeratades, et kõige parem on võtta üks konn, lõigata ta elusast peast pikuti lõhki ja visata allikasse või jõkke. Siis on haldjas rahul.

"Miks need haldjad nii kurjad on?" pärisin ehmunult, sest säärane konnapiinamine tundus mulle kole. "Miks nad kogu aeg verd tahavad?"

"Kuidas sa niimoodi rumalasti räägid, haldjad pole kurjad," noomis mind Ülgas. "Haldjad on lihtsalt vete ja puude valit-sejad ning meie peame nende käskusid täitma ja neile meelehead tegema, selline on iidne komme."

Seejärel patsutas ta mind põsele, käskis tingimata varsti jälle hiide tulla – "sest need, kes hiies ei käi, rebitakse hiiekoerte poolt lõhki" – ning lahkus. Mina aga jäin hirmude ja kõhkluste küüsi, sest mitte kuidagi ei suutnud ma elusat konna pooleks lõigata, ning suplesin edaspidi väga harva ja võimalikult kalda lähedal, et jõuaks veest välja rabelda, enne kui verejanuline vetehaldjas saa-mata jäänud konnaraipe pärast mulle kallale kargab. Ka hiies käies tundsin ma ennast aina ebamugavamalt, otsides kõikjalt pilguga neid jubedaid hiiekoeri, kes seal Ülgase sõnul elama ja valvama pidid, kuid kohtasin üksnes Tambeti halvustavat pilku, kes pani kindlasti pahaks, et minusugune "külaelanik" pühas paigas ringi vahib, selle asemel et süvenenult hiietarga manamist kuulata.

"Külaelanikuks" pidamine mind tegelikult ei häirinud, sest nagu ma juba ütlesin, küla meeldis mulle. Katsusin ikka emalt välja pinnida, miks me sealt ära kolisime ja kas me ei võiks tagasi minna – kui mitte päriseks, siis vähemalt natukeseks, vaatama. Ema polnud muidugi nõus ja püüdis mulle seletada, kui tore on metsas ja kui tüütu ning raske on külarahva elu.

"Nad söövad seal leiba ja odrakörti," rääkis ta, ilmselt soovides mind kohutada, kuid kuna mina ei mäletanud kummagi roa maitset, ei tekitanud nende nimetamine minus ka mingit jälestust. Vastupidi, need tundmatud toidud kõlasid ahvatlevalt, hea meelega oleksin tahtnud neid proovida. Nii ma emale ka ütlesin.

"Tahan leiba ja odrakörti!"

"Ah, sa ei tea, kui vastikud need on. Meil on ju nii palju head küpseliha! Tule ja võta, poja! Usu, see on sada korda parem."

Mina ei uskunud. Küpseliha sõin ma iga päev, see oli tavaline toit, ilma igasuguse salapärata.

"Ma tahan leiba ja odrakörti!" jonnisin mina.

"Leemet, jäta ükskord see rumal jutt! Sa ei tea ise ka, mis sa räägid. Pole sul tarvis mingit leiba. Sa ainult arvad, et sa seda tahad, tegelikult sülitaksid kohe välja. Leib on kuiv nagu sammal, käib suus ringi. Vaata, mul on siin hoopis öökullimune!"

Öökullimunad olid minu lemmikud ja neid nähes lõpetasin ma jonnimise ning asusin mune tühjaks imema. Salme tuli tuppa, nägi mind ja karjus, et ema hellitab ainult mind – ka tema tahab öökullimune juua!

"Aga muidugi, Salme," nõustus ema. "Mul on sinu jaoks munad ära pandud. Mõlemad saate võrdselt."

Siis kahmas Salme oma munad sülle, istus minu kõrvale ja me luristasime teineteise võidu. Ning ma ei mõelnud enam leivale ega odrakördile.

3.

Otse loomulikult ei suutnud mõned öökullimunad kuigi kauaks mu uudishimu surmata ning juba järgmisel päeval hulkusin ma taas metsaservas ja kiikasin ahnelt küla poole. Sõber Pärtel oli koos minuga ja tema oligi see, kes lõpuks ütles: "Mis me ikka nii kaugelt passime, hiilime lähemale." Ettepanek tundus ülimalt ohtlik, juba paljalt sellele mõtlemine pani südame taguma. Ega Pärtelgi kuigi vapper välja näinud, ta vahtis mulle otsa sellise ilmega, justkui ootaks, et ma pead raputaks ja keelduks – küllap oli tal oma sõnade pärast hirm. Mina ei raputanud pead, vaid ütlesin hoopis: "Lähme siis."

Mul oli seda lausudes tunne, nagu ootaks mind ees hüpe mingisse musta metsajärve. Astusime paar sammu ja peatusime kõheldes, ma vaatasin Pärtlile otsa ja nägin, et sõber on näost valge nagu pilv.

"Kas lähme edasi?" küsis ta.

"Nojah."

Me läksimegi. Jube oli. Esimene maja oli juba päris lähedal, aga ühtegi inimest õnneks ei paistnud. Me ei olnud Pärtliga kokku leppinud, kui kaugele me läheme. Kas päris majani välja? Ja mis edasi saab: kas vaatame uksest sisse ka? Seda me poleks küll julgenud. Nutt tikkus peale; oleks tahtnud ummisjalu metsa tagasi putkata, aga kuna sõber sammus kõrval, siis ei sobinud säärast argust välja näidata. Pärtel mõtles kindlasti sedasama, sest ma kuulsin, kuidas ta aeg-ajalt nuuksatas. Aga ikkagi, nagu mingis nõidusunes, liikusime me sammhaaval edasi.

Siis tuli majast välja üks tüdruk, umbes meievanune. Jäime jalamaid seisma. Oleks meie ette ilmunud mõni täiskasvanu,

oleksime ilmselt valju kisaga metsa tagasi jooksnud, aga oma-
vanuse tüdruku eest polnud nagu põhjust pageda. Ta ei tundunud
eriti ohtlik, olgugi et tegemist oli külalapsega. Siiski olime väga
ettevaatlikud, põrnitsesime teda ning lähemale ei läinud.
Tüdruk vaatas omakorda meid. Tema ei paistnud küll mingit
hirmu tundvat.

"Kas te tulite metsast?" küsis ta.

Meie noogutasime.

"Tulite külasse elama?"

"Ei," vastas Pärtel ja mina leidsin olevat paraja aja veidi kelkida
ning teatasin, et mina olen juba külas elanud, aga kolisin ära.

"Miks sa siis metsa tagasi läksid?" imestas tüdruk. "Keegi
ei lähe metsa tagasi, kõik tulevad metsast külla. Metsas elavad
lollid."

"Ise oled loll," ütlesin mina.

"Ei ole, sina oled. Kõik räägivad, et metsas elavad ainult lol-
lakad. Vaata, mis sul seljas on! Nahad! Kole! Nagu loomal."

Võrdlesime enda ja külatüdruku riietust ning pidime tunnis-
tama, et plikal on õigus, meie hundi- ja kitsenahksed rõivad olid
tema omadest tõesti märgatavalt inetumad ja rippusid meil seljas
nagu kotid. Tüdruk seevastu kandis pikka ja peenikest särki, mis
ei sarnanenud ühegi looma nahaga, oli õhuke, kerge ja liikus
tuule käes.

"Kelle nahk see selline on?" küsis Pärtel.

"See polegi nahk, see on riie," vastas tüdruk. "Seda koo-
takse."

See sõna ei öelnud meile midagi. Tüdruk puhkes naerma.

"Te ei tea, mis on kudumine?" hüüdis ta. "Kas te kangastelgi
olete näinud? Aga vokki? Tulge tuppa, ma näitan."

See kutse hirmutas ja ahvatles ühekorraga. Vaatasime Pärtliga
teineteisele otsa ja leidsime, et peab siiski riskima. Kummaliste
nimedega asjandusi oleks tahtnud näha küll. Ja mida see tüdruk
meile ikka teha saab, meie oleme ju kahekesi. Muidugi, kui tal
seal toas just liitlasi ei leidu...

"Kes seal toas veel on?" küsisin mina.

"Mitte kedagi ei ole. Üksinda olen kodus, teised teevad kõik heina."

See oli jällegi üks arusaamatu asi, aga me ei tahtnud end liialt tobedatena näidata ja seepärast noogutasime, justkui saaksime aru, mida see "heinategemine" tähendab. Võtsime südame rindu ja läksime tuppa.

See oli hämmastav elamus. Kõik need imelikud kaadervärgid, mida kamber täis oli, võtsid silmad kirjuks. Seisime, nagu oleksime puuga pähe saanud, ei julgenud istuda ega astuda. Tüdruk seevastu tundis end nagu kala vees ja rõõmustas, et sai end meie ees tähtsaks teha.

"Noh, see ongi vokk," ütles ta ja patsutas ühte kõige pentsikumat asjandust, mida ma eales olin näinud. "Sellega kedratakse. Mina oskan ka juba kedrata; tahate ma näitan?"

Mõmisesime midagi. Tüdruk istus voki taha ja korraga hakkas imelik riistapuu keerlema ja vurisema. Pärtel ohkas vaimustusest.

"Võimas!" pomises ta.

"Meeldib?" päris tüdruk edevalt. "Hea küll, ma praegu rohkem ei viitsi kedrata." Ta tõusis. "Mida teile veel näidata? Olge lahked, see on leivalabidas."

Ka leivalabidas jättis meile sügava mulje.

"Aga mis see on?" küsisin mina ja osutasin seinale riputatud ristikujulise viguri poole, mille külge oli kinnitatud inimese kujuke.

"See on Jeesus Kristus, meie jumal," vastas keegi. See ei olnud tüdruk, see oli mehe hääl. Viuksatasime Pärtliga nagu hiired ja tahtsime uksest välja tormata, aga meid püüti kinni.

"Ärge jookske!" kõneles hääl. "Pole vaja niimoodi väriseda. Teie olete metsast, eks ole nii? Rahunege nüüd, poisid, keegi ei tee teile paha."

"See on minu isa," ütles tüdruk. "Mis teil viga on, mis te kardate?"

Me silmitsesime pelglikult tuppa astunud meest. Ta oli pikk ja nägi oma kuldsete juuste ja kuldse habemega väga uhke välja. Ka riides oli ta meie silmis kadestamisväärselt hästi, kandes samasugust heledat särki nagu tüdruk, sama karva pükse ning kaelas samasugust ristikuju, mida olin näinud seinal. "Rääkige, kas metsas elab veel palju rahvast?" küsis ta. "Öelge ometi oma vanematele, et nad oma sõgedusest loobuksid! Kõik mõistlikud inimesed kolivad praegu metsast külasse. Rumal on ju elada veel meie sajandil kusagil pimedas padrikus ja loobuda kõigist hüvedest, mida pakub tänapäeva teadus. Hale on mõelda neile vaesekestele, kes peavad endiselt koopas virelema, samal ajal kui teised rahvad elavad lossides ja paleedes! Miks peab meie rahvas see viimane olema? Meie tahame ka maitsta neidsamu mõnusid, mida teised rahvad! Rääkige seda oma isadele ja emadele. Kui nad iseenda peale ei mõtle, siis laste vastu võiksid nad ometi halastust üles näidata. Mis teist sedasi saab, kui te ei õpi kõnelema saksa keelt ega teenima Jeesust?"

Meie ei osanud selle jutu peale muidugi midagi kosta, kuid imelikud sõnad nagu "lossid" ja "paleed" panid südame värisema. Kindlasti on need veel midagi uhkemat kui vokk ja leivalabidas. Tahaks neid näha küll! Peaks ehk tõesti kodus rääkima, et meid vähemalt mõneks ajaks külasse lubataks, kõiki neid imeasju kaema.

"Mis teie nimed on?" küsis mees.

Pomisesime endi nimed. Mees patsutas meid õlale.

"Pärtel ja Leemet – need on paganlikud nimed. Kui te külla elama tulete, ristitakse teid ümber, siis saate endale nime, mis on pärit piiblist. Minu nimi oli kunagi näiteks Vambola, aga juba palju aastaid kannan ma nime Johannes. Ja minu tütre nimi on Magdaleena. Eks ole ilus? Piiblinimed on kõik ilusad. Terve maailm kannab neid, kõikide suurte rahvaste vägevad pojad ja kaunid tütred. Ja nii ka meie, eestlased. Tark teeb nii nagu teised targad ees, mitte ei jookse omapäi justkui sulust lahti pääsenud põrsas."

Johannes patsutas meid veel kord põsele ja saatis siis õue.

"Minge nüüd koju ja rääkige oma vanematega. Ja tulge varsti tagasi. Kõik eestlased peavad pimedast metsast välja tulema, päikese ja taevatuulte kätte, sest need tuuled kannavad meie juurde kaugete maade tarkust. Mina olen selle küla vanem, mina ootan teid. Ja Magdaleena ootab teid ka, tore oleks ju teil koos mängida ja pühapäeval kirikus jumalat palumas käia. Kohtumiseni, poisid! Jumal kaitsku teid!"

Oli näha, et Pärtlit vaevab miski, ta avas mitu korda suu, aga ei julgenud häält teha. Lõpuks, kui me juba tõesti lahkuma pöördusime, ei pidanud ta enam vastu ja küsis:

"Onu, mis pikk pulk see teil käes on? Ja nii palju ogasid küljes!"

"See on reha!" vastas Johannes naeratades. "Kui sa külasse elama tuled, saad endale ka sellise. "

Pärtli nägu venis rõõmust laiale naerule. Me jooksime metsa.

Veidi aega jooksime koos, siis lidusime kumbki oma kodu poole. Tormasin onni, nagu ajaks keegi mind taga, kindlas teadmises, et nüüd kohe teen ma emale selgeks – elu külas on palju huvitavam kui metsas.

Ema polnud kodus. Salmet samuti mitte. Ainult onu Vootele istus nurgas ja näkitses kuivatatud liha kallal.

"Mis sinuga juhtunud on?" küsis ta. "Sa ju lausa põled näost."

"Ma käisin külas," vastasin mina ja jutustasin talle kiiresti, puterdades ning vahepeal erutusest häält kaotades, mida kõike ma Johannese majas nägin.

Onu Vootele ei teinud kõigist neist imeasjust kuuldes teist nägugi, ehkki ma joonistasin talle reha söetükiga seina peale.

"Ma olen seda reha näinud küll," ütles ta. "Sellega pole meil siin mitte midagi peale hakata."

See jutt tundus mulle uskumatult rumal ja vanamoodne. Kuidas? Kui on juba kord leiutatud nii pööraselt põnev asjandus nagu reha, siis on sellega kindlasti midagi peale hakata! Magdaleena isa Johannes ju ometi tarvitab seda!

"Temal on seda ehk tõesti vaja, sest rehaga saab heina kokku kraapida," seletas onu Vootele. "Heina on neil aga vaja kasvatada selleks, et nende loomad talvel nälga ei sureks. Meil seda muret pole, meie põdrad ja kitsed saavad talvel ise hakkama, otsivad endale ise metsast süüa. Külarahva loomad aga talvel väljas ei käi, nad kardavad külma ja pealegi on nad nii rumalad, et võivad metsas käies ära eksida ja külainimesed ei leia neid enam üles. Nad ei tunne ussisõnu, millega saab kõik elusad olendid enda juurde kutsuda. Seetõttu hoiavad nad oma loomi terve talve ühes majas vangis ja söödavad neid suvel suure vaevaga kokku kogutud heintega. Vaat sellepärast on külaelanikel vaja seda naeruväärset reha, aga meie tuleme väga hästi ka ilma toime."

"No aga vokk!" õiendasin mina. Vokk oli mulle tegelikult veel võimsamagi mulje jätnud, kõik need nöörid ja rattad ja muud surisevad jupstükid olid minu meelest midagi nii hunnitut, et seda polnud võimalik sõnadega kirjeldadagi.

Onu naeratas.

"Lastele jah sellised mänguasjad meeldivad," ütles ta. "Aga meil pole tarvis ka vokki, sest loomanahk on sada korda soojem ja mugavam kui kootud riie. Külainimesed lihtsalt ei saa loomadelt nende nahku kätte, sest nad ei mäleta enam ussisõnu ja kõik ilvesed ning hundid jooksevad nende eest põõsasse või vastupidi, hüppavad kallale ja söövad ära."

"Siis oli seal veel rist ja selle peal inimese kuju ja külavanem Johannes ütles, et see on jumal, kelle nimi on Jeesus Kristus," kuulutasin mina. Onu pidi ükskord ometi aru saama, kui vaimustavaid asju külas leidub!

Onu Vootele kehitas vaid õlgu.

"Üks usub haldjaid ja käib hiies, teine usub Jeesust ja käib kirikus," ütles ta. "See on ainult moeasi. Midagi kasulikku pole ühegi jumalaga peale hakata, need on rohkem nagu sõled või helmed, lihtsalt ilu pärast. Kaela riputamiseks või niisama mängimiseks."

Ma olin onu peale solvunud – et ta sedasi kõik minu imed porri tõukas – ega hakanud sellepärast enam leivalabidast rääkimagi. Kindlasti oleks onu sellegi kohta midagi inetut lausunud, umbes nii et: meie ju ei söö leiba. Ma vaikisin ja põrnitsesin teda pahaselt.

Onu muigas.

"Ära nüüd vihasta," sõnas ta. "Ma saan aru küll, et esimest korda külarahva elamist nähes lööb see kribu-krabu lapsel pea pulki täis. Mitte ainult lapsel, täiskasvanutel ka. Vaata kui paljud on metsast ära külasse kolinud. Sinu enda isa nende hulgas, tema rääkis ka muudkui sellest, kui tore ja uhke on külas elada, endal silmad särasid peas nagu metskassil. Küla ajabki hulluks, sest neil on seal tõesti palju isevärki riistapuid. Aga sa pead aru saama, et kõik need asjad on välja mõeldud ainult ühel põhjusel – nad on ussisõnad ära unustanud."

"Mina ei oska ka ussisõnu," porisesin vastu.

"Ei oska jah," ütles onu, "aga sa hakkad neid kohe õppima. Oled juba küllalt suur poiss. Ega see kerge ole, seepärast paljud ei viitsigi tänapäeval sellega jännata ning mõtlevad pigem igasuguseid sirpe ja rehasid välja. See on palju hõlpsam – kui pea ei tööta, siis töötavad lihased. Aga sina saad hakkama, seda ma usun. Ma ise õpetan sind."

4.

Endistel aegadel olevat olnud täiesti loomulik, et laps juba maast madalast ussisõnad selgeks saab. Eks oli tollalgi osavamaid ussisõnade meistreid ning ka neid, kes selle keele kõiki varjatud peensusi ei mõistnud – aga oma igapäevase eluga tulid toime nemadki. Kõik inimesed oskasid ussisõnu, mida päris ammustel päevadel olid meie esivanematele õpetanud muistsed ussikuningad.

Minu sündimise ajaks oli kõik muutunud. Vanemad inimesed veel mingil määral ussisõnu kasutasid, aga tõelisi tarku oli nende seas väga vähe; noorem sugupõlv aga ei viitsinud raske keelega enam üldse vaeva näha. Ussisõnad pole lihtsad, inimkõrv suudab vaevu tabada kõiki neid juuspeeni erinevusi, mis lahutavad ühte sisinat teisest, andes lausutule sootuks teise mõtte. Samuti on inimese keel esialgu võimatult kohmakas ja paindumatu ning kõik susinad kõlavad algaja suus üsna sarnaselt. Ussisõnade õppimist tuleb alustada just nimelt keelele mõeldud harjutustest – selle lihaseid tuleb treenida päevast päeva, et keel muutuks sama vilkaks ning osavaks kui maol. See on esiotsa kaunikesti tüütu ja seetõttu pole imestada, et paljud metsaelanikud pidasid säärast pingutust paljuks ning eelistasid kolida külla, kus oli palju huvitavam ning ei vajatud ussikeelt.

Tegelikult polnud enam õigeid õpetajaidki. Ussisõnadest võõrdumine oli alanud juba mitu põlvkonda tagasi ja ka meie vanemad suutsid kõigist ussisõnadest kasutada vaid mõningaid levinumaid ja lihtsamaid, näiteks see sõna, mis kutsub sinu juurde põdra või hirve, et sa saaksid tal kõri läbi lõigata, või siis sõna raevunud hundi rahustamiseks, samuti tavaline loba ilmast ja muust säärasest, mida sobis ajada möödaroomavate rästikutega. Vägevaimaid sõnu polnud juba ammu tarvis läinud, sest kõige võimsamate sõnade sisistamiseks – et neist ka mingi tulu sünniks – läks ühekorraga tarvis mitu tuhat meest, keda metsas juba ammu leida polnud. Nii olidki paljud ussisõnad unustuse hõlma vajunud ja viimasel ajal ei vaevutud enam neid kõige lihtsamaidki selgeks õppima, sest nagu öeldud, kergesti nad meelde ei jäänud – ning milleks ikka vaeva näha, kui võib adra taga käia ja muskleid punnitada.

Niisiis olin mina päris erakordses olukorras, sest onu Vootele mõistis kõiki ussisõnu – kahtlemata ainsa inimesena metsas. Ainult tema käest oli mul veel võimalik õppida selle keele kõiki peensusi. Ja onu Vootele oli halastamatu õpetaja. Minu muidu nii lahke onu muutus korraga kivikõvaks, kui asi puudutas ussisõnade õppetunde. "Need lihtsalt tuleb ära õppida!" teatas ta lühidalt ning sundis mind ikka ja jälle kordama kõige keerukamaid sisinaid, nii et mu keel valutas õhtuti, nagu oleks keegi seda päev otsa väänanud. Kui siis tuli veel ema oma põdrakintsudega, raputasin ma ehmunult pead – üksnes kujutlus, et mu vaene keel peab kõigile päevastele vintsutustele lisaks ka mäluma ja neelama, täitis mu suu jubeda valuga. Ema oli meeleheitel ja palus onu Vootelet, et ta mind vähem kurnaks ning õpetaks esialgu üksnes kõige kergemaid sisinaid, kuid onu Vootele polnud nõus.

"Ei, Linda," ütles ta mu emale. "Ma õpetan Leemetile ussisõnad nii selgeks, et ta ise ka enam aru ei saa, kas on inimene või uss. Praegu tunnen üksnes mina seda keelt nii, nagu meie rahvas seda aegade hämarusest saadik on tundnud ja tundma peab, ning kui mina ükskord suren, siis on Leemet see, kes ussisõnadel päriselt ununeda ei lase. Ehk õnnestub temalgi endale järeltulija välja koolitada, näiteks oma pojast, ja nii ei sure see keel ehk lõplikult välja."

"Oh, sa oled kangekaelne ja kuri nagu meie isa!" ohkas ema ja tegi mu vaevatud keelele kummelikompressi.

"Kas vanaisa oli siis kuri?" mõmisesin mina, kompress hammaste vahel.

"Hirmus kuri," vastas ema. "Muidugi mitte meie vastu, meid ta armastas. Vähemalt nii on mul meeles, ehkki tema surmast on juba palju aastaid möödas ja mina olin tookord alles väike plika."

"Miks ta siis ära suri?" pärisin mina edasi. Ma ei olnud varem oma vanaisast kunagi midagi kuulnud ja tulin alles praegu üllatavale järeldusele, et otse loomulikult ei saanud minu isa ja ema siia ilma taevast kukkuda, ka neil pidid olema vanemad. Ainult et miks neist kunagi ei räägitud?

"Raudmehed tapsid ta," ütles ema ja onu Vootele lisas:

"Mitte ei tapnud, vaid uputasid. Raiusid tal jalad otsast ning viskasid merre."

"Aga teine vanaisa?" nõudsin mina. "Mul peab ju kaks vanaisa olema!"

"Raudmehed tapsid ka tema," ütles onu Vootele. "See oli ühes suures lahingus, mis peeti ammu enne sinu sündi. Meie mehed läksid vapralt raudmeestega võitlema, kuid löödi pihuks ja põrmuks. Nende mõõgad olid liiga lühikesed ning odad liiga nõrgad. Aga see ei oleks muidugi mitte midagi lugenud, sest meie rahva relvadeks pole kunagi olnud mõõgad ega odad, vaid hoopis Põhja Konn. Kui meil oleks õnnestunud Põhja Konn äratada, oleks ta raudmehed ühe hetkega alla neelanud. Aga meid oli liiga vähe, paljud olid juba külasse elama asunud ega tulnud appi, kui neid paluti. Ja isegi kui nad oleksid tulnud, poleks neist abi olnud, sest nad ei mäletanud enam ussisõnu, aga Põhja Konn tõuseb üles vaid siis, kui teda kutsuvad tuhanded. Nii ei jäänud meie meestel muud üle kui katsuda võidelda raudmeeste vastu nende endi relvadega, aga see on alati lootusetu ettevõtmine. Võõrad asjad ei too kellelegi õnne ega edu. Mehed löödi surnuks ja nende naised, teiste seas ka sinu mõlemad vanaemad, kasvatasid oma lapsed üles ja surid siis kurvastusest."

"Meie isa muidugi lahingus maha ei löödud," täpsustas ema. "Temale ei julgenud keegi lähedale minna, sest tal olid mürgihambad."

"Kuidas – mürgihambad?"

"Nagu rästikul," seletas onu Vootele. "Meie muistsetel esi-vanematel olid kõigil mürgihambad, kuid nii nagu aja jooksul unustati ussikeel, nii kadusid ka mürgised kihvad. Viimase saja aasta jooksul on neid väga harva ette tulnud ja praegu ei tea ma kedagi, kes neid kannaks, aga meie isal olid mürgihambad olemas ja ta salvas oma vaenlasi armutult. Raudmehed kartsid teda pööraselt ja põgenesid kahte lehte, kui isa nende poole oma kihvu välgutas."

"Kuidas ta siis kätte saadi?"

"Nad tõid kiviheitemasina," ohkas ema, "ja hakkasid tema suunas kive lennutama. Viimaks saidki nad isale pihta ja lõid ta uimaseks. Siis sidusid raudmehed ta rõõmuhõisete saatel kinni, raiusid jalad maha ja heitsid ta merre."

"Raudmehed vihkasid ja kartsid sinu vanaisa pöörasel kombel," ütles onu. "Ta oli tõesti metsiku iseloomuga ja temas voolas meie esivanemate tuline veri. Kui me kõik oleksime säärasteks jäänud, ei oleks raudmehed ilmapealgi suutnud meie maale pesa ehi-tada – neile oleks kõrri karatud ja nad kontideni paljaks näritud! Aga paraku inimesed ja rahvad manduvad. Kaovad hambad, unustatakse keel – ning lõpuks küürutatakse vaguralt põllul ja lõigatakse sirbiga kõrsi."

Onu Vootele sülitas ja põrnitses enda ette põrandale nii jubeda näoga, et ma mõtlesin – kange vanaisa julm veri pole ka tema pojas sootuks kaotsi läinud.

"Isa möirgas veel laineteski nii hirmsa häälega, et raudmehed põgenesid oma lossi ja sulgesid kõik aknaluugid," lõpetas ema selle kurva loo. "Sellest on nüüd juba oma kolmkümmend aastat möödas."

"Kas või ainult sellepärast peadki sa ussisõnad selgeks õppima," ütles onu. "Oma vägeva vanaisa mälestuseks. Kihvu ma sulle suhu istutada ei saa, aga painduva keele küll. Sülita nüüd see plöga suust välja ja hakkame uuesti pihta."

"Las ta ometi natuke puhkab veel!" anus ema.

"Ei ole midagi," ütlesin mina, püüdes vaprat nägu teha. "Ega mu keel enam nii hirmsasti valutagi. Ma võin õppida küll."

Oleks vale väita, et ussisõnade tuupimine hävitas minus kohe kõik unistused vokist, rehast ja leivalabidast. Ikka mõtlesin ma vahel imedele, mida ma külavanem Johannese ja tema tütre Magdaleena majas olin näinud, ning proovisin isegi salamahti ühte leivalabidat valmis meisterdada – voki ehitamise peale ei hakanud ma mõtlemagi, see tundus mulle lausa teisest maailmast pärit riistapuuna, mida tavaline inimene kunagi oma kätega valmis teha ei või. Ei tulnud see leivalabidaski mul suurem asi välja, jäi kuidagi kõveraks ning pinnuliseks. Teha polnud sellega midagi, koju viia ma oma kätetööd ei julgenud, nii jäigi ta võssa vedelema.

Pärtliga kokku puutudes me loomulikult meenutasime oma külaskäiku ja pidasime nõu, kas ehk veel kord põnevat maja vaatama minna. Külavanem Johannes oli meid küll tagasi kutsunud, aga tõrge küla vastu ei olnud meie hingest siiski kadunud ning ema ja onu jutud olid vähemalt minus seda võõristust tublisti kasvatanud. Nii soovitasin ma uue külaskäigu kuhugi kaugemasse tulevikku lükata ja üksinda Pärtel minna ei tahtnud. Küll kutsusin ma teda onu Vootele juurde ussisõnu õppima, aga Pärtel ütles nina krimpsutades, et tema ema juba õpetab teda, et see on vastikult raske ning mingeid lisatunde ta küll võtta ei kavatse. Nii jäin ma onu Vootele ainsaks õpilaseks.

Pärast esimesi piinavaid nädalaid, mille käigus mu keel mitu korda seenesuuruseks paistetas, hakkasid suulihased viimaks pingutustega harjuma ning mõnigi sisin kõlas juba päris õige sisina moodi. Kui ma esialgu olin ussisõnu tuupinud ennekõike kuulekusest ja lugupidamisest onu vastu, keda ma väga armastasin, siis ajapikku hakkas sisistamine mulle isegi meeldima. Põnev oli katsetada uusi sisinaid ning õnnestumise korral näha, kuidas kotkad kõrgel taevas ringi pööravad ning sinu juurde laskuvad, kuidas öökullid keset päeva oma pead puuõõnsustest välja pistavad ning emased hundid paigale tarduvad ja jalad laiali ajavad, et sul oleks mugavam neid lüpsta.

Ainult putukad ei mõistnud ussisõnu, kuna nende aju oli säärase tarkuse jaoks liialt väike, kõigest tolmuterasuurune. Nii polnud ussisõnadest abi sääskede või parmude vastu ja nendega ei saanud ravida mesilase hammustust. Satikad ei taibanud iidsest keelest mõhkugi, neil oli oma vastik pinin. Siiamaani kuulen ma seda, kui lähen allikale vee järele, samas kui ussisõnad on päästmatult välja surnud. Pinin on alles.

Aga siis, noore ja õpihimulisena, ei pööranud ma putukatele mingit tähelepanu ja lõin nad lihtsalt maha, kui nad mulle kallale kippusid. Satikad nagu ei kuulunudki metsa juurde, nad olid justkui lendav praht. Mina olin võlutud just nendest muutustest, mida ma tänu ussisõnadele metsas tähele panin. Kui ma varem olin lihtsalt seal ringi lipanud, siis nüüd võisin ma metsaga ka rääkida. See tundus otsatult lõbus.

Onu Vootele oli minuga rahul; ta kinnitas, et mul on ussi-sõnade peale soont, ja kui meil liha otsa lõppes, lubas minul uue kitse kohale kutsuda. Ma sisistasin, kits jooksis sõnakuulelikult kohale ja onu Vootele tappis ta, samal ajal kui ema heldinult kõike seda pealt vaatas. Ma olin siis üheksa-aastane.

Kõige soodsamalt mõjus minu õpingutele muidugi see, et ma sain tuttavaks Intsuga.

Ma olin sel päeval üksi, onu Vootele oli andnud mulle harju-tamiseks ning päheõppimiseks mõned uued sisinad ja ma lebasin väikese allika juures ning susistasin neid püüdlikult, nii et keel sõlmes. Korraga kuulsin, et ka keegi teine sisiseb – valjusti ja hirmunult.

See oli üks noor rästik, keda ründas siil. Ma sisistasin siilile otsekohe kõige uhkema keelusisina, mis mul enda teada väga hästi välja tuli ning mis oli sundinud alati kõiki loomi kivina paigale tarduma, aga siil ei teinud mu häälitsusest väljagi. Siis sain ma aru, et sedasama sisinat oli ju pruukinud ka too väike rästik ning et minust oli ülimalt rumal püüda ussile ussisõnade kasutamises abiks olla. Ükskõik millise osavuseni inimene ussisõnade lausu-mises ka jõudis, ehtsa mao vastu ei saanud ta kunagi. Rästikud olid meile seda kunsti õpetanud, mitte vastupidi.

Väike uss ootas minult muud abi. Asi oli selles, et siilid on loomadest kõige rumalamad ega ole kõigi nende miljonite aastate

jooksul, mil nende sugu ilmas ringi on jooksnud, suutnud ussi-
sõnu selgeks õppida. Seetõttu olid nii minu kui ka noore rästiku
sisinad määratud lolli tuimadele kõrvadele. Mitte millestki hoo-
limata ründas siil madu ja oleks talle ilmselt ka otsa peale teinud,
kui ma poleks teda tubli jalahoobiga võssa virutanud.

"Ma tänan," lõõtsutas väike madu. "Nende siilidega on alati
üks häda, nad on rumalad nagu käbid ja mättad ning sa võid
ennast kas või surnuks sisistada, ikka pole sellest abi."

Minu ussikeel polnud veel kuigi hea, aga kohmakalt sisinaid
seades õnnestus mul noorelt rästikult siiski pärida, miks ta siili
ei nõelanud.

"Ka sellest pole mingit abi, ma ju ütlesin, et nad on nagu käbid
ja mättad, täiesti tuimad. Meie mürk ei mõju neile, nad teevad
ikka oma tempe edasi. Veel kord suur tänu! Muide, sinu ussisõnad
on juba päris head. Ammu pole kohanud inimest, kes neid nii
hästi mõistaks. Minu isa räägib, et vanasti olevat tal inimestega
paljustki rääkida olnud, aga nüüd ei oska inimesed enam muud
kui ussisõnade abil kitsi tappa."

Mul oli natuke häbi, sest olin ka ise just hiljaaegu ussisõnu
sellel eesmärgil pruukinud, aga ma ei öelnud seda väikesele rästi-
kule. Seletasin talle, nii hästi kui oskasin, et mind õpetab onu
Vootele, ja nimetasin talle ka oma nime.

"Ma olen seda Vootelet näinud," ütles rästik. "Minu isa tunneb
teda hästi. Tema räägib meie keelt tõesti soravalt. Ta on meil ka
külas käinud. Kui sa tahad, Leemet, siis võid ka sina meie juurde
tulla. Lähme kohe, siis ma räägin isale ja emale, kuidas sa mu
päästsid. Minu maokeelne nimi on sinu suu jaoks kole keeruline,
aga sa võid mind näiteks Intsuks kutsuda."

Ma olin kohe nõus rästikuga kaasa minema, sest polnud veel
kunagi näinud, kuidas ussikuningad elavad. See, et minu uus
sõber just ussikuningate sekka kuulus, oli ütlematagi selge. Ussi-
kuningad olid tavalistest rästikutest palju suuremad ja täiskas-
vanud ussikuningatel säras laubal tilluke kuldne kroon. Intsul
seda veel ei olnud, aga tema jämeduse ning arukuse järgi polnud
kahtlustki, et tegemist on ussikuninga pojaga. Ussikuningaid oli

palju vähem kui tavalisi usse, nad olid otsekui üksikud sipelga-emad keset miljoneid tillukesi töösipelgaid. Olin neid vahel näinud, kuid siiani polnud mul olnud juhust nendega rääkida. Ja ega ussikuningad pööranukski tähelepanu mingile väikesele poisile, nad olid selleks liiga tähtsad ja vägevad.

Seepärast olin väga põnevil, kui Ints mu ühe suure augu juurde juhatas ning sealt sisse pugeda käskis. Natuke kõhe oli, mitte küll nii kõhe, kui külavanem Johannese majja astudes – ussid olid ju ikka omad, nende poolt ei olnud mingil juhul midagi halba karta, aga ikkagi. Käik usside majja oli pime ja kaunis pikk. Aga Ints sisises julgustavalt mu kõrval ning see rahustas mind.

Lõpuks jõudsime avarasse koopasse. Küll seal oli palju usse! Enamasti tavalisi väikeseid rästikuid, aga nende seas ka tosin-kond ussikuningat, kõigil uhked kroonid peas nagu kuldsed kibu-vitsaõied. Kõige suurem neist oli ilmselt Intsu isa. Ints kõneles talle oma pääsemisest, tehes seda väga kiiresti, nii et mina ei suutnud sellest väledast sisinast suurt midagi mõista. Suur ussikuningas silmitses mind ja roomas lähemale. Kummardasin ja ütlesin onu Vootele õpetatud tervitussõnad.

"Ma kardan, et sina, mu kallis poiss, oled viimane inimene, kelle suust ma neid sõnu kuulen," ütles ussikuningas. "Inimesed ei hooli enam eriti meie keelest ja otsivad ilusamat elu. Sinu onu Vootele on mu hea sõber. Mul on hea meel, et ta endale järglase on kasvatanud. Oled alati meie koopas teretulnud, eriti pärast seda, kui sa mu poja elu päästsid. Siilid on meie soo suurim nuhtlus. Harimatud, puupäised olendid!"

"Kahju, et inimesed nüüd nende jälgedes käivad," poetas üks teine uss nurgast. "Varsti on nad samasugused."

"Mis seal imestada," lisas Ints. "Neile ju meeldivad raudmehed, aga need on vist siilide sugulased, samasuguse okkalise vammu-sega. Raudmehi inimesed juba toidavad, ma ei imestaks, kui nad varsti hakkaksid ka siilidele kaussi piima valama."

Selle peale naerdi lõbusalt.

"Raudmees pole ikka päris seesama mis siil," ütles nüüd see-sama uss, kes ennist oli kõnelnud. "Siil ei võta oma okkaid kunagi ära, aga raudmees ajab oma kuue maha küll. Siilile ei tee meie mürk midagi, aga ühte raudmeest ma alles mõni päev tagasi suskasin, kui ta oli end paljaks koorinud ning ujumast tulles mulle otsa koperdas. Sellele mehele mürk mõjus – ta hakkas koleda häälega kisendama ja läks paiste."

Ma ei olnud veel kunagi kuulnud, et madu inimest oleks nõelanud, ja see jutt kohutas mind. Intsu isa märkas seda ja susises mulle rahustavalt.

"Inimene, kes elab metsas ja mõistab meie keelt, on meie vend," ütles ta. "Aga inimene, kes on läinud elama külasse ega mõista enam ussisõnu, süüdistagu iseennast. Kui ta meile liiga lähedale satub, siis me kõigepealt tervitame teda viisakalt, aga kui ta meile ei vasta, tähendab see, et ta pole enam meietaoline. Ta on nagu siil või putukas ja me ei haletse teda."

"Milleks sa poisile seda rääkid?" küsis nüüd kolmas uss, keda ma hiljem õppisin tundma kui Intsu ema. "Mis sa tast hirmutad? Temasse see ei puutu; tema päästis meie poja elu ja me oleme talle igavesti tänulikud. Ta võib tulla meie juurde, millal tahab, ja jääda siia, kauaks soovib. Ta on nüüdsest meie poeg."

"Jah, seda ta on," kinnitas Intsu isa. "Meie poeg. Ja kui minu sõber Vootele lubab, siis õpetan ma ka ise sulle hea meelega mõned ussisõnad. Vanasti oli see ikka nii, et inimesed ja ussid käisid tihedasti läbi. Vähemalt meie oma eluajal võiksime seda vana kommet jätkata. Saagu hiljem mis saab."

5.

Intsust sai minu suur sõber. Tegin ta tuttavaks ka Pärtliga, kes polnud küll ussisõnades nii osav kui mina, kuid veidike sisiseda suutis temagi. Sellest piisas, et Intsuga lihtsamad jutud maha ajada, ning keerulisematel puhkudel olin mina tõlgiks. Aja jooksul edenesid aga ka Pärtli oskused, sest kui sa ikka pead päevad läbi ussiga asju ajama, siis kleepub ka kõige tuimema keelega tüübile midagi külge. Ja see, et me pidevalt Intsuga koos aega viitsime, oli kah loomulik, sest kolmekesi on kõik mängud lõbusamad kui kahekesi.

Oli muidugi veel Tambeti tütar Hiie. Ta oli juba suurem – ei kukkunud enam iga sammu järel tagumikule – ja me oleksime ta hea meelega oma kampa vastu võtnud. Aga teda ei lubatud. Hiie isa Tambet oli lihtsalt selline mees. Esiteks ei sallinud ta mind, sest ma olin sündinud külas ja Tambet leidis, et tema tütrel ei sobi säärase poisiga koos mängida. Teiseks polnud tema meelest üldse vaja mängida, vaid tuli teha tööd.

Tambet oli sedasorti inimene, kes kangekaelselt keeldus tunnistamast tõsiasja, mis kõigile silmaga näha oli – nimelt et mets on tühi ja aina tühjemaks jääb. Tema sonis ikka mingist eestlaste kuldpõlvest, mil kõik maailma rahvad meie Põhja Konna ees värisesid ning laaned olid täis metsikuid sisisevaid mehi, kes ratsutasid huntide seljas ning kaanisid nende rammusat piima. Seetõttu pidas ta endiselt oma laudas sadat hunti, lüpsis ja treenis neid – mõistmata, et juba ammu ei ela metsas piisavalt inimesi, kes selle karja seljas ratsutaks, nagu polnud ka kedagi, kes jaksanuks ära juua meeletu koguse hundipiima. Teised inimesed olid oma hundikarja vähendanud ja loomad metsa lahti lasknud – sest milleks peaks üksik vanaeit kasvatama kümmet hunti, kui tal pole ainsatki last või lapselast? Talle piisab ühestki piimaloomast. Aga Tambet ei teinud nii, vastupidi, ta pidas huntide metsa vallapäästmist ennekuulmatuks alatuseks ning iidse eluviisi reetmiseks. "Meie esiisade ajal ei jooksnud ükski susi vabalt metsas ringi," kõneles ta raevunult. "Kõik seisid kenasti laudas, lüpstud ja valmis inimest oma seljas sõtta viima." Teda ei huvitanud see, et enam mitte keegi sõjas ei käinud, ta nagu ei saanud sellest aru ja vahel tundus, et ta pidas tõelist elu üksnes mingiks paksuks uduks, mis lolle küll eksiteele viib, kuid millest tema kerge vaevaga läbi näeb. Ta oli surmkindel, et see udu peagi hajub ning siis hakatakse elama jälle nii nagu ennemuiste. Seepärast ei vähendanud ta oma hundikarja, vaid vastuoksa, suurendas seda, püüdes hulkuvaid hunte, kes tema sõnul polnud loodud mitte selleks, et saba seljas metsas ringi traavida, vaid inimese teenimiseks. Loomulikult kulus taolise hulga huntide hooldamiseks meeletult aega ja vaeva ning see oli üks põhjus, miks Hiiel ei õnnestunud meiega mängima lipata. Ta pidi hunte lüpsma ja neile toitu ette viskama, ehkki oli alles laps. Minu ema pidas seda hirmsaks kuritööks ning tuli tihti koju, siunates Tambetit ja tema naist, kes oma tütart liiga ränga tööga piinavad.

"Tulin täna jälle Tambeti juurest mööda ja nägin, kuidas vaene Hiieke jäneseid tapab," jutustas ta. "Hirmus kahju oli seda vaadata. Suur hulk jäneseid oli aianurka kokku aetud, ussisõnadega tarduma pandud, ja Hiieke muudkui raius neil kirvega päid maha. Ja oleks siis veel, et Tambet annaks talle ilusa väikese kirve, aga ei – kirves oli suurem kui laps! Hiieke on ju nii tilluke, hädavaevu jaksas seda koledat mürakat tõsta. Raius ja raius, endal pisarad suurest pingutusest silmas. Kui kõik oli raiutud, hakkas jäneseid huntidele ette viima. No milleks peab inimesel ometi neid hundivolaskeid laudas nii palju olema, las traavivad metsas ringi ja otsivad ise toitu! Südametu inimene on see Tambet, ja püsti ogar! Piinab omaenda last. Ja see Mall on veel hullem – mis ema ta on, kui laseb oma tütrel sellist orjatööd teha! Mina küll ei lubaks kellelgi oma lapsi niimoodi vintsutada! Kui minu mees sunniks sind sedasi jäneseid raiuma, siis ma lööksin tal endal..."

Selle koha peal jäi ema vait, sest talle tuli meelde oma patune armastus karu vastu ja see, kuidas mu isa oma peast ilma oli jäänud, ning tal hakkas piinlik. Kuid tõsi see oli, et Tambet ja Mall hoolisid oma tütrest õige vähe. Nende jaoks oli esmatähtis elada nii, nagu elasid esivanemad. Justkui püsiks päike liikumatult taevas, loojumata ning taas tõusmata, nagu polekski mets vahepeal inimestest tühjaks jooksnud ja kogu maailm teiseks muutunud. Säärase mulje jätmise nimel võis ohverdada kõik, võis töötada, nii et veri küünte all, ja sundida selleks ka oma tütart.

Hiiel oli veel teinegi mure, peale selle et ta pidi päevad läbi hunte toitma ja suure kirvega jäneseid hakkima. Nimelt ei joonud ta hundipiima ja see oli Tambeti meelest erakordselt halb. Mõelgem esiteks laudas kükitavale hundikarjale, kes lüpsid nagu jõed! Mida pidi selle piimaga peale hakkama? Seda tuli loomulikult juua ja iga pereliige pidi andma oma panuse. Peale selle, puhtalt praktilise põhjuse, oli Tambet sügavalt veendunud, et iga õige eestlane peab jooma hundipiima, sest nõnda tegid juba meie esiisad ja esiemad ning just hundipiim andis neile otsatu jõu ning väe. Seega oli hundipiimast keeldumine kohutav kuritegu, see oli vanade kommete reetmine ning miski ei saanud Tambeti meelest olla jälgim.

Kõige ebameeldivam oli aga see, et säärane vastuhakk leidis aset tema enda peres. See tuli murda! Hiiele valati piima vägisi suhu, kui aga tüdruk oksendama hakkas, tõmbus Tambet viha pärast näost punaseks ja röökis nagu sokk. Ta ei osanud enam Hiiele uusi karistusi välja mõelda, kõike oli proovitud, aga tüdruk üksnes nuttis ja palus, et tal lubataks piimast loobuda. Tambet ei teinud kuulmagi ja tema naine Mall koputas oma pika ja tugeva sõrmega lauale ning nõudis:

"Kuula isa sõna!"

Viimaks läks Tambet hiietarga jutule. Too pidi ometi suutma aidata. Ülgas uuris Hiiet, suitsetas tema ümber mingeid taimi, määris ta põlvi nugise verega ja käskis tüdrukul imeda elusa ööbiku aju. Kui see jälkus Hiie järjekordselt oksele ajas, kinnitas Ülgas Tambetile, et haldjad on tüdruku ära nõidunud.

"Aga pole viga, minul on haldjate üle võimu ja mina teen ta jälle terveks!" lubas Ülgas. Hiie pidi hakkama iga päev pühas hiies käima, ning nugise verd voolas ojadena, taimede haisev suits tõusis taevani ja Ülgas toppis tüdrukule nina alla aina uusi ööbikuajusid.

See kõik ei aidanud – Hiie ei suutnud ikkagi juua hundipiima. Tegelikult ei suutnud ta enam peaaegu üldse süüa, sest ööbiku ajud olid igasuguse söögiisu hävitanud ning Ülgase loitsude hingemattev hais püsis tal sõõrmetes ja muutis igasuguse toidu vastikuks. Ülgas muutus tigedaks, sest ta oli ju ometi lubanud haldjad alistada ning püüdis Hiiet ravida uute, veelgi jubedamate meetoditega. Ta viis tüdruku öösel sügavasse metsa üksiku allika juurde ning jättis Hiie sinna koos piimalähkriga maha, kinnitades tüdrukule, et keskööl tõuseb allikast haldjas ja kägistab ta, kui tüdruk enne piima ära ei joo. Hiie ei joonud, vaid valas piima samblale, aga mingit haldjat loomulikult allikast välja ei tulnud.

Lõpuks Ülgas tüdis Hiiega jändamisest ja ütles Tambetile, et tal läks korda laps haldjate käest vabastada, kuid piima hakkab tüdruk jooma alles kümne aasta pärast, niikaua püsib tema peal haldjarahva needus. Ilmselt lootis Ülgas, et kümne aasta pärast hakkab Hiie mingil põhjusel piima jooma või on selleks ajaks sootuks surnud, või siis on surnud hoopis Tambet ega saa hiietarga lubaduse täitumist kontrollida. Kümme aastat on pikk aeg ning selle jooksul võib juhtuda mis tahes.

Igal juhul päästis hiietark Ülgas tahtmatult Hiie elu, sest kui tüdruku piinamine oleks jätkunud, andnuks laps kindla peale otsad. Nüüd leppis Tambet Ülgase sõnadega ega sundinud needuse all kannatavat Hiiet piima jooma. Aga ta ei suutnud ka armastada last, kes ei käitu nii, nagu muistne kord ette näeb, ta ei kõnelnud Hiiega peaaegu üldse ning silmitses teda alati kerge vastikustundega nagu vigast.

Minu õppetunnid onu Vootele juures jätkusid. Me ei harjutanud enam nii palju ussisõnu, milles ma olin juba päris osav, vaid

ANDRUS KIVIRÄHK

hulkusime niisama mööda metsi, vahel kahekesi, vahel koos Intsuga, kes mul paelana kaelas rippus, ning lobisesime maast ja ilmast. Onu Vootele kõneles kõigest, mis kunagi olnud ja nüüdseks päästmatult kadunud. Ta näitas võssa kasvanud osmikuid, mille asukad olid kas surnud või ära külasse rännanud, ja rääkis, millised võimsad vanamehed ja karmid eided neis hoonetes kunagi oma elu olid elanud. Sadu aastaid tagasi poleks keegi osanud ettegi kujutada, et kord jäävad need onnid tühjaks, nende seinad lagunevad ja katused langevad sisse. Murdsime ennast läbi võsa ja turnisime hüljatud osmikute varemetes, leidsime sealt hulganisti jälgi kunagistest peremeestest. Tihti avastasime terve säilinud majapidamise – söögiriistad, noad ja kirved, kirstud loomanahkadega ja teised kirstud, mis olid täis kulda ja kalliskive. Need olid ammustel aegadel röövitud meie randa purjetanud laevadelt, mille meeskonnad hävitas Põhja Konn. Imelik oli puudutada neid prosse ja keesid, mis olid omal ajal näinud endi kohal lehvimas Põhja Konna hiiglaslikku varju. Tundus, nagu oleks neis veel säilinud tema suust välja pursanud leekide soojust.

Me jätsime kõik leitu sinnapaika, sest meil polnud midagi teha ei nahkade, sööginõude ega aaretega. Meil oli endalgi kõike küllalt – aastasadade jooksul erinevate sugupõlvede poolt kogutud varandust. Nii ronisime me jälle välja pehkinud varemetest ning võsa kattis nad taas nagu kõige tihedam ämblikuvõrk.

Vahel kohtasime oma rännakutel siiski ka elavaid inimesi. Need olid valdavalt raugad, kes istusid oma majakese ees ning tukkusid läbi puuvõrade langevate päikesekiirte paistel. Onu Vootele tegi nendega juttu ja vanakesed vastasid hea meelega. Nad rääkisid meile oma elust ja kõigest sellest, mis oli olnud varem, siis kui onu Vootelegi oli alles poisike. Ka Intsu nägemine tegi neile suurt rõõmu ja nad sisistasid oma hambutute suudega osavalt ussisõnu, pärides Intsult mitmete usside kohta, keda nad olid omal ajal tundnud. Ints vastas neile, nii palju kui teadis, aga enamasti pidi ta tunnistama, et kõik need ussid on ammu surnud, sest rästikud ei ela nii kaua kui inimesed.

"Jah, muidugi," nõustusid vanakesed. "Küllap on nad nüüdseks juba surnud. Terve see maailm, mida me tundsime, on nüüdseks surnud ja eks meie ise sureme ka varsti, siis ongi kõik."

Mina püüdsin neilt ättidelt ja eitedelt pärida eeskätt Põhja Konna kohta. See huvitas mind hirmsasti. Ma tahtsin Põhja Konna kangesti näha, aga teadsin, et nii nagu vanasti, kõva sisinaga, teda välja kutsuda pole võimalik. Aga ometi pidi ta kuskil elama, ta oli ju alles ja magas, nagu kinnitas mulle onu Vootele. Ainult et kus? Onu Vootele ei teadnud seda, ka tema polnud Põhja Konna iialgi näinud. Küll aga mäletasid teda need vanakesed, nemad olid oma lapsepõlves näinud Põhja Konna taevasse tõusmas ja üks muldvana taat, kelle keha sarnanes luukerega, oli koguni Põhja Konna tiibade varjus mere kaldal lahingut löönud.

"Või mis lahing see ikka oli," pomises ta ning naeratas oma jubedat, kondist naeratust, nii et läbi imeõhukese naha olid viimse üksikasjani näha tema kolba lõualuud. "Põhja Konn tappis nad kõik või kõrvetas poolsurnuks, meil jäi üle nad vaid tükkideks raiuda ja sõjasaak kokku koguda. Olid ajad!"

"Kus Põhja Konn elab?" küsisin mina.

"Kus ta elab?" kordas rauk. "Maa all. Aga kus täpselt, seda mina ei tea. Seda teavad üksnes valvurid, need, kellel on võti. Ilma võtmeta pole teda võimalik leida."

"Millised valvurid?" uurisin mina. "Milline võti?"

"Võti viib su Põhja Konna juurde," seletas rauk. "Mina seda muidugi näinud ei ole, see oli ülisalajane asi. Ainult niipalju ma tean, et on olemas mingid valvurid, kellel on pääs Põhja Konna koopasse, aga kes need valvurid on, seda mina ei tea. Küllap olid nad inimesed meie hulgast, aga kes täpselt, seda ei avaldatud kunagi. See oli saladus ja keegi ei toppinud oma nina Põhja Konna asjadesse. Tema oli meie võim ja vägi, me teadsime vaid, et ta puhkab kusagil sügaval ja tõuseb siis, kui me kõik koos teda kutsume. Rohkem polnud meil vajagi teada, sellest piisas. Olid ajad!"

Pärast, kui olime ära läinud ja äti oma koopa ette tukkuma jätnud, küsisin ma onu Vootele käest, kas ka tema teab midagi valvuritest ja võtmest.

"Ma olen sellest kuulnud," ütles onu Vootele. "Aga ma arvan, et see on lihtsalt samasugune lora nagu see, mida ajab hiietark. Noh, kogu see haldjate ja näkkide jutt. Need on niisugused vanad muinasjutud, mis on välja mõeldud üksnes selleks, et leida igale keerulisele asjale lihtne põhjus. Keegi ei taha ju tunnistada, et ta on loll. Põhja Konn ilmus taevasse ei tea kust ja kadus jälle ei tea kuhu – ei saanud ju sellega leppida! Inimene ei talu, et ilmas on asju, mis jäävad väljapoole tema käeulatust. Siis mõeldigi välja lugu mingisugustest valvuritest, kes teavad Põhja Konna peidu-paika, ja võtmest, mis sinna salakohta viib. Säärane asi lohutab inimesi – nemad küll ei tea, kus Põhja Konn magab, aga mingid inimesed siiski on, kes seda teavad, ja müstilise võtme abil on põhimõtteliselt ka temal võimalik see imeline koobas üles leida. Tänu sellisele muinasjutule muutub maailm hoopis lihtsamaks ja selgemaks."

"Keegi ju ei tea, kust seda võtit leida," ütlesin mina.

"Jah, aga ka selle kohta on olemas legend, mida vanamees sulle ei rääkinud," vastas onu Vootele. "Mina olen kuulnud sellist juttu, et suvisel pööripäeval, siis kui päike kõige kauem taevas püsib, puhkeb õitsele sõnajalg ja just see õis ongi võti, mis aitab leida tee Põhja Konna juurde."

"Kas siis sõnajalg õitseb?"

"Ei, muidugi mitte. Sõnajalg ei õitse iial, aga seda on ju nii meeldiv uskuda, et piisab vaid pööriööl metsas hulkumisest ning sõnajalaõie leidmisest, kui vajalik võti ongi käes. Muidugi, ka sõnajalaõie leidmine pole naljaasi ja muinasjutus öeldaksegi, et sellist õit leiab väga harva, aga ikkagi on ka see napp lootus palju meeldivam kui teadmine, et Põhja Konna elupaika pole mingil kombel võimalik leida, seisa selleks siis pea peal või lase kukerpalli. Inimene tahab endale ikka väikesegi võimaluse jätta, ta ei lepi kunagi paratamatusega."

Selles oli onu Vootelel õigus, sest ka mina ei leppinud selle jutuga. Muidugi, ma austasin onu väga ja uskusin kõike, mida ta räägib, aga kuna ma nii koledal kombel tahtsin Põhja Konna üles leida, siis veensin ma ennast, et sedapuhku ta eksib. Äkki ikka on olemas mingi võti! Seda oli palju põnevam uskuda kui onu sõnu. Kuna pööriöö oli kohe tulemas, jutustasin Pärtlile kõigest, mida ma olin kuulnud, ja kutsusin teda endaga sõnajalaõit otsima. Pärtel oli kohe nõus, Ints aga seevastu keeldus.

"See on lollus," ütles ta. "Sõnajalg ei õitse kunagi, seda teavad kõik rästikud."

"Aga pööriööl!" veensin mina rohkem küll ennast kui teda.

"Pööriööl samuti mitte," vastas Ints. "See on naeruväärne. Kuidas sa saad uskuda sellist jama? Samahästi võiksid sa uskuda, et hunt oskab pööriööl lennata või et rästikule kasvavad pööriööl jalad. Loodus jääb ikka samaks, olgu öö missugune tahes."

Ma sain muidugi mõistusega aru, et Intsul on õigus, aga sõge soov leida võti Põhja Konna juurde tegi mu jonnakaks.

"Mina igatahes lähen seda õit otsima," kinnitasin. "Võib-olla pole sinu arust Põhja Konna ka olemas?"

"Põhja Konn on olemas," vastas Ints. "Ta oli olemas juba enne seda, kui metsas roomas esimene rästik, ja elab igavesti. Seda ütles mulle isa. Ma ei tea, kus ta magab. Ükski rästik ei tea ja selle väljauurimiseks pole olemas ainsatki ussisõna."

"On ju olemas valvurid ja võti!" õiendasin mina ja rääkisin, mida olin kuulnud luukerega sarnanevalt raugalt.

"Võib-olla," ütles Ints. "Äkki on mõned inimesed tõesti Põhja Konna üles leidnud, seda mina ei tea. Rästikutel on palju teadmisi, mida inimestel pole, ja vahest on ka inimesed avastanud asju, millest meie midagi ei tea. Aga ma kinnitan sulle, et sõnajalaõis pole päris kindlasti see võti. Niisugust asja nagu sõnajalaõis pole lihtsalt olemas ja seda otsida võib ainult loll."

"Mina lähen siiski!" teatasin raevukalt. Ints soovis mulle naerdes jõudu ja roomas koju. Meie Pärtliga aga jäime pööriööd ootama.

Ma ei hakka pikalt kirjeldama seda hommikuni kestnud retke, mida mul on praegu piinlik meenutada. Ainsaks vabanduseks meie rumalusele saab olla vaid see, et me olime tollal tõesti üksnes poisikesed. Me kõndisime läbi pika maa, pöörasime ümber kõik ettesattunud sõnajalad, oletades, et imelik õis võib olla väga väike, torkab silma üksnes lähedalt vaadates. Aga me ei leidnud midagi. Ei saanudki leida. Ükski sõnajalg ei õitsenud ja hommik leidis meid ühe maha langenud puu najal lesimas, jalad hirmsal kombel väsinud ja kogu kere magamatusest roidunud ning raske. Sealt leidis meid Meeme. Või õigemini, meie leidsime tema. Nagu ikka, polnud me märganud Meeme lähenemist, korraga pikutas ta lihtsalt teisel pool puud ja küsis:

"Poisid, kas te veini tahate?"

Mõnes muus olukorras me ehk isegi oleksime uudishimust seda keelatud külajooki proovinud, sest me olime kahekesi ja üheskoos on ikka julgem tundmatus kohas vette karata ning teha seda, mida kodus teha ei lubata. Aga sel hommikul olime liiga väsinud ja raputasime üksnes jõuetult pead.

"Mida te nii vara hommikul siin teete?" küsis Meeme. "Minu meelest jäävad teie hütid siit kaunis kaugele."

"Me otsisime sõnajalaõit," ütles Pärtel, ehkki ma teda küünarnukiga müksasin, sest olin juba hakanud uskuma, et onu Vootelel ja Intsul oli õigus ning sõnajalg õitseb tõesti ainult muinasjuttudes. Ja seepärast oli mul piinlik tunnistada, et me terve öö nii ogaral põhjusel ringi oleme kolanud.

Nagu ma kartsin, kukkuski Meeme irvitama, kuni kurku voolanud vein ta läkastama ajas.

"Sõnajalaõit!" kraaksus ta ka pärast köhimist naerda nagu vares. "Kas te rohelist rebast ei tahtnud otsida? Ma olen kuulnud, et siin metsas olevat ka sellist looma nähtud."

"Me arvasime, et sõnajalaõis on võti," seletas Pärtel, kes ei hoolinud minu müksudest või siis ei saanud neist aru ja arvas, et ma lihtsalt väsimusest tõmblen. Ja ta jutustas Meemele kõigest.

Meeme ei naernud enam, vaid üksnes mühatas põlglikult.

"Me lihtsalt tahtsime proovida," ütlesin nüüd mina vabandavalt. "Muidugi oli see tobe, ilmselt pole mingit võtit üldse olemas."

"Seda ma pole öelnud," vastas Meeme ootamatult järsult. "Olemas pole sõnajalaõit."

"Aga võti on?" küsisin mina.

"Nii nad räägivad," kostis Meeme, nüüd jälle endise purjus tooniga. "Aga seda pole mõtet otsida. Võti tuleb ise õige inimese kätte, siis kui on paras aeg."

"Kust sa seda tead?" küsisin mina.

"Nii rääkis mulle minu pime vanaema," vastas Meeme, hakkas uuesti naerma ja köhima. "Ta rääkis veel seda, et mööda vikerkaart saab kuu peale kõndida ja et kui süüa peotäis mulda, siis muutub inimene käoks. Igasuguseid asju rääkis minu pime ja napakas vanaema, mine võta kinni, on see tõsi või mitte. Mina igatahes mulda söönud ei ole, sest ma ei taha käoks saada. Käod ei joo veini, vaid peavad võõrastesse pesadesse munema, aga mina tahan just nimelt juua. Poisid, teie terviseks! Ma kinnitan teile, vein on palju parema maitsega kui kärbseseen! Targad inimesed on need võõramaalased! Kolige kõik külasse, seal keeb õige elu! Nad elagu! Ja veel kord elagu!"

Me jätsime ta puutüve najale kisendama ning kõmpisime koju. Meeme nägemine oli minu mõtetele uue suuna andnud.

6.

Meeme oli küll ka igasugust plära ajanud, aga mõned sõnad tema jutus panid mind mõtlema. Võtit pole mõtet otsida, oli Meeme öelnud, võti tuleb ise inimese juurde. Loomulikult! Minu poisikesesüda paisus uhkusest, sest mulle tundus, et ma olen Meeme sõnadest aru saanud ja taibanud nende varjatud mõtet. Salapärast võtit ei olnud võimalik leida kusagilt metsast või sambla seest, see polnud mingi riisikas või pohl, mida iga suvaline marjuline endale suhu võib toppida. See pidi olema hoopis mingi hästi hoitud ja peidetud ese, mida asjasse pühendatud teineteisele edasi andsid. Eks olnud ju rauk kõnelnud valvuritest! Küllap liikus võti ühe valvuri käest teise kätte. Vahest pärandati seda. See tundus kõige tõenäolisem, sest miks pidanuks valvur niisama heast peast kalli aarde enda käest ära andma. Mina poleks mingi hinna eest andnud. Aga surma korral – see oli teine asi. Üks valvur koolis ja tema asemele asus uus.

Ma närisin ärritusest küüsi. Tundsin sügavat rahulolu oma nutikuse üle, aga veelgi enam erutas mind teadmine, et minagi olin mõned aastad tagasi ootamatu kingituse saanud. Sõrmuse! Mul polnud muidugi mingit alust uskuda, et just see Meeme kingitud sõrmus ongi ihaldusväärne võti, mis aitab leida tee Põhja Konna juurde. Samas ei saanud salata, et sõrmuse minuni jõudmises oli palju kummalist. Miks Meeme selle ikkagi just mulle andis? Mehed ja poisid ei kandnud sõrmuseid. Olnuks palju loogilisem, kui sõrmus läinuks mõnele naisele, ehkki nemadki ehetest suuremat ei pidanud, pealegi oli igas peres sääraseid kulinad niigi iga näpu jaoks. Vanad, Põhja Konna aegadel hangitud aarded olid ju suures osas alles ning vedelesid kasutult kirstudes. Aga see sõrmus oli pakitud nahast kotikesse, ta oli teistest omataolistest eraldatud ning ühes sellega esile tõstetud. Minu sõrmusega pidi olema seotud mingi saladus ja mina olin oma lapsikus õhinas surmkindel, et tegemist on võtmega.

Ainus, mis minus veel kõhklusi tekitas, oli see, et sõrmuse andis mulle Meeme. Miks just tema? Kas ta teadis, millise varandusega on tegu? Kui teadis, miks ta seda siis endale ei jätnud? Mis inimene see Meeme õieti oli? Nagu juba öeldud, mina olin teda näinud alati üksnes kusagil vedelemas ja veini kaanimas, varasematel aegadel seent söömas. Ta nägi välja kuidagi tatine, vaigu ja poriga koos, silmad ähmased ja kulmud kõõma täis. Tema välimus polnud usaldusväärne. Oleks selle sõrmuse mulle kinkinud onu Vootele või hiietark Ülgas või isegi Tambet (tema poleks seda muidugi mitte mingi hinna eest minusugusele külas sündinule andnud), ei kahelnuks ma enam põrmugi, et too aare on mingil kombel tähelepanuväärne. Meeme puhul võis olla tegemist vaid vintis inimese tembuga. Leidis kuskilt mingi vana sõrmuse, pakkis nahatüki sisse ja sokutas mulle. Ja naerab nüüd pasknääri kombel, kui ma sõrmuse sõrme panen ning loodan, et see mu Põhja Konna juurde viib.

Seepärast otsisin ma hakatuseks üles onu Vootele ja pärisin tema käest:

"Räägi mulle Meemest."

"Miks tema sind korraga huvitab?" imestas onu Vootele. "Kas ta pakkus sulle veini? Seda ei tohi juua, see teeb peast segaseks."

"Ei pakkunud. Või tegelikult pakkus küll, aga ma ei võtnud. Seeni pole ka võtnud. Räägi, kes ta on! Miks ta alati maas vedeleb ja mitte kunagi ei kõnni?"

"Küll ta ikka kõnnib ka, ega ta ju alati ühes kohas põõna," ütles onu Vootele ja näppis habet. "Vaata, Leemet, Meeme on üks imelik inimene. Omal ajal oli ta suur sõjamees, vapper ja tugev. Ta oleks õigupoolest pidanud juhtima seda lahingut, kus sinu isaisa surma sai. Aga Meeme ei tahtnud sinna lahingusse minna. Tema arvates oli see hirmus rumal mõte – minna raudmeeste vastu nende endi relvadega. Isegi hundid jäeti ju koju ja kõmbiti jala lagedale väljale, kus raudmehed meie omad kerge vaevaga puruks lõid. Meeme nägi seda ette ja ütles, et niisugune sõjakäik on selge lollus. Aga teda ei kuulatud."

"Miks?"

"Sellepärast, et paljude meelest olid raudmehed meist targemad. Nad imetlesid salamahti nende rauast kuubesid ja helkivaid mõõku, ehkki nende vastu sõtta marssisid. Arvati, et huntide seljas ratsutamine ja tihnikus võitlemine on ajast ja arust ning et ükski moodne sõjavägi niiviisi ei võitle. Kui Meeme neile seletas, et meie peaksime ikka oma iidsete relvade juurde jääma, kinnitasid paljud, et selline taktika oleks selge enesetapp. "Me peame õppima arenenud rahvastelt," ütlesid nad, "ja kui raudmehed sõdivad lagedal väljal ja ilma huntideta, siis järelikult on niimoodi õigem ja tulusam. Küllap nemad juba teavad, mis hea on! Nad on ikkagi kaugetelt maadelt siia purjetanud! Me peame neilt õppima, mitte minema lahingusse nagu mingid inimahvid. Ei saa eestlaste nimele sedasi häbi teha! Nähku raudmehed, et ka meie oskame sõdida inimese kombel! Et me pole küünevõrdki teistest rahvastest halvemad!"

Ja nii mindigi sõtta jala, ilma huntideta, ja võeti kaasa raudmeeste käest näpatud relvad. Ning loomulikult saadi lüüa. Peale minu isa ei pääsenud sealt väljalt keegi eluga ja tedagi päästsid üksnes mürgihambad, kõige iidsem relv, mis tänaseks päevaks on täielikult inimeste suust kadunud, aga mitte mõõgad ja odad."

Onu Vootele urgitses hamba vahelt lihakiu, neelas selle alla ning rääkis siis edasi.

"Siis hakkas Meeme üksipäini raudmeeste vastu võitlema ja ta ei kasutanud mõõka ega oda, vaid vanu häid ussisõnu, mis ajasid kõik loomad pööraseks – nood kihutasid raevust meeletutena raudmeestele kallale, kui Meeme selleks ainult käsu andis. Ta pidas oma lahinguid laane serval, varitsedes sinna eksinud raudmehi. Hundid kargasid raudmeestele puude vahelt kallale ja vedasid võõramaalased tihnikusse, kus Meeme nad vana hea kirvega tükkideks raius. See ei olnud kindlasti sedasorti sõda, mida armastasid pidada raudmehed, ja kaugeltki mitte moodne, aga väga tõhus. Raudmehed kartsid peagi metsa nagu tuld, sest nad teadsid, et seal varitseb surm. Nad ei saanud metsa ka vältida, ikka pidid nad sellest mööda või läbi ratsutama – ja sageli ei tulnud nad teisest otsast enam välja. Võib vaid kujutleda, mida me oleksime võinud saavutada, kui kõik mehed Meeme kombel metsas ussisõnade ja huntide abil võõramaalasi oleks maha nottinud, selle asemel et edeval kombel avalikku lahingusse ratsutada. Nüüd tegi Meeme üksinda ära kümne mehe töö, aga ega see teda murdnud.

Asi oli hoopis selles, et ehkki Meeme võitles nagu pöörane ja raius raudmehi justkui pikne, kolis aina rohkem inimesi külasse elama. Meeme puhastas metsa võõramaalastest, aga mingil hetkel polnud sellel enam mõtet. Mets jäi aina tühjemaks ja Meeme, kes oli seadnud eesmärgiks oma rahva päästmise ja raudmeeste tapmise, nägi, et see rahvas tungleb vabatahtlikult nendesamade raudmeeste uste taga, et osta endale väike maalapp, ajada perse päikese poole uppi ja lõigata käpuli maas sirbiga vilja. Milleks pidi Meeme veel võitlema? Ta nägi, et inimesed ei vaja tema abi. Siis tappis Meeme raudmehi veel ainult juhul, kui need talle päris jalgu jäid, muul ajal aga sõi seeni ja magas."

"Nüüd joob ta veini," ütlesin mina.

"Vahet pole. Talle ei lähe enam miski korda, ta on kõigele käega löönud ning tahab veel üksnes puhata."

Ma tänasin onu Vootelet ja kõndisin minema. Onu jutt oli olnud väga huvitav, kuid mis peamine – see kinnitas mu usku sõrmusesse. Meeme, endine vägev sõdalane, võis olla see mees, kes annab mulle võtme. Endale ei hoidnud ta seda sellepärast, et miski teda enam ei huvitanud, isegi mitte Põhja Konn. Seda oli mul siiski raske ette kujutada. Kuidas saab lüüa käega isegi Põhja Konnale? Kuidas saab olla nii väsinud?

See polnud aga minu asi. Mina ruttasin koju ja otsisin üles oma sõrmuse. Võtsin selle kotist välja ning torkasin näpu otsa.

Olin salamisi lootnud, et mingi salajõud hakkab mind sedamaid sõrmepidi Põhja Konna koopa poole vedama, katsu ainult piisavalt kiiresti kaasa joosta, aga midagi sellist ei juhtunud.

Sõrmus istus mul näpu otsas nagu sõrmus ikka ja ma mõistsin, et Põhja Konna otsimine pole nii lihtne.

Ma olin igal juhul valmis katset tegema. Üksinda ma aga otsida ei tahtnud. Pärtlit ma ei leidnud, teda polnud kodus, küll aga sain ma kokku Intsuga ja kutsusin endaga kaasa.

Rästik oli lahkesti nõus. Erinevalt sõnajalaõiest, mille olemasolu ta täie veendumusega eitas, pidas Ints täiesti võimalikuks, et sõrmus võib meid Põhja Konnani viia.

"Sõrmustest ja muudest inimese tehtud asjadest ei tea mina midagi," ütles ta. "Kui sa arvad, et see on võti, eks siis proovime järele. Kuidas see töötab?"

"Seda ma ei tea," ütlesin mina. "Vahest peaksime lihtsalt kogu aeg edasi kõndima ning sõrmus juhib meid iseenesest õigesse kohta."

Me asusime teele. Püüdsime liikuda täiesti juhuslikult, valimata radasid, mida mööda tavaliselt rändasime. Proovisin isegi silmad kinni panna, et siis pimesi kõndida, aga see osutus metsas liiga keeruliseks, sest alalõpmata sattusin kuhugi padrikusse ja kriimustasin oma nägu.

"Tee ikka silmad lahti," soovitas Ints. "Kui sõrmus tõesti midagi suudab, siis pole sellist vigurdamist tarvis ja su nahk jääb ka terveks."

Ussidele on nahk väga tähtis ja nad on selle üle väga uhked. Iga pisematki kriimu elavad nad üle valuliselt ja kui mingi äpardus juhtub, ootavad nad kannatamatult, millal jõuab kätte aeg vana nahk maha ajada ning saab uut, rikkumata kuube kanda. Pärast nahavahetust on nad oma välimuse suhtes eriti hellad ja võivad tõeliselt raevu minna, kui juhtud neile näiteks praeliha rasva peale tilgutama või siis mustikasöömisest lillade sõrmedega riivama. Seevastu oma vana, maha jäetud ning mitmest kohast rebenenud naha vastu tunnevad nad vaid vastikust ja isegi hirmu. Pikkadel talvekuudel, kui ussid oma koobastest väljas ei käi, räägivad rästikuemad oma lastele lugematul hulgal hirmujutte maha jäetud nahkadest, mis mingil salapärasel moel iseseisvalt liikuma hakkavad, oma endist peremeest taga ajavad ning ta endasse mähivad. Väikesed rästikud aga lõdisevad ja kui ema jutu lõpetab, paluvad:

"Räägi veel! Räägi veel midagi nahast!"

See selleks. Hetkel oli Intsul seljas alles päris värske ja niiskelt läikiv nahk, ta roomas osavalt mätaste vahel ning püüdis vältida kõdunenud lehti, mis võinuksid teda määrida. Me kõndisime aina edasi, lobisesime omavahel ja jõudsime ootamatult metsaserva, kus puud lõppesid ning algas lage väli, mille keskel lookles kitsuke tee. Ja selle tee peal kõndis munk.

Kui ma olin päris väike, arvasin, et mungad on raudmeeste naised, sest nad kandsid samasuguseid laiu kleite, nagu naised ikka kannavad. Tõsi, nad polnud eriti nägusad ja ma isegi imestasin, miks on küll raudmeestel nii inetud kaasad. Ka raudmehed ise ei näinud kenad välja, pisikese poisina olin ma pealegi kindel, et nende nägu ongi rauast ja et neil pole nina ega suud. Alles hiljem nägin, kuidas raudmehed kiivri peast võtavad, ja mõistsin, et ka nemad on inimesed. Samuti juhtusin ma kord nägema, kuidas munk kuseb, ja jooksin onu Vootele juurde, ärevusest hingetu, silmad põlemas peas:

"Onu, onu! Mungal on noku!"

"Muidugi, kõigil meestel on," vastas onu Vootele.

"Kas siis munk on mees? Mina mõtlesin, et ta on raudmehe naine."

Onu Vootele naeris ja kinnitas, et nii see pole. Ma ei suutnud algul teda uskuda ja esitasin veelgi vastuväiteid.

"Aga neil on tissid. Ma olen ise näinud, kuidas need kleidi all rappuvad. Ja nad on veel rasedad ka. Ega siis mees saa rase olla!"

"Nad pole rasedad," seletas onu Vootele. "Ja neil pole ka tisse. Nad on lihtsalt väga paksud ja rasv voolab nende ümber nagu kuusevaik."

Ka see munk, kes praegu mööda teed sammus, oli paks. Ta märkas mind ja aeglustas sammu, kuid arvas siis ilmselt, et ma olen üksi ega kujuta talle mingit ohtu. Intsu ta ei näinud, sest rästik oli rohu sees peidus. Küll aga nägi munk otsekohe sõrmust minu sõrmes. Ta jõllitas seda ja ütles midagi omas keeles.

"Ma ei saa aru," vastasin mina ja sisistasin sedasama ussi-sõnadega, kuid neid keeli ei mõistnud jällegi munk. Ta tuli minu juurde, põrnitsedes üksisilmi mu sõrmust, vaatas siis kiiresti ringi ja nähes, et õhk on puhas, haaras mul ühe käega turjast, samal ajal kui tema teine käsi mul sõrmuse näpust tõmbas.

Ma sisistasin talle näkku kangeimad ussisõnad, aga kuna munk neid ei mõistnud, siis ei mõjunud need talle põrmugi. Ta oli nagu siil, kes võis südamerahus rästikut rünnata, kuna tema rumal pea kaitses teda kõigi ussisõnade eest. Munk virutas mulle vopsu vastu kukalt ja tõukas endast eemale, pistes samal ajal sõrmuse endale suhu – ilmselt selleks, et kallist asja teiste omasuguste olevuste eest varjata ja kaitsta.

Ma sisisesin meeleheitlikult ja tahtsin munka hammustada, aga Ints jõudis minust ette. Munk röögatas valust ja kukkus istuli, jalasäärel kaks veritsevat täppi.

Nüüd oli ta palju madalam ning Ints ulatus teda kõrri sal-vama. Rästik hüppas, munk kisendas ja rapsis kätega, aga see ei aidanud. Kaks väikest hambajälge punetasid ta kaelal, otse veresoone kohal.

"Aitäh, Ints. Aga ma tahan oma sõrmust tagasi!" ütlesin mina.

"Ootame, kuni ta sureb, siis võtame suust," soovitas Ints. Me läksime tagasi metsa, sest munga hale kisa ja oigamine mõjusid häirivalt, ning pikutasime mõnusalt puude vilus, kuni kõik vaik-seks jäi. Siis tulime metsast välja. Munk oli surnud, aga kui ma tal lõuad lahti kangutasin, selgus minu suureks pettumuseks, et eluka suu oli tühi.

"Ta on selle alla neelanud," ütles Ints.

"Mis siis nüüd saab?" hüüdsin ma nördinult. "Ta on ju nüüd surnud, mis tähendab, et ta ei saa enam sittuda. Kas me peame ootama, kuni ta ära mädaneb?"

"Lõika ta lõhki," soovitas Ints.

"Mul ei ole nii suurt nuga kaasas," ütlesin mina. "Üksnes väike puss, sellega saeksin ma terve päeva. Ja ma ei viitsi teda koju vedada, ta on kohutavalt paks ja raske. Siia jätta ja koju noa järele minna ka ei saa, sest vahepeal võib keegi mööda minna ja ta ära viia või ära süüa – ning siis olen ma oma sõrmusest ilma. Aga Ints, ütle, kas sa ei võiks talle sisse pugeda? Ta on nii suur, et sa mahud kindlasti tema sees lahedasti roomama. Siis saad sa ehk sõrmuse suus välja tuua."

"Ma ei taha sinna sisse minna," vastas Ints. "Ta on kindlasti seest kohutavalt räpane. Ma määrin end ära, aga mu nahk on alles nii uus ja ilus."

"Ints, palun!" keelitasin mina. "Sa oled ju mu sõber. Pärast lähed ja pesed ennast järves."

"Ei," keeldus Ints. "Mina sinna sodi sisse roomama ei lähe. Aga ma tean, mida teha. Kutsume vaskussi."

Vaskussid polnudki tegelikult mingid maod, vaid lihtsalt jalgadeta sisalikud. Rästikud ei pidanud neist lugu, kuna leidsid, et vaskussid püüavad lihtsalt nendega sarnaneda, samal ajal kui nad pole kaugeltki nii targad ega pälvi seetõttu mao nime. Aga nad kasutasid vaskusse ebameeldivate ülesannete lahendamiseks, nagu praegugi. Ints sisistas ja õige varsti roomas läbi rohu lähemale pikk vaskuss ning jäi rästikule alandlikult otsa vahtima.

"Mine selle munga sisse ja otsi üles sõrmus," kamandas Ints.

Vaskuss noogutas ning vingerdas osavalt munga suhu. Peagi nägime, kuidas laiba kael paisus ja taas kokku tõmbus – vaskuss oli sealt läbi roomanud.

Tükk aega ei juhtunud midagi. Lõpuks kallutas Ints pea viltu ja lausus:

"Ma justkui kuulen vaskussi häält. Kas sina ei kuule?"

Pidin tunnistama, et ei kuule midagi, ja see polnud mingi ime. Rästikutel on palju teravam kuulmine. Ints roomas munga kõhu peale ja kuulatas teraselt.

"Jah, ta ütleb, et on sõrmuse üles leidnud, kuid ta ei jaksa seda välja tuua. See ei mahu talle suhu. Ma arvan, et sa peaksid oma väikese pussiga munga sisse augu puurima, siis upitab vaskuss sõrmuse sealtkaudu välja."

"Kuhu ma täpselt selle augu tegema pean?" küsisin ma pussi välja võttes. Ints näitas mulle koha kätte. Hakkasin uuristama. See oli päris raske, sest lisaks kõhunahale tuli läbi lõigata ka paks rasvakiht, mis munga vatsa kattis. Nuga kadus peaaegu pidemeni voltide vahele, kuni lõpuks Ints hüüdis:

"Vaskuss ütleb, et ta näeb su nuga! Uurista nüüd auk laiemaks."

Nüüd kuulsin ka ise vaskussi sisinat. Keerasin nuga käes ja sain sel kombel valmis paraja augu, kust sõrmus pidi läbi mahtuma.

"Topi nüüd!" käskis Ints vaskussi.

Augu all oli näha liikumist ja mõne aja pärast hakkas munga seest paistma kulla läiget. Sõrmus kerkis päevavalgele. Sain sellele näpud taha ning järgmisel hetkel oli sõrmus minu käes. See oli limane ja verine, aga ma pühkisin ta vastu rohtu puhtaks ning torkasin sõrme.

"Tule nüüd välja!" ütles Ints vaskussile. "Kõik on korras."

Veidi aja pärast ilmuski vaskuss nähtavale, aga ta ei tulnud mitte suust, vaid munga kleidi ääre alt.

"Ei hakanud ümber pöörama," susistas ta.

"Suur tänu sulle," ütlesin mina. "Astu teinekord meie poolt läbi, mu ema pakub sulle põdrakintsu."

"Suure rõõmuga!" lubas vaskuss ja kadus metsa.

"Märkasid, milline ta välja nägi?" küsis Ints sosinal. "Jube! Ma ei kujuta ettegi, et mina oleks kõigest sellest läbi roomanud. Mis mu nahast järele oleks jäänud? Seda roppust ei pese üheski allikas maha."

"Vaskuss on ise ka sita värvi, tema peal ei olegi see nii väga näha," ütlesin mina.

Me pidasime aru, kas jätkata Põhja Konna otsinguid, kuid õhtu oli juba käes ning mõlemal kõht tühi. Otsustasime minna koju sööma ning otsida Põhja Konna mõni teine kord.

"Pealegi ma ei usu enam, et see on õige sõrmus," ütles Ints, kui me juba koduteele olime asunud. "Õige sõrmus poleks mingil juhul munga makku sattunud. Ega siis Põhja Konn kusagil soolikates ela!"

"See oli õnnetu juhus!" väitsin mina, aga Ints vangutas üksnes kahtlevalt pead.

7.

Me käisime veel mitmel korral sõrmusega õnne katsumas, aga kasu polnud sellest midagi. Põhja Konn jäi leidmata. Ikka lõppesid meie retked sellega, et mingil hetkel me enam edasi minna ei viitsinud, vaid hakkasime hoopis mustikaid sööma. Viimaks jõudsin järeldusele, et kingituseks saadud sõrmus pole ikkagi õige võti või kui see ka on, siis nõuab selle kasutamine palju vaeva ja selliseid teadmisi, mida minul pole. Ma kaotasin sõrmuse vastu huvi, toppisin selle tagasi nahast kotikesse ja tegelesin teiste asjadega.

Põhja Konna otsingutel olin ma tihtipeale inimahvide hüti juurde sattunud. Loomulikult tundsin ma neid juba varem, sest paljuke meid, inimesi, metsa alles jäänud oli. Ning Pirre ja Rääk olid ju ka tegelikult inimesed, ehkki karvasemad kui ükski meist. Seda oli selgelt näha, kuna nad ei kandnud seljas loomanahku, vaid jalutasid ringi ihualasti. Nad väitsid, et säärane on iidne komme ja et meie rahva allakäik ei alanud mitte külasse kolimise ja leiva söömisega, vaid sellega, et aeti selga võõraste loomade nahad ning võeti kasutusele laevadelt röövitud rauast riistad. Nende endi majapidamises polnud kübetki metalli, üksnes kivist valmistatud pihukirved. Need olid kohmakad ja peaaegu vormitud, kuid Pirre ja Rääk kinnitasid, et see-eest istuvad nad mugavalt peos ja mõjuvad tervislikult.

"See on meie oma kivi, mitte mõni võõramaa raud," rääkisid nad. "Kui sa sellise kivi pihku võtad, annab see sulle jõudu juurde, masseerib su peopesi ja rahustab närve. Vanasti tehti selliste kivikirvestega kõik tööd ära, tuju oli hea ja keegi ei tülitsenud."

Erinevalt Tambetist, kes ju samuti esivanemate kombeid pühaks pidas ja vankumatult mööda varasemate sugupõlvede poolt sisse tallatud rada katsus marssida, olid Pirre ja Rääk väga leebed. Nemad ei nõudnud kelleltki midagi. Nad ei tahtnud, et teised inimesed tagumiku paljaks võtaks, ega riielnud kunagi, kui nägid kellegi vööl nuga või vammuse küljes sõlge. Kui keegi oleks Tambeti juurde läinud, leivatükk käes, oleks ta sellisele jultunule võib-olla hundid kallale ässitanud, igatahes sõimanud oleks ta säärast külarahva sabarakku kõige vängemalt. Pirre ja Rääk seevastu ei öelnud ealeski kellelegi halvasti. Nad olid sõbralikud, kostitasid kõiki ega solvunud isegi selle peale, kui külaline nende pakutud pooltoorest lihatükki süüa ei soovinud. "Nojah, sa pole harjunud," ütlesid nad lahkelt ning naersid, kollased kihvad säramas. "Sina sööd ju kõrbenud toitu. Pole midagi, eks me siis kõrvetame selle lihatüki sinu jaoks päris mustaks, kui sulle niiviisi rohkem meeldib. Aga ega see tervislik küll ei ole, vanad inimahvid sõid kõik pooltoorest liha, see on seedimisele hea. Noh, sina meid ju nagunii ei usu. Tõuke sa ka ei soovi? Ilmaaegu, see on meie rahva muistne maiusroog! Vaata, võtad tõugu, pigistad endale keele peale tühjaks – mm! Küll on magus!"

Nad kissitasid mõnust silmi ja limpsisid huuledki tõugupudrust puhtaks, kuid ometi ei veennud see ülimat naudingut väljendav esitus mind iialgi tõuku proovima. Pirre ja Rääk ei käinud peale. Nad praadisid minu lihatüki mustjaspruuniks ja soovisid päikeselise naeratuse saatel head isu. Seejärel lasid nad mul rahus süüa, krõhvitsedes ise teineteise karvades ning noppides sealt kuuseokkaid, sipelgaid ja ämblikke.

Ma olin juba väikese poisina aeg-ajalt Pirre ja Räägu juures käinud, esiti koos onu Vootelega, hiljem juba üksi või siis Pärtli seltsis. Aga just Põhja Konna otsingute ajal õppisin ma inimahve lähemalt tundma. Jäin paar korda nende juurde isegi ööbima, kuna päev otsa kestnud matk läbi metsa oli mu lõplikult ära kurnanud ning ma ei jaksanud õhtul enam koju tagasi minna. Ema teadis, et metsas ei saa minuga midagi juhtuda, sest ussisõnad olid mul juba täiesti selged ning tänu neile polnud mul midagi karta. Seepärast ta ei muretsenud, kui ma ööseks koju ei ilmunud. Vahel magasin ma Intsu juures ussipesas, vahel ööbisin onu Vootele pool. Aga inimahvide juures meeldis mulle viimasel ajal sellepärast, et seal olid täid.

Pirre ja Rääk kasvatasid neid. Täid olid nende lemmikud. Inimahvidel polnud lapsi, seega suunasid nad kogu oma õrnuse ja hoole täidele. Satikad elasid just nimelt nende jaoks ehitatud puurides, neid oli palju ning nad olid väga erinevad. Seal oli päris tavalisi halle täisid, aga ka konnasuuruseid, erilise toidu ning aretuskunsti tulemusel sündinud loomakesi, keda Pirre ja Rääk vahel sülle võtsid ja oma karvaste kätega paitasid. Mis kõige huvitavam – kõik need täid kuulasid oma peremeeste sõna. Nagu juba öeldud, putukad tavaliselt ussisõnadest aru ei saa. Sa võid sipelgaga kõnelda palju tahad, tema sinust ikkagi välja ei tee. Rohutirts ragistab ikka laulda, hoolimata sellest, et sa oled talle korduvalt karjunud ussisõnu, mis iga teise looma sedamaid tummaks sunniks, nii et sa võid rahus magama jääda ega pea kuulama häirivat kisa. Tirtsu puhul see ei toimi. Ka ämblikule või lepatriinule pole võimalik midagi selgeks teha, nad on sündinud idioodid. Ning ka täid on tegelikult ülimalt nürimeelsed olendid, kes tavaliselt kunagi sinu tahtmist ei täida. Seda imetlusväärsem oli, et Pirre ja Rääk olid nad välja treeninud nagu mõne targa võitlushundi.

Täid tegid täpselt seda, mida nende peremees ja perenaine käskisid. Nad tulid lähemale, heitsid pikali, võtsid ritta, ronisid teineteisele selga ja rullisid ennast maas nagu rebasekutsikad. Kui nende poole sirutati käsi, andsid nad viisakalt käppa.

Kõiki neid vigureid tegid nad ainult Pirre ja Räägu käsu peale. Kui mina neid millekski sundida üritasin, ei liigutanud nad ainsatki koiba. Ma olin väga pettunud, sest oma teada oskasin ma ussisõnu väga hästi, mitte halvemini kui inimahvid. Kui ma Pirre ja Räägu käest küsisin, miks täid minu ussisõnadest aru ei saa, naersid inimahvid lõbusalt.

"Tavalistest ussisõnadest ei piisa," ütlesid nad. "Kuula hoolikalt, kuidas me nendega kõneleme – me hääldame ussisõnu vanal, inimahvide viisil. Päris ammu, kui meie esivanemad alles koobastes elasid ja tuld ei tundnud, suutsid nad valitseda ka putukaid.

Kuidas muidu oleksid nad elanud üle parmude ja sääskede rünnakud, kes pääsesid vabalt nende juurde ning keda ei olnud peletamas lõkkesuits? Paraku on see iidne hääldus tänaseks unustatud. Ka meie ei oska enam niimoodi rääkida, nagu kõneldi kümneid tuhandeid aastaid tagasi. Kõikidest putukatest saame me suhelda üksnes täidega, kes on kaua aega loomade kasukates elanud ja seal üht-teist õppinud. Aga juba kas või kihulase minema peletamine käib meilegi üle jõu. Kurb, et vanad teadmised kaovad."

Ka minul oli sellest kahju, sest ma oleksin hea meelega tahtnud ka ise sääski ja parme endast ussisõnade abil eemal hoida. Nad olid ikka väga vastikud loomad ja hammustasid valusasti. Nüüd püüdsin ma vähemalt täidega kõnelemist ära õppida, aga seegi osutus liiga raskeks pähkliks. Ükskõik kui palju ma ka ei harjutanud, mitte mingil moel ei suutnud ma hääldada ussisõnu Pirre ja Räägu kombel. Erinevus oli juuspeen ja tahes-tahtmata libises mu keel vanasse vakku.

Pirre ja Rääk ütlesid, et ma parem ei piinaks end, kuna inimahvide hääldust pole võimalik õppida.

"See peab olema kaasasündinud, nii nagu sinu esiisadel olid kaasasündinud maohambad," rääkisid nad. "Sa võid ju oma hambaid ihuda nii palju kui soovid ja loputada suud ükskõik millise leotisega, aga mürgiseks ei muutu su kihvad ikkagi. Nii on ka meie keelega. Sina pole inimahv. Meie perekonnad on küll suguluses, kuid nende teed läksid juba ammu lahku. Sul pole ju ka saba."

Saba mul tõesti polnud, erinevalt Pirrest ja Räägust, kellel kasvas tagumiku küljes väike pehme muhk. Ma siis ei püüdnud rohkem täidega kõnelda ja tahtsin teada vaid seda, kas nad suudavad käsutada üksnes omaenda välja koolitatud putukaid või saavad hakkama ka võõra täiga.

"Me usume, et saame," vastasid Pirre ja Rääk. Nad muide kõnelesid alati koos, üks lausus ühe sõna, teine teise, nii et polnud võimalik aru saada, kumma inimahviga sa parajasti vestled. Üldse polnud neid võimalik eraldi ette kujutada, nad olid alati kahekesi, liikusid külg külje kõrval ja istusid teineteise vastu liibudes. Ma ei tea, kas see tuli nende suurest armastusest või oli teineteise külge klammerdumine lihtsalt inimahvide komme. Peale Pirre ja Räägu ei tundnud ma ju teisi inimahve. Neid tõenäoliselt polnudki. Nad olid oma liigi viimased.

Igal juhul otsisin ma metsas üles ühe karu ja palusin, et ta annaks mulle mõne täi, kes ta karvade sees ring sibas. Karu oli lahkelt nõus. Ta luuras parajasti ühe mu õe sõbranna maja juures ja mul oli kuri kahtlus, et neil oli kokkusaamine kokku lepitud, sest karud lihtsalt ei suutnud end tüdrukutest eemal hoida. Küllap oli ka sellel karul mu õe sõbrannaga mingi armulugu pooleli, aga see polnud minu asi. Peaasi, et ta mu õde ei tülitaks. Võtsin karult täid ja jätsin ta põõsa alla istuma.

Selline naisejahil olev karu võib kannatlikult ühel kohal istuda mitu päeva, söömata, joomata, pea viltu, käpad vaguralt kõhu peal ning rumal, armunud nägu peas. Tüdrukutele avaldab see tohutut muljet. "Oi, kui armas mõmmi!" ohkavad nad heldinult ning karu, kes on suutnud endast soovitud mulje luua, ajab end jalule ja looberdab kohmakalt oma unistuste armsama poole, nurmelt murtud kullerkupp hambus. Ja kui tal veel on jätkunud osavust võililledest pärg punuda ja see endale poolviltu pähe seada, siis sellisele idüllilisele vaatepildile ei suuda ükski naine vastu panna.

Viisin karu käest saadud täid Pirre ja Räägu kätte ning pärast seda, kui inimahvid olid neid hellalt silitanud ja lubanud natuke aega oma karvastel sõrmedel ringi sibada, andsid nad täidele käsu selili heita – ja loomad tegidki seda ja siputasid jalgadega.

"Näed, kuulavad sõna!" ütlesid Pirre ja Rääk rõõmsalt. "Tublid loomad! Me laseme nad teiste juurde, meil on siin ruumi küll." Täidest ei saanud neile iial küllalt, nad korjasid üles kõik, kes ette sattusid.

Parajasti oli Pirrel ja Räägul käsil veel üks põnev töö. Konnasuuruseid täisid olid nad juba aretanud, kuid neile oli sellest vähe ja nad tahtsid saada kitsesuurust täid. Kogukamad täid eraldati väiksematest, lasti neil paljuneda ning valiti taas välja kõige pirakamad loomad. Kõik see ei võtnud kuigi kaua aega, sest täid sigisid kiiresti ning andsid palju järglasi. Mõne kuu pärast oligi kitsesuurune täi sündinud. Peab küll ütlema, et minu arust oli see võimatult kole olevus. Väikese täi puhul polnud tema inetus nähtav, ta oli lihtsalt üks kübe, aga suur täi oli kõige ebameeldivam loom, keda üldse võis ette kujutada. Pirre ja Rääk nii ei arvanud. Nemad olid monstrumi üle väga rõõmsad.

"Vanadel aegadel olid kõik loomad palju suuremad kui praegu," rääkisid nad. "Maailmas elas uskumatult kerekaid olevusi, kes tänaseks on välja surnud või kuhugi peitu pugenud, et pimeduses igavesti magada. Suurel loomal on ju ka suur uni! Nad ei ärka ilmselt enam kunagi ja mitte keegi ei näe enam neid uhkeid hiiglaseid. Seepärast ongi nii tore vaadata seda täid, kes sobiks imehästi mõne tohutu suure ja iidse olevuse kasukasse sagima. Leemet, vaata teda hoolega! Sa näed enda ees killukest sadade tuhandete aastate vanusest maailmast!"

Ma vaatasin seda killukest ja mulle ei meeldinud see üldse. Olin väga rahul, et elan just praegu, mitte saja tuhande aasta eest. Aga ma ei hakanud seda Pirrele ja Räägule ütlema, vaid kiitsin moe pärast nende täid ja nõustusin isegi elukaga jalutama minema, sest inimahvide arvates vajas täi liikumist. Pirre ja Rääk ise käisid oma koopa juurest eemal üliharva, kuna just nende eluaseme juures oli säilinud jupike ürgset padrikut, mis koosnes kummalistest, mujalt ammu kadunud taimedest, mida Pirre ja Rääk sõid ning mille pealt nad oma tõuke korjasid. Väljaspool seda väikest vanaaegset tihnikut ei tundnud nad ennast koduselt.

Ma kutsusin kaasa Intsu ja Pärtli, sidusin täile nahast rihma kaela ja viisin ta metsa kõndima. Putukas oli küll kitsesuurune, kuid äärmiselt loll. Ilmselt ei suutnud ta mõista, et pole enam seemne kasvu ja üritas läbi pugeda kõige kitsamatest piludest, ilmutades seejuures meeletut agarust. Meie keelamisest ta ei hoolinud, vaid katsus ennast kangekaelselt litsuda mingitesse augukestesse, mis olid temast kümme korda väiksemad. Tulemuseks oli see, et täi jäi sageli kinni ning rapsis siis abitult oma jalgadega, kuni me ta suure vaevaga jälle välja koukisime. See tüütas hirmsasti ära ja me otsustasime jalutada kusagil lagedamas paigas, kus täil poleks võimalik kuhugi ronida.

Läksime järve äärde, aga täi oli veel tobedam, kui me arvata oskasime. Ta ei taibanud üldse, et veepind pole seesama mis muru, tormas reipalt otse järve ning kukkus loomulikult sisse.

"Kas see värdjas ujuda oskab?" karjus Pärtel ja ma ei osanud talle tõepoolest vastata, sest mina polnud täide alal asjatundja. Aga juba mõne hetke pärast selgus, et täi siiski mõistab ujuda, sest ta tõusis pinnale ja rabeles vees, kuid jällegi niivõrd rumalalt, et tüüris meist hoopis eemale, selle asemel et kalda poole hoida.

"Üle järve ta küll ei jaksa ujuda," arvas Ints. "Enne väsib ära ning vajub põhja. Ja minu poolest võib ta sinna jäädagi, sellist looma pole kellelegi tarvis."

"Ma kardan, et ma pean siiski vette minema ja katsuma ta ära päästa," ütlesin mina. "Pirre ja Rääk oleksid kurvad, kui me teda tagasi ei viiks. Ta ju usaldati minu kätte ja ma vastutan tema eest."

Kiskusin ennast alasti ja olin valmis vette hüppama, kui keegi mind karmilt peatas.

See oli hiietark Ülgas.

"Mis sul arus on, poiss!" küsis ta vihaselt. "Kas sa ei tea, et see järv on püha? Siin elab järvehaldjas, kellele ma noorkuu ajal alati kaks oravat ohverdan, et ta järve paigal hoiaks ega laseks selle voogudel meie elamuid uputada. Siin ei tohi ujuda, see ärritaks haldjat hirmsasti! Kõigepealt tiriks ta vee alla sinu, seejärel aga ujutaks üle kogu metsa. Pane kohe riidesse ja lahku siit koos oma sõbraga. Järvehaldjas armastab vaikust, teda ei tohi häirida."

"Kahju küll, aga ma tahan seda elukat kätte saada!" ütlesin mina. Ülgas põrnitses järves mulistavat täid ning muutus näost kaameks.

"See on ju järvehaldjas ise!" pomises ta ning langes põlvili, nagu oleks tal samal hetkel sääreluud pooleks murtud. "Püha järvehaldjas näitab ennast meile. Mida see tähendab?"

Ta vahtis vees hulpivat täid, silmad hämmastusest suured.

"Poisid, te olete teda millegagi pahandanud!" müristas ta korraga ning tõstis käed taeva poole. "Ta tuli teile järele ja mina ei saa teid päästa! Haldjal on õigus ohvrile."

"See on täi, mitte haldjas," ütles Ints põlglikult. Rästikud ei uskunud haldjatesse, nagu nad ei uskunud ka sõnajalaõide. Oma arust tundsid nad metsa läbi ja lõhki ning teadsid, kes seal elab ning kes mitte. Nad ei takistanud inimestel hiies käimist ja ohvrite toomist, ehkki see oli nende arvates täiesti mõttetu. Rästikud ei sekkunud kunagi võõrastesse asjadesse, nii kaua kuni see otseselt neid ei puudutanud. Nende arvates oli igaühel õigus elada just nii narrilt, nagu ta soovis.

Seepärast on selge, et ussi nägemine hiietarka eriti ei rõõmustanud. Ta silmitses Intsu vastumeelselt ja vaatas siis uuesti vees ujuvat täid.

"Mis sa räägid, mis täi?" ütles ta. "Täi on väike. See on järvehaldjas, mina ju peaksin selliseid asju teadma. Ärge ajage teda veel rohkem vihale!"

"See on tõesti täi," kinnitasin ka mina ja rääkisin Ülgasele Pirre ja Räägu katsetest. Inimahvide mainimine ei teinud hiietarka põrmugi õnnelikumaks, sest täpselt nii nagu rästikud, ei uskunud ka inimahvid haldjatesse ega käinud iialgi hiies. "Iidsetel aegadel polnud mingeid hiisi ja need haldjad on ka alles hiljem välja mõeldud," kõnelesid nad. "Nendel ammustel päevadel, kui terve laas veel inimahve täis oli, kummardati hoopis teisi olendeid, aga paraku ei mäleta meie enam, kes need olid ja kuidas neid teeniti."

Igatahes ei tahtnud Ülgas ikkagi uskuda, et vees ujub tavaline, ehkki ülisuur täi, mitte püha järvehaldjas. Paraku õnnestus sitikal samal ajal siiski ennast kaldale lähemale rabelda, nii et ta jalad põhja sai ja kuivale ronis. Täi oli märg ning sorgus, värises veidi ja katsus sedamaid, pea ees, ühe männijuurika alla ronida.

"Näed nüüd, et see pole haldjas," ütlesin mina. "Ilmselt lihtsalt haldja moodi. Ma ei teadnudki, et haldjad sarnanevad suurtele täidele."

Hiietark Ülgas põrnitses täid vihaselt.

"Poiss!" ütles ta siis, keeranud elukale otsustavalt selja ning pannes oma raske käe mulle õlale. "Ma tahan sulle öelda, et selle koleda looma vetteviskamisega oled sa järvehaldjat teotanud. Tema elupaik on ära solgitud ja ma pean talle palju ohvreid tooma, et haldja raev lahtuks. Ning sina pead mind aitama, kuna sina oled haldja solvamises kõige rohkem süüdi. Tule täna keskööl siia tagasi ja võta kaasa kõik hundid oma laudast – sedapuhku orava verest ei piisa! Ma pean kõik oma oskused mängu panema, et haldjas meile kätte ei maksaks."

"Ema ei luba mul hunte maha lüüa," ütlesin mina. "Nad annavad ju meile piima."

"Sinu ema peab sellega leppima, sest tema poeg on kurja teinud!" vastas Ülgas rangelt. Lahkest vanataadist polnud enam jälgegi järel, põlevate silmadega ja vihast värisevate vurrudega hiietark sarnanes pigem end tagumistele käppadele ajanud rotiga. "Ema vastutab oma poja eest. Ja ka tema on süüdi, sest kui ta igal nädalal korralikult hiies käiks ja sinugi kaasa võtaks, siis ta teaks, et haldjate vastu tuleb olla väga aupaklik, ning ka sina teaksid seda. Vanasti käidi hiies iga päev, et avaldada austust vägevatele loodusjõududele ning pälvida nende heatahtlikkust ja sõprust. Siis poleks ühelegi jõnglasele tulnud pähe, et pühasse järve võiks visata räpase täi. Leemet, sinuga juhtub hirmsaid asju, kui sa haldjaid ei austa! Isegi mina ei suuda loodusvaime maha rahustada, kui sa nad oma häbematu käitumisega üles ärritad. Oleks tõesti parem, kui sa mind kuulda võtaks, selle asemel et sõbrustada liiga palju inimahvide ja madudega, kes on küll muidugi meie vennad, aga siiski hoopis teisest tõust."

Ülgase jutt ajas mulle hirmu peale ning tegi väga murelikuks. Kas ma tõesti pidin kõik meie hundid järve äärde tooma, et hiietark saaks neil kõrid läbi lõigata ja huntide verega järvehaldja sõprust osta? Mida ütleb ema? Meil oli ju hunte tarvis. Muidugi, võis hankida ka uued loomad – hüljatud hunte, kelle pererahvas oli ära külasse kolinud, sörkis laanes palju ringi, kuid selline kaua jooksus olnud hunt andis vähe piima. Läks kaua aega, enne kui nad uue laudaga harjusid. Igal juhul oli huntide vahetamine ebamugav ja mul oli südames väga paha tunne. Lõppude lõpuks ei olnud ju mina süüdi, et täi vette tormas. Ma püüdsin seda hiietargale seletada, aga Ülgas ütles, et see ei huvita teda, kuna järvehaldjas on igal juhul vihane ja kui talle huntide verd ei anta, siis juhtub õudseid asju. Ta käskis mul täpselt keskööl koos huntidega kohal olla ning lisas veel, et vanadel aegadel poleks ka huntidest piisanud. Siis oleks tulnud süüdlane – see tähendab mina ise – tükkideks lõigata ning järve heita, aga tema, Ülgas, on nii osav hiietark ning haldjatega sedavõrd suur sõber, et suudab haldja ka hundilihaga maha rahustada. Vähemalt ta proovib.

Säärane jutt ehmatas mind veelgi enam. Mis siis, kui proov läbi ei lähe ning Ülgas otsustab siiski mind ennast haldjale ohvriks tuua? Hiilisime vaikselt järve äärest minema, jättes Ülgase maha mingeid loitse pomisema.

Mul oli väga paha tunne, nagu ikka lapsel, kes on mingi ulakusega hakkama saanud ja peab nüüd minema koju sellest oma emale ette kandma. Samas teadsin ma, et mida rutem ma selle vastiku asja kaelast ära saan, seda parem. Tahtsin lükata otsustamise ema õlgadele. Las tema ütleb, mida teha: kas minna keskööl koos huntidega järve äärde või mitte.

Ma palusin, et Ints ja Pärtel ise täi Pirrele ja Räägule tagasi viiks ning jooksin koju.

8.

Kodus ootas ema mind õnnest särava näoga.

"Arva ära, Leemet, mis ma sulle täna tõin!" küsis ta sala-
päraselt ning kuulutas kohe: "Öökullimunad! Kaks sulle ja kaks
Salmele."

Ma tundsin end veel sandimini. Öökullimunad olid mu
lemmikroog ja emal polnud neid põrmugi kerge hankida, sest
ta hakkas sel ajal juba paksuks minema ning puu otsa öökulli-
pessa ronimine oli tema kehakuju arvestades tõeline vägitükk.
Ausalt öeldes oli seda alati üsna jube vaadata, sest tundus, et
kohe-kohe murdub oks ema raskuse all ning ta lendab alla ja
murrab kondid. Onu Vootele oli emale öelnud, et ta sedasi puude
otsas ei turniks, vaid saadaks sinna minu, aga ema vastas, et
laps nüüd oskab neid mune valida ja pealegi meeldib talle puu
otsas olla.

"Natuke liikumist ja võimlemist teeb mulle ainult head," ütles
ta ning tihti kuulsin ma metsas ringi hulkudes ootamatult tema
hõiget ja nägin, kuidas ta mulle mõne hirmkõrge kuuse otsast
viipas, endal nägu laia naeru täis. Ema oli hämmastavalt vilgas,
kui asi puudutas lastele paremate maiuspalade otsimist ja üldse
toitu.

Kõik need ohud, mida ema öökullimune hankides pidi üle-
tama, muutsid hõrgutise eriti väärtuslikuks ja mul oli kohuta-
valt häbi, et mul pole munade eest emale mitte midagi paremat
kinkida kui uudis, et tema hundid tuleb öösel järve äärde viia
ning ära veristada. Ma pobisesin, et mul on munade üle hirmus
hea meel, aga sööma neid ei hakanud, vaid libistasin end vaik-
selt laua taha ja jäin ootama, millal avaneb võimalus täist ning
Ülgasest rääkida.

Õde Salme laskis samal ajal öökullimunal hea maitsta, luristas seda ahnelt ning limpsis keelega huuli. Kade meel oli teda vaadata, sest oli näha, et tema valgete juustega peanupu sees pole hetkel mureraasugi. Seevastu minul! Ema märkas, et ma istun imeliku näoga ja küsis, kas mul valutab kusagilt.

"Ei," ütlesin mina. "Aga... Tead, ma tahan sulle midagi rääkida."

"Söö kõigepealt oma munad ära," soovitas ema, "ja siis ma toon sinu jaoks veel külma põdrakülje lauale, sa pole täna kindlasti üldse midagi söönud. Kus sa küll jooksed terved päevad? Olid usside pool?"

"Ema, ma ei taha praegu süüa," ütlesin. "Ma olin täna Pirre ja Räägu juures..."

"Miks sa seal käid?" ei lasknud Salme mul kõnelda. "Minu arust näevad nad jubedad välja. Miks nad ometi kogu aeg alasti käivad, see on ju rõve! Sellel Räägul ulatuvad rinnad nabani, tolgendavad justkui kaks suurt karvast tammelehte. Ja Pirrel on nii suur riist, et kui ta istub, siis võtab ta selle sülle, muidu vedeleb till maas nagu saba ja sipelgad lähevad sisse."

"Salme, mis sa räägid!" ehmus ema. "Miks sa selliseid asju üldse vahid?"

"Kuidas ma saan mitte vahtida, kui ta seda ise kõigile näitab!" õiendas Salme. "Ma just sellepärast räägingi, et minu arust on see kole! Süda läheb alati pahaks, kui seda värki näen. Ja siis veel nende tagumikud! Seal ei kasva isegi karvu! Täiesti paljad ja lillad, nagu kaks suurt punnis mustikat."

"Sa pane silmad kinni," õpetas ema.

"Miks mina pean silmad kinni panema, las need ahvid panevad parem ise endale midagi perse ümber! Minu silmad ei sega kedagi, aga nende asjandused on ikka täitsa võikad. Teised tüdrukud räägivad ka, et kui ainult mõtled korra Pirre riista ja Räägu nisade peale, siis läheb söögiisu ära."

"Ärge siis ometi mõelge nende peale!" ahastas ema. "Mina ei mõtle nende peale sugugi. Ma ei näe neid kunagi, nad ei liigu ju kuigi palju metsas ringi."

"Õnneks!" turtsatas Salme. "Aga ma ei imestaks, kui Leemet nad ühel päeval meile külla kutsuks. Ta tolgendab ju alailma seal ahvide juures. Leemet, ma ütlen sulle, kui need Pirre ja Rääk oma lillad persed meie juurde veavad, siis mina enam siin majas ei maga ega söö!"

"Oh ei, Leemet ei kutsu neid," lohutas ema Salmet. "Ja ega nad tulekski. Aga mis sa seal jälle tegid, Leemet? On seal siis nii huvitav?"

"Nad kasvatasid kitsesuuruse täi," ütlesin mina. "Ja me viisime koos Intsu ja Pärtliga selle täi jalutama."

Ma tõmbasin sügavalt hinge, sest nüüd kohe tahtsin ma kõik koledad uudised hinge pealt ära rääkida, aga ema ja Salme ei lasknud. Nad arutasid tükk aega, milleks on kellelgi vaja täid kitsesuuruseks kasvatada ja kas selline täi on inimesele ohtlik ning kas Salme üldse julgeb veel metsas ringi liikuda.

"Mis ta sulle ikka teha saab?" arvas ema. "Käratad ta peale või viskad käbiga, küll ta siis minema jookseb."

"Ei tea midagi," turtsus Salme. "Sihuke elajas ei karda midagi. Ainult ahv võib selliseid lollusi välja mõelda. Aga olgu peale, ma räägin sellest täist Mõmmile ja Mõmmi murrab ta maha."

"Kes on Mõmmi?" küsis ema nüüd ja tema hääl muutus jäiseks ning valvsaks, sest polnud kuigi raske ära arvata, milline loom selle nime taga peitub.

"See on üks karu," vastas Salme vastumeelselt. Ta mõistis, et on liialt lobisenud, aga nüüd oli juba hilja huulde hammustada.

"Kust sa teda tunned?" nõudis ema ja mina sain oma masenduseks aru, et nüüd võtab kogu jutuajamine hoopis teise suuna ning mul on väga raske oma muredega lagedale tulla. Karud olid ema hell koht ja kui ta üldse midagi siin ilmas kartis, siis seda, et tütar käib tema teed.

"Ma nägin teda ükspäev metsas," ütles Salme. "Me õieti ei tunnegi, niisama paar korda oleme näinud. Ema, ära hakka nüüd peale! Ma tean küll, et sulle ei meeldi ükski karu, aga Mõmmi on väga sõbralik ja pealegi ma tegelikult ei suhtlegi temaga, niisama teretame vahel, kui trehvame."

"Salme, sa oled liiga noor, et karudega asju ajada!" ütles ema ja istus, näol heitunud ilme, nagu oleks pikne just äsja tema onni katusesse löönud ja kogu elamise põlema süüdanud. "Ma ju ei ajagi mingeid asju!" kostis Salme. "Kuulsid, ema, mis ma ütlesin! Me ainult teretame!"

"Pole tarvis ka teretada."

"Kuidas siis muidu, nii on ju viisakas! Tuttavatele tuleb tere öelda."

"Ei ole tarvis selliseid tuttavaid!"

"Ema!"

"Salme, karud mõtlevad ainult ühest asjast!"

"Huvitav, mis asjast?"

"Küll sa tead. Salme, ma tahan, et sa selle Mõmmiga rohkem ei kohtuks! Karud on küll väga ilusad ja tugevad, aga nad toovad õnnetust."

Salme nohises tigedalt.

"Võib-olla sulle tõid nad õnnetust, aga minule mitte! Minule toob Mõmmi maasikaid ja pohli!"

"Maasikaid ja pohli!" kiljatas ema ja puhkes nutma. "Just nimelt, maasikaid ja pohli toodi mullegi! Nii see algab, maasikaid ja pohli tooma on nad meistrid! Ei, ma teadsin seda! Kui sul kasvab majas tütar, siis pole sul karudest pääsu. Nad tulevad kohale nagu sisalik päikesepaiste peale! Mida ma pean ometi tegema? Kuhu ma peaksin su peitma? Karu pääseb ju igale poole, ronib puu otsa ja kraabib mulla sisse augu. Oh need hirmsad loomad!"

Ema õhetas näost ja Salme oli samuti punane nagu pihlakas. Nad põrnitsesid teineteisele otsa, Salme pilk täis trotsi, ema oma nõutut ahastust. Küllap oli tal tunne, et ta näeb praegu oma tütart viimast korda, sest kohe tuleb suur karu ja viib Salme oma pessa. Kuna ta ise oli omal ajal karu armastanud, oli ta ilmselt kindel, et kes juba kord ühe pätsuga tuttavaks saab, see talle ka kaela langeb. Jupp aega olid nad vait ning ma leidsin, et nüüd on viimane aeg jutustada kõigest, mis juhtus järve ääres.

Ema kuulas esiotsa liikumatult, silmitsedes ikka veel Salmet ning olles mõtetes karu juures, aga kui ma olin oma looga lõpuni jõudnud, vaatas ta mulle järsku jahmunult otsa ning ütles:

"Oota nüüd, Leemet! Räägi üks kord veel! See on ju jube!"

Ma rääkisin uuesti. Ema vaatas vaheldumisi otsa mulle ja Salmele, otsekui peaks aru, kumma lapse jutt on kohutavam. Igal juhul oli minu asi kiirem, sest kesköö oli varsti käes, samal ajal kui karu Mõmmi suhtes polnud võimalik kohe praegu midagi ette võtta. Aga samas ei osanud ema ka minu jutuga midagi peale hakata. Kaks teineteisele järgnenud halba uudist mõjusid talle nii, et ema lihtsalt istus tummalt, käed rüpes, ja vaatas mulle ahastava näoga otsa.

Salme seevastu sai minu lugu kuuldes maruvihaseks.

"Sa oled ikka täiesti võimatu!" karjus ta. "Vaesed hundid, milles nemad süüdi on? Nad andsid nii hästi piima. Sa laostad meid! Kas sul häbi ei ole?"

"Mis ma siis pean tegema, ema?" küsisin ma õnnetult, Salmet tähele panemata. Loomulikult oli mul häbi ja üldse nii paha olla, et kogu sisikond valutas. Kõige parema meelega oleksin ma pugenud kuhugi nurka ja end kerra tõmmanud, aga see polnud võimalik. Järve ääres ootas tige hiietark ja ma tahtsin, et ema kõik edasised otsused ise langetaks, mina ei julgenud oma peaga enam midagi ette võtta. "Lähen sinna järve äärde või mitte?"

"Mina ei tea," ohkas ema täiesti jõuetult. Ta oli täiesti lössis. "Kõik meie hundid... "

"Milleks sul oli tarvis selle vastiku täiga jännata?" kisas Salme edasi. "Kes meile nüüd piima hakkab andma, lollakas!"

"Äkki karumõmmid?" pomisesin mina, mispeale Salme peaaegu plahvatas ja mind põdralihaga viskas.

"Lapsed, jätke järele!" palus ema ja hakkas nutma. "Kõik need uudised... Ühekorraga... Ma ei tea tõesti, mida teha."

"Varsti on kesköö," käisin mina peale. "Kas ma siis lähen järve äärde? Ütle ometi!"

Ma sikutasin ema meeleheitlikult varrukast.

"Ma ei tea," kordas ema. "See on nii kole!"

Ta nuttis vaikselt ja pühkis käisega silmi.

Mina hakkasin samuti nutma.

Salme nuttis juba ammu, suurest solvumisest ja vihast.

Siis tuli onu Vootele.

Tal oli ikka kombeks meie juurest õhtuti läbi astuda ja kuulata, kuidas päev on läinud. Sedapuhku nägi ta muidugi kohe, et midagi õige hullu on sündinud. Ta seisis hetke hämmeldunult lävel, aga ma lausa kargasin ta juurde, tirisin tuppa ja hakkasin paristades ning nuuksudes jutustama kohutavast õnnetusest, mis mind järve ääres tabas. Onu Vootele oli mu viimane lootus, sest päris kindlasti ei suutnud ema mind praegu aidata, aga onu oli tark ja osav. Ma rääkisin kõigest – inimahvidest, täist, hiietargast ja järvehaldjast – ning Salme pikkis mu jutu vahele üksikuid mürgiseid lauseid, mille eesmärk oli näidata, et tema on palju vanem, mõistlikum ega oleks ealeski oma perekonnale sellist häda kaela toonud. Aga ma ei hoolinud Salmest, mulle oli tähtis see, et ma kõik ära saaksin rääkida. Ja kui ma lõpetasin, siis jäin ma anuvalt onu Vootele otsa vaatama, pilgus üksainus palve: tee nüüd ometi midagi ja päästa mind vastutuse vaevast!

"See on ju täiesti tobe lugu," ütles onu Vootele.

"Ma ju räägin, et Leemet on täiesti tobe!" kiitis Salme talle järele. "Kuidas ta võis mingisuguse jäleda täi pühasse järve ujuma lasta?"

"Järv on järv," vastas onu Vootele. "Igaüks võib seal ujuda. Ma ei saa aru, miks peaks sellepärast hunte hukkama. Ülgas on hulluks läinud."

"Ta on ju hiietark," poetas ema vahele, pühkides pisaraid, kuid oli näha, et onu Vootele ilmumine on talle turgutavalt mõjunud. Ta nuuskas nina, tõusis ja hakkas onule liha lõikama. "Ehk lepib ta üheainsa hundiga?" pakkus ema. "Minu arust peaks sellest järvehaldja lepitamiseks piisama küll, ühe hundi sees on väga palju verd."

"Missuguse järvehaldja?" küsis onu Vootele. "Oled sa elu sees mõnda haldjat näinud?"

"No see on ju selline komme," seletas ema. "Tead küll. Vana tava. Ikka tuuakse haldjatele ohvreid. Milleks see hiietark siis muidu olemas on?"

"Ma pole seda tegelikult kunagi päris täpselt mõistnud," ütles onu Vootele. "Aga hea küll, on olemas kombeid ja tavasid, mis inimesi ühendavad, ning vahel on päris kena seista hiies ja vaadata, kuidas Ülgas seal oma kõrsi põletab ning midagi laulab. Aga tappa lihtsalt niisama terve kari hunte – see on ju selge rumalus. Veri reostab järve palju rohkem kui üks õnnetu täi. Ma tulen ise sinuga kaasa, Leemet, ja räägin Ülgasega."

"Ühe hundi võite ju igaks juhuks kaasa võtta," pakkus ema.

"Mitte ainsatki," vastas onu. "Las lesivad laudas. Ja hakkame nüüd sööma ning lõpetame kurvastamise. Ma näen, et teil on isegi öökullimune!"

"Sa võid need saada," ütlesin mina, vaadates onu lausa armunult. Süda oli korraga nii kerge, justkui oleks minu seest suur kivi välja lõigatud, ja ma tundsin end korraga meeletult näljasena, sest tekkinud õõnsus tuli ju täita. Kuid oma öökullimunad olin rõõmuga valmis onule kinkima, sest tema oli mu kangelane. Onu tänas mind naeratades.

"Mina söön ühe, sina teise," ütles ta. "Tore näha, et teile hakkavad jälle inimeste näod pähe tulema. Kui ma sisse astusin, siis ma mõtlesin, et juhtunud on midagi õige hullu."

"Ma ehmusin tõesti hirmsasti ära, kui kuulsin, et pean kõik oma hundid ohverdama," kõneles ema. Ta oli jälle rahulik nagu alati ning kandis sahvrist aina uusi põdralihakäntsakaid lauale, ehkki onu Vootele juba ammu tõrjuvalt kätega vehkis. "Nüüd on kõik korras. Mine jah, ja räägi Ülgasega. Mis ta mässab sedasi!"

"Küll ma räägin," lubas onu. Mina imesin õnnelikult oma öökullimuna ja Salme paistis samuti kaunis rahulolev, kuna viimased sündmused olid Mõmmi vähemalt mõneks ajaks ema mõtteist minema peletanud.

*

Veidi enne keskööd asusime onu Vootelega teele. Temaga koos tundsin ma ennast igati kindlalt ega kartnud Ülgast enam põrmugi. Mis ta saab mulle teha, kui onu Vootele mind kaitseb? Ohverdagu haldjale oma pikk nina, kui just tahab midagi noaga lõikuda!

Järve ääres oli pime ja vesi läikis tumedalt. Tundus, nagu oleks veepind keset suve kattunud kummalise musta jääga, ning võis vabalt uskuda, et selle kihi all elab verejanuline haldjas. Mul hakkas veidi kõhe ja ma oleksin hea meelega onu Vootelel käest kinni võtnud, kuid häbenesin, sest olin enda meelest juba suur poiss. Seisin siis lihtsalt onule nii lähedal kui sain ning nuusutasin rahustuseks tema lõhna.

"Ülgas!" hüüdis onu. "Oled sa siin?"

"Jah, ma olen siin," kostis hiietarga hääl. "Väga hea, et sa poisiga kaasa tulid, Vootele. Sa aitad mind ohverdamisel ja hoiad hundi jalgu kinni. Sa juba kindlasti kuulsid, millise kohutava pühaserüvetamisega sinu õepoeg hakkama sai."

"Kuulsin küll," ütles onu. "Aga ma kardan, et mul ei õnnestu kellegi jalgu kinni hoida, kui mul just enda omi sügada ei tule – siin on palju sääski! Me ei hakanud hunte kaasa võtma. Sa saad ju ise ka aru, Ülgas, et nende tapmine pole just kõige targem mõte. Mis kasu sa sellest saad?"

"Sa ei võtnud hunte kaasa?" kordas hiietark ja ma nägin teda võsast välja ilmumas, pikk nuga käes. "Mida see peab tähendama? Hunte on tarvis järvehaldja lepitamiseks, sest muidu uputab ta kogu metsa."

"Kuidas ta seda siis teeb?" küsis onu justkui pilklikult. "Kuidas suudab see väike järv terve metsa enda alla matta?"

"Kust tead sina, kui suur see järv on?" hüüdis Ülgas vihaselt. "See, mida sina oma rumalate silmadega näed, on vaid järvehaldja lossi katus! Terve maapõu on täis vett, mida ta valitseb! Kui me tema raevu ei lepita, siis tõstab ta kogu selle vee maapinnale ning siis upuvad ka kõige kõrgemad kuused."

"Kas sa ise ka usud seda, mida sa räägid?" küsis onu. "Ülgas, ma saan aru, et on olemas vanad tavad ja kombed ning et meie rahvale on alati meeldinud uskuda, et järved ja jõed pole mitte üksnes suured veeloigud või nired, vaid samasugused elusolendid nagu me isegi. Ja et seda paremini mõista ning endale ette kujutada, on välja mõeldud kõik need haldjad, kes siis justkui peaksid vetesügavuses elama. See on ilus muinasjutt."

"Välja mõeldud!" müristas Ülgas. "Muinasjutt! Mees, mida sa räägid?"

"Ma räägin, nagu asi on," vastas onu. "On hoopis põnevam ja kenam mööda metsa kõndida, kui sa võid endale ette kujutada, et iga puu sees elab väike puuhaldjas ning terve metsa eest kannab hoolt metsaema. See hoiab tagasi lapsi, kes muidu lihtsalt koerusest oksi murraks ning puid vigastaks. Aga me ei saa nende vanade lugude pärast lolliks minna ja hakata hunte noaga tükeldama üksnes sellepärast, et mingi loom ujus ühes metsajärves. Milleks see järv siis on, kui mitte ujumiseks ja joomiseks? Kitsed ja põdrad lakuvad siit vett iga päev!"

"Kitsed ja põdrad on metsaema kaitse all ning metsaemal on leping järvehaldjaga!" ütles hiietark.

"Noh, see on jälle üks ilus muinasjutt, mida võib lastele õhtuti pajatada," kostis onu. "Kas sa, Ülgas, oled jälle lapseks muutunud, et sa mulle tõsise näoga selliseid asju räägid?"

"Ma olen hiietark!" käratas Ülgas. "Laps oled hoopis sina, Vootele, samasugune laps nagu sinu õepoeg, kes ülbelt püha järve rahu häirib ja vanadest kommetest midagi ei tea. Ma olen kuulnud, et sa õpetad talle ussisõnu, kuid sa peaksid talle õpetama ka seda, kuidas austada haldjaid ning püha hiit. Küllap pole sul endalgi selle jaoks piisavalt teadmisi – see pole ka ime, sest väga harva näen ma sind hiies ohvreid toomas! Sa arvad, et ussisõnad on ainus tarkuse allikas, kuid sa unustad, et haldjatele ussisõnad ei mõju!"

"Tõsi ta on," nõustus onu. "Sest muidu oleks mul kindla peale õnnestunud nendega juttu ajada."

"Sa teed nalja!" ütles Ülgas põlglikult. "Ja näitad oma lapsearu. Haldjatega saab kõnelda üksnes hiietark, kes tunneb kõige salajasemaid kunste. Mina olen vahemees inimeste ja haldjate vahel ning kui mina ütlen, et järvehaldja lepitamiseks tuleb ohverdada kõik teie hundid, siis on sinu asi sõna kuulata. Mine ja too hundid siia!"

"Ole nüüd mõistlik, Ülgas!" ütles onu. "Sa saad ju aru, et ma pole nii loll."

"Too hundid siia!" röögatas hiietark. Mul hakkas onu pärast hirm. Ülgasel oli peos pikk nuga ja ta nägi välja piisavalt hullumeelne, et seda onu peal proovida. Väga võimalik, et ohverdamishimu oli tema vere nii keema löönud, et ta lihtsalt pidi kellegi kõri kallale kargama. Aga onu Vootele ei paistnud hiietarka kartvat.

"Ülgas," ütles ta. "Meid on siia metsa jäänud väga vähe. Me oleme viimased ja väga võimalik, et meiegi seast rändavad veel mitmed ära külasse. Meie aeg lõpeb varem või hiljem ja kõik sinu haldjad unustatakse peagi. Kas on siis mõtet veel neid väheseid aastaid, mis meile on jäänud, mürgitada rumala meeletusega? Ülgas, ma kardan, et sa oled viimane hiietark ja pärast sinu surma ei mäleta enam keegi, et selles järves siin elab haldjas, ning kui külainimesed marju korjates siiakanti satuvad, ujuvad nad siin südamerahus ja nende põngerjad pissivad su pühasse vette."

"Kuidas sa julged?" kähistas Ülgas. "Just sinusuguste pärast ongi meie elu metsas nii armetuks muutunud! Veel sada aastat tagasi ei mahtunud kõik soovijad pühasse hiide ära ning ohvrikivid aurasid soojast verest, mis haldjate ning metsaema auks valati. Siis poleks keegi julgenud oma hiietargaga sel kombel rääkida nagu sina, talle vastu haukuda ning tema käske naeruks panna. Ma ei imesta enam, et su õepoeg mitte midagi pühaks ei pea ja inimahvidega sehkendab. Eks ta ole ju sinu õpilane! Miks te ometi külasse ei koli, omasuguste ebardite juurde? Teie õige koht on seal!"

"Ma ei taha külasse minna," vastas onu. Ta ei tõstnud häält, vaid jäi täiesti rahulikuks. "Mulle meeldib metsas, see on minu kodu. Ainult et sina ei meeldi mulle, Ülgas, õnneks on aga mets suur ja me ei pruugi kohtuda."

"Aga kui sa oled õige eestlane, siis pead sa ju käima pühas hiies!" pilkas Ülgas. "Seal kohtad sa mind tahes-tahtmata!"

"No ma järelikult ei käi enam pühas hiies," ütles onu. "Seal polegi kuigi huvitav. Ja kui sina tahad mind edaspidi valeks eestlaseks pidada, eks siis pea. Mul pole sellest sooja ega külma."

"Haldjad karistavad sind!" karjus Ülgas.

"Ära räägi lolli juttu, Ülgas!" naeris onu. "Sa tead ka ise, et see on jama. Või kui sa seda ei tea, siis oled sa tõesti nõrgamõistuslik. Head ööd!"

Ta pöördus, et minema hakata.

"Kas sa lähed hunte tooma?" hüüdis Ülgas.

"Ärme hakka jälle algusest peale," ütles onu. "Ma ei jaksa sinuga rohkem vaielda. Ma lähen koju. Kui sa just pead täna öösel hunte tapma, eks püüa neid siis metsast. Seal hulgub ringi piisavalt peremeheta loomi. Head jahti!"

"Nendest pole abi!" vastas Ülgas. "Mul on vaja just selle poisi hunte, sest tema solvas haldjat. Sa pead nad tooma!"

"Ma ei too. Mine koju, Ülgas, ja joo rahustavat teed."

"Siis võtan ma sinu verd!" kähistas hiietark korraga jubedal häälel ning viskus onu poole. Aga onu oli kiirem ja põikas eest. Järgmisel hetkel röögatas Ülgas läbilõikavalt ja pillas noa, sest onu oli talle hambad käsivarde vajutanud ning sülitas nüüd murule tükikese verist liha.

"Said, mis tahtsid," sisistas ta ja ma ei tundnud sel hetkel oma rahulikku ja leebet onu ära, sest tema silmades põles hullumeelne punane tuluke ja ta näojooned olid moondunud kohutavas raevus. "Kahju, et ma pole pärinud oma isa mürgikihvu, sest muidu sa homset päeva ei näeks. Hoia minust eemale, Ülgas, ja jäta ka poiss rahule, kui sa ei taha, et ma su väikesteks tükkideks rebin!"

Ülgas ei vastnud, ta oli vajunud murule, silitas halisedes oma kätt ning silmitses onu Vootelet hirmunult.

Veidi aega valitses vaikus. Tuluke onu silmis kustus aeglaselt. Ta läks järve äärde ning pesi suu hiietarga verest puhtaks.

"Mine ja puhka paar päeva oma hiies, siis tule siia tagasi ja sa näed, et järv loksub endises paigas ning kõik on rahulik ja kena," ütles ta siis lepitavalt. "See järv pole kunagi üle kallaste tõusnud.

Ära karda nii paaniliselt neid haldjaid! Nad ei tee sul jalataldugi märjaks, kui sa just ise mõnda lompi ei roni."

Ülgas ei kostnud sellepeale musta ega valget. Me jätsime ta järvekaldale konutama ning asusime kodu poole teele. Onu Vootele ei rääkinud sõnagi, tundus, et tal on minu ees veidi piinlik. Ma polnud tõepoolest varem kunagi näinud, et ta sel kombel enesevalitsuse kaotaks. Minu nähes oli onus ärganud hunt. Aga ta ei pidanuks selle pärast häbenema. Ma tundsin tema üle uhkust. Milline onu mul ikkagi on! Hiietark oli tema raevu ees kokku vajunud nagu pehkinud känd.

Ma võtsin onul käest kinni. Ta pigistas sõbralikult mu kämmalt. Oli hea ja kindel läbi öise metsa kodu poole sammuda.

9.

Järgmisel päeval saime kuulda palju huvitavat. Sõber Pärtel tuli meile ning kõneles, et Ülgas oli tema vanematele pikalt ja laialt seletanud, kuidas minu onu Vootele oleks oma kangekaelsuse ning ülbusega terve metsa peaaegu hukutanud. Järvahaldjas oli olnud maruvihane, kui ta nõutud hundiverest ilma jäi. Ta olevat musta härja kujul järvest välja tulnud ning tema kannul tõusnud ka järvevesi, kohisev ja ähvardav nagu mingi hiiglaslik, maa-alusest urust välja roomav pilv. Aga siis oli Ülgas näidanud üles tõelist kangelaslikkust ja hämmastavat tarkust. Mingite imenippide abil läks tal korda haldjat siiski rahustada ning hundivere asemel loopis ta järve hoopis tuhat nirki. Sellega oli haldjas lepitatud ning vahepeal hirmsasse ohtu sattunud elu metsas võis jätkuda.

Ma rääkisin Pärtlilt kuuldud loo ka onu Vootelele edasi ning onu ütles, et nüüd on Ülgas tõestanud, et ta on läbinisti valelik ja võlts.

"Siiani võis ju veel arvata, et ta on kõigest lihtsameelne, kes usub tõemeeli haldjatesse ning kardab neid pahandada," ütles ta, "aga see jutt mustast härjast ning tuhandest nirgist on ju ilmselge jamps. Kust ta öösel need tuhat nirki leidis? Isegi kõige võimsamate ussisõnade abil pole võimalik neid nii palju kohale kutsuda. Ta mõtles selle loo välja, et kuidagimoodi seletada, miks järv ikka veel vanas kohas seisab. Nüüd saab ta kelkida, et tema päästis metsa. See on puhas pettus ja seda ma ütlen, et enam ma hiide ei lähe. Ja pole sinulgi sealt midagi otsida."

Ma olin onuga täiesti päri, sest ausalt öeldes, pärast seda, mis öösel järve kaldal juhtus, kartsin ma Ülgast nagu tuld. Mul oli siiani silme ees pilt, kuidas ta onule kallale kargas. Ma ei vältinud mitte ainult hiit, vaid katsusin üldse igal moel Ülgase teelt eemale hoida. Ja kuna ma veetsin enamasti aega ikka Intsu seltsis, kes nagu rästikud ikka, inimeste lähenemist juba kauge maa tagant kuulis ning oskas ka nimetada, kes täpselt tuleb, siis ei olnud mul raske hiietarka vältida.

Ühel päeva olime taas kolmekesi metsas – mina, Ints ja Pärtel –, kui rästik korraga kuulatama jäi ning lausus:

"Keegi tuleb."

"Ülgas?" küsisin mina ja ajasin end kiiresti jalule, et eemale kõndida.

"Ei, Tambet."

See ei muutnud asja. Tambet oli sama ebameeldiv kui hiietark. Kui ta varem mind lihtsalt ei sallinud, siis pärast juhtumit täiga Tambet lausa vihkas mind. Küllap oli Ülgas talle kõigest pikalt-laialt jutustanud ning otse loomulikult ei leidnud ta minu või onu Vootele kohta ainsatki head sõna. Ühe korra olin ma pärast seda Tambetit kohanud ning see oli kole. Olime koos emaga ja kui Tambet meid nägi, hakkas ta üle kere vabisema, vehkis kätega ja karjus:

"Nurjatu põngerjas! Ma teadsin, et kõik külas sündinud on seest mädad!"

"Ära karju lapse peale!" käratas ema. Tema ei kartnud Tambetit põrmugi ja armastas ikka rääkida, kuidas Tambet talle paljude aastate eest ligi tikkus. Noor Tambet tahtis minu noorele emale meelehead teha, ronis kuuse otsa ja tõi sealt alla mitu kärge metsmesilaste mett. Siis läks ta emale külla, aga häbenes mett kõigi nähes käte vahel kanda ning torkas seepärast kärjed endale vammuse alla, vastu kõhtu. Ema juurde jõudes tahtis ta maiustuse uhkelt üle anda, aga oh häda – mesi oli soojas kohas sulama hakanud, kleepunud peigmehe kõhukarvade külge ning valgunud allapoolegi, nii et seda kuue alt välja võtta polnudki võimalik. Noor Tambet läks näost punaseks ja püüdis niimoodi istuda, et keegi tema viperusest aru ei saaks, aga minu ussiham-mastega vanaisa märkas tema nihelemist ja käratas: "Mis sul seal on? Näita siia!" Ning kui Tambet vastu puikles ja midagi kokutas, krahmas vanaisa tal hõlmast kinni ja rebis vammuse ühe korraga lõhki, nii et paljastusid meega üle valatud kõht ja till. See oli pööraselt naljakas, ütles ema, kuidas Tambet püüdis oma meega kokku kleepunud alakeha puhastada, ähkis ja puhkis ning pidi häbist hulluks minema. Lõpuks kutsuti kohale üks karu, et see Tambeti puhtaks lakuks, aga nähes, millist kehaosa ta täpselt lakkuma peab, karu keeldus, öeldes, et ta on isane. Selle koha peal lugu enamasti katkes, kuna ema ei suutnud edasi rääkida, vaid naeris nii, et kukkus põrandale, ja kui ma hiljem pärisin, mis Tambetist ja tema mesisest nokust edasi sai, rehmas ema üksnes käega ja vastas:

"No küllap ta kuidagi ikka ennast ära kasis, vaevalt et see tal praegu enam meega koos on. Ehkki – ega mina pole vaatamas käinud."

On selge, et juba ainuüksi sääraste mälestuste tõttu suhtus ema Tambetisse igasuguse aukartuseta. Teda vihastas, kui keegi tema poja peale karjus, ning ta põrutas sama mõõduga vastu:

"Mis sa õiendad! Mine ja tapa oma hunte, kui tahad! Sul ongi neid liiga palju – kas sa ujud nende piima sees või? Mine ja kingi Ülgasele, siis võite neid koos tükeldada, kui lusti on. Muidu ainult kurnad oma tütart, kes peab su elajate eest hoolitsema nagu mõni vaene orjake! Häbene ometi, vaata kui väike ja nõrk ta on!"

"Jäta minu tütar rahule!" karjus Tambet.

"Ja sina jäta minu poeg rahule! Muudkui närid teise kallal, et ta külas sündis! Kas see tema süü on? Inimene ei saa valida, kus ilmale tulla. Ja mis see sündimiskoht loeb, näed, sina oled küll metsas sündinud, aga vahi mihuke sa oled!"

"Mihuke ma siis olen?"

"Lollakas oled!"

"Pea suu, vana karu lits!" käratas Tambet. See oli kõige hullem solvang, mis võis mu emale osaks saada, ja isegi minul oli seda kuuldes tunne, nagu oleksin peadpidi lõkkesse kukkunud. Need sõnad kõrvetasid.

Emal jäi esiteks hing kinni, siis hakkas ta imelikult turtsuma, nagu oleks talle midagi ninna läinud. Ta haaras mul käest.

"Lähme ära, Leemet," ütles ta. "Mulle meeldib väga metsas elada, aga võib-olla peaksime tõesti külla kolima nagu teised. Metsa on alles jäänud ainult kõige hullem kõnts."

Ta sülitas Tambeti poole, kes seisis, selg sirge ja pikkade hallide juustega kaetud pea uhkelt kuklas, olles ilmselt veendunud, et on vahvalt ning väärikalt kaitsnud metsa ja iidseid kombeid ning löönud põgenema ilged reeturid. Ja me tõepoolest põgenesime tookord koos emaga ning ma kavatsesin põgeneda ikka ja alati, kui Tambet kusagil silmapiirile kerkib. See mees äratas minus samasugust õudust nagu hiietark Ülgaski.

Niisiis lippasime Pärtliga võssa ja Ints vookles meie kannul. Põõsastes lesides nägime Tambetit möödumas ja tahtsime juba välja tulla, kui Ints ütles:

"Keegi tuleb veel."

See oli Tambeti tütar Hiie. Ilmselt oli ta koos isaga kuhugi minemas, aga loomulikult ei hoolinud Tambet sellest, kas tütar jõuab temaga sammu pidada, vaid marssis uhkelt ees, samal ajal kui Hiie kaugel taga sibas. Hiiet me ei kartnud, seepärast tulime põõsastest välja ning ütlesime talle tere.

Hiiel oli ilmselgelt hea meel meid näha, sest tal avanes üliharva võimalus teiste lastega mängida. Ta vaatas kõhklevalt sinnapoole, kuhu oli kadunud Tambet, aga isa ei paistnud enam. Muidugi oleks ta pidanud Tambetile järele tõttama, aga kiusatus mõneks ajaks meie seltsi jääda oli liiga suur.

Me istusime lagendikule maha ja ajasime juttu. Põhiliselt ikka meie Pärtli ja Intsuga, Hiie kuulas ja vaatas niisama ning oli nii õnneliku ja elevil näoga, nagu võib olla üks äsjakoorunud liblikas, kes oma kestast välja poeb ning erutunult kirevat maailma vahib. Liblika nägu muidugi keegi ei näe, see on liiga tilluke. Hiiegi oli väike, hästi kõhn ja kuidagi haleda olemisega, ega me ei osanudki temaga õieti millestki rääkida. Meil olid omad naljad, mille üle me naersime, ja omad plaanid, mida me arutasime; aga Hiie ei hoolinud sellest, et ta paljudest asjadest aru ei saanud. Ta oli nagu näljane, kellele pakutakse tundmatut rooga ja kes selle tänulikult alla kugistab, nagu ta kugistaks alla ükskõik mille, mis ainult vähegi toitu meenutab. Hiie oli lihtsalt rõõmus, et kuuleb kellegi teise häält peale isa ja ema ning huntide, kelle ulgumisest tal võis tõeliselt villand olla.

Lõpuks tekkis meie jutus paus ja mul turgatas pähe, et lõppude lõpuks võiks ju ka Hiie käest midagi küsida, vähemalt jutujätkuks.

"Noh, mis sinul uudist?" kohmasin ma.

Hiie võttis mu küsimust väga tõsiselt. Tal läks isegi kulm kortsu, kui ta püüdis meenutada, mis tal siis ikkagi uudist on. Tüdruk oli silmanähtavalt hädas. Siiamaani olime rääkinud meie, nüüd oli tema kord ja ta ei tahtnud meid alt vedada ega meist kehvem olla, aga talle lihtsalt ei tulnud mitte midagi pähe. Kahtlemata oligi Hiie elu kole üksluine. Ta läks ärevuse tõttu näost valgeks ja vist neelas juba pisaraid, nagu ikka laps, kes teiste ees oma oskamatuse tõttu häbisse jääb, aga lõpuks tuli talle siiski midagi meelde ning ta hüüdis peenikese häälega:

"Me läheme täna öösel emaga kuupaistele vihtlema!"

See oli üle ootuste huvitav uudis. Ma polnud midagi säärast lootnudki. Hiie naeratas õnnelikult, sest enda arvates oli ta just õppinud selgeks teiste lastega vestlemise uhke kunsti.

Kuupaistel vihtlemine oli vana tava. Kord aastas läksid kõik naised ja vanemad tüdrukud – tittesid kaasa ei võetud – südaööl metsa, ronisid nii kõrgele puu otsa kui suutsid ning vihtlesid end kuukiirte paistel tammevihaga. Taevas pidi paistma täiskuu ning vihtlemine kestis kuni kuu loojumiseni. Usuti, et säärane vihtlemine annab elujõudu ning mingis mõttes oli see ka õige, sest need vanaeided, kes ei jaksanud enam puu otsa ronida ning seetõttu vihtlemisest kõrvale jäid, ei elanud enam kuigi kaua.

Mehed vihtlemas ei käinud ja tegelikult nad isegi ei teadnud, millal see õige täiskuuöö kätte jõuab. Naised ei öelnud seda neile kunagi, vaid lipsasid salamahti onnist välja siis, kui mees juba magas. Hommikul, kui mehed ärkasid, olid naised juba kodus, heas tujus ning õhetasid kuidagi kuldselt. Kuidas naised teada said, millal just õige öö on, seda ei teadnud ükski mees.

Nagu iga poiss, nii olime meiegi Pärtliga unistanud sellest, et satume kunagi kuuvalgel vihtlevate naiste peale ning näeme täpselt ära, kuidas see asi käib. Aga see ei õnnestunud iialgi. Passisin küll hoolega ema, aga sellest polnud abi. Pealegi oli hirmus raske terve aasta jooksul valvsust säilitada, sest kuuvalgel vihtlemine võis aset leida nii talvel kui suvel, sügisel kui kevadel. Õhtul ei ennustanud mitte miski, et emal öösel midagi ees seisab, aga hommikul säras ta näost, küpsetas põdrakintsu ja kiitis, kui värske on kogu ta keha pärast head sauna. Viimastel aastatel oli ka Salme emaga kaasas käinud, ja ometi ei ärganud ma kunagi õigel hetkel, et neid jälitada ning vihtlemist pealt näha.

Seepärast on selge, miks Hiielt kuuldud uudis meid Pärtliga erutas. Täna öösel oli meil võimalus oma ammune unistus teoks teha.

"Oled sa ikka kindel?" uurisin ma Hiie käest.

"Jaa!" vastas tüdruk. "Ema ütles mulle hommikul."

"Oled sa varem ka vihtlemas käinud?" küsis Pärtel.

"Ei ole," kostis Hiie, ise hirmus ärevil ja õnnelik, et vestlus temaga nii kaua kestab.

Ta oleks tahtnud vastata veel kümnetele küsimustele ja paljastada meile kõik oma saladused, kui tal neid vaid olnuks. Hea meelega istunuks ta meie seltsis kas või talveni. Siis aga kostis metsast tema isa hääl.

"Hiie!" karjus Tambet. "Kus sa oled?"

"Isa hüüab!" piiksatas Hiie ja kargas püsti, ehmunud nägu ees. Küll mul oli temast sel hetkel kahju! Õudne võis ikka olla see elu koos tigeda Tambetiga. Tõotasin endale, et hakkan tüdrukut sagedamini vaatamas käima. Hiiet vaadates kerkis millegipärast silme ette mingi väike putukas, kes on ämblikuvõrku kinni jäänud ja seal abitult sipleb. Oleks tahtnud ta sealt päästa, aga paraku ei olnud Hiie vangis mitte kuskil võrgus, vaid omas kodus. Ei saanud ju last tema isa käest päästa, olgu see isa pealegi hirmuäratav. Lehvitasime Hiiele, kes meile samuti arglikult viipas, ning jooksime tagasi võssa. Juba tuligi Tambet oma pikkade sammudega.

"Kuhu sa kadusid?" nõudis ta.

"Sa käisid nii kiiresti, ma ei jõudnud järele!" pomises Hiie. "Siis sa kadusid üldse ära ja ma ei teadnud, kuhupoole minna."

"Kas sa siis metsateid ei tunne?" riidles Tambet. "Oh need tänapäeva lapsed! Vanasti ei eksinud ükski inimene metsa ära, mitte ükski!"

Ta haaras Hiiel käest kinni.

"Tule nüüd!"

Ning ta marssis jälle minema, sellise hooga, et Hiie pidi tema kõrval lausa jooksma.

Otse loomulikult oli meil Pärtliga plaanis minna öösel vihtlevaid naisi kaema. Kutsusime kaasa ka Intsu, aga rästik ütles meie üllatuseks, et tema on vihtlevaid naisi juba mitu korda näinud ja teda see ei huvita.

"Miks sa meile sellest varem ei rääkinud?" õiendasime meie.

"Ma ei arvanud, et see teid huvitab," ütles rästik. "See pole ju mitte midagi erilist, lihtsalt paljad naised istuvad puude latvades ja peksavad end tammeokstega. Ma roomasin puude alt läbi ega viitsinud õieti üleski vaadata."

"Sa oleksid võinud meid kutsuda või siis ette hoiatada, kui see päev jälle kätte jõudma hakkab!"

"Ma ei tundnudki siis teid. Ja ega minagi tea, millisel päeval täpselt naised puu otsa vihtlema ronivad. Ma nägin neid täiesti juhuslikult. Rästikud näevad kõike, mis metsas toimub, aga me ei pea selle üle arvet. Ma ei saa aru, mis selles vihtlemises nii põnevat on?"

"See on ülipõnev!" kinnitasime meie Pärtliga. Meid erutas võimalus saada jälile kiivalt hoitud saladusele. Vahest oleme meie esimesed mehed, kes puude otsas vihtlevaid naisi näevad? Igatahes polnud keegi meie kuuldes sellega kiidelnud. Aga peale selle tundus meie jaoks ahvatlev sattuda peale suurele hulgale paljastele naistele. Me olime juba piisavalt vanad, et säärase asja vastu huvi tunda. Seal on ju näiteks Salme oma sõbrannadega. Ja Hiie – vaeseke, ta ilmselt ei tulnud selle pealegi, et reetes meile suure saladuse, annab ta meile võimaluse teda paljalt vahtida. Aga võib-olla poleks ta sellest ka hoolinud, peaasi, et sai meiega natuke juttu puhuda ning näidata, et ka tema oskab öelda midagi huvitavat.

Me leppisime Pärtliga kokku, et kohtume vihtlemispuude all, kuhu me kavatsesime jõuda oma emasid ja õdesid jälitades. See polnud raske. Ilmselt ei tulnud emale pähegi, et ma võiksin midagi kahtlustada, ja mina mängisin oma osa hästi. Pugisin end õhtul korralikult täis nagu alati ning kobisin asemele. Salme tegi sedasama ning mõni aeg hiljem heitis ka ema oma suure põdranaha alla, kuhu me lapsepõlves olime mahtunud kõik kolmekesi.

Tükk aega oli vaikne ja pime; ehkki ma esiteks olin kartnud, et ei pea vastu ning jään ikkagi magama, polnud mul enam selles suhtes mingit hirmu. Ma olin ergas ja ärevil nagu pääsuke ning ainuke mure oli hoida ennast ühes asendis paigal, kuna tegelikult oleksin ma tahtnud lakkamatult keerelda ja ennast igalt poolt sügada. See on hirmus, kuidas kärsitus sügama ajab! Aga ma sundisin end siiski liikumatuks, kuni viimaks kuulsin, kuidas ema end oma asemelt üles ajab ning Salmet sikutab.

"Lähme nüüd!" sosistas ta.

Nad hiilisid hääletult uksest välja. Lebasin veel paar hetke endises asendis, juhuks kui nad äkki midagi maha unustasid ja tagasi tulevad. Aga nad ei tulnud ja ma kargasin voodist välja ning järgnesin neile.

Nägin neid enda ees sammumas ja roomasin niiskel rohul nagu sõber Ints, püüdes teha nii vähe kära kui võimalik. Ema ja Salme ei märganud midagi. Veidi aja pärast kohtusid nad ühe Salme sõbrannaga, kes koos oma emaga oli samuti teel kuuvalguse sauna, ja nad läksid edasi neljakesi. Mina püsisin neil kannul.

Lõpuks jõudsime väikesele lagendikule. See oligi kahtlemata meie lõppsiht, sest nägin seal teisigi naisi, kes juba lahti riietusid ning seejärel puude otsa ronima hakkasid, tammeviht hambus. Kuskilt põõsast kostis kahinat ning minu juurde roomas Pärtel.

"Minu oma on juba puu otsas!" sosistas ta ning osutas näpuga ühe kõrge kuuse poole, mille ladvas istus tema alasti ema, valge keha kuupaistel helendamas, ning vihtles end aeglaselt ning mõnuga. See oli kahtlemata ilus ja nõiduslik vaatepilt, aga Pärtli emast hoopis rohkem huvitasid mind Salme sõbrannad. Ma lasin pilgul ringi käia ning nägin neid öötaeva taustal mööda puutüve üha kõrgemale turnimas, kuni nad sobiva oksa leidsid ja end seal sisse sättisid, kümmeldes heledas kuuvalguses ning silitades tamme-vihaga oma paljast keha, justkui määriks nad sellele laiali kuu kuldset kuma. See oli erutav vaatepilt ja me mõlemad Pärtliga jõllitasime paljaid tüdrukuid lummatult. Nägime ka Hiiet, kes ema kõrval istus ja väikese vihaga kondiseid sääri sopsutas, aga tema polnud ilmselgelt meie lemmik, ta oli kõhn ja alles lapse-liku kehaga. Seevastu ühel Salme sõbrannal olid rinnad nagu herilasepesad! Me neelatasime ühekorraga, kui ta end vihtlema hakkas ning tema tissid lõbusalt üles-alla hüppasid.

Võis vaid ette kujutada, millist vaatepilti pakkunuks kuuvalgel vihtlevad naised aastasadu tagasi, siis kui mets veel inimesi täis oli! Küllap olid siis kõik puuoksad naiste all lookas. Nüüd oli vihtlejaid väheseks jäänud, neid oli vaevalt paarkümmend, nende seas ka mitu vanaeite, kes mingit silmarõõmu ei pakkunud. Aga nad kõik vihtlesid vahvalt ning tammevihtade langemise rütmis kerkis naiste õlgadelt peenikest kuuvalgusetolmu, mis hõõgus otsekui elus tuli.

"Ilus!" õhkas Pärtel ja õgis silmadega ühte naist, kes oli viha korraks käest pannud ja suurest mõnust ringutas, kergitades sel kombel veelgi oma võimsat rinnapartiid.

Keegi teinegi ohkas vaimustunult meie läheduses ja me võpa-tasime ehmunult. Kes võis siin veel varitseda? Keerasime end järsult ringi ja nägime üsna meie läheduses suurt karu, kes vahtis vihtlejaid, pea viltu, ja näris suurest õnnest oma pikki küüsi.

"Mis sina siin teed?" küsisin ma pahaselt, sest minus oli juba ärkamas mees ja ükski mees ei salli, kui karud naisi vahivad.

"Vaatan," vastas karu. "Oh, nad on nii kenakesed!"

"Kas emakarud ei käi vihtlemas?" pärisin ma pilkavalt. "Miks sa neid ei piilu?"

"Ei, nemad ei vihtle," ohkas karu, kes ei saanud muidugi aru, et ma teda narrida püüdsin. Karud ei mõista seda kunagi, nad on kohutavalt lihtsameelsed ja kergeusklikud. "Nemad pole nii kaunid ka. Neil on paks kasukas seljas ja seda ei saa üldse ära võtta. Aga need on siin kõik nii ilusad ja õrnad! Justkui nülitud!"

"Ise sa oled nülitud!" turtsatasin ma pahaselt. "Tõmba uttu! Mine ja nüli mõni kits, siis on tema ka ilus ja õrn."

"Ma olen proovinud, aga see pole see," ohkas karu, kes nagu karud ikka, polnud võimeline solvuma. Aga ta tatsas siiski veidi maad eemale, et seal koon taas puulatvade poole tõsta.

Me olime vist karuga liialt valjuhäälselt sosistanud ning minu õde Salme laskus puu otsast alla. "Kuhu sa lähed?" kuulsin ma korraga ema häält ja pöörasin ringi. Oma ehmatuseks märkasin, et paljas Salme seisab juba puu all, meist üldse mitte kaugel.

"Ma kuulsin mingit häält," ütles Salme, kahtlustav nägu ees. "Mulle tundub, et siin on keegi."

Ta vahtis puude vahele ja meie Pärtliga litsusime end nii sügavale samblasse, kui suutsime. Ära roomata me enam ei saanud, seda oleks Salme kohe märganud, aga ka paigalejäämine polnud ohutu – tänu täiskuule oli metsa all väga valge. Salmel pruukis vaid paar sammu astuda ning ta oleks meid otsekohe avastanud, ja parajasti ta just valmistuski neid samme astuma.

Ma tundsin kuklas külma higi, sest ma ei osanud arvatagi, milline karistus ootab salajasele vihtlemispeole tunginud poisikesi. Naised oleksid kindlasti hirmus vihased, et me neid piilumas käisime. Vaevalt muidugi, et ema mulle mingit suurt kurja lubaks teha, kuid häbi oleks ikkagi.

Oleksime tahtnud muttidena maa alla kaevuda, aga seda võimet pole inimestele kahjuks antud, ei aita siin isegi ussisõnad.

Salme astus kaks sammu ja oleks järgmisel hetkel meid kindlasti leidnud, kui korraga keegi õrna häälekesega hõikas:

"Salme!"

Loogiline olnuks, et Salme nüüd kiljatab ning ehk isegi appi hüüdma hakkab. Aga ta ei teinud midagi säärast. Selle asemel pomises ta mingi häbeliku rahuloluga: "See oled sina, Mõmmi. Mis sa siin teed, siin ei tohi olla." Meie tuttav karu tuli võsast välja. "Salme, sa oled nii kaunis!" õhkas ta. "Istusin siin ega saanud sinult pilku. Palju ilusaid naisi on seal puude otsas, kuid sina oled kõige kenam."

"Mõmmi, pole ilus niimoodi salaja vahtida!" noomis Salme, varjates kätega oma paljast keha. Ta polnud põrmugi kuri. Kujutasin ette, kui teistmoodi kõnelnuks ta minu ja Pärtliga. See oli isegi solvav, oma venna oleks ta kindlasti armutult läbi praganud, aga mingi suvalise karuga räägib nii hellal ja lahkel häälel, nagu oleks see ta kõige kallim sõber. Päts tuli päris Salme juurde ja lakkus ta paljaid jalgu.

"Ära tee, ema on seal üleval," sosistas Salme. "Ma pean ka tagasi ronima. Teinekord näeme."

"Mina jään siia puu alla hommikuni," mõmises karu. "Luba, et ma imetlen su ilu!"

"Rumal," ütles Salme õrnalt ja silitas karu pead. Siis lippas ta tagasi oma puu juurde ja ronis üles.

"Kes seal oli?" küsis ema.

"Ei kedagi," vastas mu õde. Ta võttis viha ja asus end uuesti vihtlema, aga nüüd juba hoopis teistmoodi kui varem. Nüüd ei kümmelnud ta enam niisama kuukiirtes, nüüd esines ta all padrikus luuravale Mõmmile, näidates talle edevalt kordamööda kõiki oma kaunidusi.

"Lähme koju," ütlesin mina, pahane korraga nii õe kui karu peale.

10.

Ma olin Salmes tõesti pettunud ja oleksin hea meelega emale ära rääkinud, et õde karuga tiiba ripsutab. Ma ei saanud seda aga teha, sest ema oleks kohe teada tahtnud, kus ma Salmet karu seltsis nägin, ja siis oleksin ma pidanud talle ära rääkima, et käisin piilumas kuuvalgel vihtlevaid naisi. See polnud võimalik.

Nii ma siis teadsin küll õe saladust, kuid pidin seda vastu tahtmist endale hoidma. Isegi Salmele ei võinud ma midagi mürgist nähvata, kuna temagi ei tohtinud ju aimata, et ma olin sel ööl metsas ja nägin kõike pealt. See oli ebameeldiv.

Eriti piinlikuks tegi kogu loo see, et ka Pärtel oli näinud minu õde koos karuga ning uuris nüüd minu käest pidevalt: "Kuule, kas nad käivad?" Ta ei teinud seda küll minu kiusamiseks, vaid tavalisest, lihtsameelsest huvist, aga mulle mõjus see ikkagi ärritavalt. See, et Salme karuga tegemist tegi, oli isegi piisavalt häbiväärne – pidi siis veel terve ilm seda teadma! Karu ja Salme vaheline suhe oli meie pere siseasi! Nõudsin, et Pärtel kellelegi ei räägiks, mida me kuuvalgel ööl metsas nägime, aga ma polnud sugugi kindel, et ta oma lubadust peab.

Ma ju teadsin omast käest, kui raske see on. Avastatud saladus keerles mul kõhus ning lausa trügis keelele – sest mis mõtet on midagi välja nuhkida, kui sa oma teadmisega kelkida ei või! Asi polnud ainult karus ja Salmes, me olime ju tol ööl näinud veel palju säärast, mis polnud mõeldud meie silmadele. Kohtudes hiljem mõne Salme sõbrannaga, hakkas mu pea võidurõõmust ja üleolekust lausa pööritama – seal ta istus ja suhtus minusse kui tüütusse poisikesse, aga ometi olin ma näinud tema tisse ja peput! Kui ta seda vaid teaks! Aga ma pidin oma uurimistulemused maha vaikima ja üksnes muigasin veidralt, kui Salme sõbrannad minu poole pöördusid.

"Mis sa naerad?" küsisid nad pahaselt, aga mina ei vastanud midagi, väänasin meeleheitliku pingutusega suu sirgeks ja jooksin minema, et mitte reeta oma salajasi teadmisi tisside ja tagumike kohta.

Ainus, kellele ma kõigest ausalt rääkida julgesin, oli Ints. Aga temas jällegi ei äratanud minu uudised mingit huvi ega imetlust. Rästiku jaoks olid inimene ja karu üsna sarnased olevused ning ta ei näinud mingit põhjust, miks ei võiks nad omavahel semmida. Ning ka Salme sõbrannade varjatud ilu kohta ei osanud Ints midagi arvata. See on muidugi ka üsna loomulik, kuna pika sileda köiega sarnanev madu ei ole iialgi võimeline mõistma rindade ja pepude otstarvet. Seepärast kuulas Ints minu jutustust üsna ükskõikselt ja ütles, et jah, ta on kõike seda juba näinud ning selles pole midagi erilist.

Olin endale lubanud, et hakkan sagedamini Hiiet külastama ning seda ma ka tegin. Tüdruk raius taas jäneseid, kui me põõsastest välja hiilisime, julgustatuna Intsu sõnadest, et Tambetit ega tema naist pole hetkel kodus. Hiie nägi kole väsinud välja, aga muutus meid nähes otsekohe rõõmsaks, ehkki häbenes hirmsasti oma plekilist põlle ning paljaid varbaid, mis olid jäneseverest punased. Ta peitis varbad suure kirve taha ja oleks hea meelega tahtnud meiega juttu ajada, aga hundid laudas muudkui ulgusid näljaselt ning nõudsid süüa.

"Ma vist pean veel natuke tööd tegema," sosistas Hiie õnnetult. "Muidu nad hakkavad nii hirmsat kisa tegema, et isa ja ema kuulevad ja tulevad siia."

"Ja siis sa saad sõimata?" küsisin mina.

"Ei, ei!" vastas Hiie, aga tema näost oli näha, et nii see just oli.

"Lähme vaatame neid hunte," pakkus Ints ja me astusime lauta. Ma polnud iial varem näinud nii palju hunte üheskoos. See oli lausa jube – neid oli seal sadu, igaüks oma väikeses latris. Kui me lauta sisse vaatasime, keerasid nad kõik koonu meie poole ja limpsasid keelt, ilmselt lootes, et koos meiega saabub ka igatsetud jäneseliha. Kui hundid nägid, et me tulime tühjade kätega, hakkasid nad taas läbilõikava häälega uluma, mõned viskusid lausa pikali ja püherdasid maas, näitamaks et nad on näljast meeleheitel.

"Nad pole täna rohkem söönud kui hommikul," seletas Hiie.

"Hunt ei peagi nii palju sööma," ütles selle peale Ints. "Minu meelest on nad õige rammusad ja mõni on lausa paks. Vaata kas või seda elukat siin ukse juures! See on ju sama paks ja suur nagu mõni karu. Ära toida neid nii palju!"

"Aga nad ju uluvad, kui süüa ei saa," kurtis Hiie.

"Teeme nii, et nad jäävad vait," ütlesin mina ja sisistasin valjusti. Loomulikult ei suutnud minu hääl võistelda huntide kõrist tuleva ulgumisega, kuid õigesti lausutud ussisõna jõuab alati sihile – ta põletab end läbi ka kõige valjemast lärmist ning on võimatu teda mitte kuulda. See ussisõna oli mõeldud loomade uinutamiseks. Hundid lõpetasid käratsemise, haigutasid, nii et kihvad paistsid, lõid siis lõuad naksti kokku ja heitsid laisalt pikali. Veidi aega silmitsesid nad meid uniselt, siis panid pea käppadele ja jäid tuttu.

"Kas sulle pole õpetatud ussisõnu?" küsisin ma Hiielt.

"On ikka, aga mitte sellist," vastas tüdruk, kes vahtis vaimustunult põõnavat hundikarja. "Kui kaua nad magavad?"

"Õhtuni, või siis nii kaua, kuni me nad üles äratame," ütlesin mina. "Ma õpetan selle ussisõna sulle selgeks, siis võid sa nad hommikul ära toita ja seejärel magama panna, et nad asjatult ei lärmaks. Kas tahad?"

Hiie noogutas õhinal pead. Ma kordasin vajalikku ussisõna, kuni see talle meelde jäi ning ta seda lausuda oskas. Siis tegime proovi – ma äratasin hundid üles, nad ajasid end uimaselt jalule ja olid esiotsa õige rahumeelsed, kuid õige pea meenus neile harjumus vahetpidamata õgida. Märgates, et neil pole ninaesist, lasid hundid sedamaid oma kõridel kajada. Seejärel sisistas Hiie veatult oma äsjaõpitud ussisõnad ja hundid heitsid alistunult uuesti pikali, katsid koonu sabaga ning hetke pärast magasid taas.

"No näed, kui lihtne see on!" ütlesin mina. "Imelik, et su isa ja ema sulle varem seda nippi pole õpetanud."

"Küllap nad tahavad, et Hiie kogu aeg hunte nuumaks," arvas Ints. "Minu ema räägib ikka, et see Tambet armastab hunte rohkem kui inimesi."

Hiie punastas seda kuuldes, sest jutt käis ju ikkagi tema isast. Ta teadis, et meile ei meeldi tema vanemad, ja tundis end nende pärast süüdlasena. Küllap kartis ta ka seda, et meie vastumeelsus Tambeti suhtes kasvab nii suureks, et me ka tema tütrest enam midagi ei pea. Vaevalt et ta isegi oma isa suuremat armastas, Tambet oli ju tema vastu hirmus kuri, seega oleks ta vabalt võinud Intsu jutu peale kosta: "Jah, see on tõsi. Ta on tõepoolest üks tige inimene." Hiie oli aga liiga häbelik ja vagur, et niisuguseid sõnu lausuda. Ma ei kuulnud kunagi, et ta oma vanematest midagi halba oleks rääkinud, hoolimata sellest, et tema ise nende läbi kõige rohkem kannatas. Ta lihtsalt tundis nende pärast pidevat piinlikkust, umbes nii nagu häbenetakse mingit inetut armi, mida teiste pilkude eest peita pole võimalik.

Meie loomulikult ei arvanud, nagu oleks Hiie süüdi selles, et tal on loll isa. Vastupidi, meile hakkas aina enam meeldima tema külastamine. See andis võimaluse Tambetile käkki keerata. Tema tahtis, et ta kallid hundid muudkui õgiksid, meie aga panime nad magama ja piltlikult öeldes näppasime Hiie tema vanemate poolt ehitatud puurist, mis koosnes suurest kirvest ja kuhjast jänestest, keda ta tükeldama pidi. Me käisime tema juures iga päev ja Tambet ning Mall ei suutnud ära imestada, miks hundid nii uniseks on muutunud ja enam päeval ei söö. Nad jäid isegi koju valvama, aga ussisõna sisistamine võtab vähe aega ning Hiie leidis ikka võimaluse selle lausumiseks, tõestades sellega oma vanematele, et hundid heidavad põõnama ka siis, kui vanemad on kodus.

Lõpuks kutsus Tambet kohale isegi Ülgase – kuidas siis muidu! Hiietark tuli ja uuris hunte, kes olid hommikuselt virged ja ulgusid nagu pöörased, aga sel ajal kui Ülgas ja Tambet läksid onni taha võpsikusse, et uurida, ega metsaemal või puuhaldjatel huntide unega mingit pistmist pole, sisistas Hiie oma ussisõnad, ja kui mehed mõtlike nägudega tagasi lauta tulid, magasid kõik hundid õiglase und.

"See on haldjate töö," ütles Ülgas. "Selles pole kahtlust. Ma aiman, milles asi. Tambet, vana sõber, sinu huntide ulgumine ilmselt segab metsahaldjate und. Sa tead ju küll, et haldjad magavad just päeval, seega on neil põhjust pahandada, kui nende püha und eksitab sõgedate loomade kisa. Seepärast panevadki nad hundid magama. Sellega tuleb leppida, haldjaid pahandada ei tohi!"

Tambet leppis, sest kui asi puudutas haldjaid, muutus ta vaguraks nagu kitsetall. Iidsete kommete või hiietarga sõnade vastu välja astuda ei tulnud talle mõttessegi. Mis mind aga eriti hämmastas, oli see, et ei Ülgasele ega Tambetile meenunud ussisõnad. Ausalt öeldes olin ma olnud kindel, et nad saavad nipile kiiresti pihta, äratavad hundid üles ning keelavad Hiiel neid uuesti magama panna. Ülgas ja Tambet ju oskasid ussisõnu ja ehkki loomade uinutamiseks vajalik sisin polnud kõige lihtsamate killast, ei olnud see ka mingi sedasorti haruldane ja vähe tuntud sisin, nagu need, mida ma olin õppinud Intsu isa, vana ussikuninga käest. Ülgas ja Tambet pidid seda sisinat kindlasti tundma. Aga millegipärast ei tulnud võimalus, et hundid on ussisõnade abil magama uinutatud, neile pähegi. See oli veider.

Alles hiljem olen ma mõistnud, et ehkki Ülgas ja Tambet vihkasid kõiki külasse elama asunuid, ei elanud nad ka ise enam päriselt metsas. Nad olid pettunud ja pahased, nähes vana head metsaelu vähehaaval välja suremas, ning et sellest üle olla, klammerdusid eriti iidsete ning salapäraste tavade ning loitsude külge, otsisid pääseteed välja mõeldud haldjailmast ega hoolinud enam tavalistest ussisõnadest. Need tundusid neile liiga nõrgad; need polnud ju suutnud inimesi metsas kinni pidada, seega ei olnud neist mingit kasu. Ülgase ja Tambeti meelest võis abi olla veel vaid nõidustest, ent kuna ussid teadsid, et mingit nõidust pole olemas, ei tahtnud Ülgas ja Tambet nendega enam tegemist teha. Vaevalt oleks neid enam rahuldanud isegi Põhja Konn. Nad uskusid, et on leidnud midagi hoopis vägevamat ja muudkui jahusid oma haldjatest ning metsaemadest, kujutledes, et hoiavad elus muistseid väärtusi. Tegelikult olid nad neist sama kaugele eksinud kui inimesed külas. Aga nad ei mõistnud seda iialgi.

Nii saabusid Hiiele hoopis rahulikumad päevad, sest Tambet ja Mall leppisid sellega, et hundid päeval magama peavad. Haldjad ju soovisid nii. Nad muutusid hommikuti isegi rahutuks, kui hundid liiga kaua ärkvel püsisid ja lärmasid, kuna kartsid, et haldjad saavad tigedaks ning neile tuleb rahu taastamiseks ohvreid tuua. Paar korda venitas Hiie meie ässitusel huntide uinutamisega ning siis oli tore võsast piiluda, kuidas Tambet ja Mall ärevalt ümber lauda jooksid ning katsusid koledat ulgumist kuidagi summutada, et lugupeetud haldjad metsas rahulikult põõnata võiks. Neile ei tulnud pähegi võimalus hundid ise ussisõnade abil magama panna, ei, nad ootasid mingit haldjaloitsu, millest oli kõnelnud Ülgas.

Lõpuks Hiie halastas ja sisistas huntidele vajaliku sõna. "Korras!" ütlesid Tambet ja Mall õnnelikult, tütre tegu märkamata, ja läksid oma toimetuste juurde. Hiiele nad huntide toitmise asemel uut tööd ei otsinud, õigemini öeldes lihtsalt unustasid seda teha. Ega nad oma tütart just liiga palju tähele ei pannud. Vaevalt küll, et see Hiiet eriti kurvastas. Ta sai käia meiega mängimas ning tihti terveks päevaks meie seltsi jääda – varem olnuks selline asi täiesti võimatu. Me hulkusime temaga igal pool, minu juures kodus ja usside juures ning käisime Pirre ja Räägu täisid vaatamas, ja ma usun, et Hiiel polnud veel kunagi olnud nii lõbus, kui sellel suvel, mil hundid magama jäid ning ta lõpuks ometi kodunt välja pääses.

Pärast seda, kui me kord Pärtliga külasse sattusime ning külavanem Johannese majas nähtud imeasjadest peaagu juhmiks ja pimedaks jäime, polnud me külainimeste juures käinud. Sellest oli möödunud üle viie aasta. Ehkki ma olin algul lausa põlenud vaimustusest leivalabida ning voki vastu, jahtus see kirg aastatega. Ma kogesin muudki huvitavat, õppisin onu Vootele abil ära ussisõnad ning elu metsas hakkas mulle aina rohkem meeldima. Juba ammu võisin ma voki ja leivalabida peale mõelda ilma igasuguse ihata. Ma olin kasvanud ja mõistlikumaks muutunud ning sain aru, et sääraste riistapuudega pole mul tõepoolest midagi peale hakata. Metsas neid vaja ei läinud. Küla ei huvitanud mind enam kuigivõrd, see oli midagi võõrast ja kauget, kuhu põhimõtteliselt võis ju uudistama minna, kuid sellega polnud kiiret.

Me ei rääkinud ka Pärtliga enam ammu külast ega meenutanud oma kunagist seiklust, sest meie elus oli vahepeal juhtunud palju muudki. Ints ei teadnud külast üldse midagi, peale selle, et külaelanikud ei mõista ussisõnu. Säärastesse olenditesse suhtusid rästikud ülima põlgusega – kui just tegemist polnud siiliga, keda küll samuti põlati, kuid lisaks sellele ka kardeti. Külaelanikke polnud põhjust karta, sest nemad ei talunud maomürki, mistõttu rästikud tundsid end neist igati üle olevat.

Nüüd, kus meiega oli ka Hiie, tekkis meil Pärtliga mõte taas külasse minna. Me olime Hiiet mööda metsa ringi vedanud ja näidanud talle kõike, mida teadsime ja mida Hiie polnud iial näinud. Meile meeldis hirmsasti tüdruku vaimustus ja me soovisime teda üha üllatada, aga lõpuks said kõik põnevad asjad metsast otsa. Siis tulidki meile meelde küla, külavanem Johannes ja tema tütar Magdaleena.

"Lähme neid vaatama," pakkusin mina ja Pärtel oli kohe nõus, seda enam, et Hiie punnis vastu ja näis tõsiselt kohkununa. Küllap oli Tambet kodus külast hirmsaid asju rääkinud. Hiie muidugi teadis, et isa räägib halvasti paljudest asjadest, kaasa arvatud näiteks minust ja mu perekonnast, ega hoolinud enamasti sellest, aga küla kartis ta tõeliselt. See muidugi lisas meile hoogu – sest mis võib ühele poisile pakkuda veel suuremat naudingut kui lohistada värisevat ja tõrkuvat plikat näilise hädaohu suunas! Saab näidata oma vaprust – "meie küll küla ei karda!"; ning kui lõpuks selgub, et hädaoht polegi hädaoht, võib tüdruku üle mõnusalt naerda: "Ma ju ütlesin kohe, et siin pole midagi hirmsat, näed, sulle ju isegi meeldib siin, eks me näidanud sulle huvitavaid asju?" Seega ei hoolinud me Hiie arglikest vastuväidetest, vaid vedasime ta endaga kaasa, ka Ints tuli ühes, sest temagi polnud külas käinud ja leidis, et üks rästik peab ometi teadma ja tundma kõike, mida metsas ning metsa ümbruses leida on.

Me jõudsime tuttava künkani, kust alla vaadates oli näha tervet küla ning ennekõike külavanem Johannese taret, mis seisis metsale kõige lähemal. Hiie oli täiesti vait, üksnes hingeldas, ja kui ma tal käest kinni võtsin, tundsin ma, et tüdruku peopesa on kaetud külma higiga. Ta kartis ilmselt päris tõsiselt. Veel kunagi polnud Hiie metsast väljas käinud. Päike oli küll pilve taga, kuid ometi rabas teda valgus ja avarus, mida metsas iial ei kohta. Ta vaatas mulle anuvalt otsa. Ilmselt oleks ta üle kõige tahtnud tagasi puude vahele silgata, kuid ma olin armutu. Ning Hiie alistus mulle, nagu ta oli alati alistunud ka oma isale ja emale.

Me läksime kiiresti mäeveerust alla. Mis seal salata, minugi süda põksus üsna kiiresti, ja küllap ka Pärtli oma. Me olime siin küll üks kord varem käinud, aga sellest oli möödas juba aastaid ning ma tundsin end nagu inimene, kes valmistub kõrge puu otsast järve hüppama. Ta teab küll, et vees ei oota teda midagi halba, aga natuke jube on ikka puu ladvast alla sügavikku vaadata ning kukkumise ajal on kõhus õõnes tunne.

Kõik toimus täpselt nii, nagu meie esimese külaskäigu ajal. Uksest astus välja Magdaleena, kes oli vahepeal tublisti kasvanud, ja me lausa jahmusime Pärtliga teda nähes – ta oli nii ilus. Ka Magdaleena jahmus, seda oli selgesti näha, ja ilmselt mitte meie ilu pärast. Pigem vastupidi, küllap kohutasid teda kaks loomanahkades poissi, kes talutasid endi vahel kleenukest loomanahkades tüdrukut. Eelmine kord oli ta meid tervitanud lapseliku siirusega, vahepeal oli Magdaleena aga ilmselt kuulnud metsas elavate inimeste kohta nii mõndagi ebameeldivat, sest ta karjatas: "Isa!"

"Mis lahti?" küsiti toast ja uksest astus välja külavanem Johannes. Tema ei ehmunud meid nähes, tunnistas mõne hetke ja küsis siis naeratades: "Kas need olete teie, poisid? Needsamad, kes ükskord varemgi siin käisid? Noh, te olete kõvasti kasvanud! Miks te alles nüüd tulite? Ma ju ütlesin teile, et kolige koos oma vanematega külasse elama. Vaesed lapsed, te näete nii metsikud välja. Kas te olete näljased? Tahate leiba?"

Enne kui me jõudsime midagi vastata, kadus ta tuppa ja tuli hetke pärast tagasi pooliku leivapätsiga.

"Palun!" ütles ta lahkelt. "See on värske rukkileib."

Ta ulatas leiva mulle. Hoidsin esmakordselt käes seda metsas nii põlatud eset; leib oli krobelise koorega, ent pehme. Hiie vaatas mulle otsa, silmad hirmu täis, ta tahtis midagi öelda, kuid ei julgenud. Ilmselt kartis ta, et juba ainuüksi leiva käeshoidmine võib mulle kuidagi kahju teha; küllap oli siin tegemist mõne tema isa järjekordse haldjajutuga. Mina leiba ei kartnud, sest teadsin, et ema on seda omal ajal söönud ning temaga ei juhtunud midagi halba, ainult vastik maitse pidi sellel roal olema. Siiski otsustasin leiba hiljem proovida – ja kindlasti Hiie nähes, et tüdruk mu vaprust imetleda saaks. Praegu aga tahtsin Hiiele veel teisigi imeasju näidata.

"Kas teil on see vokk alles?" küsisin ma asjatundlikult. "Ja see leivalabidas? Ma tahaksin neid vaadata."

Johannes naeris.

"Vokk on alles ja leivalabidas samuti," ütles ta. "Astuge sisse ja imetlege!"

Me olimegi juba tuppa astumas ning Hiie värises nagu puuleht. Mul hakkas temast kahju, ma müksasin teda ja sosistasin kõrva:

"Pole midagi! Vaatame natuke ja lähme tagasi koju."

Aga siis korraga juhtus midagi. Magdaleena kiljatas.

"Madu!" kisendas ta, silmad täis sõgedat hirmu, ja osutas sõrmega Intsule. "Isa, uss!"

"Ära karda, kohe löön ta surnuks!" karjus Johannes. "Tulge eest, ma virutan talle!"

Olin nii jahmunud, et lasingi end kõrvale lükata ning nägin, kuidas Johannes mingi malaka haaras ja üritas Intsu tabada. Rästik libistas end kiiresti kõrvale ja sisises õelalt. Teadsin, et järgmisel hetkel ta salvab ning kargasin vahele.

"Miks sa teda peksad?" kokutasin ma. "Ta pole ju midagi teinud!"

"Uss on inimsoo kõige kurjem vaenlane!" karjus Johannes. "Madu on saatana parem käsi ja iga ristiinimese kohus on need jälgid loomad maha lüüa! Kuhu ta roomas?"

"Ta on minu sõber!" hüüdsin ma, ise nii hirmul, nagu ähvardaks ka mind surnuks materdamine. Isegi nutt kippus peale. "Teda ei tohi lüüa!"

"Madu ei saa olla inimese sõber!" kuulutas Johannes. "Sa oled eksiteel, vaene laps, ja räägid hirmsaid asju. Sa ei tohi metsa tagasi minna, sa pead jääma siia, sest muidu läheb su hing hukka. Teie kõik peate siia jääma, teid tuleb kiiresti ristida ja päästa! Tulge kohe tuppa, aga see madu, see neetud madu, sellele ma veel..."

Ta pigistas peos oma toigast ning vahtis meeletu pilguga ringi, otsides Intsu.

Mul hakkas õudne. Olin kunagi näinud põtra, kellele külainimesed olid imeliku puust oga ribide vahele lasknud. Külainimesed ju ei osanud ussisõnu ega saanud seepärast põtra enda juurde kutsuda, seepärast jahtisid nad teda kauge maa tagant ning saatsid lendu väikeseid pulgakesi. See pulk tegi põdrale meeletult valu, kuid ei tapnud teda, ja nii tormas vaene loom verd täis valgunud silmadega mööda metsa ringi, röökis ning tagus jalgadega kõike ettesattuvat, kuni onu Vootele ta ussisõnade abil maha rahustas ning loomal kõri läbi lõikas, et teda piinadest vabastada. Johannes tuletas mulle praegu meelde seda hulluks läinud põtra, ka tema kisendas segaseid sõnu ning tahtis täiesti süütut Intsu surnuks lüüa. Oli ehk temalegi mingi terav pulk ribide vahele lennanud? Ta nägi välja täiesti pöörane ja ma kaotasin hirmust igasuguse otsustusvõime, üksnes seisin abitult ning oleksin ehk lasknudki Johannesel ennast tuppa tirida, kui mitte Hiie poleks mind küünarnukist sikutanud.

"Jookseme ära!" sosistas ta. "Ruttu! Jookseme ometi ära!"

Ma kuulasin otsekohe tema sõna, haarasin Hiiel käest ning me põgenesime tagasi vaatamata metsa poole. Nägin, et näost valge Pärtel jookseb mu kõrval, veidi maad eespool roomab Ints, ja ehkki ma kuulsin selja taga ikka veel Johannese kisa, taipasin, et me oleme kõik eluga pääsenud.

11.

Vajusime metsa jõudes sambla peale maha ning hingeldasime tükk aega, lausumata sõnagi. Ainult Ints ei paistnud olevat kuigi vapustatud, ta otsis päikesepaistelise koha ning keris end rõngasse.

"Mis tal hakkas?" küsis Pärtel viimaks.

Keegi ei osanud talle vastata. Lõpuks ütles Ints:

"Mis tal ikka hakkas. Need seal külas ongi sellised. Isa räägib ka, et nii kui nad mõnda madu näevad, nii kipuvad kohe kallale. Nagu siilid."

"Kas nad söövad teid?" küsis Pärtel.

"Proovigu ainult," sisises Ints. "Ma oleksin ise sellele olendile hambad sisse löönud, kui Leemet poleks ette hüpanud."

"Enne, kui sa oleksid jõudnud teda hammustada, oleks tema su selgroo pooleks löönud," ütlesin mina. Esimest korda mõistsin ma, kui ohtlik võib rästikule olla inimene.

Metsas elades polnud see mulle pähegi tulnud, inimesed ja maod elasid nagu vennad, mitte iialgi veel polnud üks inimene rästiku vastu kätt tõstnud. Kõnelda sellest, kas inimene suudaks ussile liiga teha, tundus sama mõttetu kui arutleda, kas tammepuu võib rünnata kaske. Rästikute ja inimeste vahel oli igavene rahu. Kuid nüüd nägin ma, et mitte midagi igavest pole olemas ning inimene võib rästiku tappa üheainsa kepihoobiga. Ma ei saanud sinna midagi parata, et silmitsesin nüüd Intsu hoopis teise pilguga. Kui habras ta tegelikult oli! Tarvitses vaid tema mürgihammastest eemale hoida ning ta ei suutnud end mingil moel kaitsta olendi vastu, kes ei mõista ussisõnu ning kasutab pikka keppi. Mul hakkas paha, vaimusilmas nägin ma juba Intsu pooleks löödud seljaga. Pöörasin pilgu kõrvale.

Siis alles märkasin, et hoian ikka veel käes leivapätsi. Esimene mõte oli see Johannese kingitus sohu uputada ning ma lasin leival vastikustundega maha kukkuda.

"Mis see on?" küsis Pärtel. "Sa võtsid leiva kaasa?"

"See lihtsalt jäi mulle pihku," seletasin ma.

Pärtel nihutas end lähemale ja silitas sõrmega ettevaatlikult leivatüki krobelist pruuni koorukest.

"Kas maitseme?" pakkus ta.

"Ei!" kiljatas Hiie. "Ärme maitse! Leiba ei tohi süüa! Isa ei luba! Ema ütles, et see on mürgine!"

"Mürgine ta kindlasti ei ole, sest minu isa sõi seda, enne kui ära suri," ütlesin mina ja sain ka ise kohe aru, kui kahemõtteliselt ning üldsegi mitte julgustavalt see kõlas. "See tähendab, ega ta leiva kätte ei surnud," kiirustasin ma lisama. "Minu ema on ka leiba maitsnud. Ta rääkis. See maitseb vastikult, aga ei tapa. Ja need seal külas ju söövad seda kogu aeg."

"Aga vaata, millised nad on!" lausus Ints. "Võib-olla just leib ajabki nad ogaraks."

"Meie ei söö ju palju," vaidles Pärtel. "Ainult mekime raasuke. Peab ju ikka ära proovima, mis imeasi see niisugune on!"

"Palun, poisid, ärge sööge seda!" lunis Hiie, silmad hirmust pärani. "Ma kardan teie pärast! See on ohtlik!"

Hiie hirm otsustas asja. Me ju ometi pidime näitama, et meie mingisugust leiba ei karda.

"Võtame väikese tüki," ütlesin mina. Käsi värises kergelt, kui ma leiba murdsin, natuke jube oli tõesti seda keelatud pala proovida. Võib-olla kõrvetab ta keelt nagu nõges? Äkki ajab oksele? Aga juba oli ka Pärtel endale tükikese murdnud, me mõlemad hoidsime leiba kahe sõrme vahel ja vaatasime teineteisele otsa. Siis hingasime sügavalt välja, pistsime leivaraasu suhu ja hakkasime kiiresti mäluma.

Suud see leib igatahes ei kõrvetanud ning oksele ei ajanud. Aga maitset polnud tal ka ollagi. Oli selline kuiv ja vastik nagu puukoor, mida võib küll lõputult närida, aga mida alla neelata on ikkagi vaev.

Hiie ja Ints jälgisid meid üksisilmi, Hiie hirmunult, Ints halvakspanuga.

"Noh, kuidas on?" piiksus Hiie.

"Pole viga," ütlesin mina kangelaslikult. "Ei tee see meile midagi."

"Jah," kinnitas ka Pärtel. "Sünnib süüa küll."

"Ärge rohkem küll võtke!" palus Hiie.

Ega me ju tegelikult polekski tahtnud rohkem võtta, aga tundus kuidagi piinlik piirduda vaid ühe tillukese leivaraasuga. Sellepärast murdsime Hiie palvest hoolimata uued tükid ja hakkasime neid aeglaselt mäluma.

Oli isegi nagu uhke tunne – süüa leiba. Seda salapärast ja keelatud kraami, mis pealegi ei maitsenud üldse hästi, selle närimine tundus meheväärilise kangelasteona. Laps ei oleks sellega hakkama saanud, tema oleks maitsetu sodi suust välja ajanud, aga meie ei teinud teist nägugi ja neelasime leivapala viimaks vapralt alla. Olime järelikult juba suured – mitte poisid, vaid täitsamehed.

Teineteise vahvusest ärgitust saades ning soovides korda saata aina uusi kangelastegusid, asusime nüüd leiba juba suurte ampsudega õgima.

"Võta ka," soovitas Pärtel Hiiele. "Pane kah üks tükk põske."

"Ei taha!" tõrkus Hiie.

"Võta, võta!" ütlesin ka mina. "Ega sina ju ka enam väike laps ole, võid proovida küll. Mis see üks tükike teeb. Isa ja ema ei saa midagi teada. Pärast söömist loputame suu allikaveega puhtaks, siis ei jää haisu ka järele."

"Ei, ma ei julge," piuksus Hiie ikka. Nii palju ta siiski söandas, et puudutas leiba näpuga – algul õrnalt, siis aga vajutas juba tugevamini. Leib oli väga pehme, Hiie sõrm vajus koorikust läbi ning jäi leiva sisse kinni. Hiie kriiskas, tõmbas sõrme lahti ja peitis käe selja taha.

Meie naersime.

"Mis sa ometi sedasi kisad?" pärisin mina. "Kardad teist, justkui oleks leib elus. Võta, hammusta üks tükk! Ega sa tita ole!"

Hiie raputas pead.

"Ära ole loll!" õiendas Pärtel. "See ei tee sulle midagi."

Mina murdsin leiva küljest tüki ja toppisin seda Hiiele. "Söö nüüd!"

"Mis sa sunnid!" ütles Ints. "Sööge ise oma sitta. Vaadake, kui jõle see välja näeb, pruun nagu põdra pask. Võib-olla tehaksegi seda pasast? Teie, inimesed, ikka peate kõike proovima. Sööge parem pohli."

"Seda ei tehta pasast," vaidlesin mina. "Ema on rääkinud, et leiba valmistatakse mingitest kõrtest. See pidi olema hirmus vaev, neid kõrsi tuleb veel peksta ja jahvatada ja ma ei tea mis kõik veel. Siis lõpuks aetakse nad ahju ja ongi leib."

"Mis seal vahet on, pask või kõrred," vastas Ints. "Ma ei teadnudki, et te rohtu sööte nagu kitsed."

"Huvitav on," ütles Pärtel. "Uusi asju peab ka proovima. Kust sa muidu tead, et miski on hea, kui sa ei katseta?"

"On siis hea?"

"Ei ole, aga..."

"Aga ikka sööte. Olete ju juba proovinud, jätke nüüd järele."

"Me tahame, et Hiie ka prooviks," ütlesin mina. "Võta, Hiie! See ei tee midagi. Ega ta sulle kõhtu jää, pärast kakad leiva jälle välja."

"Oled sa kindel?" uuris Hiie.

"Muidugi. Proovi! Väike tükk!"

Hiie vaatas mulle vaevatult otsa, pigistas siis silmad kinni ja toppis leivatüki endale suhu. Tükk aega näris ta seda hinge kinni hoides, nägu vastikusest krimpsus.

"Noh!" juubeldasime meie. "Polnudki ju nii halb! Läks alla küll!"

"Jah," ütles Hiie. "Läks küll."

"Võta veel!"

"Ei, ei!" raputas Hiie ruttu pead. "Aitab! Rohkem ma ei söö. Mul on juba praegu kõhus nii imelik tunne. Kas teil ei ole?"

Olime hetke vait ja püüdsime aru saada, milline tunne meil kõhus on. Oli jah kuidagi veider. Kujutasime ette, kuidas leivatükid seal keset magu lebavad otsekui kutsumata külalised. Hakkas kuidagi ebameeldiv. Lõppude lõpuks, mida me leivast teadsime? Et ta suus ei karjunud ja igemeid kupla ei kõrvetanud, see ei tähendanud veel, et ta ka kõhus korralikult käitub. Äkki jääme me siiski haigeks? Võib-olla on leivasöömisega seotud mingi nipp, mida me ei teadnud? Järsku sõime teda kuidagi valesti? Ausõna, meil ei olnud sel hetkel hea olla.

"Mul vist läheb süda pahaks!" ütles Hiie korraga ja jooksis puu taha, kust hakkas kostma öökimist.

See mõjus meile masendavalt. Leivaga ei saanud ikka õige asi olla, kui ta sedasi oksele ajab. Põdralihaga ei olnud kunagi nii. Samas me peaaegu et kadestasime Hiiet, sest kahtlemata tuli tüdrukul nüüd see kahtlane leivatükk kerest välja, samal ajal kui meie pidime oma koormat edasi kandma, oskamata aimata, mida see meiega lõpuks teeb. Hiie pistis oma higise ja õnnetu näokese puu tagant välja.

"Ma lähen nüüd koju," ütles ta ning kadus.

"Mina lähen ka," teatasime me Pärtliga nagu ühest suust ning komberdasime kumbki oma onni suunas, hoides samal ajal murelikult kätt kõhul – et ära tunda, kui kurikuulus leib, mida lolli peaga sisse sai vohmitud, seal sees mürgeldama hakkab.

Midagi hullu ei juhtunud. Leib püsis vagusi. Siiski ei suutnud ma päriselt rahuneda. Oli selline tunne, nagu istunuks mu kõhus keegi võõras. Jõudsin koju, pugesin nurka ning kompasin vatsa. Mulle näis, et ma tunnen sõrmede all vastikuid leivamügerikke. Kas need jäävadki nüüd sinna? Äkki pole neid siiski võimalik ära seedida?

Ema oli ütlemata heas tujus.

"Läksin täna hoogu ja küpsetasin terve kitse," ütles ta. "Küll tuli hea välja, nii krõmps, et viib keele alla. Tule sööma, poja. Salme juba sõi ja kiitis. On ju, Salme?"

Salme heitis laua tagant minu poole väsinud pilgu.

"Ema nuumab mind," ütles ta kaeblikult. "Ta tõstab mulle kogu aeg juurde. Vaata ometi seda lihakuhja! Ma ütlesin talle juba

ammu, et ei, seda ma enam süüa ei suuda, vii see liha minema,
aga tema ei vii."

"Mis ma tast viin, küll sa pärast sööd," seletas ema rõõm-
salt. "Puhkad natuke ja siis. See on ju nii hea liha, ma päev otsa
praadisin."

"Ei ole võimalik nii palju endale sisse toppida!" hädaldas
Salme. "Ma lähen lõhki!"

"Oh, mis sa teed nalja, selle lihanatukese pärast ei lähe keegi
lõhki," lõi ema käega. "Ja ma ju räägin, sa ei pea kohe sööma.
Pärast!"

"Homme!"

"Mispärast homme, homme ma teen uue lõuna. Ikka täna,
aga natukese aja pärast."

"Natukese aja pärast ma lähen magama."

"No ja enne magama minemist söödki. Leemet, tule sina nüüd
ka siia! Ma tõstan sulle ette."

Ema kuhjas minu kaussi säärase hulga liha, et jäi mulje,
nagu lesiks seal terve kits või justkui istuks suur lind oma pesal
ja hauks mune välja. Ma tõusin ettevaatlikult, et oma vatsas
varitsevat leivatükki mitte paigast raputada ning läksin laua
juurde. Oli päris selge, et ma pole võimeline midagi sööma –
kõht tundus hell, nagu oleks keegi seda seestpoolt küüntega
kriipinud.

"Ema, ma ei taha süüa," ütlesin kaeblikult.

"Mis jutt see on?" imestas ema.

"Söö aga söö," manitses ka Salme mürgiselt. "Miks mina üksi
pean paksuks minema."

"Sa ei lähe paksuks," tõrjus ema ning hakkas lihakaussi mulle
lähemale nügima. "Võta nüüd, võta terve see kints ja näri puhtaks!
Vaata ometi kui ilus, puhas tai!"

"Ema, ma ei suuda süüa," ütlesin mina ja mul hakkas endast
korraga hirmus kahju. Kole leib kükitas mul kõhus ja piinas mind,
ning mul polnud vähimatki aimu, millal ta mõtleb sealt lahkuda.
Ema küpsetatud liha lõhnas isuäratavalt, ma oleksin tahtnud seda
maitsta, nii väga oleksin tahtnud, kuid lihtsalt ei julgenud. Vähe

puudus, et ma oleksin enesehaletsusest nutma hakanud. Korraga tundsin ma end nagu surija.

"Ema, ma sõin leiba," oigasin ma südantlõhestava häälega.

Ema jäi mind põrnitsema, nagu oleks puuga pähe saanud.

"Mida sa sõid?" küsis ta.

"Sa sõid leiba!" kiljatas Salme ja vedas nina kirtsu. "Kui vastik! Nagu mingi külainimene!"

"Ema, see leib on mul nüüd kõhus!" korisesin mina ja vahtisin emale anuvalt otsa. Kas ta suudab mind päästa, mind aidata? Ema ei paistnud haletsevat mitte mind, vaid iseennast.

"Sa sõid leiba!" ütles ta solvunud häälel. "Ah nii! Mina küpsetan päev otsa sulle kitse, tahan valmistada oma pojale maitsva õhtusöögi, nii hea, et viiks keele alla, aga sina sööd selle asemel kusagil leiba. Kas sulle ei maitse minu toidud? Ma ju nii püüan! Ma tahan sulle pakkuda kõige paremat – aga sina sööd leiba! See maitseb sulle rohkem kui minu hoole ja armastusega praetud kits!"

Ema istus laua taha ja hakkas nutma.

"Ema!" pomisesin ma kohkunult. "Ema, mis sa nüüd! Leib ei maitse mulle üldse! See on vastik!"

"Miks sa seda siis sõid?" nuuksus ema. "Miks sa teed mulle niimoodi?"

"Ema, ma ainult maitsesin seda!" vabandasin ma. "Lihtsalt tahtsin proovida. Pärtel sõi ka! Ja Hiie!"

Ma proovisin oma süüd jagada, aga ema ei hoolinud sellest.

"Mul ükskõik, mida teevad Pärtel ja Hiie," ütles ta. "Aga miks sina pidid seda vastikut leiba suhu ajama? Kas sa ei teadnud, et ema ootab sind kodus ja praeb sulle armastusega liha?"

"Leib on ju vastik!" ütles Salme. "Täitsa maitsetu."

"Kust sina tead?" küsis ema ja vaatas Salmele rangelt otsa. "Kas sina oled ka salaja leiba söönud?"

Salme sattus segadusse.

"Ühe korra, sõbrannadega," puterdas ta. "Lihtsalt võtsin korra suhu ja sülitasin jälle välja."

"Selge," ütles ema alistunult. "Ka sinule ei maitse minu toit."

"Ema, mis sa nüüd!" vaidles Salme. "Ma ju söön kogu aeg sinu praade!"

"Aga sulle ei maitse need, sulle maitseb leib!" jonnis ema ja nuttis jälle.

"Üldse ei maitse! Ma lihtsalt tahtsin proovida, et mis asi see niisugune on. Ma ei ole ju enam laps, mina ometi võin üks kord elus leiba maitsta. Leemet on muidugi alles poisike, tema küll ei oleks tohtinud seda süüa, see on temast väga inetu, aga mina..."

"Ei," ütles ema. "Sina ka ei või! Teie isa sõi leiba, aga mina ei taha, et te isa jälgedes käiks. See leib ei toonud talle õnne ja sellepärast ma ei taha, et minu lapsed seda isegi maitseksid."

Ta istus, pühkis pisaraid ning silmitses meid kuidagi ehmunult.

"Alles te olite nii pisikesed ja armsad, aga nüüd proovite juba leiba!" sosistas ta. "Ärge tehke seda, ma palun!"

"Ema, sa oled ise ka leiba söönud," väitis Salme.

"Olen küll," ohkas ema. "Aga väga vähe, mulle ei mekkinud see põrmugi. Ja teie ei pea ju kõiki neid pahasid asju järele katsuma, mida teie ema nooruses on teinud. Teie olge targemad!"

"Ema, ma ei söö enam kunagi leiba!" lubasin mina täiesti siiralt. "See oli väga halb. Sinu praed on palju-palju paremad, ausõna!"

"Ema, ära ole kurb," palus ka Salme. "Vaata, kui palju ma täna kitseliha sõin. Sa oskad seda jube hästi küpsetada."

"Tore, kui teile maitseb," naeratas ema läbi pisarate. "Ärge pange mind tähele, ma lihtsalt kardan, et äkki hakkab see leib teile meeldima. Hakkategi seda sööma ja kolite lõpuks külla elama. Näe, sinu sõbranna Linda kolis eile koos perega. Läksin täna nende onnist mööda, uks oli laiali lahti ja kaks hunti pikutasid kurvalt lävepaku peal, koon käppade vahel. Vaesed mahajäetud loomad."

"Ma poleks kunagi uskunud, et Linda ära kolib," ütles Salme. "Ta lubas, et ei tee seda kunagi."

"Nii nad räägivad kõik, aga lõpuks lähevad siiski," ohkas ema. "Nii palju on neid läinud! Meiegi läksime kord, aga mina tulin

tagasi. Ei meeldinud mulle see külarahva elu. Lapsed, pidage meeles, mina ei lähe enam metsast kuhugi, mina suren siin."
"Ema, sa ei peagi ju kuhugi minema!" hüüdis Salme. "Me kõik jääme siia, koos sinuga!"
"Kui teile see leib järsku maitsema hakkab..." alustas ema nukralt, aga Salme hüüdis, et ärgu hakaku jälle peale.

Samal hetkel tundsin ma oma sisemuses vaimustavat pakitsust, mis andis märku sellest, et on aeg joosta onni taha ning ennast tühjendada. See oli suurepärane tunne, oleksin tahtnud oma kõhtu kallistada ja musitada. Lõpuks ometi suutis mu magu ära seedida selle vastiku leiva! Ma kargasin püsti, jooksin maja taha ning ausõna – ma pole iialgi varem sittumisest sellist mõnu tundnud! Kulus vaid mõni hetk ja ma olin leivast vaba!

Keegi köhis ja ägises mu läheduses. Kargasin püsti, katsin oma tagumiku kinni ja nägin siis röötsakil Meemet võsast välja vahtimas. Ta oli veelgi tokerdunum, üks kõrv kaetud ämblikuvõrguga, ning hoidis käes lahutamatut veinilähkrit.
"Veini tahad, poiss?" küsis ta kähinal.
"Ei, aitäh!" vastasin mina ega saanud jätta eputamata: "Ma juba sõin täna leiba, ma neid külainimeste toite rohkem ei taha."
"Leib on solk," ütles Meeme. "Aga vein on teine asi. See teeb su nii mõnusalt uniseks, et sa ei saa ise ka enam aru, kas oled elus või surnud. Lihtsalt lebad nagu laip."
Mina ei näinud sellises olekus midagi mõnusat, aga Meeme nägemine tuletas mulle meelde Manivaldi sõrmust.
"Meeme, kas sa mäletad seda sõrmust, mis sa mulle kord kinkisid?" küsisin ma. "Mida sellega teha saab?"
"Selle sõrmusega?" kordas Meeme ja rüüpas oma märjukest. "Selle saab sõrme panna ning siis metsa vahel ringi kekutada. Milleks üks sõrmus ikka kõlbab? Noh, kui just väga pressid, ehk mahub ta sulle varba otsa ka. Kui sa arvad, et sedasi on ilusam."
"Midagi muud temaga teha ei saa?" käisin mina peale.
"No mida siis?" imestas Meeme. "Mida sa ühe sõrmusega teha tahad? Süüa või? See on veel sitem kui leib ja kõva nagu kivi."

"Miks sa selle sõrmuse üldse mulle andsid?" tahtsin ma teada.

Meeme naeris korinal.

"Küllap mul polnud temaga midagi muud peale hakata," irvitas ta. "Milleks minule sõrmus? Ta mädaneks koos minuga ja sellest oleks ju kahju. Ikkagi ilus asjake!"

Ta jõi uuesti, kuid veidi kohmakalt, ning punane vein jooksis mööda Meeme nägu laiali, nagu voolaks tal suust verd.

Ma pöörasin Meemele selja ning läksin tuppa, kus Salme oli ema meeleheaks uuesti sööma hakanud.

"Mina tahan ka liha!" teatasin ma laua taha räntsatades. "Mul on kõht täitsa tühi!"

Ma tundsin end terve ja tugevana. Leib oli kõhust kadunud nagu inetu vistrik näolt ja mul oli plaanis süüa nii palju kitseliha, kui vähegi makku mahub.

12.

Hiiet ja Pärtlit nägin järgmisel päeval. Hiie oli ikka veel näost kuidagi lapiline ning kaebas, et oli öö läbi oksendanud.

"Sa sõid ju ainult sõrmeotsasuuruse tüki – mida sul seal oksendada oli?" imestasin mina.

"Ei olnudki midagi, aga nii jube tunne oli kõhus," kurtis Hiie. "Ja kole hirm oli ka. Ma kartsin, et äkki on ikka veel mingi raasuke leiba minu sees, ja nii kui ma selle peale mõtlesin, nii jooksin jälle põõsasse. Kurk valutab praegugi sellest öökimisest."

Seevastu Pärtel kinnitas suureliselt, et temale ei teinud leib mitte midagi.

"Ma ei saanud arugi, et oleks midagi teistmoodi," rääkis ta. "Mina võin seda leiba veelgi süüa. Ma võin kas või kolm pätsi ära süüa ja ei tee teist nägugi. Tahad, lähme täna külasse, näppame sealt leiba ja sööme veel?"

"Ah ei," polnud mina Pärtli mõttest kuigi vaimustatud. "Mis me tast ikka nii palju sööme. Ta ei maitse ju üldse hästi."

Ma häbenesin teistele rääkida, kuidas ma olin eelmisel õhtul emale oma häda kaevanud ning millist vaeva kõhtu sattunud leivatükk mulle valmistas. Tegin näo, nagu poleks leivasöömises ka minu jaoks midagi erilist, ehkki teadsin, et tegelikult ei võtaks ma seda veidrat sodi enam mingi hinna eest suu sisse.

Vaatasin kadedalt Pärtlit, kelle jäme kogu ohtliku leiva ilma mingite muredeta ära seedis. Pärtel oli viimase aasta jooksul minust peajagu pikemaks veninud ja ka vägevalt laiusesse kasvanud, nii et mina sarnanesin tema kõrval liigestega ussiga. Olin vibalik ja kõhn, heleda peaga, samal ajal kui Pärtli juuksed olid rusked ja nägugi punane.

Olin Pärtli peale hetkel üsna pahane, sest ta praalis juba liiga mõõdutundetult oma leivaõgimise võimega, nagu oleks see mingi auasi. Ta naeris Hiie üle, kes eilse leivatüki mõjul ikka veel vahetevahel luksatas, ja küsis minugi käest mitu korda kavala näoga: "Kuule, sul oli ikka vist ka pärast paha olla? Minul polnud sugugi!"

Ma kannatasin seda mõnda aega, siis vihastasin ja ütlesin, et kärbes sööb jällegi sitta, ehkki mina ei söö – aga kas ma pean sellepärast kärbsest lugu pidama ja teda austama? Nüüd vihastas jällegi Pärtel ning ütles, et tema läheb ära koju, kui ma nii vastik olen ja teda kärbsega võrdlen. Leib pole mingi sitt, seda söövad väga paljud inimesed ja kõik võõramaalased peale selle, ning meie oleme lihtsalt lollid. Ta lahkus pahaselt ja mina põrnitsesin talle järele. Me olime Pärtliga ennegi suure raginaga tülli läinud ning järgmisel päeval sellest hoolimata mõnusalt edasi mänginud, nii et suurt numbrit ma Pärtli vihastamisest ei teinud.

Jäime esialgu Hiiega kahekesi, kuid veidi aja pärast roomas kohale ka Ints ning me otsustasime minna vaatama Pirret ja Rääku. Suur täi oli neil ikka alles ja pidas iga päev maha mehiseid võitlusi lindudega. Need tundsid temas hiiglaslikust kogust hoolimata ära tavalise putuka ja üritasid teda noka vahele haarata ning oma pessa tassida, kuid loomulikult ei tulnud sellest midagi välja. Täi oli nii suur, et isegi kotkas jaksanuks teda vaid hädavaevu tõsta, kuid kotkad teadupoolest täide ja muude sitikate peale jahti ei pea. Väikesed musträstad, pääsukesed ja kärbsenäpid aga kangutasid ilma igasuguse eduta piraka täi kallal ja sädistasid jahmunult, samal ajal kui suur putukas jalgadega vehkis ning mitmed linnud oma koibadega uimaseks lõi.

Täi oli vahepeal palju targemaks muutunud. Pirre ja Rääk olid teda hoolsalt treeninud, nii et enam ta piludesse pugeda ei üritanud, vaid loivas rahulikult paela otsas, ning kui talle märku anti, jäi seisma ja heitis kõhuli. Ta oli ka õppinud hindama inimeste lähedust, aga mitte selles mõttes nagu tavaline täi, kes katsub sulle juuste sisse ronida ning oma munad ära muneda. Suur täi ei kippunud pähe, vaid tuli lihtsalt sinu juurde, litsus ennast vastu su jalga ning nohises.

Eriti meeldis talle mingil põhjusel Hiie. Tarvitses tüdrukul vaid välja ilmuda, kui täi kohe tema juurde vudis. Hiie oli väike ja täi ulatus talle õlani. Ta nühiks end nii ägedasti vastu tüdrukut, et see pikali kukkus ning Pirre ja Rääk laksutasid laitvalt keelt ning riidlesid putukaga. Siis laskis täi end lonti ja lösutas õnnetult maas, kuni Hiie teda silitama hakkas ning rääkis, et täi on tubli ja tore loom.

Inimahvide sõnul poleks täi tohtinud Hiie sõnadest midagi aru saada, sest Hiie ei kasutanud täiga rääkimiseks isegi mitte tavalisi ussisõnu, liiati neid iidseid, inimahviliku hääldusega. Aga täi muutus ikkagi rõõmsaks, kui Hiie teda kiitis, ning sibas õnnelikult tüdruku ümber ringiratast. Ta lubas Hiiel koguni enda seljas ratsutada ning sammus siis aeglaselt ja väärikalt, oma koibi ettevaatlikult välja sirutades, justkui kartes oma koormat liialt raputada. See oli veider vaatepilt – väike kõhn tüdruk suure ja imeliku satika seljas ratsa sõitmas –, aga inimahvid rääkisid, et vanal ajal, siis kui maailmas elasidki ainult väga suured loomad ja putukad, juhtus selliseid asju sageli. Igal juhul näis väike kahvatu Hiie – täi seljas, taamal koopa ees istumas kaks inimahvi ja nende ümber puud ja põõsad liikidest, mis mujal metsas ammu välja surnud – mingist kaugest ajast pärit salapärase külalisena. Just säärasena kujutasin ma endale ette neid müstilisi haldjaid, kellest Ülgas nii palju kõneles. Kui nad üldse olemas olid, siis pidid nad sarnanema täi seljas ratsutava Hiiega.

Hiie ise hoidis samuti täid ning silitas ja sügas teda alati hoolega. Minu arust oli täi kole ja mulle ei meeldinud teda puudutada, paar sõbralikku patsutust oli ülim, milleks ma suutsin end sundida. Hiie seevastu väitis, et täi on väga armas.

"Ta on nii sõbralik loom," rääkis ta. "Ja mul on temast hirmus kahju, sest ma ei saa üldse aru, kus tal on silmad, kus kõrvad ja kus nina. Äkki tal polegi neid? See oleks nii kurb! Mõtle, kui sa ise peaksid elama ilma silmade, kõrvade ja ninata. Kui ma teda vaatan, siis mul tuleb kohe niisugune õrnus peale, ma tahaksin seda vaest looma hellitada ja paitada ja... Ah, ta on niisugune vaeseke!"

"Mina arvan, et tal on silmad ja kõrvad ja kõik muud asjad täitsa olemas, ainult et meie ei leia neid üles," ütlesin mina. "Putukatel on need värgid teise koha peal kui meil ja loomadel, aga küllap see täi ise väga hästi teab, kus tal mingi asi on."

Hiie raputas kahtlevalt pead ning hellitas täid ikka endist moodi, sest tema silmis oli see putukavolakas imearmas loomake ja peale selle veel vaene sant.

Ka sel korral traavis täi meile lõbusalt vastu, nühkis ennast moe pärast vastu mind, kargas eemale Intsust, keda ta kartis, ja maandus lõpuks Hiie juures, kelle ta nagu ikka suurest vaimustusest algul pikali lükkas. Seejärel lasi ta ennast upakile, et tüdruk saaks talle selga ronida. Hiie kallistas ja musitas täid ning sõitis uhkelt Pirre ja Räägu koopa juurde. Inimahvid istusid õues ning hõõrusid suure kivi peal mingit taime peeneks.

"Mida te teete?" küsisin mina ja võtsin nende kõrval istet.

"Küll sa näed," ütles Pirre ja segas purustatud taimedest välja voolanud mahla mingi vedela lögaga, mispeale see punaseks värvus.

"Me tahame täi seina peale joonistada," seletas Rääk. "Et oleks mälestus. Kunagi, kui teda enam pole, saame pilti vaadata ja teda meenutada."

Me läksime koopasse ja kõndisime päris sügavale, sinna, kuhu inimahvide eelmised põlvkonnad olid maalinud pilte oma elust. Maast laeni olid koopa seinad kaetud tuhandete tillukeste joonistustega, mis kujutasid inimahve ning kõiksugu ammu välja surnud loomi.

"See on meie ajalugu," ütlesid Pirre ja Rääk uhkelt ning Pirre asus ühele tühjale kohale täid joonistama. "Kõik, mis kunagi on juhtunud, on siin kenasti üles tähendatud. Näed, seal üsna üleval on kujutatud esimeste inimeste ilmumist. Alguses olid nad üsna meie moodi, ei kandnud riideid ega midagi. Aga siin," ning Pirre osutas ühele teisele pildile, "on nad endile juba nahad selga riputanud."

"Kas siin Põhja Konna ka on?" küsisin mina.

"Ikka on, mitmes kohas," kinnitas Pirre ja näitas mulle pilte suurest sisalikuga sarnanevast elukast, kes lendas tillukeste inimeste peade kohal, tema lõugade vahelt aga ripnesid välja teiste inimeste jalad.

"Need pildid on tõesti väga vanad," ütles Hiie lugupidavalt.

"Põhja Konna pole ju juba ammu nähtud."

"Oh, kallis laps," naersid Pirre ja Rääk. "Seda aega, mis Põhja Konna viimasest lennust on möödunud, pole veel võimalik mõõtagi – see oli nii hiljuti! Need pildid jutustavad aegadest ammu enne seda. Ja õieti pole needki joonistused kuigi vanad. Päris vanad pildid on selle seina taga." Inimahvid osutasid koopa sügavuses kuhjuvatele kivimürakatele. "Vanasti oli see koobas palju suurem, aga mõnisada tuhat aastat tagasi värises siin maa ja koopa ots mattus kivide alla. Kõik vanad joonistused jäid sinna, neid oli seal tohutult palju, alates kõige ammusematest aegadest. Neid ei näe enam mitte keegi ja sellepärast pole ka kuigi täpselt teada, mis ennevanasti juhtus. Kui pole pilte, siis ka ei mäletata midagi. Aga vähemalt see suur täi on nüüd kenasti üles joonistatud ja kõik järeltulevad põlved saavad teda imetleda. Tema jääb."

Pirre silmitses uhkelt oma kätetööd, seinale maalitud suurt punast sitikat, kes võis tõesti olla täi, aga samahästi ka ämblik või kärbes. Inimahvid polnud just kõige paremad kunstnikud ja täid on üldse raske joonistada.

"Vaata, see oled sina!" ütles Hiie õrnalt oma lemmikule. Täi võdistas end õnnelikult, kui Hiie teda paitas. Pilt teda ei huvitanud ja võib-olla ta ei näinudki seda, sest me ju ei teadnud, kas tal olid silmad olemas või mitte.

Veetsime Pirre ja Räägu juures terve õhtu, istusime tule ääres ja kuulasime, kuidas inimahvid laulsid oma imelikke laule, mis ei sarnanenud sugugi nende viisidega, mida laulsid inimesed, enamasti naised ja tüdrukud. Inimahvide laulud koosnesid rohkem häälitsustest kui sõnadest, seal oli kiljeid, urinat ja mõminat, aga kõik see kokku kõlas väga ilusti. Me üritasime kaasa laulda, aga see ei õnnestunud kuigi hästi. Praegu, kui mul enam mitte midagi teha pole, tuletan ma vahel meelde neid iidseid viise, mida peale minu enam mitte keegi ei mäleta, ja ümisen omaette. Need vanad laulud meeldivad mulle palju rohkem kui see moodne regilaul, mida naised tänapäeval külades kõõrutavad ja mis mul alati pea valutama paneb. See kestab nii lõputult kaua, tundub, et naised ei jäägi enam vait. Inimahvide laulud polnud kunagi pikad, nad lõppesid kas kõrvulukustava karjega või vaibusid tasaseks suminaks, ja neis oli imelik vägi. Tänagi teevad nad mu südame rõõmsaks ja manavad silme ette need õnnelikud õhtud, mil Pirre ja Rääk veel oma koopas elasid ning meile laulsid.

See koobas on nüüd kinni varisenud. Mitte keegi ei näe mitte kunagi Pirre maalitud pilti täist. Mitte keegi ei saa mitte kunagi teada, et selline elukas siin metsas elas.

Oh, neid asju on nii palju, millest mitte keegi mitte kunagi teada ei saa.

Me jätsime inimahvidega hüvasti ja läksime koju. Ints roomas oma pessa, Hiie lippas enda onni suunas. Ta polnud kunagi nii hilja koju läinud ja kindlasti oleks ta ema-isa käest tapelda saanud, aga õnneks polnud neid kodus. Viimasel ajal käisid nood aina sagedamini hiies Ülgase manamist kuulamas ning ka sel õhtul olid nad mingil erilisel öisel kogunemisel, kus kuupaistel rebaseid ohverdati ning katsuti välja uurida, mis haldjatel mõttes.

Mina kõmpisin oma osmiku poole, kuni keegi mind järsku hõikas. See oli Pärtel. Olin üsna imestunud, et ta nii hilja veel ringi luusib, aga mõtlesin, et tal on ehk käsil midagi põnevat, ning olin kohe valmis igas seikluses kaasa lööma. Hommikune tüli ei tulnud mulle meeldegi.

Kohe kui ma Pärtlit lähemalt nägin, sain aru, et ta ei ole metsas hoopiski mitte mingit vempu viskamas. Ta nägi välja murelik ning isegi ehmunud, haaras mul õlast kinni ja nõudis:

"Kus sa olid? Ma otsisin sind!"

"Mis lahti?" küsisin mina. "Kas midagi on pahasti?"

"Ma ei tea," ütles Pärtel. "Asi on selles, et... Ma tahtsin sulle rääkida... Isa ütles täna... Me kolime külasse."

Miski ei võinud mind rohkem vapustada. Istusin sinnasamasse sõnajalgade keskele maha, sõbra uudisest täiesti põrutatud, ja Pärtel istus minu kõrvale ning vahtis mulle kuidagi anuvalt otsa, justkui oleks ta kuhugi soolaukasse vajunud ning ootaks nüüd, et ma ta sealt kõrvupidi välja vean ning jälle kuivale maale aitan. Aga sellest laukast, kuhu Pärtel praegu oli vajunud, ei saanud mina teda kuidagi välja tõmmata.

"Miks?" oli ainus, mida ma öelda oskasin.

"Isa ütles, et siia pole mõtet jääda, et kõik lähevad ära," vastas Pärtel. "Ta ütles, et ta ei tahakski minna, aga midagi pole teha. Vastu tuult pole mõtet sülitada. Kui ülejäänud inimesed on otsustanud külasse minna, siis tuleb sellega leppida ja teha nii nagu teised."

Me olime jälle tükk aega vait.

"Kas sa tahad minna?" küsisin ma lõpuks.

Pärtel kehitas õlgu.

"Eriti nagu ei taha," ütles ta õnnetult. "Aga mis ma teha saan? Kui ema ja isa lähevad, siis ma ju pean nendega ühes minema. Ma ei saa ju üksi siia jääda."

Ta nihkus mulle lähemale.

"Äkki tuled sina ka?" küsis ta lootusrikkalt. "Noh, mitte homme, aga kunagi. Mõne aja pärast. See oleks ju tore, siis me oleksime jälle koos ja..."

"Ma olen külas sündinud," ütlesin mina. "Ema tuli sealt ära metsa ja ütles, et tema ei lähe iialgi tagasi. Ja mina ei taha ka minna. Nägid, mida nad Intsule tahtsid teha. Nad on seal kõik lollakad."

"Nojah, see Intsu lugu küll, jah, see oli kole," nõustus Pärtel. "Ega mina ju ka... Saad aru, mulle meeldib siin! Aga ma ei saa midagi teha! Mina ei saa ju midagi teha, ma pean minema!"

"Ma tean," ütlesin vaikselt.

Pärtel istus mu kõrval nagu hunnik õnnetust. Mul hakkas tast hirmus kahju.

"Pole midagi," ütlesin ma. "Küla pole ju kaugel, siinsamas metsaservas. Ma võin sul vahel külas käia ja sina võid alati metsa lipata, kui minuga mängida tahad. Me ju näeme ikka."

"Jah, muidugi!" kinnitas Pärtel. "Ma tulen kindlasti metsa sind otsima!"

"Ja mina tulen sinu juurde ja võtan Hiie ja Intsu ka kaasa," rääkisin mina. "Sina ju ei hakka Intsu malakaga taguma."

"Ei, ega ma hull ole! Mina... mina elan ikka nii, nagu ma metsas elasin."

"Ainult et leiba hakkad sööma," ütlesin mina. "Aga ega seegi sulle viga tee. Sina ju tulid leivasöömisega päris hästi toime."

"Jah, leiba ma võin süüa küll, see ei tee mulle midagi," nõustus Pärtel. "Ehkki ega see mulle ei maitse. Noh, ma usun, et külas saab ikka liha ka!"

"Näed siis, ei olegi ju asi nii hull," ütlesin ma, ise aga mõtlesin: "Asi on hull, väga hull, hullem ei saagi olla! Mu parim sõber kolib ära! Kuidas see võis niimoodi juhtuda? Äkki ta siiski ei lähe? Äkki ta jääb metsa ja kõik on nii nagu enne?"

"Jah, asi polegi nii hull," pomises ka Pärtel, aga oli päris selge, et tegelikult mõtleb temagi sedasama mis mina.

Me istusime veel natuke aega, mornid ja õnnetud, kuni Pärtel end viimaks püsti ajas.

"Noh, ega's midagi," ütles ta kuidagi kõlatult, nagu oleks külma saanud ning oma hääle kaotanud. "Ma lähen nüüd koju. Ma tulin tegelikult ainult korraks välja, sulle ütlema, aga ei leidnud sind üles ja otsisin siis mööda metsa taga. Ma peaksin ammu tagasi olema. Homme hommikul hakkame minema, enne seda on vaja veel sättida."

"Oma hundid lasite juba lahti?" küsisin mina.

"Hommikul laseme," vastas Pärtel. Ta seisis ja nohises.

"Nägemist siis," kohmas ta lõpuks. "Eks sa võid ju homme vaatama tulla, kuidas me..."

"Eks ma siis tulen," ütlesin mina.

"Homseni," kostis sõber ja asus läbi metsa oma onni poole teele, et seal viimast korda magada. See oli hirmus ja uskumatu. Ma lonkisin koju ja tõmbasin end asemel kerra, kuid ei suutnud öö läbi uinuda; jäin alles vastu hommikut magama, kuid see-eest sügavalt nagu laip. Ema ei äratanud mind – talle meeldis, kui ma kaua magan, nii nagu talle meeldis ka see, kui ma palju söön. Kui ma viimaks silmad lahti tegin, oli juba lõuna. Pärtel on lahkunud, mõtlesin ma kohe ja tegelikult oli mul hea meel, et ma polnud käinud teda ära saatmas. Ma lesisin tükk aega selili ja vahtisin lakke.

Siis kostis ukse juurest sisinat. Ints oli tulnud mind otsima.

"Mis lahti? Kas sa oled haige?" küsis ta.

"Ei, täitsa terve," vastasin mina, tõusin püsti ja läksin koos Intsuga õue. Seal oli kõik täpselt nii nagu eile, ainult et minul oli selline tunne, nagu oleks mets täiesti tühjaks jäänud ning mättad kajaksid mu sammude all vastu.

13.

Pärtel oma vanematega ei jäänud ainsaks lahkujaks. See oli otsekui kevadine jääminek, kus esimesele lahtimurdunud jäätükile järgnevad peagi teised. Ilmselt olid paljud juba pikalt omaette vaaginud, kas kolida külasse või mitte, ning Pärtli vanemate eeskuju lõpetas nende kõhklused. Juba järgmisel päeval lahkus veel üks Salme sõbranna koos emaga ja pärast neid läksid järgmised ja järgmised ja järgmised. Meid polnud metsas ka enne kuigi palju, kuid mõne nädala pärast jäid neistki vähestest alles vaid meie pere, Hiie oma ema-isaga, Ülgas, Meeme, inimahvid Pirre ja Rääk ning siis veel paar muldvana ätti, kelle jaoks iga uue hommiku nägemine oli täiesti ootamatu üllatus.

Käisin neil päevil mööda metsa, ehmunud ja hämmingus, ja mul oli tunne, nagu laguneks mets otse minu silme all. Korraga hakkasid mulle silma torkama tormis maha langenud puud, tuulega alla kukkunud oksad ja kuivanud põõsad, millele ma varem polnud tähelepanu pööranud, ning mulle tundus, nagu oleks nende murdumine ja kuivamine kuidagiviisi seotud külasse lahkuvate inimestega. Ei saa salata, et mulle endalegi tikkus sel ajal pähe mõte – äkki oleks meilgi targem teiste eeskuju järgida, sest inimeste massiline lahkumine muutis metsa minu jaoks kuidagi hoopis vähem koduseks. Tundus, nagu varitseks metsas mingi hädaoht, mida tajudes teised siit põgenevad, ja kui ootamatult tõusis tugev tuul ning sasis kohinal puulatvasid, võpatasin ma hirmust – kas nüüd see algabki? Ma ei teadnud, mida ma peaksin kartma, kuid inimeste pagemine oli metsale otsekui augu sisse löönud ja sellest august oli vanasse õdusasse laande nõrgunud midagi võõrast ning ebameeldivat.

Onu Vootele, kes neil päevil väga sageli minu seltsis metsas ringi hulkus, rahustas mind ja rääkis, et tema on sarnaseid minekuid näinud palju. Need on alati tulnud lainetena – mitu aastat ei liigu keegi, siis aga korraga asuvad teele kümned pered. Seejärel läheb taas mööda palju rahulikke aastaid, mille jooksul kellelegi justkui ei tule pähegi metsast lahkuda, aga pruugib vaid ühel perel see tee mingil põhjusel ette võtta, kui kohe leidub järgnejaid. Külasse rändajad on nagu linnuparved, mis sügisel lõunasse lendavad – mõned asuvad teele kohe, kui ilmad jahedaks muutuvad, teised aga alles siis, kui maad katab esimene lumi.

"Need, kes praegu lähevad, ootasid lume ära," ütles onu Vootele. "Ei saa neile midagi ette heita, nad jäid isegi kauaks."

"Aga meie?" küsisin mina.

"Meie oleme nagu varesed ja kakud," kostis onu naeratades. "Meie jääme talveks. Vähemalt mis minusse ja sinu emasse puutub. Sina ja Salme olete esialgu veel lapsed ja jääte muidugi koos emaga, aga kui te suureks kasvate, eks te siis otsustate ise – kas minna või jääda. Ja siis kui teie lähete, ongi kõik. Siis jäävad metsa üksnes loomad ja maod."

"Mina ei lähe," kinnitasin ma veendunult.

"Kes teab, mis tulevik toob," ütles onu Vootele. "Muidugi meeldiks mulle, kui elu metsas päriselt välja ei sureks. Aga mõtle ise, Leemet – mis elu sul siin ihuüksi on? Mina ja su ema sureme ükskord ära, siis jääte vaid sina ja Salme. Kas see pole hirmus üksildane?"

"On veel Hiie ja Ints ja teised rästikud," ütlesin mina.

"Hiie muidugi," nõustus onu. "Ja rästikud ei lähe siit kuhugi. Üldiselt – elame, näeme. Ära ainult kunagi arva, et mina või su ema käsime sul iga hinna eest metsa elama jääda. Meie sind hukka ei mõista, kui sa külasse kolida otsustad. Elu on kord juba selline, et kõik asjad saavad otsa. Mõne puu sees on öökullid pesitsenud sadu aastaid ja ometi jääb see ükskord tühjaks, linnud ei pöördu sinna tagasi. Nii see lihtsalt on. Vähemalt ussisõnad on sul selged ja ma tean, et need elavad sinu suus edasi ka siis, kui mina surnud olen. See on kõige tähtsam. Ja mine tea, ehk õnnestub sinulgi nad kellelegi edasi anda."

Onu jutt tegi mind kurvaks, minu tulevik näis trööstitu ja tume. Külasse kolimine tundus ületamatult ebameeldiv, aga kui ma püüdsin end ette kujutada täiskasvanuna, keset kõigi poolt hüljatud metsa, tõusis mulle klimp kurku. Onu näis seda mõistvat, ta patsutas mulle vastu selga ja ütles naerdes:

"Ära nüüd mõtle nii kaugete asjade peale! Praegu on teada vaid see, et me läheme sinu juurde ja su armas ema ning minu kallis õde pakub meile niisugust kitseliha, mis viib keele alla. Täna on meil kõik hästi ja homme samuti, ja niimoodi veel mitu-mitu aastat. Mis pärast tuleb, seda ei tea keegi. Ebameeldivad asjad on nagu vihm: kunagi nad meile kaela tulevad, aga sellepärast pole mõtet muretseda seni, kuni päike paistab. Ja üldse, ka vihma eest saab varju minna, ning paljud asjad, mis kaugelt tunduvad koledad, pole lähedalt vaadates üldsegi nii hirmsad. Lähme nüüd sööma!"

Seda me tegimegi. Ema oli rõõmus, et onu nüüd peaaegu iga päev meie juures käis, kuna onul oli alati kõht tühi ning ema sai kõik oma põdraküljed ja kitsejalad talle sisse sööta.

"Sina, Vootele, oled tubli mees," kiitis ta oma venda. "Sööd nii hästi! Kui ometi Leemet ka sinu moodi oleks! Ma pakun talle muudkui ühte ja teist, aga tema ainult nokib toidu kallal."

"Ema, ma sõin täna pool põdrakülge!" õiendasin mina.

"No mis see pool põdrakülge siis sinusuguse kasvava poisi jaoks on?" imestas ema. "Ainult pool põdrakülge! Söö terve külg! Kellele sa seda hoiad, mul on ju veel! Sööd ühe ära, saad teise."

"Ema, võimatu on süüa ära terve põder!"

"Miks see siis võimatu on, kui kõht tühi? Vaata, kuidas onu Vootele sööb!"

"Mm!" mõmises onu. "Väga hea. Ma võtan ühe jala veel."

"Võta, võta! Võta kaks! Ja sina, Leemet, võta ka! Võta ja maitse vähemalt!"

Ma ohkasin ning tõstsin endale ette küpsetatud kitsejala. Mul ei olnud tõesti erilist isu, aga koduses köögis istumine ja kitsejalgade järamine aitas jätta muljet, nagu oleks metsas kõik endine ning nagu ei olekski hommikune kastemärg rohi alati täis lahkujate jalajälgi.

Pärtlit ei näinud ma mitu nädalat, ehkki ta oli lubanud mind peagi vaatama tulla. Ma ootasin teda kannatamatult ega saanud aru, miks sõber oma sõna ei pea. Mida on tal seal külas teha? Loomulik oleks, kui ta esimesel võimalusel säärasest jälgist paigast põgeneks, et taas metsaõhku hingata ning kurta oma vanale semule kõigist kannatustest, mis teda külas tabasid. Mina oleksin tema asemel küll ammu endast märku andnud. Ta ju teadis, kust mind leida, samuti nagu seda, et mina temale külla minna ei saa. Paar korda ma isegi ju olin metsaservale kõndinud ja närviliselt küla poole põrnitsenud, lootes seal kusagil Pärtlit näha, aga teda polnud. Nägin küll teisi külainimesi, teiste seas ka mulle tuttavat Magdaleenat ning mitut oma õe sõbrannat, kes olid alles hiljuti metsast lahkunud. Nad kandsid juba küla-elanike riideid ning kord nägin ma ühte neist rehaga. Aga see ei äratanud minus kadedust, vaid tundus võõrastav ning vastik. Ma kujutasin ette, kuidas minu õde Salme kõnniks, reha õlal, ning see tekitas minus palju teravamat vastumeelsust kui kujutlus, et ta suudleb karuga.

Sel ajal oli minu ainsaks mängukaaslaseks Ints, kuna Hiie ei pääsenud enam sugugi nii lihtsalt kodunt välja. Inimeste metsast lahkumine oli Tambetile sel kombel mõjunud, et ta sulgus koos perega oma osmikusse, otsekui peljanuks ta, et külasse rändajaid on tabanud mingi ohtlik tõbi, mis võib temagi lähedasi nakatada. Hiie pidi istuma kodus, kõik ringiluusimised lõpetati. Nägin teda paar korda kurvalt aknast välja vaatamas, lehvitasin talle ja tema viipas mulle vastu – ettevaatlikult, et keegi toasolijaist seda ei märkaks.

Ise käis Tambet siiski vahel ka kodunt väljas ning püüdis peremeheta hunte, kelle vaba ringihulkumine riivas tema iid-seid aateid. Sedasi paisus hundikasvatus veel, aga tänu Hiiele ja ussisõnadele õppisid ka uued hundid kohe selgeks, et päeval tuleb magada, mitte süüa. Korra nägi Tambet ka mind, kuna ma ei jõudnud end õigel ajal tema teelt koristada, jõllitas ja hüüdis: "Mida sina veel siin ootad? Hakka aga ka küla poole astuma nagu teised äraandjad!" Ma ei vastanud talle midagi, vaid jooksin kähku võssa. Igal juhul kurvastas mind, et Hiie enam väljas mängimas ei käinud. Pärtel kolis ära, Hiie topiti tuppa – ma tundsin end tõesti üksikuna. Jäi vaid Ints, kes katsus mind lohutada sel kombel, et sõimas kõiki külasse kolijaid lollideks ja irvitas nende üle, aga see ei tõstnud mu tuju. Rästikud ei suutnud ikkagi inimesi lõpuni mõista, olgugi et me rääkisime ühte keelt. Nemad suhtusid inimestesse nagu noorematesse vendadesse, kellele vanem veli on armulikult oma salakeele selgeks õpetanud ja kes nüüd kalli kingi tobedalt minema viskab ja vabatahtlikult siili- või sitikataoliseks olevuseks otsustab hakata. Ussid olid uhked loomad ega sallinud tölplust ning neil polnud metsast lahkuvatest inimestest põrmugi kahju. Ilmselt olid nad inimsoo juba mõttes maha kandnud, nagu jõkke kukkunud söögipala, mille vool kiiresti mujale kannab ning mida enam kätte ei saa. Läinud, siis läinud! Ussid ei vajanud inimesi, nad olid kindlad, et saavad ka ilma hakkama.

Ma mõistsin seda ega heitnud Intsule ette, et ta külasse kolijate üle mürgist nalja viskas, aga ei suutnud koos temaga itsitada. Ma ei saanud Pärtli üle naerda, sest ma mäletasin, kui kurb ta oli ja kuidas ta tegelikult ei tahtnud ära minna. Ainus, mida ma ei mõistnud, oli see, et ta ikka veel polnud tulnud mind vaatama. Hakkasin aina sagedamini metsaservas varitsemas käima ja lõpuks veetsin ma seal terved päevad, olles otsustanud nii kaua oodata, kuni näen Pärtlit. Kui nad seal külas pole teda ära tapnud, peab ta ju viimaks välja ilmuma! Ints oli koos minuga: teda ei huvitanud küll eriti Pärtel, aga olid ilusad soojad sügisilmad ja metsaserval päikese käes oli tal hea end rõngasse kerida ja sedasi tukkuda.

Lõpuks ühel hommikul kandis minu ootamine vilja. Ma nägin Pärtlit. Ta ilmus järsku välja ühe maja nurga tagant, sirp käes, ja tahtis kuhugi minna, aga ma sisistasin talle ühe pika ja läbi-tungiva ussisõna, mida pole peaaegu üldsegi kuulda, kuid mis ometi jõuab selle kõrvu, kellele ta on mõeldud. Pärtel võpatas, pööras ringi ja nägi mind.

Kõige jubedam oli see, et ta kõhkles. Ta ei sisistanud vastu, ei jooksnud täie hooga minu juurde ega ilmutanud mingil muul moel seda suurt ja teesklematut rõõmu, mida mina olin tundnud kohe, kui teda nurga tagant välja sammumas nägin. Ta seisis ja pidas aru. Lõpuks hakkas ta siiski minu poole kõndima, käsi sirbiga selja taha peidetud ning vägisi ette venitatud naeratus näol.

"Tere!" ütles ta. "Ah sina siin."

"Ma tulin vaatama, kuidas sul külas aelemine edeneb," vastasin pilklikult. Pärtli käitumises ja olekus oli midagi säärast, mis tekitas minus trotsi. Ma olin ette kujutanud, kuidas me teineteist kaisutame ning seejärel pikalt lobiseme kõigest, mis meiega vahepeal on juhtunud. Aga nüüd ma hoopis seisin ja põrnitsesin Pärtlit ebasõbralikult, samal ajal kui Pärtel mulle punnitatult naeratas. Ilmselt tundis ta piinlikkust oma külariiete ja selja taha peidetud sirbi pärast. Mina aga ei kavatsenud talle halastada.

"Mis sul seal selja taga on?" küsisin ma. "Mingi puujuurikas või?"

"See on sirp," vastas Pärtel kohmetult. "Ma olin just teel põllule. Sellepärast ma polegi saanud sind vaatama tulla, nii palju on tööd. Praegu on viljalõikuse aeg."

"Milleks te seda rämpsu lõikate?" norisin mina edasi. Ma olin maruvihane ja hirmus õnnetu, et igatsetud kohtumine sõbraga nii viletsasti välja kukkus. Tundsin, et mul on valida, kas puhkeda nutma või elada end välja Pärtlit solvates, ja ma valisin teise tee.

"Viljast tehakse leiba," pomises Pärtel. Ta põrnitses maha, vältides mu pilku.

"Seda solki!" turtsatasin mina. "Kas teil midagi muud süüa ei ole?"

"Leib on tegelikult väga kasulik," ütles Pärtel. Ta näis tõesti piinlevat, küllap oleks ta tahtnud minu juurest ruttu viljapõllule putkata, et seal koos teiste külainimestega oma uue mänguasja abil kõrsi lõikuda. Aga ta ei saanud ometi minu, oma vana sõbra eest minema joosta. Nii ta siis seisis seal ja päris viisakalt ema ja Salme tervise järele. Mitte iialgi varem polnud Pärtlit huvitanud minu ema ja õe tervis ning ma ütlesin talle seda jõhkralt näkku. "Sa oled külas väga ruttu väga imelikuks muutunud!" ütlesin ma. "Mis sinuga tehtud on? Mäletad, kuidas sa mulle sel õhtul ütlesid, et sa ei taha metsast ära minna? Ja nüüd räägid sa, et ei saanud mind vaatama tulla, kuna sul on siin mingisugune viljalõikus. Mis see sulle korda peaks minema? Sina oled ju metsast! Sina oskad ju ussisõnu!"

"Sa ei saa mitte millestki aru!" ütles Pärtel korraga väga vihaselt. "Mida sa õiendad mu kallal! Ma ei tahtnud jah metsast ära kolida, sest ma ei teadnud, mis elu siin külas elatakse – aga nüüd ma tean. Pole siin häda midagi. Siin on tegelikult väga tore. Siin on nii palju inimesi ja teisi poisse ja tüdrukuid. Me mängime koos ja meil on lõbus. Ja viljalõikus on ka vahva, ma oskan juba päris hästi sirbiga lõigata. Pärast õpetatakse mulle veel, kuidas vilja peksta ja kuidas seda jahvatada. Siin on väga huvitav ja mul ei lähe üldse tarvis mingeid ussisõnu, nii et vahet pole, kas ma neid oskan või ei."

"See on küll huvitav uudis!" turtsatas nüüd Ints, kes seni oli rahulikult rõngas lebanud. "Ainult sitikad elavad ilma ussisõnadeta – aga mis elu see on?"

Pärtel võpatas Intsu nähes ja jõllitas teda hetke kuidagi kohkunult.

"Kas sa tahad teda teibaga maha lüüa?" küsisin mina. "Kas need lõbusad poisid ja tüdrukud on sulle juba õpetanud, et kõik rästikud tuleb maha nottida?"

"Ei," pomises Pärtel, kuid lisas siis trotslikult. "Aga muide, külas tõesti ei armastata usse. Nad on jumala vaenlased."

"Kes see jumal veel on?" küsisin mina.

"See on kõige võimsam haldjas," vastas Pärtel. "Tema on meid teinud. Tema on üldse kõik maailma asjad teinud ja võib neid veel teha. Ta võib üldse kõike. Neid, kes teda austavad, neid ta aitab ja täidab nende soovid. Aga need, kes on tema vaenlased, saavad hukka."

"Kes sulle seda on rääkinud?" pärisin mina. "See on ju täpselt samasugune jama, mida Ülgas metsas ajab."

"Seda rääkis külavanem Johannes," ütles Pärtel. "Muide, minu nimi pole enam Pärtel. Mind ristiti ära ja ma olen nüüd Peetrus. Jumal ei salli neid, kelle nimi on Pärtel. Aga Peetruseid ta armastab ja kui ma temalt midagi palun, siis ta annab ka."

"See on ju tobedus!" vaidlesin mina. "Kuidas sa saad sellist asja uskuda? Mingeid haldjaid pole olemas!"

"Haldjaid võib-olla ei ole, aga jumal on," väitis Pärtel. "Küla-vanem Johannes rääkis mulle temast kaua aega. See oli väga huvitav. Ta löödi risti ja siis tõusis ta surnust üles."

"Surnust üles ei saa tõusta," ütles Ints. "Seda pole iialgi juh-tunud."

"Aga külavanem Johannes ütles, et on!" kinnitas Pärtel-Peetrus. Ta silmitses Intsu täiesti selge vastumeelsusega. "Terve maailm usub, et ta tõusis surnust üles, ja ega siis kõik inimesed saa lollid olla."

"Kõik maailma rästikud teavad, et surnud ei saa üles tõusta!" ütlesin mina. "Ja mina usun neid!"

"Rästikud ei loe!" Pärtel vahtis mulle jonnakalt otsa. "Sa arvad, et ainult sina oled tark ja sinu ussid. Aga Johannes on mulle rääkinud selliseid asju... Sina oled elanud ainult metsas, aga tema on käinud merede taga, päris võõrastel maadel. Seal elab tohutult palju inimesi ja kõik nad usuvad jumalat ja teavad, et ta tõusis surnust üles. Ja kõik nad lõikavad vilja ja söövad leiba ja mitte keegi neist ei ela metsas ega räägi ussidega. Võib-olla oled hoopis sina napakas? Johannes ütles, et mujal maailmas peetakse neid, kes metsas elavad ja loomadega räägivad, püsti lollideks."

"Sa ise elasid ka metsas!" ütlesin mina.

"Enam ei ela! Sa näed, kõik on metsast ära tulnud. Kõik!"

"Käi perse!" kuulutasin jõuetus vihas. Ma ei osanud Pärtliga vaielda, ma ei tahtnud temaga vaielda; ma tahtsin et kõik oleks nagu enne ja Pärtel oleks jälle Pärtel, aga mitte Peetrus. Kuid ta polnud enam Pärtel, ta seisis seal, külariided seljas ja sirp käes, rääkis mulle tähtsa näoga jumalast ja viljalõikusest, ning tema selja tagant irvitas mulle vastu terve maailm ning musttuhat inimest, kes ei elanud metsas ning mugisid isukalt leiba. Ning minul olid ainult ussisõnad. Ma pöörasin Peetrusele selja ning jooksin puude vahele.

Ma läksin aina edasi, ei peatunud kusagil, aina sammusin mööda metsa, lükates eest oksi ja pugedes läbi padrikute. Ma möödusin Pirre ja Räägu koopast ning nägin, kuidas täi ajas end lootusrikkalt jalule – ta igatses kindlasti Hiiet, aga tüdruk pidi istuma kodus ega saanud oma sõpra vaatamas käia. Ka Pirre ja Rääk vaatasid koopast välja, kuid ma ei läinud nende juurde – viimaste inimahvide juurde, kes elasid oma kummalises minevikus, perse paljas, ega olnud ikka veel õppinud kandma loomanahku. Mina olin ju külariietes Pärtli kõrval samasugune inimahv! Tormasin edasi, tige kogu selle maailma peale.

Ma kõndisin sedasi terve päeva, läbi terve metsa, jõudes paikadesse, kus ma iial varem polnud käinud. Ma nägin palju loomi: põtru, kitsi ja hirvesid, kes mind nähes seisma jäid ja mind oma suurte silmadega mõtlikult vaatasid; karusid, kes üritasid mind kohmakalt tervitada, üksikuid hulkuvaid hunte. Inimesi ma ei kohanud. Lõpuks vastu õhtut, kui ma olin juba surmväsinud, hakkas mets hõrenema. Läksin aina edasi, kuni jõudsin metsaserva. Taamal paistis tundmatu küla. Ma nägin ka inimesi; nad olid kogunenud suurele lagedale platsile, tegid seal tuld ja kiikusid. Nad kilkasid ja naersid. Neid oli palju.

Mets oli igast küljest inimeste ja nende küladega ümber piiratud.

"Noh ja mis siis?" küsis keegi ja ma nägin alles nüüd, et Ints oli kogu tee minuga kaasa roomanud. Ta ei tundunud sugugi väsinuna, keris end taas rõngasse ja vaatas mulle sõbralikult otsa. "Las neid olla palju, las nad elavad kobaras, teineteise kukil. Nii elavad ka sipelgad, sellepärast et nad on ainult praht. Tillukesed jalgadega mullakübemed, mida pole tarvis tähelegi panna. Nad peavad kokku hoidma, et üldse elus püsida. Neil pole muud võimalust, nad ju ei oska ussisõnu. Ära hooli neist!"

Ma olin liiga väsinud, et midagi vastata. Viskasin end samblale pikali ja panin silmad kinni.

"Ma ei jaksa täna enam koju minna," ütlesin ma. "Magan siinsamas."

"Sul hakkab siin külm," ütles Ints. "On juba sügis. Aga siin lähedal on üks rästikute urg. Neid on tegelikult kõikjal, meie sugu on terve metsaaluse läbi uuristanud. Tule lähme sinna, seal on soe. Seal on sul hea magada."

"Aitäh, Ints," tänasin ma. Ints roomas ees ja mina katsusin oma valutavate jalgadega talle järele komberdada. Ilmselt sellepärast Ints nii reipana püsiski, et tal polnud jalgu, mis võinuksid väsida. Ta juhatas mu ühe mahalangenud puu juurde, mille alla viis kitsas käik, nagu ikka madude urgudesse.

Ronisin sealt sisse. All urus oli teisigi rästikuid, kes vahtisid mind uudishimulikult. Kuna olin kodunt nii kaugel, ei olnud nende seas ühtegi mulle tuttavat madu. Tervitasin neid sisinaga ning heitsin nurka pikali. Rästikud tegid mulle sõbralikult ruumi.

Jäin magama, tundes end pigem ussi kui inimesena, ning see tundmus lohutas mind mõnevõrra.

14.

Pärtliga ei kohtunud ma enam niipea. Ma ei käinud rohkem metsaservas luuramas ja ootamas; vähe sellest, kui Pärtel oleks mulle metsas vastu tulnud, oleksin ma tõenäoliselt võssa hüpanud, nagu ma tegin hiietarka või Tambetit nähes. Ma ei tahtnud Pärtlit kohata, sest ta polnud enam Pärtel, vaid Peetrus, ja mitte miski ei saa olla koledam kui sulle ammu tuttava ja armsa inimese muutumine kellekski võõraks ning arusaamatuks.

Olin sageli näinud, kuidas Ints sööb, kugistades korraga alla terve konna või hiire. Väike loom kadus aeglaselt tema kõrisse ja lõpuks olid tema kehakumerused Intsu naha all küll veel aimatavad, kuid ta oli üleni rästikuga kaetud. Too oli läinud rästiku sisse, nii nagu minu tuttava Pärtli oli alla neelanud mingisugune Peetruse-nimeline külapoiss. Veel kumasid sellest Peetrusest läbi Pärtli nina ja kõrvad, aga seedimine oli juba alanud ning peagi pidid kaduma viimasedki jäljed. Ilmselt oleksin ma olnud palju õnnelikum, kui Pärtel olnuks surnud – siis võinuks ma teda rahulikult leinata. Nüüd aga teadsin, et ta mingil väärastunud, rüvetatud kujul kusagil siiski ringi liigub; ta on küll olemas, aga mitte minu jaoks. Oli selline tunne, nagu oleks keegi võtnud su vanad head püksid ja nende sisse sittunud – püksid olid küll alles, kuid neid polnud enam võimalik kanda, nad olid täis võõrast, vastikut haisu.

Pärtel loomulikult ei tulnud mulle metsa vahel vastu, nii et mul ei olnud tarvis tema eest põõsasse pugeda. Kahtlemata tundis tema umbes sedasama kui minagi. Ta oli sattunud uude maailma ja õppis nüüd ahnelt selle reegleid, umbes nii nagu mina olin kunagi väänanud väsimatult oma keelt, et saada selgeks kõik ussisõnad ning panna seeläbi kogu mets endaga rääkima. Ka

Pärtel tahtis võimalikult kiiresti sulada oma uude ellu, samal ajal kui mina olin kahtlemata pärit vanast. Minu nägemine oli talle piinlik. Võib-olla tundis ta end mingis mõttes reeturina, kes on hüljanud oma sõbra, ennekõike aga häbenes mind. Mina elasin ju endiselt metsapimeduses ega taibanud midagi kõigist neist uutest meelelahutustest, mida pakkus küla. Tal polnud minuga millestki rääkida, samal ajal kui külas oli palju poisse ja tüdrukuid, kes elasid temaga sarnast elu ning sõid samu toite ja tegid ühesuguseid töid. Nemad ei narrinud teda leivasöömise pärast, nende meelest polnud sirbi käeshoidmises midagi kummalist. Oli täiesti loomulik, et Pärtel mu nende vastu vahetas, nii oli lihtsam.

Kas ma ise oleksin teisiti talitanud, kui mu ema ja onu oleksid külasse kolinud ning Pärtel minu asemel metsa jäänud? Ma ei oska öelda. Tahaks küll kelkida – mina poleks metsa reetnud, mina oleksin jäänud rästikute ustavaks sõbraks ning käinud ka Pärtlit iga päev vaatamas. Mina poleks unustanud ussisõnu, nagu seda tegi Pärtel, sest kui ma teda järgmine kord kohtasin – enne kulus küll palju aastaid –, ei suutnud ta endast välja pigistada ainsatki sisinat. Kõik ussisõnad olid tal mälust otsekui pühitud ja kui ta ka oleks neid mäletanud, poleks ta suutnud neid sisistada, sest leivanärimisest oli ta kaotanud pooled hambad ja tema keel oli läinud paiste hapu kalja joomisest, mida külainimesed puhta vee asemel sisse larpisid. Mul on praegu kerge öelda – mina poleks muutunud sääraseks matsiks, aga kardan, et ma valetan. Küllap oleks küla minugi endasse imenud, alla neelanud nagu hiiglasuur madu, võõras ja vaenulik Põhja Konn, ning aeglaselt ära seedinud. Ja mina oleksin talle alistunud, sest minu enda Põhja Konn, kes võinuks mind kaitsta, oli kadunud ja keegi ei teadnud, kus ta magab.

Nii loobusin ma Pärtli peale mõtlemast ja leppisin sellega, et kusagil külas elab nüüd hoopis üks Peetruse-nimeline külapoiss, kes lõikab sirbiga rukist, käib koos teiste külalastega kiigel ning kellega minul pole vähimatki asja. Mängisin siis Intsuga ja käisin vahel vaatamas ka Hiiet, kellel oli küll endiselt keelatud kodu juurest kaugele minna, aga kui Tambet ja Mall kusagil ära olid, saime me siiski paar sõna juttu ajada. Ka onu Vootele võttis mind sageli oma retkedele kaasa ja me käisime vaatamas neid üksikuid vanamehi, kes veel metsa alles olid jäänud, aga justkui kokkuleppitult surid nad kõik selle sügise jooksul ja mets jäi inimestest veelgi tühjemaks. Hiietark Ülgas põletas nende surnukehad tuleriidal, aga meie onu Vootelega matustest osa ei võtnud, sest pärast püha järve lugu ei suhelnud meie perest keegi hiietargaga. Nii ta siis loitsis ja manas lõkete ääres üksinda, ainsaks leinajaks süngelt vaikiv Tambet, kes loomulikult ei puudunud üheltki riituselt, millel vähegi oli muistse elu hõngu.

See oli trööstitu sügis, võib-olla kõige trööstitum minu elus, sest ehkki ma elasin hiljem läbi veelgi nukramaid aegu ning kogesin palju koledamaid sündmusi, polnud mul tollal veel kasvanud südamele seda paksu koorikut, mis hiljem kõik õnnetused talutavamaks tegi. Usside keeles kõneldes: ma polnud veel vahetanud nahka, mida ma hiljem elu jooksul mitu korda tegin, pugedes aina karedamasse kesta, kuni vaid vähesed tundmused suutsid sellest läbi tungida. Praegu vist ei suuda enam miski. Ma kannan kivist kasukat.

Kuna mets tundus peaaegu väljasurnuna, veetsin ma palju aega kodus. Seal ei olnud midagi muutunud. Ema talitas terve päeva kolde ees ja praadis tohututes kogustes põdra- ning kitseliha. Ta oli heatujuline, sest talle meeldis, kui lapsed terve päeva kodus istusid ja liha sõid, selle asemel et mööda metsa seigelda ning alles õhtul laua taha ilmuda. Ma sõin nii palju, nagu ma kunagi pole söönud, ja läksin rasva, mis ema väga rõõmustas. Veel suurem oli tema õnn siis, kui tal läks korda ka Salme kenasti trullaks nuumata, sest see tõestas, et tema kokakunst pole alla käinud ja küpsetatud põdrakintsud lähevad asja ette.

Ka Salme oli sel sügisel tihti kodus. Varem oli ta õhtuti kuhugi kadunud ja tulnud tagasi alles südaööl – ta ise väitis, et käib vaatamas päikeseloojangut. See oli ilmne vale, sest sel aastaajal loojus päike juba varakult ning pigem võis öelda, et Salme käib imetlemas kuutõusu. Aga siis korraga ta enam väljas ei käinud,

ANDRUS KIVIRÄHK

istus nukralt laua taga, ning ma taipasin kohe, milles asi – karud olid talveunne jäänud.

Tegelikult tavatsesime ka meie talvel tukastada. Enamasti varuti hilissügisel onni suurem kogus liha ja siis, kui mets lume alla mattus, jäädi tuppa, põõnati ning aeti end üles vaid selleks, et kord päevas süüa. Nii tegid kõik arukamad olevused metsas – ussid, inimesed ja karud, aga ka mitmed väiksemad loomad. Talvel polnud mõtet ringi luusida ja lumes sumbata, hoopis targem oli jõudu hoida ning kasutada hämaraid päevi korralikuks väljapuhkamiseks. Hundid lasti metsa peale lahti, et nad ise endale süüa otsiksid, ja nad nautisid talvist vabadust täiel rinnal, murdes kitsi ja põtru ning külainimesi, kes omaks võetud võõramaa kommete tõttu talvel ei maganud, vaid endiselt ringi kooberdasid. Ja kuna nad ussisõnu ei mõistnud, olid nad meie huntidele kerge saak.

Me olime valmis ka sel aastal harjunud kombel talvituma, kuid ühel õhtul roomas meie juurde tuppa Ints ning ütles:

"Isa palus küsida, et kas te ei tahaks sel aastal koos meiega talveund magada. Ta oleks väga rõõmus, kui te tuleksite."

See oli ootamatu pakkumine, sest ussid olid alati talvitunud omaette, suurtes maa-alustes koobastes, ning ma polnud veel kunagi kuulnud, et mõni inimene oleks talve koos nendega veetnud. Aga ilmselt oli inimesi metsa nii vähe alles jäänud, et rästikud pidasid võimalikuks nad enda juurde võtta. Seda enam, et peale meie pere nagunii kedagi minemas polnudki. Ülgas ja Tambet ei oleks iialgi usside juurde kolinud, sest seal ei austatud ju neile nii olulisi haldjaid, ning rästikud poleks sallinud ka manamist või loitsude lausumist või mingit muud kära, mida Ülgas ilmtingimata pidi kuuldavale tooma.

Onu Vootele oli ka sel õhtul meie juures ja tema võttis vastamise enda peale.

"Me tuleme hea meelega," ütles ta. "See on meile suur au."

Me kolisime rästikute juurde paari päeva pärast. Taevast langes esimesi lumeräitsakaid ning oli tõesti paras aeg ennast talvekorterisse seada. Ema tahtis kaasa vedada suuremas koguses põdraliha, aga meile teejuhiks saadetud rästikud ütlesid, et seda pole vaja.

"Meil on seal süüa küll ja küll," seletasid nad. "Hoidke see liha kevadeks, pole mõtet neid käntsakaid ühes tassida."

Ma olin põnevil. Ehkki ma olin rästikute juures sageli käinud, polnud ma veel näinud neid koopaid, kus nad talvel magavad. Ka oli tore veeta terve talv koos Intsuga, tukkuda tema kõrval ning aeg-ajalt virgudes jutustada teineteisele sosinal oma unenägudest, kuni rammestus taas võimust võtab ning sa uuesti unne vaod. Ainult Hiiest oli mul kahju, tema pidi ju jääma üles maa peale ja leppima terve talve vaid oma isa ja ema seltsiga. Ma ei saanud sinna aga midagi parata, mul polnud ju võimalik Hiiet rästikute juurde kaasa võtta.

Kõmpisime kahe jämeda mao kannul läbi metsa – ema, Salme, onu Vootele ja mina – ning laskusime seejärel tükk aega mööda kergelt kaldus käiku, kuni jõudsime suurde ja sooja saali, kus oli täiesti pime. Aga see oli meeldiv pimedus, pehme ning paitav. Silmad harjusid üllatavalt kiiresti ja peagi võisin ma näha suurel hulgal usse, kes olid ennast juba mõnusasti kerra vedanud, saali keskel aga seisis hiiglasuur valge kivi.

Ilmselt just selle kivi tõttu suutsingi ma pimeduses nii hästi näha. Kivi ei kiiranud küll otseselt valgust, kuid ta oli nii hele, et hämarus muutus tema ümber läbipaistvamaks.

"Mis kivi see on?" küsisin ma Intsult, kes mulle vastu roomas ja sabaga vongeldes tervitas.

"See on meie söögikivi," vastas Ints. "Seda me lakume talvel ning saame kõhu täis. See kivi on iidvana ja ta ei jää kunagi väiksemaks. Proovi, tõmba korra keelega, see on väga hea!"

Ma astusin kivi juurde ning limpsasin seda. Kivi oli magus nagu mesi ja ma limpsisin veel, kuni tundsin, et kõht on kohutavalt täis. Oleksin nagu ära söönud terve põdra.

"Nüüd ei taha sa mitu päeva süüa," ütles Ints. "Niimoodi me siin talvel elamegi. Lakume kivi, siis tukume paar päeva, siis lakume jälle. Siin on vaikne ja soe ning uni tuleb kiiresti."

Me seadsime end sisse ja ma pean tunnistama, et mul tarvitses vaid pikali heita, kui mind valdas imemõnus rammestus, ma ringutasin nagu rebane ja jäin otsekohe magama.

Sellest talvest on mul vaid kõige kaunimad mälestused. Unenäod ujusid mu ümber ega jätnud mind maha ka siis, kui ma pooleldi teadvusetult valge kivi juurde komberdasin, et kehakinnitust saada, silmad suletud ja keha magamisemõnust nõrk. Hubases pimeduses nohisesid vaikselt magada sajad rästikud, kusagil nende keskel olid ka mu ema, õde ja onu, kõik oli rahulik, kõik oli hästi, külasse kolinud Pärtel ja teised inimesed tundusid olevat vaid mingid varjud, kes ununesid kohe, kui mõte juhuslikult nendele eksis, ja ma mõtlesin vaid sellest, kui hea on magada.

Ma ujusin unes, selle lained veeresid üle minu, ma võisin und lausa katsuda ning tundsin, et ta on pehme nagu sammal ja pudeneb samas sõrmede vahelt läbi nagu liiv. Uni oli kõikjal mu ümber, ta täitis kõik õnarused ja augud, ta oli korraga soe ning värskendav, hõljudes mu ümber nagu paitav ja jahutav tuuleõhk. Mitte iialgi varem polnud ma maganud nii hästi kui sel talvel rästikute koopas ja ka mitte iialgi hiljem ei tundnud ma magamisest enam säärast naudingut, ehkki talvitusin veel sageli koos madudega. Siis oli see juba vaid kord kogetud mõnu kordamine, sel talvel oli aga üleni une alla mattumine alles uus ning seetõttu eriti vaimustav.

Ma kaotasin ajataju ega teadnud, kas olen maganud juba kaua või vähe, aga ühel hetkel ma ärkasin. Algul arvasin, et mul läks lihtsalt kõht tühjaks, ning ronisin neljakäpakil kivi juurde, lakkusin seda ja tahtsin jälle magama kobida. Aga ootamatult polnud mul enam und. Magus mõnu oli kadunud, ma ei vajunud enam pea ees unenägudesse nagu järve visatud kivi. Mul hakkas jalg sügelema, seejärel kõrv ja lõpuks tundsin ma, et ei suuda enam hetkegi pikali olla, ning tõusin kärmesti püsti.

Rästikud minu ümber magasid teineteise külge keerdunuina ja veidi eemal nägin ma ema ja Salmet, kes samuti magasid. Aga onu Vootele oli ärkvel. Ta istus, sügas talve jooksul poole pikemaks kasvanud habet ja pilgutas mulle silma.

"Tere hommikust!" ütles ta. "On aeg tõusta."

"Kas kevad on käes?" küsisin ma uskumatult. Mulle tundus, nagu oleksime me siia koopasse saabunud alles eile.

"Kes sellest siin pimeduses aru saab?" vastas onu. "Aga lähme ja vaatame. Ma usun, et seal väljas on ilus ilm."

"Aga teised magavad veel," ütlesin mina.

"Las nad magavad," kostis onu. "Meie oleme esimesed, kes uut kevadet näevad."

Ronisime koopast välja ning pidime esimesel hetkel ereda valguse tõttu pimedaks jääma. Puude latvade vahelt siras meile vastu päike, mida me polnud nii kaua näinud. Hoidsime tükk aega silmi kinni ja usaldasime alles tüki aja pärast ripsmete vahelt välja piiluda.

Kevad oli tõesti käes. Siin-seal leidus küll veel lund, aga samas oli metsa all näha juba ka esimesi lilli ja õhk lõhnas äsja sadanud vihma järgi. Me ahmisime sisse värsket õhku ja hõõrusime nägu viimase lumega, pärast pikka und maa all oli see nii hea. Viimanegi rammestus kadus kehast ning mulle tundus, et ma ei taha enam mitu aastat magada – nii reipaks muutis mind üle pika aja kopsudesse pääsenud värske kevadõhk.

"Lähme, jalutame veidi ringi!" ütles onu. "Jalad on sellest pikast vedelemisest täitsa ära surnud."

Oli väga põnev näha jälle metsa pärast mitut ussikoopas veedetud talvekuud. Siin-seal oli mõni puu lume raskuse all pooleks murdunud ning põõsastest võis avastada talvel vabalt ringi trallitanud huntide söömaaja jäänuseid – vägevaid põdrakonte ja õrnu kitseluid. Mets oli tuttav, aga samas ka veidike muutunud, ja see muutumine köitis pilku ja äratas huvi nagu mõne tüdruku uus soeng. Mets oli otsekui nahka vahetanud rästik. Karastav lumevaip oli pannud ta nooruslikult õhetama, esimene kevadine vihm puhtaks pesnud.

"Läheks sööks natuke?" pakkus onu. "Terve talve oleme suhkrukivi lakkunud, nüüd tahaks midagi tahedamat põske pista. Kuidas oleks ühe külma põdrakintsuga? Mina küll ära ei ütleks!"

Ma olin kohe nõus. Suhkrukivi, mis seni nii hästi kõhtu oli täitnud, tundus korraga läila ja mul hakkas sülg voolama, kui ma kujutasin ette korralikult vinnutatud lihatükki, mis on hamba all sitke ja hea.

Läksime onu Vootele poole. Tal oli onni all sügav kelder, kus ta oma toidupoolist hoidis, ja sügisest oli sinna jäänud veel tubli koorem põdraliha. Onu Vootele avas luugi ja me ronisime august sisse.

"Ma arvan, et sööme siinsamas," ütles onu. "Kui sa pahaks ei pane, siis ei hakka ma lauakatmisega vaeva nägema. Teeme lihtsalt, meeste moodi. Säh, võta sina see kont, mina võtan selle ja laseme käia."

Ma lõin hambad kintsu ja rebisin sealt suure mõnuga maitsvaid lihatükke, mis pühkisid mu suust viimasedki riismed usside suhkrukivist, ning koos sellega lõppes minu jaoks talv. Kõik oli jälle nagu enne: ma olin ärkvel, sõin liha, ning mind ootas ees terve pikk aasta, mida ma võisin kasutada nii hästi, kui oskasin. Ma olin sel hetkel oma eluga ülimalt rahul, mul oli olemas kõik, mida vajasin – onu mu kõrval, põdrakints peos ja ussisõnad suus –, ning ma tundsin end tugeva ja reipana.

Samal hetkel hakkas onu köhima.

Pooleldi puhtaks näritud kont oli tal peos, ta rapsis sellega ägedalt ja läks näost nii punaseks, nagu oleks tema näonahk ootamatult rebenenud ja paljastanud toore verise liha. Ta läkastas järjest hullemini, köha läks üle kraaksumiseks ning jubedaks kräginaks. Onu viskas kondi käest ja püüdis endale rusikaga vastu selga virutada.

Alles nüüd taipasin ma, et talle on midagi kurku kinni jäänud, ilmselt piisavalt peeneks närimata lihatükk või mingi väike kont. Ma sööstsin onule appi, kloppisin talle abaluude alla, aga onu häälitses järjest õudsemalt, niuksus, vilistas ja kukkus viimaks kõhuli, silmad pungis ja suu ammuli.

Ta jäi vait. Ta oli surnud.

Mina seda muidugi kohe ei taibanud, ei tahtnudki taibata. Ma raputasin onu, keerasin ta selili, tagusin talle vastu kõhtu, toppisin isegi käe tema lõugade vahele ja kobasin seal, lootes leida kurku kinni jäänud tükikest ning liha välja sikutada. Päästa onu, äratada ta taas üles, teha midagi säärast, et onu palgelt kaoks see õudne ilme, et ta tõuseks püsti, sülgaks ning hakkaks minuga jälle juttu ajama, nagu ta tegi enne, nagu ta oli teinud alati.

Aga ma ei leidnud onu suust midagi peale paisunud keele ja siis otsustasin ma ta keldrist välja, värske õhu kätte vedada, et onu seal kevadise tuule käes toibuks ja mitte ära ei sureks, ehkki tegelikult oligi ta juba surnud. Kui ma hakkasin onu kitsukesest redelist üles vinnama, lohistasin ma tegelikult enda järel laipa. Onu oli suur ja raske, mina kleenuke ja nõrk. Oli kohutavalt keeruline teda keldrist välja sikutada, aga ma katsusin ometi, püüdsin mis võisin, nohisesin erutunult ja ei nutnud – mis on küllalt kummaline, aga ilmselt oli asi selles, et ma lootsin veel onu päästa ja mul ei olnud aega meeleheitesse langeda. Ma pidin ta keldrist välja saama, sest seal väljas oli värske õhk, seal olid ussid, seal oli mu ema – ja keegi neist pidi ometi suutma minu kallist onu aidata.

Ma pressisin alt ja vedasin ülevalt, mul õnnestus onu juba poolele redelile vinnata ja ma sosistasin endale nina alla: "Veel natuke!", keeleots suurest pingutusest suust väljas ning higised juuksed – higised nii raskest tööst kui kohutavast hirmust – otsaesisele kleepunud. Ma ronisin onust mööda, haarasin tal ühe käega ümbert kinni, klammerdusin teisega keldriluugi külge ning katsusin tõmmata. Järgmisel hetkel sadasin ma koos onu laibaga tagasi keldrisse, luuk langes augu peale, valgus kadus, ning ma mõistsin ühes röögatama paneva valusähvakuga, et olen murdnud oma käeluu.

See oli hirmus valus; ma lebasin tükk aega keset pilkast pimedust üksnes niutsudes ja nuttes maas. Siis hakkasin ma karjuma; hüüdsin appi ja kisendasin täiest kõrist nii kaua, kuni katkes ka mu hääl ja ma suutsin üksnes vaevu kähiseda, nõelad rebestatud kurgus torkimas. Siis nutsin ma jälle ja sain aru, et keegi ei saagi mind kuulda, sest meie olime ju onuga esimesed, kes ärkasid, ussid aga alles magavad, samuti ema ja Salme, ning enne kui nad ärkavad ning mind otsima tulevad, kulub veel kaua aega.

Ma ei julgenud end liigutada, sest murtud käsivars otsekui põles valu käes, ja jäin lõpuks kurnatusest ning meeleheitest magama. Kui ma ärkasin, et teadnud ma enam, kas on öö või päev, sest ma ei näinud keldripimeduses näppugi suhu pista, ja mul polnud aimugi, kui kaua mu uni kestis.

Käsi valutas endiselt, aga ma sain aru, et niimoodi liikumatult lamama jääda pole võimalik ja ajasin end ettevaatlikult põlvili, toetades haiget kätt õrnalt teisega. Oli kole valus, aga ma ei teinud sellest välja, vaid hakkasin põlvede peal aeglaselt edasi liikuma, kuni põrkasin vastu seina. Siis pöörasin ma ümber ja läksin teisele poole ning jõudsin mingi põrandal lebava koguni.

Esmalt arvasin ma, et tegemist on onuga ja võpatasin ehmunult, sest nüüd olin ma juba leppinud asjaoluga, et minu onu on surnud. Pimedas ruumis polnud inimese laibale komistamine just kõige meeldivam kogemus. Imelik, et onu, keda ma nii väga armastasin, oli nüüd muutunud minu jaoks kuidagi hirmuäratavaks; ma meenutasin tema lämbumisest paistes nägu, pungis silmi ja pärani suud, kust paistsid irevil hambad, ja pimedus võimendas mu mälestust mitmekordselt. Mul tõusid külmad judinad mööda selga üles, kui ma endale ette kujutasin, et see ammuli lõugadega laip vedeleb kusagil siinsamas ja võib-olla põrnitseb just praegu läbi pimeduse minu poole oma klaasistunud silmadega. Ma hüppasin kiiresti eemale, kui põlved vastu tundmatut kogu puutusid, ja niuksatasin, kui käest käis läbi valusähvatus.

Siis meenus mulle, et kusagil keldripõrandal oli lebanud ka suur kuivatatud põdrakülg. Ma kogusin ennast ning sirutasin viimaks oma terve käe välja, et kindlaks teha, millega on tegu. Kartsin kohutavalt, sest pidin ju sirutama käe pimedusse ning väga lihtsalt võisid mu sõrmed täiesti juhuslikult sattuda surnud onu hammaste vahele. Aga mul vedas, see oli põdralihatükk. Ma sõin seda, liha oli väga palju, ja ma teadsin, et vähemalt näljasurm mind esialgu ei ähvarda.

Tükk aega ei söandanud ma põdralihast lahkuda, sest ehkki samuti surnud, oli see lihahunnik kuidagi turvaline; ta oli toitev ja sõbralik, samal ajal kui surnud onu moondus minu mõtetes aina jubedamaks ja ohtlikumaks olendiks, kes varitses mind surmavaikuses kusagil pimeduses. Kusjuures samal ajal oli minu mõtetes koht veel teiselgi onul, naerataval ning muhedal onu Vootelel, kes oli mulle õpetanud selgeks ussisõnad, ja sama palju, kui ma kartsin seda pungissilmset laipa, igatsesin ma taga elusat onu Vootelet ning tihkusin vaikselt nutta, kui minu ajusse jõudis taas teadmine, et onu on surnud ja me ei kohtu enam iialgi. See teadmine tuli lainetena ja kõrvetas sama valusasti kui murdnud kätt näriv valu, ta veeres must üle, viis mu meeleheitele ning taandus siis, et veidi aja pärast taas minu mõtetesse paiskuda. Ma kükitasin põdraliha juures, nutsin ja sõin, leinasin onu Vootelet ja kartsin tema laipa.

Lõpuks jäin ma uuesti magama ja kui ma siis jälle ärkasin, katsusin taas veidike karjuda, aga hääl oli mul endiselt kähisev ja nõrk. Siis, kuna käsivars hetkel kuidagi vähem valu tegi, tulin ma mõttele proovida omal jõul keldrist välja murda. Selleks tuli muidugi jälle ringi liikuda ja riskida laiba otsa komistamisega, aga pärast hetkelist kõhklust roomasin siiski paigast. Mul vedas ja ma jõudsin redelini, ilma et oleksin kohanud surnud onu Vootelet, ja mul õnnestus päris kerge vaevaga esimestele redelipulkadele tõusta. Kui ma aga hakkasin kinnilangenud keldriluuki pea ning terve käe abil ülespoole suruma, mõistsin kohe, et see pole võimalik. Luuk oli liiga raske, mul oleks olnud keeruline seda ka kahe käega lahti tõugata, kuid üheainsa käega, pealegi veel olukorras, kus teine käsi iga liigutuse juures sellist piina valmistas, et ma kõva häälega niutsusin, oli see teostamatu ülesanne. Ma laskusin redelist alla, aga libisesin pimedas ühel pulgal, veeresin põrandale, tegin haigele käele uuesti viga ning kaotasin jubeda valusööstu käes meelemärkuse.

Ma ei tea, kas kulus palju või vähe aega, aga lõpuks ma toibusin. Olin oimetu ja nii nõrk, et ei suutnud end põlviligi ajada. Roomasin aeglaselt sinnapoole, kus arvasin asuvat põdraliha, kuid loomulikult põrkasin ma nüüd peaaegu otsekohe vastu onu Vootelet.

Ma olin tõesti väga ära vaevatud sellest valust, mis mu käest kiirgas, ning kui ma oleksingi tahtnud eemale karata, siis poleks mul selleks lihtsalt jõudu jätkunud. Nii piirdusin ma sellega, et üksnes keerasin kõrvale oma näo, mis oli vastu laipa põrganud.

Onu Vootele ei lõhnanud hästi, temast immitses mingit ebameeldivat lehka, aga muidu püsis ta vaikse ja vagurana nagu surnule kohane. Korraga ei kartnud ma teda enam, julgelt sirutasin välja oma terve käe ning kompasin enda kõrval lebavat keha – tuli välja, et ma olin põrganud vastu onu õlga. Siinsamas oli tema käsi, teisel pool kael ja sealt edasi pidi tulema nägu, kuid seda ma puudutada ei soovinud. Ma jätsin onu rahus puhkama ning roomasin edasi. Ma olin näljane ja vajasin põdraliha, mitte surnud inimest.

Järgmistel päevadel ma peaaegu ei lahkunud lihakuhja juurest. Onu oli hakanud haisema ja see lehk ajas mu südame pahaks. Ma ei kartnud enam onu laipa, see oli muutunud mulle vastikuks. Seal kusagil pimeduses ta lebas ja mädanes aeglaselt, rikkudes õhku, mida mina, tema õepoeg, pidin sisse hingama. Omal ajal oli ta mulle selgeks õpetanud ussisõnad, nüüd mürgitas ta mind pikkamisi.

Ma konutasin pimeduses, kaotanud igasuguse arusaamise aja kulgemisest, uimane ning peaaegu jabur valust, meeleheitest ja laibahaisust, ning minu peas keerlesid kummalised mõtted ja nägemused. Minu kurnatud ajus sulasid ühte kevadiselt värske raagus mets, mida ma olin näinud usside koopast päevavalgele ronides, ja mädanenud onu siin kusagil nurgas, ning mulle viirastusid needsamad lume alt välja sulanud puud, lehtedeta oksad nagu roiskunud liigesed harali, ja sellest metsast kerkis hingematvat koolnuhaisu.

Siis moondus onu minu mõtetes Põhja Konnaks, hiigelsuureks tiivuliseks maoks, kuid temagi lehkas ja mädanes. Ma peaaegu nägin teda, ta lebas minu kõrval, ning sonides tõstsin ma käe ja patsutasin pimedust enda ümber, lohutades olematut Põhja Konna: "Pole viga, sa saad veel terveks!" Aga mu käsi vajus läbi hiigelmao soomuse, sest see oli pehkinud ja pude ning sealt tungis sisinal välja haisvat õhku. Ma tundsin selles sisinas ära ussisõnad ja vastasin neile, sisisesin üksinda onu Vootele keldri pimeduses, ning õhk muutus aina paksemaks ja raskemaks. Kui ma mälusin põdraliha, haises seegi surma järele ning ma polnud kindel, kas ma söön ikka põtra või hoopis oma kärvanud onu. Aga isegi see võigas kahtlus ei suutnud mind enam kohutada, nii nõrk ja omadega otsas olin ma, ning mu unenäod venisid üha pikemaks ning painasid mind aina enam.

Ometi oli just sisin see, mis mind päästis, needsamad ussisõnad, mida oli mulle õpetanud see armas onu, kes nüüd laguneva laibana maas lebas, lämbunud põdraliha kätte, mida ta nii väga süüa armastas. Ma vedelesin keset keldrit oma tapvate unede küüsis, ajasin enda meelest juttu surnud Põhja Konnaga ning sonisin, litsudes kuivanud huulte vahelt välja kõige erinevamaid sisinaid. Ja need vaiksed vaevukuuldavad ussisõnad tungisid läbi maapinna, sinna, kuhu poleks kostnud ka kõige valjemad inimkeeles kuuldavale toodud karjed.

Talveunest ärganud rästikud kuulsid mind ja ussikuningas, Intsu isa, hammustas keldriluugi läbi. Nad tõid mu välja ja viisid koju ema juurde, kes pidi mind kaua aega toibutama ning ravima, enne kui ma jälle käia ja rääkida suutsin.

Igavesti jäi kõveraks mu vasak käsi, mille ma keldris kahest kohast ära murdsin. Samuti ei lahkunud minu sõõrmetest laibalehk. Vahel küll tundub, et ta on läinud, palju päevi ei haista ma seda, kuid siis ühel hetkel lööb ta taas mulle ninna, vängem kui kunagi varem, ja paneb mu südame pööritama. See on viimane kingitus, mille ma sain oma kallilt onult, kes õpetas mulle selgeks ussisõnad ja kes kõdunes minu kõrval.

15.

Mets on muutunud. Isegi puud pole enam endised või siis ei tunne ma neid lihtsalt ära, nad on jäänud mulle võõraks. Ma ei räägi sellest, et nende tüved on muutunud jämedamaks, võrad laiemaks ja et nende ladvad sirutuvad aina kõrgemale – see kõik on loomulik. On veel midagi peale tavalise sirgumise – mets on muutunud lohakaks. Ta kasvab, kuidas juhtub, poeb sinnagi, kus teda varem ei olnud, ja vedeleb sul jalus. Mets on sassis ja pulstunud. Ta pole enam kodu, vaid asi iseeneses, ta elab omaenese elu ning hingab enda seatud rütmis. Võiks peaaegu arvata, et just mets on süüdi selles, et inimesed tema keskelt lahkusid, sest ta käitub kui võitja, kes laiutab endise peremehe jalajälgedes. Aga tegelikult ei ole see nii – mets on lihtsalt hiilinud ligi nagu raipesööja ja ajanud end laiaks justkui hauduma hakkav lind. Inimesed on ise koha vabaks teinud ja nii nagu nad lasid vabaks oma hundid, nii vabastasid nad köidikuist ka metsa ning see vajus otsekohe laiali nagu hunnik kõdu. Allikal käies taban ma teda pidevalt oma teerajalt ning peksan jalaga eemale, ja mets tõmbubki solvunult kahisedes koomale, et järgmisel hetkel tagasi roomata, oma oksad ja lehed välja sirutada ning inimeste iidsed rajad okastega katta. Ühel päeval ei lähe ma enam allikale ja siis on võim lõplikult tema käes.

On muidugi veel külainimesed ja nemadki tulevad vahel metsa marju, seeni või hagu korjama, aga neist pole metsale vastast. Nemad kardavad metsa, palju rohkem kui mets seda väärt on, ning on oma hirmu suurendamiseks välja mõelnud kõiksugu uskumatuid peletisi – libahunte, härjapõlvlasi ja tonte. Isegi haldjaid usuvad ja kardavad need vaesed lollpead – hiietark Ülgas võiks tõesti rahul olla, tal on tublid jüngrid ning neid on palju.

Kummaline, et ussisõnad on unustatud, kuid usk haldjatesse jääb. Lollus on tugevam kui tarkus. Rumalus on vintske nagu puujuur, mis puurib end maasse seal, kus kunagi kõndisid inimesed. Mets vohab, külainimesi sünnib aina juurde – aga mina olen viimane mees, kes mõistab ussisõnu.

Viimane mees... Ka ema ütles nii, kui ma ühel õhtul koju tulin ja oma harjunud kohale istusin, et lasta hea maitsta ema küpsetatud hirveturjal. Onu Vootele surmast oli möödas juba üle seitsme aasta; ma olin kasvanud pikaks, kuid jäänud endiselt lahjaks, ning minu habe oli punane, ehkki mu juuksed olid pruunid. Ema tõstis mulle ette tubli viiluka hoolikalt läbi küpsetatud liha, istus teisele poole lauda ja ohkas õnnetult.

"Mis siis nüüd on?" küsisin ma, sest ema ohkas vaid selleks, et minult seda küsimist välja pressida, teadsin seda hästi. Ema ohkas veel kord.

"Sa oled viimane mees meie peres," alustas ta. Ka see algus oli mulle tuttav, nii kõneles ta tihti. Tegelikult oli mulle juba täiesti selge, millest ema rääkida tahab, sest sarnaseid jutuajamisi oli meil olnud palju. Metsas ei juhtunud just kuigi sageli midagi uut, kõik keerlesid rahulikult oma saba ümber ning meie päevad nägid välja nagu huntide kirbutõrje – kõigepealt nakitseti puhtaks kintsud, siis kõht, siis turi, siis saba ja nõnda taas ning taas, ikka ühes ja samas järjekorras, kohtamata ainsatki uut kehaosa, mis võiks üllatust pakkuda.

"Sa oled viimane mees meie peres," ütles ema. "Sa pead Mõmmiga rääkima. Salme on tema pärast jälle väga mures."

Mõmmi oli mu õemees, suur paks karu, kellega minu õde Salme elas juba üle viie aasta. Ma mäletasin hästi, kuidas ta kodunt lahkus – ema jaoks oli see olnud muidugi hirmus häbi ja õnnetus, sest pärast omaenda kurba nooruskogemust ei sallinud ta karusid silmaotsaski. See, et karu Salme ümber tiirleb, oli meile muidugi juba ammu teada, aga ema tegi kõik mis võis, et Salmet pätsust eemal hoida. Kuid ega ta palju võinud. Salme liikus vabalt metsas ringi ja karu lööberdas samuti kus tahtis, mõni ime siis, et nende rajad pidevalt kusagil põõsa all ristusid. Raske on ühel noorel neiul vastu panna karule, kes on nii suur, pehme ja armas ning kelle mokad lõhnavad mee järele. Ema sõdis mis ta sõdis, aga Salme rõivad olid õhtul koju pöördudes alati karukarvu täis.

"Sa oled jälle karuga kohtunud!" nuttis ema. "Ma ju räägin sulle, see ei sobi! Karu ei too sulle õnne! Nad on kurjad loomad!"

"Mõmmi pole sugugi kuri!" vaidles Salme vastu. "Vastupidi, tal on hirmus hea süda. Ma ei tea, ema, võib-olla see sinu karu oli kuri, aga sa ei saa sellepärast kõiki karusid hukka mõista!"

Emale ei meeldinud, kui talle "tema karu" meenutati, siis läks ta alati näost punaseks ja tegi teist juttu. Aga praegusel juhul polnud see võimalik, ta tahtis Salmele selgeks teha, et karuga kohtamas käimine on hukatuslik. Siiski kohmetus ta veidi ja ütles, et karud on salalikud ja nende kurjus ilmneb vahel alles aastate pärast.

"Aastate pärast!" turtsus Salme. "Sama hästi võid sa öelda, et mul pole mõtet abielluda, kuna varem või hiljem pean ma nagunii ära surema. Ema, ma armastan Mõmmit!"

"Kallis laps, ära tee seda mulle!" kaebles ema. "Ära räägi nii! Seda on hirmus kuulata. Kogu elu olen ma sind karude eest hoiatanud ja hoidnud ja nüüd teed sa kõik ikka just risti vastupidi."

"Aga ema, ütle, kellega ma peaksin siis abielluma kui mitte karuga?" küsis Salme. "Metsas ju pole rohkem noori mehi kui meie Leemet. Ma ei saa ju oma vennaga kokku elada? Või peaksin ma vanale Ülgasele minema? Kas see räpane vanamees meeldiks sulle rohkem kui ilus, paksu karvaga karu?"

Selle peale ei osanud ema midagi öelda, üksnes nuttis ohjeldamatult, ja Salme kohtumised karuga jätkusid. Kuni ühel päeval teatas ta, et kolib üldse Mõmmi juurde ning saab tema seaduslikuks naiseks.

"Mõmmile ei meeldi see, et ma ööseks alati koju pean minema," ütles Salme. "Ta räägib, et see murrab ta südame ja ta ei maga öö otsa, üksnes ohkab kuu poole ja kaebleb valju häälega."

"Kui sa tema juurde kolid, siis murrab see minu südame!" karjatas ema. "See karu röövib minult mu kalli tütre!"

"Miks nii?" ärritus Salme. "Me elame ju siinsamas metsas. Ma käin sul külas. Ja muide, ema, sina võid ka minul külas käia. Mõmmi ongi solvunud, et sa teda sedasi väldid. Ta on mitu korda tahtnud sinuga tuttavaks saada."

"Mina ei tule iialgi karu koopasse!" hüüdis ema ehmunult ja vehkis kätega, nagu lendleks hirmus karu juba kärbse kujul ümber tema pea. "Mitte iialgi!"

"Noh, siis on väga kahju!" teatas Salme trotslikult ja lahkus kodunt.

Ema pidas vastu täpselt ühe päeva, siis küpsetas külakostiks kaks suurt põdrakülge, vinnas need endale ägisedes selga ja me kõmpisime Mõmmi koopa juurde. Karu tuli meile vastu, pea lihtsameelselt viltu, ja lakkus alandlikult ema jalgu.

"Teie oletegi Salme ema," ütles ta kumeda häälega. "Ma olen teid vahel metsas näinud, aga pole julgenud kunagi ligi astuda, sest te olete nii kaunis ja uhke emand."

Ema vana karu-armastus, mida ta oli otsekui kobras hoolsalt tammide taha peitnud, pääses nüüd taas täie jõuga voolama – ta puhkes liigutusest nutma, kaisutas Mõmmit ja suudles teda kõrvade taha. Ta kinkis karule mõlemad põdraküljed ja jälgis heldinult, kuidas Mõmmi neid näljaselt näris, viimase kui ühe kondi keelega puhtaks poleeris, ning kui karu end viimaks taga-käppadele ajas ja ema ees tänutäheks maani kummardas, oli mu emake lõplikult võidetud. Terve tagasitee rääkis ta mulle, et pole iial näinud viisakamat ja kenamat karu ning et tal on Salme pärast hea meel.

"See karu oskab teda austada ja hoida," kinnitas ema. "Tegelikult ongi karud väga meeldivad loomad. See karu, keda mina tundsin..."

Siin ema peatus, sest arvas, et pole just viisakas kiita minu kuuldes karu, kes sõi ära minu isa pea. Kuid ema eksis – ma ei kandnud selle tundmatu karu peale mingit vimma. Oma isa ma ei mäletanud ja kui ma teda ette kujutada püüdsin, kerkis mu silme ette külavanem Johannese nägu ja see, kuidas ta üritas Intsu surnuks vemmeldada. Tundmatu karu oli mulle palju lähedasem ja omasem kui mingi külamees, olgugi et vere poolest lihane isa.

Ema hakkas iga päev Salme ja Mõmmi juures käima, viis neile liha ja koristas nende koobast, kuna Mõmmi korjas talle vastu-tasuks metsalilli ja tõi puu otsast alla meekärgi. Salme oli oma kalli karu kaisus õnnelik ja ratsutas tihti Mõmmi seljas mööda metsa ringi, lebades abikaasa karvadesse klammerdudes tema turjal nagu väike konn, põsk vastu Mõmmi kukalt.

Loomulikult ei meeldinud see Tambetile – tema oli ka veel elu ja tervise juures, kasvatas hunte ning põrnitses meie perekonda tigeda pilguga. Salme ja Mõmmi abielu andis talle järjekordse põhjuse meie sugu põlata – oli ju karu tema meelest inimesest tohutult madalamal seisev olend. Karud ei käinud kunagi hiies ja elasid metsikut ning lodevat elu, nad olid aplad ja himurad. Oli häbiasi, et üks inimene karuga avalikult kokku elas. Salaja oli seda muidugi varemgi juhtunud, koguni väga sageli – kadunud onu Vootele jutu järgi juhtus iidsetel aegadel tihti, et samal ajal kui kõik mehed Põhja Konna kaitsvate tiibade all lahingusse tormasid, lasksid üksinda koju jäänud naised tuppa aia taga oodanud karud ning nood lahutasid lahkesti nende meelt, sel ajal kui mehed rannas võõramaalasi maha nottisid. Tambet poleks muidugi iialgi nõustunud tunnistama, et üllas minevikus midagi nii labast võis leiduda. Tema jaoks olid muistsed ajad üksainus vaibumatu päi-kesesära, kõik inetud plekid, mis seda hiilgust tumestasid, olid pärit tänapäevast ning enamasti ikka meie kõlvatust perest.

Samas pole põhjust eitada, et karude iseloomu hinnates oli Tambetil õigus, kui ta neid himurateks nimetas. Nad olid seda tõesti. See oligi põhjus, miks mu ema õhtuti sageli ohkas ja mind perekonna viimaseks meheks nimetas. Aastaid Salmega õnnelikult elanud Mõmmi oli hakanud endale uusi pruute otsima. Metsas oli neist saadaval üksnes Hiie ja Mõmmi püüdiski talle külge lüüa, pani endale pärja pähe ja keerles kurvalt pead vangutades ümber tüdruku, aga Hiie ei võtnud vedu. Vaevalt et selle põhju-seks olid kodus kuuldud jutud karude lodevusest – Hiie kuulis kodus paljutki, kuid ei teinud sellest enamasti välja. Võis arvata, et minagi olin Tambeti ja Malle majas ülimalt halvas kirjas, aga see ei seganud Hiiet minuga lahkesti suhtlemast. Ta oli nüüd seitsmeteistkümneaastane, endiselt kahvatu ja kõhn, mitte eriti ilus, maha löödud pilgu ja kondiste õlanukkidega tüdruk. Mõmmi katsus teda sellest hoolimata võrgutada, sest karud ei pööra naiste välimusele erilist tähelepanu, neid erutab nende lõhn, aga Hiie jooksis iga kord minema, kui Mõmmit lähenemas nägi. Karu tüdis ja kuna metsas rohkem noori naisi ei leidunud, siirdus uutele jahimaadele ehk külla.

Seal polnud tal samuti mingit lööki. Külatüdrukud kartsid Mõmmit lausa pööraselt ja iga kord kui karu metsaserval nähtavale ilmus, visati maha kõik rehad ja sirbid ning tormati läbilõikavalt kisendades majadesse, löödi uksed kinni ja piiluti tillukestest akendest, kas kole metsloom ikka veel võsas varitseb. Mõmmi oli tüdrukute säärasest käitumisest väga häiritud, sest tema ei kavatsenud ju midagi kurja, vastupidi, ta oleks hea meelega kõiki neid piigasid armastanud – neid oli nii palju, nad lõhnasid nii magusasti, ja see ajas karu segaseks. Ta käis päev päeva järel külaservas luusimas, aga mingit edu tal polnud. Tüdrukud kartsid järjest hullemini, samal ajal kui karu läks aina rohkem kiima.

Tegelikult poleks Mõmmi retked pidanud Salmele üldse korda minema, sest oli selge, et ükski külatüdruk ei lase karu enda kaissu, pigem sureb, aga Salme kannatas ikkagi armukadeduse all. Talle ei meeldinud, et tema Mõmmi istub metsaservas, keel näljaselt ripakil, ja vahib kiljuvaid külapiigasid. Ja siis pidingi mina olema see, kes "ainsa mehena" Mõmmi korrale kutsub, läheb talle metsaserva järele ja viib kurva karu koju.

Sedasama ema nüüd minu käest paluski.

"Ta on terve päeva seal luusinud ja Salme on endast täitsa väljas," kaebas ta. "Ma ütlesin talle küll, et karu ei saa oma loomuse vastu, temale lihtsalt meeldivad hirmsasti kõik naised. No las ta vahib siis neid, ega ta ju nendega midagi tee!"

Ma olin märganud, et ema on Salme ja Mõmmi vahelistes tülides sageli karu poolt, igatahes armastas ta toonitada, et tema

"mõistab karusid", ja soovitas Salmel samuti neid "mõistma õppida". Selle peale sai Salme alati väga vihaseks ja karjus:
"Kelle ema sa oled, minu või Mõmmi!"
"Muidugi sinu, kallis laps!" vastas ema väärikalt.
"Miks sa siis Mõmmit kaitsed?"
"Sellepärast, et ma mõistan karusid," alustas ema uuesti ning nii kestis see tunde.

Ma ei viitsinud eriti Mõmmit karjatama minna, aga olin juba harjunud, et "ainsa mehena" tuli mul kantseldada nii ema, õde kui ka tema karu, pealegi teadsin ma, et ega ema mind enne rahule jäta. Aimasin juba ette tema vastuväiteid, mis järgnevad kohe, kui ma ütlen, et olen väsinud ja tahan magama minna – "aga ta on ju su õde", "tema nii hoolitses sinu eest, kui sa väike olid", "me oleme üks pere, me peame üksteist aitama", "me ei tohi jääda võõraks". Seepärast sõin ma rahulikult suu tühjaks ja ütlesin:

"Hea küll, ma lähen. Aga kõigepealt ma söön."

Söömine oli ema jaoks püha ja ta ei hakanud mind tagant kiirustama. Ma mälusin nimme aeglaselt. Olin emale sada korda öelnud, et Salme võiks ju ise oma karu koju kutsuda, see polnud tegelikult raske. Mõmmi ei vaielnud iialgi vastu, ajas end juba esimese kutse peale kuulekalt käppadele ning komberdas oma koopa poole, ise kurvalt ohates. Aga selle peale vastas ema, et "sina oled meie perekonnapea", ning järgnes taas jutt "ainsast mehest". Lõpetasin prae, jõin allikavett peale ning tõusin.

"No ma siis lähen," ütlesin ma.

"Ole nii kallis!" vastas ema. "Tee õele see heategu. Ära Mõmmiga kuri ole, aga ütle talle lihtsalt, et nii ei sobi."

"Ma pole temaga kunagi kuri," ütlesin mina ja läksin välja. Oli juba õhtu ja mets tõmbus hämaraks, aga ma oleksin ka kinnisilmi tee leidnud. Mõmmi oli täpselt sealsamas paigas, kust ma teda juba enam kui kümme korda koju olin talutanud, istus, vahtis küla poole ja õhkas igatsevalt. Ta mõistis kohe, miks ma tulin, ja hakkas end juba püsti ajama, aga ma ei öelnud talle midagi, vaid istusin ta kõrvale ja silmitsesin samuti küla.

Nad tegid tuld. Suur lõke lõõmas küla servas ja selle ümber karglesid noored inimesed, poisid ja tüdrukud. Küllap oli seal kusagil ka Pärtel, keda ma polnud näinud sellest ajast peale, kui me tookord tüliga lahku läksime. Ma ei tundnud teda ära, kõik need külapoisid näisid ühesugused, sellised turjakad ja paksu punase näoga. Nad ei meeldinud mulle sugugi, tundusid kuidagi juhmidena. Aga tüdrukud olid ilusad, palju ilusamad kui Hiie ja ilusamad ka minu õest. Mis siis imestada, et Mõmmi iga päev neid siin luuramas käis

"Nii palju tüdrukuid!" ütles Mõmmi unistavalt. Siis vaatas ta mulle otsa ja pilgutas silma nagu mees mehele. "Sulle meeldivad nad ju ka?"

"Meeldivad," tunnistasin ma kuidagi vastu tahtmist.

Olin püüdnud end külast võimalikult kaugele hoida, ma ei soovinud sellega mingit tegemist teha ja ma ei tahtnud, et mulle seal midagi meeldiks. Aga tüdrukud olid tõesti ilusad. Seda ma eitada ei saanud.

Me istusime natuke aega ja vaatasime külarahvast.

Poisid vedasid tüdrukuid tantsima. Tüdrukud ei tõrkunud, nad võtsid poistel ümbert kinni ja keerlesid koos nendega ümber tule. Ma tundsin end korraga väga halvasti, tõusin püsti ja ütlesin karule:

"Aitab küll, tule koju! Salme juba muretseb. Mis asja sa pead siin igal õhtul käima?"

"Ma ei saa sinna midagi parata," vastas Mõmmi alandlikult. "Mind kohe veab siiapoole. Salme on tore naine, aga nii väga tahaks vahel midagi värsket."

"Ja mis see Salme siis on?" küsisin mina. "Minu meelest on ta veel värske küll."

"Salme on nagu mullune mesi," ütles karu kuidagi kurvalt. "See on ka hea, aga..." Ta ei lõpetanud oma lauset.

"Sa oled ikka häbematu küll," kostsin mina. "Kuidas sa mu õest räägid! Ise oled üks mesi, kleepud igaühe külge. Mine nüüd koju ja katsu sinna jäädagi. On tõeliselt tüütu sind igal õhtul karjatamas käia."

"Aga siis saad sa ju ka ise ilusaid tüdrukuid vaadata, või mis?" küsis Mõmmi korraga kelmikalt ja tonksas mind oma külma musta ninaga kubemesse. See oli nii ootamatu, et ma punastasin ega osanud midagi vastata. Mõmmi nuusutas veel viimast korda küla poolt temani kanduvat naiselõhna ja komberdas siis põõsastesse. Ma ei hakanud teda saatma. Mis ma end ikka teiste perekonnatülisse segan.

16.

Ei saa öelda, et ma poleks aeg-ajalt tüdrukute peale mõelnud. Ainult et metsas neid ju peaaegu polnudki, üksnes Hiie. Ema oli surmkindel, et ükskord ma Hiie ära võtan. Mina mitte eriti. Iseasi kui ma tõesti poleks näinud ühtegi teist tüdrukut, siis võinuks ma ehk tõepoolest arvata, et naised just sellised ongi, ning oma saatusega leppida. Aga mul oli õde, kes polnud võib-olla ka mingi esmaklassiline iludus, aga siiski igatpidi lopsakas ja kohev. Ma mäletasin ka tema sõbrannasid, keda me omal ajal Pärtliga piilumas käisime – siis kui nad ihualasti puude otsas vihtlesid. Nende hulgas oli tõelisi kaunitare. Nüüd olid nad kõik ära külasse kolinud, aga lõppude lõpuks polnud ju ka küla kusagil seitsme mere taga, vaid üsna meie lähedal, ja miski ei keelanud mind aeg-ajalt metsaservas hulkuda.

Jah, ma polnudki Mõmmist palju parem, ka mina käisin külatüdrukuid piilumas. Ma olin neid näinud heina niitmas ja sirpidega vilja lõikamas ning – mis seal salata – isegi järves suplemas. Ma teadsin väga hästi, milline üks tüdruk välja peab nägema, ja Hiiel polnud külaplikadele midagi vastu panna. Ta oli muidugi armas ja tore ning me kohtusime sageli ja ajasime juttu, aga mul ei tekkinud kordagi soovi teda näiteks kallistada. Ta ei näinud sedamoodi välja, et teda peaks katsuma. Ta oli teist sorti. On olemas ju ka mitut liiki lilli – mõned lausa kutsuvad ennast noppima, nende igat värvi õied säravad sulle aasal vastu ning sa märkad neid ka kõige kõrgema rohu seest. Lapsena meeldis mulle väga lilli korjata ja emale kinkida, juba varakevadel, kui ilmusid välja esimesed kollased paiselehed, noppisin ma neid ja viisin koju. Ometi pole paiseleht mingi õige lill, ta närtsib toas peaaegu kohe, aga ta eraldub oma kuldse õisikuga kevadisest kulust ning otse meelitab end murdma. Rääkimata siis hilisematest kullerkuppu-dest, karikakardest, kellukatest ning moonidest. Ma ei saanud lapsena neist kunagi rahuliku südamega mööda minna; isegi kui mul oli kuhugi kiire, takerdus jalg nende kirjusid õisi nähes ja tekkis hirmus tahtmine lilli korjama minna. Aga on ka terve hulk selliseid taimi, mis sind mitte millegagi ei eruta. Need on kõiksugused kõrred ja putked, mida on täis terve mets. Neid ei korjata iialgi! Tunduks isegi naljakas minna koju peotäie tavalise rohuga. Mis sa sellest heinast ikka tuppa vead! Muidugi on tore, et needki taimed ilmas olemas on, sest metsa-alune ei saa ju olla kaetud üksnes lilledega, aga nad ei köida su pilku. Ja Hiie oli paraku just sedasorti taim. Mul polnud midagi selle vastu, et teda vahel metsas kohata, aga ma ei tahtnud teda noppida, ma ei tahtnud teda koju viia. Mind huvitasid külas kas-vavad lilled, eriti siis, kui nad paljalt järves ujusid nagu vesiroosid. Ma olin seda kena vaatepilti mitu korda näinud, sest passisin järve ääres otsekui janune kits. Hiiet polnud ma kunagi ujumas näinud, ehkki teadsin väga hästi, kus ta supleb, olin teda isegi kohanud, kui ta parajasti ujuma läks. Aga ma ei hiilinud talle järele, mind ei huvitanud paljas Hiie. Me vahetasime paar sõna, Hiie ütles, et ta läheb suplema, mina noogutasin mõistvalt pead ning me lahkusime erinevates suundades.

Seetõttu oli mul üsna tüütav kuulata kodus ema arutlusi sellest, kuhu ta meid Hiiega magama paneb, kui me koos elama hakkame. Ema kavatses meie osmikut laiendada, kolida ise juurdeehitusse ning jätta kogu vana onn meile. Ma üritasin alati õrnalt vastu vaielda, väites, et me ju pole veel abielus, aga ema kehitas üksnes õlgu:

"Praegu ei ole, aga tuleb ju tulevikule mõelda! Eks sa ükskord ju ikka naise võtad ja kelle siis veel, kui mitte Hiie? Teisi tüdrukuid siin metsas ju polegi."

Õnneks ei kiirustanud ema mind naisevõtuga kunagi tagant, sest tema arvates olin ma ikka veel laps – ehkki samal ajal ka "ainus mees" – ning minu peamine ülesanne oli korralikult süüa seda, mida ema mulle valmistas, ning olla hea poiss. Ehkki mida aeg edasi, seda enam hakkas ema igatsema, et ka Hiie tema praade naudiks.

"Küll oleks tore, kui Hiie vahel meie juurde sööma tuleks," lausus ta naeratades ning puhus tuld suuremaks. Emal oli millegipärast kindel arvamus, et meie Hiiega olemegi juba paar, aga ma ei kutsu oma noorikut külla üksnes tagasihoidlikkusest. Ta proovis mind julgustada ning seletas, et ehkki me veel koos ei ela, tohin ma siiski Hiiet meie juurde lõunale paluda, sest mida varem ta tulevase miniaga lähemalt tuttavaks saab, seda parem.

"Ära karda, ma hakkan teda armastama nagu oma tütart!" kinnitas ta mulle ja vaatas lahkelt otsa, otsekui näekski juba vaimusilmas meid Hiiega kõrvuti laua taga istumas ja liha vitsutamas. Mul läks sellist juttu kuuldes alati isu ära, aga ma ei öelnud midagi. Lõppude lõpuks lohutasin ma end sellega, et Hiie isa ei luba oma tütart nagunii minusugusele külas sündinud värdjale naiseks.

Tambet poleks lubanud tõesti. Tema vimm meie pere vastu oli endiselt suur. Ma ei karanud küll enam teda nähes võssa nagu poisikesena – see oleks olnud naeruväärne, olin ju nüüd Tambetist isegi pikem –, aga me ei teretanud iialgi.

See oli tegelikult küllaltki kummaline olukord, mis sel ajal metsas valitses – inimesi oli alles jäänud väga vähe, aga me ei suhelnud üksteisega. Tambet ja Mall vuhisesid meie perest mööda nagu uhked kullid nõgestest, pööramata peadki.

Hiietark Ülgas, kes oli kah veel elus, ehkki väga vanaks jäänud ja hirmsasti kokku kuivanud, siiski märkas meid ja tegi ka juttu, aga üksnes selleks, et manada ja ähvardusi karjuda. Ta oli tühjas hiies konutamisest ilmselgelt lolliks läinud, nägi kõikjal haldjaid, ning enamasti võis teda kohata mõne puu juures küürutamas ning selle tüves elavale vaimule ohvreid toomas. Temast sai väiksematele loomadele tõeline nuhtlus ja tema teed märgistas vererada. Ussisõnade abil sundis ta oravad, jänesed ja nirgid kuulekaks ning keeras neil siis kaela kahekorra. Seejärel roomas ta põlvili ümber mõne tamme või pärna ning määris selle juuri värske verega. Lõpuks komberdas ta sealt minema, kuid arvas peagi nägevat uut puuhaldjat, keda tuli tingimata kummardada ja lepitada, ning kogu võigas verepulm algas uuesti. Rebased ja tuhkrud käisid tal sabas ning õgisid ohvriks toodud loomade raipeid; see oli neist ilus tegu, sest muidu poleks haisu pärast metsas enam ringi käia saanudki.

Meie perele kisendas Ülgas alati needusi ja hüüdis, et kui me jalamaid hiies käima ei hakka, tulevad hiiekoerad ja murravad meid maha. Ma olin terve elu metsas elanud, aga selliseid loomi nagu hiiekoerad ma näinud polnud, seega ei suhtunud ma Ülgase ähvardustesse tõsiselt. Ta mõjus siiski tüütult ja vastikult ning ma ütlen ausalt – ma ootasin kannatamatult selle vanamehe surma. Pealtnäha olekski ta pidanud iga hetk kärvama: ta oli jäänud kõhnaks nagu luukere, pulstunud hall habe rippus nabani ja tokerdanud juuksed turritasid igas suunas. Ta ei söönud peaaegu mitte midagi ja püsis jalul veel üksnes tänu oma hullumeelsusele. Aga see oli tugev kepp, millele toetuda. Ta ei surnud sugugi.

Lisaks Tambetile ja Mallele, kes suhtusid meisse vaikse põlgusega, ning Ülgasele, kes oma raevu meile näkku karjus, oli endiselt elus veel ka Meeme, kes muutus aina rohkem mättasarnaseks. Tema rõivastel kasvas sammal, tervet nägu katvasse habemesse takerdusid surnud putukad, langevad puulehed ja igasugune muu kõdu. Selle sodi seest paistsid välja vaid kaks silma, mille ripsmed olid segunenud ämblikuvõrguga, ning punaste paksude huultega suu. Selle suu juurde tõstis Meeme iga natukese aja tagant lähkri veiniga. Oli täiesti arusaamatu, kuidas ta ikka veel suudab endale joogipoolist hankida; tema välimuse järgi võinuks arvata, et tal kasvavad kannikatest välja juured, mis teda mullas kinni hoiavad. Aga ilmselt oli see inimmätas siiski veel võimeline tõusma ja tapma – sest muudmoodi kui munki või raudmehi riisudes polnud veini hankimine võimalik.

Teiste inimestega suhtles Meeme vähe. Mõnikord, nähes mind koos Hiiega, karjus ta mingeid rõvedusi ja me läksime ära mujale. Kord sattusin nägema, kuidas Ülgas Meemet ilmselt mingiks metsaemaks või samblahaldjaks pidas ning üritas talle ohvrit tuua – siis sülitas Meeme Ülgasele hämmastava täpsusega otse silma ja Ülgas põgenes, otsekui oleks teda ninast hammustatud.

Samuti olid metsas alles veel inimahvid Pirre ja Rääk, ainult et nad ei elanud enam oma vanas koopas, vaid olid kolinud puu otsa. Nimelt olid nad oma muinsuseihaluses jõudnud sinnamaani, et isegi koopas elamine tundus neile arutu moodsusena. Nad tahtsid minna tagasi nii kaugele minevikku kui võimalik, sest uskusid, et üksnes esivanemad teadsid tõde ja kogu järgnev areng pole muud kui pidurdamatu libisemine sohu. Inimesed külas olid nende meelest juba üle pea laukasse vajunud, mina sumpasin seal rinnust saati – aga kindel maa oli puuoks palja tagumiku all.

Nad väitsid, et tunnevad end nüüd palju tervematena ja et ainult esivanematelt päritud eluviisis peitub rahu ning õnn. Minu meelest oli puu otsas turnimine tarbetu ebamugavus ja mul oli paha vaadata, kuidas Pirre aeglaselt ja ebakindlalt mööda mingit kuuske ronis ja nägu krimpsutas, kui okkad tema paljast tilli torkisid. Pirre ja Rääk olid siiski inimahvid, mitte ürgsed pärdikud, kellest nad eeskuju võtsid, ja puu otsas elamine oli neile harjumatu ning raske. Pealegi polnud nad enam noored, nende karv oli hall ja neile oli suur vaev ennast okstel tasakaalus hoida. Oma põhimõtete nimel olid nad aga igaks piinaks valmis.

Käisin neil siiski päris sageli külas, sest kellelgi teisel polnud ju käia, pealegi olid Pirre ja Rääk oma veidratest aadetest hoolimata kenad inimahvid. Elus oli veel ka nende täi, otsekui oleks koos satika kere suurendamisega pikendatud ka tema eluiga. Ta oli kindlasti kõige vanem täi maailmas. Pirre ja Räägu kannul kolis temagi puu otsa ja kükitas oksal nagu suur valge öökull. Ainult siis, kui lähenes Hiie, ronis täi kribinal mööda tüve alla ja läks end tema säärte vastu hõõruma.

Hiie oli nüüdseks liiga suur selleks, et täi seljas ratsutada, ehkki putukas ei paistnud sellest iialgi aru saavat ja laskis end ikka iga kord kutsuvalt lösakile. Siis paitas ja patsutas Hiie teda ning võttis täil ühest jalast kinni nagu lapsel käest ning sitikas hüples ülejäänud koibadel rõõmsalt tema kõrval.

Ka sel päeval olin ma Pirre ja Räägu juures ning inimahvid jutustasid mulle järjekordselt, kui õigesti ikkagi tegid muistsed esivanemad, elades terve elu puu otsas, ja kui suurepärane on vaade kuuse ladvast. Ma olin näinud Pirret ja Rääku seal ülal kõõlumas ja mul oli alati hirm, et nad prantsatavad alla ja saavad surma, sest kuuse tipp kõikus nende raskuse all ähvardavalt. Korra pidigi Rääk alla prantsatama, aga õnneks olid ta tissid vaiguse tüve külge kleepunud ja see päästis ta elu. Hiljem rääkisid inimahvid muidugi, kui targad olid esivanemad, et nad oma elamise just vaiguste puude otsa rajasid, ega suutnud iidsete ahvide mõistust ära imestada.

Pirre ja Rääk ei tulnud puu otsast enam peaaegu üldse alla – kogu nende täikasvandus oli kah seal – ja kui inimahvid tahtsid midagi maapinnalt kätte saada, näiteks maasikaid või pohli, siis käisid täid marjul.

Istusin parajasti puu all ning kuulasin Pirre ja Räägu juttu, kui tundsin korraga, et keegi roomab üle mu varvaste. See oli Ints. Ta oli nüüd täiskasvanud madu, suur ja tugev ussikuningas, kuldne kroon laubal. Ta pani oma pea mu õlale ja sosistas, et tahab mulle midagi rääkida.

Jätsin inimahvidega hüvasti ja läksin koos Intsuga suure kännu juurde, mille otsas talle meeldis päevitada. Ints oli kuidagi paksuks läinud. Oletasin, et ta on äsja midagi söönud ja seedib parajasti oma saaki. Ints keris end kännule, vaatas mulle häbelikult otsa ja ütles:

"Tead, Leemet, mul on sulle uudis. Ma saan lapsed."

See oli tõesti uudis. Ma polnud osanud aimatagi, et Intsul on pruut. Muidugi nägin ma teda aeg-ajalt koos teiste rästikutega ringi roomamas, aga esiteks oli hirmus raske vahet teha, milline rästik on isane ja milline emane, ning teiseks ei olnud ma kunagi märganud, et Ints mõne maoga õrnutseks. Ma olin üsna hämmastunud ja natuke pahane, et Ints polnud mind varem oma naisega tutvustanud, ja ütlesin talle:

"Palju õnne siis! See tuleb küll ootamatult. Miks sa mulle oma pruuti kunagi näidanud pole?"

"Pruuti?" kordas Ints imestunult. "Missugust pruuti?"

"Noh seda, kes su peagi isaks teeb," ütlesin mina.

"Ei, ma ei saa ju isaks!" vastas Ints. "Ma saan emaks. Minul sünnivad lapsed. Leemet! Kas sina arvasid, et ma olen isane? Ma olen emane rästik."

Ma jõllitasin teda, nagu oleks ta öelnud, et pole mitte uss, vaid ilves. Ints vahtis mulle sama jahmunult vastu.

"Ma arvasin, et sa tead!" ütles ta. "Leemet, me oleme ju nii kaua sõbrad olnud – kuidas on see võimalik, et sa mind kogu aeg isaseks pidasid? Kas ma olen siis isase rästiku moodi? Leemet, vaata mulle otsa, see on ju kohe näha, et ma olen emane!"

Ma vaatasin, aga mõistsin ainult seda, et kõnelen rästikuga. Kas ta on isane või emane, sellest ei taibanud ma mõhkugi.

"Mina sain küll kohe aru, et sa oled poiss," ütles Ints solvunult.

"Minu puhul on see ju kohe näha," vastasin mina. "Mul kasvab näiteks habe, naistel pole seda kunagi. Ints, ma tõesti ei osanud aimatagi! Pealegi ütlesid sa ju ise, et sind võib Intsuks kutsuda."

"No ja mis siis?"

"Ints on poisi nimi."

"Seda ma ei teadnud," ütles Ints. "Minu meelest oli see lihtsalt ilus sõna ja sobis minu rästiku-nimega. Ma olen tõesti sügavalt vapustatud sinu rumalusest."

"Mina olen ka vapustatud," vastasin. "Mina olen vapustatud sinu soost."

Me olime natuke aega vait.

"Noh, lõppude lõpuks ei muuda see ju midagi," ütles Ints viimaks. "Nüüd sa igatahes tead, et ma olen emane. Ja ma saan lapsed. Varsti peaksin sünnitama. Ma tahtsin sulle sellest kõnelda, sest sa oled mu sõber, ehkki nii juhm, et ei suuda isasel ja emasel maol vahet teha."

"Anna andeks," vastasin. "Aga nagu sa ütlesid, see ei muuda tõesti midagi. Me oleme ikka sõbrad edasi ja mul on väga hea meel, et sa emaks saad. Kes on siis isa?"

"Ah, on üks rästik," ütles Ints hooletult. "Sattusime ühel ööl kokku, mõlemal oli innaaeg, ja nii see tuli. Rohkem pole me kohtunud ja ega tahagi. Ta on võrdlemisi rumal uss, las roomab omaette."

"Kuidas siis nii?" imestasin mina. "Kas siis isa ei hakkagi oma lapsi kasvatama? Kas te ei abiellugi?"

"Oh, sa oled nii pidulik!" turtsus Ints. "Meil pole see tavaks." "Sinu isa ja ema elavad küll tänase päevani koos," ütlesin mina.

"Nojah, aga see on erand. Nad olid juba enne poegimist sõbrad. Enamasti on asi lihtsalt paaritumises. Sul on jooksuaeg, sobiv rästik juhtub ette ja ongi kõik," seletas Ints. "Ja kui kohe ei õnnestu käima peale saada, siis otsid järgmise isase ja katsud temaga, nii kaua kuni lõpuks näkkab. Kuidas see asi siis inimestel käib?"

"Ma ei tea," tunnistasin punastades. "Aga meil peab vist olema armastus..."

"Tõesti?" imestas Ints. "Nojah, sellepärast teid nii vähe ongi. Meie eesmärk on paljuneda."

Ma kehitasin õlgu. Ausalt öeldes ei teadnud ma ju tõesti päris täpselt, kuidas see asi inimestel seatud on. Hiiega kohtusin ma metsas sageli, aga ilmselt polnud meil siis "innaaeg", kui kasutada Intsu väljendit, ja midagi ei juhtunud. Aga mis toimus külas? Seal oli rahvast palju, külapoisid ja külatüdrukud käisid kõikjal koos ja tihti juhtusin ma nägema, kuidas poisid tüdrukuid kaisutasid, paar korda olin ma näinud ka suudlemist. Kas neil oli siis jooksuaeg? Ma vajusin unistustesse ja kujutasin ette, kuidas ma kohtan kusagil metsaservas mõnda ilusat külatüdrukut, kes otsib, kellega paarituda, ja otsustab minuga õnne proovida. Ma ei teadnud küll, kas ka minul samal ajal innaaeg on, aga millegipärast oli mul tunne, et on.

"Millest sa mõtled?" küsis Ints. "Sa ei kuula üldse, mida ma räägin. Ma ütlesin, et ma pean nüüd pessa minema ja me ei saa mõnda aega kohtuda. Ma olen juba väga paks ja mul on raske ringi roomata. Aga umbes nädala pärast tule mind vaatama, siis peaks pojad sündinud olema. Ma tunnen, et see ei võta enam kaua aega."

Ta roomas aeglaselt minema ja mina läksin koju. Rääkisin ka emale, et Ints on tegelikult emane ja ootab poegi. Ema sattus sellest suurde ärevusse.

"Kui tore!" rõõmustas ta. "Ma tulen kindlasti kaasa, kui sa Intsu vaatama lähed. Väikesed rästikud, küll nad võivad olla armsad, justkui tillukesed tõugud! Oh, ma tahaksin ka nii väga lapselast! Leemet, ära enam väga kaua oota. Sa oled küll veel noor, aga näed, Ints on ju sinu vana mängukaaslane ja tema saab juba emaks. Pead ikka ka varsti Hiie koju tooma, nii tore ju, kui sul oleks pisikene poja!"

"Ema, palun!" ohkasin ma, aga ema ei lasknud end peatada, vaid rääkis terve õhtu sellest, kui armsad on väikesed lapsed. Tundus, nagu unustaks ta vahel sootuks, et mitte mina ei oota last, vaid Ints, ja kui ma talle seda meelde tuletasin, ütles ta:

"Jaa, muidugi, ma tean, et Ints! Aga sinagi ei saa temast maha jääda, nii et küllap on ka sinul varsti peenikest peret oodata."

"Ema, erinevalt Intsust olen mina siiski isane ja mina ei saa mingit peenikest peret!" õiendasin vastu, aga ema lõi üksnes käega:

"Sina muidugi ei saa, aga Hiie! Ma räägin ju Hiiest!"

Sellele järgnes juba tavaline jutt sellest, kuhu ta meid magama paneb ja kuhu ise kolib.

Ma hakkasin kiiresti kahetsema, et emale üldse Intsust ja tema tiinusest olin rääkinud, sest ema ei rahunenudki maha. Tema tegemisi jälgides võis arvata, nagu valmistukski ta juba pulmadeks ning lapselapse sünniks. Ta hakkas õmblema tillukesi kitsenahast särgikesi ja lohistas mööblit ühest kohast teise. Ma püüdsin talle selgeks teha, et mitte meie onnis ei sünni laps, vaid rästikute urus, ja et Intsu poegadel pole särkidega midagi peale hakata, sest neil pole käsi, mida varrukasse pista. Ema ei hoolinud mu jutust.

"Kas sa arvad, et ma olen loll?" küsis ta pahaselt. "Ega ma siis rästikutele särke õmble, ikka sinu lastele!"

"Minul ju ei ole lapsi!" karjatasin ma.

Seepeale manas ema ette kavala ilme, nagu tahaks öelda: "Küll ma sind tean, võrukael, küllap on sinulgi kohe tited taga!", ja õmbles särgikesi edasi, näol õnnis naeratus.

Nädala möödudes läksime rästikute juurde. Intsu isa, vana ussikuningas, tervitas meid koopa uksel, noogutades rahulolevalt peaga.

"Tere tulemast!" ütles ta. "Me juba ootasime teid. Meil on peenikest peret."

Ema puhkes nutma. Me pugesime urgu ja seal lebaski Ints ning mööda põrandat ukerdas ringi kolm väikest rästikut, tillukesed justkui päevakoerad.

"Ah kui armsad!" kiljatas ema ja sisises pisikestele ussipoegadele hellalt, mispeale need talle sülle roomasid ja seal vingerdasid.

Ma silitasin Intsu ja soovisin talle palju õnne ning Ints limpsas mind oma kaheharulise keelega ja toetas oma pea mu põlvedele, nagu tal ikka kombeks.

"See on onu Leemet!" ütles ta oma poegadele. "Öelge talle tere!"

"Tere!" sisisesid väikesed ussid.

"Kui nunnud nad on!" kiitis ema. "Ah, küll sa võid olla õnnelik, Ints! Aga tead, meie Leemetil sünnib ka varsti laps. Ma tean. Me teeme juba kodus ettevalmistusi."

"Tõesti?" üllatus Ints ja vaatas mulle otsa. "Ongi nii?"

"Ei ole," sisistasin talle vaikselt. "Ema ajab niisama pada."

"Aga tegelikult võiks ju tõesti," arvas Ints. "Kas sul siis pole veel jooksuaeg peale tulnud? Või armastus, nagu sina seda nimetasid?"

"Ei ole jah!" vastasin mina ja tõusin. Ema jutustas Intsu isale, kuhu ta minu ja Hiie magama paneb ning kuhu ta ise kolib ja mitu kitsenahast särki ta juba valmis õmmelnud on. Mul oli rusuv seda kuulata. Läksin urust välja, öeldes, et tahan vett lasta, aga tegelikult istusin lihtsalt mättale maha ning põrnitsesin masendunult enda ette.

"Leemet!" hüüdis mind keegi. See oli muidugi Hiie. Just praegu ei tahtnud ma teda üldse näha. Mul ei olnud vist tõesti innaaeg.

"Mine ära!" ütlesin ma vaevatult.

"Kas midagi on juhtunud?" küsis Hiie. Ta tuli ja seisis murelikult mu kõrval. "Ma tulin Intsu lapsi vaatama."

See veel puudus! Ma ei tahtnud mingi hinna eest, et Hiie praegu rästikute urgu läheks. Kujutasin ette, kuidas ema teda nähes hõiskaks ja Intsu isale teataks:

"See ongi minu minia! Varsti saab ta lapse!"

"Praegu ei saa Intsu juurde minna!" ütlesin ma püsti tõustes. "Tal ei ole kõige parem. Ta ei ole sünnitusest veel toibunud."

"Tõesti!" ehmus Hiie ja tahtis urgu tormata. Ma haarasin tal ümbert kinni.

"Sa ei tohi praegu sinna minna!" kordasin ma. "Palun!"

Hiie vahtis mulle pärani silmadega otsa. Olukord oli veider – ma polnud teda kunagi varem niimoodi oma käte vahel hoidnud. Ta oli päris minu vastas, lausa ebamugavalt lähedal. Oleksin tahtnud ta kiiresti lahti lasta, aga ma polnud kindel, kas Hiie siis ikkagi Intsu juurde ei jookse. Seega hoidsin ma teda veel. Me mõlemad olime vait ja vähemalt mina tundsin end ütlemata imelikult. Ma ei teadnud, mida teha.

Lõpuks vabastasin ma aeglaselt käed ja tõmbusin eemale. Hiie jäi paigale. Ta oli pilgu maha löönud ega lausunud sõnagi.

"Ära siis mine, eks?" ütlesin mina.

"Hea küll," sosistas Hiie.

Seisime edasi. Ma närisin huult ja vahtisin kuhugi kõrvale. Hiie ei liigutanud.

"Kas sa lähed nüüd koju?" küsisin ma lõpuks kohmakalt.

"Jah, muidugi!" vastas Hiie ruttu, nagu mingi kergendustundega hääles. "Nägemiseni!"

"Nägemiseni."

Siis ta läkski, kiiresti, peaaegu joostes, otsekui põgeneks kellegi eest.

Mina seisin Intsu uru ees ja tundsin end kuidagi väga tobedalt.

17.

Ma mõistsin väga hästi, et Hiiega läks asi natuke nihu. Mida tema sellest isevärki kallistamisest välja võis lugeda, polnud raske mõista. Isegi kui minu järsud sõnad ja käsk kohe koju minna teda ehmatasid, oli ta end minu käte vahel kohmetusest hoolimata silmanähtavalt hästi tundnud. Ta muutus kuidagi lõdvaks ja pehmeks, hoolimata sellest et oli tegelikult kondine nagu nälginud rebane. Ma ei saanud pool ööd magada, oli kuidagi ebamugav ja paha. Kuna mälestus toimunust häiris mind tugevalt, otsustasin kohe järgmisel hommikul Hiie üles otsida ning suhelda temaga nii, nagu poleks rästikute koopa ees midagi juhtunud. Ma tahtsin, et ta unustaks nii selle ootamatu embuse kui ka minu ebaviisakad sõnad. Ma tahtsin, et Hiie oleks mu sõber, kuid ma ei tahtnud, et temagi hakkaks endale ette kujutama asju, mida pole olemas, nagu mu ema, kellele Intsu poegade nägemine oli auru veelgi juurde lisanud. Ma tahtsin möödunud päevalt selle häiriva pleki maha pesta ja loo igaveseks unustada.

Läksingi järgmisel päeval Hiiet otsima. Kodus teda polnud, nagu ma tema onni aknast sisse kiigates kindlaks tegin, seal polnud õnneks üldse mitte kedagi. Tiirutasin siis mööda metsa ringi, käisin inimahvide juures, et uurida, ega Hiie pole läinud oma kallist täid vaatama, aga Pirre ja Rääk polnud Hiiet sel hommikul näinud. Kõndisin edasi ning jõudsin viimaks metsaservale ja kuulsin, et keegi kiljub.

See oli tüdruku hääl ja korraks mõtlesin ma, et olen Hiie üles leidnud. Siis aga nägin kisajat ning see oli hoopis üks külatüdruk. Tähelepanelikumalt uurides tundsin ma ära oma vana tuttava Magdaleena, kellel ma koos Pärtliga kaks korda külas olin käinud.

Jäin puu taha seisma ning piilusin tüdrukut. Ma ei saanud aru, miks ta sedasi nutab, ega kavatsenudki algul tema juurde minna, aga kui ta oma kaeblemist ei lõpetanud, tulin ma kõheldes metsast välja ning hakkasin Magdaleena poole sammuma.

Ta nägi mind, aga ei tundnud ära, vaid hakkas veel hullemini kiljuma ja appi hüüdma.

"Ära kisa niimoodi," ütlesin mina. "Mis lahti?"

"Kes sa oled?" karjus Magdaleena ja haaras maast vitstest punutud korvi, et end selle abil minu eest kaitsta.

"Leemet," ütlesin mina. "Kas sa siis ei mäleta, ma käisin sul kunagi külas. Sa näitasid mulle vokki ja sinu isa tahtis mu sõpra rästikut maha lüüa."

Magdaleena tundis mu nüüd küll ära, kuid ei rahunenud sugugi, vaid virutas oma korvi minu poole, nii et sinna sisse korjatud maasikad laiali lendasid.

"Ja olekski pidanud selle raisa maha lööma!" karjus ta. "Ma vihkan usse! Näe, mida nad teevad! Üks nõelas mind! Vaata, milline mu jalg on! Ma suren ära!"

Tema parem jalg oli tõesti jäme nagu puupakk, punane ja paistes. Magdaleena püüdis jalga liigutada, kuid ilmselt oli see väga valus, sest ta kukkus uuesti ulguma.

"Ma suren, ma suren!" nuttis ta. "Ma tunnen juba, kuidas mürk mõjub! See madu tappis mu! Ilge, vastik elukas! Appi! Isa! Appi!"

"Ära nüüd niimoodi lõuga," ütlesin mina. Ma olin tegelikult üsna rabatud sellest, et üks inimene võib olla nii abitu ja vilets nagu mõni linnupoeg ja lasta rästikul ennast nõelata. Loomulikult olin ma oma silmaga näinud, kuidas Ints tappis munga, aga mungad ja raudmehed ei kuulunud minu meelest üldse inimeste hulka, sest nad ei mõistnud ei inimeste ega usside keelt, vaid lalisesid midagi täiesti arusaamatut. Nad olid nagu sitikad ja neid võis tappa ja pureda palju kulub. Magdaleena oli aga inimene ja ikkagi oli rästik teda hammustanud. See tundus nii alandav, et mul oli Magdaleena pärast lausa häbi. Miks ta ometi ei mõista ussisõnu – üksainus lihtne sisin oleks rästikule selgeks teinud, et siin seisab tema õde, mitte mingi hiir või konn, kellega keha kinnitada. Selle asemel et õppida õigel ajal selgeks ussisõnad, vintskleb see tüdruk nüüd siin maas, sääremarjal kaks punast hambajälge. Vabatahtlikult on ta määranud end elama madalaimate loomade tasemel, selle asemel et tõusta rästikute kõrvale, kus on ju inimese õige koht.

"Appi, ma suren!" oigas Magdaleena ikka edasi. "Isa, päästa mind!"

"Kas su isa oskab ussisõnu?" küsisin ma veidi pilkavalt, sest aimasin vastust ette.

"Muidugi mitte!" ärritus Magdaleena. "Selliseid sõnu polegi olemas! Ainult kurat mõistab neid!"

Ma ei teadnud, kes on kurat, aga oletasin tüdruku tooni järgi, et vaevalt küll keegi tema külast. Istusin Magdaleena kõrvale.

"Siis ei ole su isast praegu abi," ütlesin ma. "Et mürki verest välja saada, on tarvis siia kutsuda seesama rästik, kes sind nõelas. Tema imeb oma mürgi su jalast välja ja ongi korras. See on tühiasi, kohe ma sisistan ta kohale."

Magdaleena vahtis mind uskumatult, aga mina lasin kuuldavale ühe õige lihtsa sisina, mille onu Vootele oli mulle juba päris väikese poisina selgeks õpetanud, ja mõne aja pärast roomaski mu juurde üks pisemat sorti madu. See polnud ussikuningate hulka kuuluv rästik, vaid tavaline nõeluss, aga ma tundsin teda siiski, sest olin koos temaga talvitanud.

Magdaleena võpatas madu nähes ja püüdis kabuhirmus minema roomata, justkui kartes, et nüüd neelab väike uss ta tervelt alla. Ma hoidsin teda kinni ja ütlesin, et rapsida pole vaja ning see madu ei hammusta teda, sest mina ei luba. Magdaleena jäi paigale ning üksnes jõllitas väikest ussi, kes oli end rõngasse kerinud ja ootas, et ma ütleksin, mida ma temast tahan. Tervitasin rästikut viisakalt ja palusin, et ta Magdaleena jala seest mürgi välja imeks.

"Miks sa teda üldse nõelasid?" küsisin ma. "Sa ju näed, et ta on inimene."

"Aga ta ei oska ussisõnu!" vastas rästik. "Ja pealegi tahtis ta mind oma korviga lüüa. Ma küsisin, mis tal viga on, et ta sedasi heast peast mulle turja kargab, aga tema ei vastanud midagi. Noh, siis ma näksasingi ära. Ärgu teinekord võimelgu!"
Ma ohkasin.
"Tead, need inimesed on lihtsalt rumalad," ütlesin ma vabandavalt. "Anna neile andeks, neil pole mõistusega kõik korras, sellepärast ei suuda nad ka ussisõnu pähe õppida. Aga nõelata pole neid mõtet, hoia teinekord lihtsalt eemale."
"Ega mina tahagi neid hammustada, aga see plika ise noris," seletas rästik. "Hea küll, ma ei pea viha. Las sirutab jala välja, siis on mul parem imeda."
"Sa pead jala välja sirutama!" andsin ma rästiku sõnad edasi Magdaleenale, kes meie sisinast muidugi mitte midagi ei mõistnud. "Ja teinekord ära tao rästikuid korviga. Nad pole sulle mitte midagi teinud."
"Nad on jälgid!" nuuksus Magdaleena, kuid sirutas siiski jala välja, nagu palutud, ning pigistas silmad kõvasti kinni. Rästik surus oma nina vastu haava ja hakkas imema. Oli silmaga näha, kuidas paistetus alanes, jämedast punasest puuhalust sai peagi kena sale säär. Rästik tõstis pea ning maigutas suud.
"See imemine teeb keelele kõdi," ütles ta. "Valmis! Mürki ei jäänud tilkagi sisse."
Ma tänasin teda ning väike madu kadus voogeldes rohu sisse. Magdaleena tõusis püsti ning toetus terveks ravitud jalale, näol kahtlev ilme. Kuid kõik oli korras. Mürk oli välja imetud.
Siis langes ta mulle korraga kaela ning suudles põsele.
"Aitäh!" hüüdis ta mind kõvasti kallistades. "Sa päästsid mu elu! Sa oled võlur! Sa oled nõid! Hea nõid! Tule koos minuga, lähme mu isa juurde! Ma tahan talle rääkida, mida sa tegid."
Igas teises olukorras oleksin ma sellest ettepanekust kindlalt keeldunud. Mul polnud mingit tahtmist kohtuda Johannesega. Aga Magdaleena käte vahel, põsk kirglikust musist veidi niiske, ei näinud ma võimalust ära öelda. Alles eelmisel päeval olin hoidnud oma embuses Hiiet, nüüd kallistas mind Magdaleena – kuid kui

erinevad olid need kaisutused! Hiie puhul olin ma tundnud üksnes ebamugavust selle pärast, et me korraga nii lähestikku sattusime, Magdaleena käte vahel seista oli aga väga hea. Nüüd, kus ta enam ei nutnud ega kaevelnud, vaid vastupidi, õnnest säras, nägin ma korraga, kui ilus ta on. Ma ei hakka tema välimust isegi kirjeldama, piisab vaid sellest, kui ütlen – minu meelest oli ta täiuslik, palju ilusam kui Hiie, ilusam kui mu oma õde, ilusam isegi tema kõige kenamast ja rinnakamast sõbrannast. Kasutades Intsu sõnu, mulle tundus just sel hetkel, et kätte on jõudnud jooksuaeg.

Kuidas sain ma siis keelduda, kui Magdaleena mind endaga kaasa kutsus! Ma läksin.

Vahepealsete aastate jooksul halliks läinud külavanem Johannes ei ilmutanud mind nähes mingit üllatust.

"Kolm on kohtu seadus!" ütles ta ning tegi oma näo ees kummalise liigutuse. Hiljem sain ma teada, et see oli omalaadne nõidus, mida kutsuti risti ettelöömiseks, aga ma ei täheldanud iialgi, et sellest loitsust oleks mingit abi. Johannes surus mul kätt ja lisas:

"Ma olen kindel, et kolmandat korda sa enam tagasi metsa ei jookse. Ristiinimese koht ei ole seal, kus kõnnivad ringi kiskjad loomad ning valitseb saatan. Tule astu sisse, mu poeg, võtame pruukosti."

"Isa, sa ei kujuta ette, mis minuga täna juhtus!" segas Magdaleena end vahele. Ta ei jaksanud isegi tuppa minemist ära oodata, vaid jutustas Johannesele sealsamas lävel, kuidas madu oli teda nõelanud, kuidas tema jalg oli üles paistetanud ning kuidas ta oli mõelnud, et nüüd on käes tema viimane tunnike. Ja kuidas siis mina olin ussi tagasi kutsunud ja tema jala terveks ravinud.

"Isa, kas see pole ime?" hüüdis ta erutunult ja minul oli kuidagi piinlik, et need inimesed nii tühja asja pärast sel kombel erutuvad, aga samal ajal tegi Magdaleena vaimustus mulle ka rõõmu, sest oli ilus vaadata, kuidas tema silmad suurest õhinast säravad.

Johannes ei vastanud midagi, pani vaid käed rinnale risti ja langetas pea.

"Isa, ütle midagi!" palus Magdaleena. "Minu meelest oli see küll imeline. Või... arvad sa, et siin on mängus põrgujõud?" Magdaleena kahvatas ja heitis mulle ebaleva pilgu. "Kas sa arvad, et see oli mingi nõidus? Et ma poleks tohtinud lasta maol oma jalga imeda? Isa, aga siis oleksin ma ju surnud! Sa ei tea, kui halb mul oli! Isa, räägi ometi midagi! Miks sa vaikid!"

"Ma palvetasin," vastas külavanem Johannes vaikselt ning vaatas nüüd Magdaleenale otse silma. "Ära karda, mu laps, sa pole mitte kuidagi jumala vastu eksinud. Muidugi on madu roojane elukas ning saatana enda kätetöö, aga jumala võim käib kuradi omast üle. Tema võib ka kõige jõledamat olendit pühal eesmärgil pruukida. Saatan kihutas õela ussi sind salvama, kuid jumal oma otsatus armulikkuses juhtis sinu juurde selle poisi, kes su päästis. Jumal sundis mao omaenda mürki imema ja sellesse lämbuma. Olgu kiidetud taevane valitseja!"

"Madu ei lämbu mitte ilmaski oma mürgi kätte," ütlesin mina. "See oli lihtsalt eksitus, et ta Magdaleenat nõelas, ja ma palusin, et ta haava puhtaks teeks. Selles pole mingit imet, lihtsalt tuleb osata ussisõnu."

"Keegi ju ei oska neid!" väitis Magdaleena. "See just ongi ime, et sina neid mõistad!"

"Iga inimene võib ussisõnad selgeks õppida," ütlesin vaikselt. "See pole nii raske kunst. Vanasti mõistsid neid kõik ja ükski uss ei hammustanud kunagi inimest."

Mul hakkas korraga väga kurb ja nagu minuga sellistel hetkedel ikka juhtub, haistis mu nina õrna raipehõngu, mis tuli minu juurde ikka ja taas pärast seda, kui olin veetnud terve nädala koos onu Vootele laibaga pimedas keldris. See lõhn ei lasknud mind enam vabaks, otsekui oleks pärast onu keha põletamist see hais suitsuna taevasse kerkinud ja taevasinaga segunenud ning nüüd võis tuul iga hetk teda jälle minuni kanda. See lehk tuli nagu vihmapilv ja iialgi ei märganud ma tema lähenemist, enne kui esimesed piisad mu nina tabasid. Enamasti tuli ta siis, kui ma olin kurb, ja just praegu ma seda olingi, sest siin imetleti mind ussisõnade mõistmise pärast, mis oli minu meelest ometi nii igapäevane ja loomulik nagu see, et inimene üldse kõnelda mõistab, või siis see, et tal on jalad, mis kõnnivad, ja käed, millega saab teha tööd. Korraga tundsin ma end hirmus üksikuna, keset võõraid ja imelikke inimesi, kellega mul pole kõige vähematki ühist. Sama üksikuna ja hüljatuna olin ma end tundnud tookord keldris, kus minu ainsaks seltsiliseks oli onu Vootele pimeduses moonduv laip. Ma pöörasin pea ära, et otsida värskemat õhku, kuid lehk ei lasknud mind vabaks ja kogu maailm näis mädanemist täis olevat. Külavanem Johannes kutsus mu majja, ma läksin, aga sealgi haises.

Magdaleena hakkas askeldama ning lauda katma, aga Johannes istus mu kõrvale ja pani oma käe mu õlale.

"Ära arva, et sa oleksid suutnud ussisõnad ära õppida, ilma et jumal poleks sind selle tarvis välja valinud!" ütles ta. "Jumal ei taha, et hukkuks süütu laps, nagu minu tütar seda on, ja seepärast avas ta sinu meeled madude keelele, et sa saaksid ilmuda metsast ning päästa Magdaleena elu."

"Ma ei tea midagi jumalast ega tahagi teada," ütlesin. "Mulle õpetas need sõnad selgeks minu onu. Iga inimene oskab neid – kui ta pole just külasse elama asudes kõike unustanud."

"Kui me ka oleme midagi unustanud, siis on seegi jumala tahe!" seletas Johannes edasi. "Jumal ei taha, et me madudega kõneleks, sest madu on tema vaenlane – ja mida on meil jumala vaenlasega rääkida? Mitte kusagil maal ei räägita madudega, usu mind, ma olen ringi rännanud ja tean, mida kõnelen. Miks peame siis meie olema need viimased viletsad, kes usside poole hoiavad? Mida on neil, viletsatel siugudel, meile öelda? Mina arvan, et me peame kuulama hoopis neid, kes on meist targemad. Võõramaalasi, kes oskavad ehitada kivist linnuseid ja kloostreid, kelle laevad on suured ja kiired ning kelle keha katab raud, millest ükski nool läbi ei tungi. Kas siis maod on neile kõiki neid tarkusi õpetanud? Ei, nad on need selgeks saanud tänu jumalale! Tema on neid valgustanud ja nad vägevaks loonud ning aitab ka meid, kui me teda kuulda võtame."

"Kui sa ei oska ussisõnu, siis ei ole abi ka kivist ega rauast," ütlesin mina. "Ma olen näinud, kuidas mu sõber rästik ühte munka kõrisse nõelas. Munk kärvas sealsamas maha." "Issand, halasta!" karjatas Johannes. "Milline kohutav kuritöö! Neetud olgu see uss! Näed nüüd ise, et nad on saatana teenrid, kui nad pühadele isadele endile kallale kipuvad. Õnneks pole kahtlust, et see munk viibib praegu juba paradiisis, igaveses õndsuses."

"Mina arvan, et rebased ja hulkuvad hundid õgisid ta nahka," kostsin mina. "Kui sa ussisõnu ei mõista, siis oled sa ju isegi konnast armetum. Miks me peaksime olema niisugused nagu need lollid, kes ussisõnadest ainsatki sisinat ei taipa? Need pole inimesed, vaid satikad!"

Ma kahetsesin kohe öeldut, sest mulle meenus, et Johannes ise on ju samuti selline satikas, kelle jaoks ussisõnad on tume maa. Johannes aga ei pahandanud, ta hoopis naeris.

"Poiss, sa oled tõesti liiga kaua metsas elanud," ütles ta mingi ebameeldiva suurelisusega. "Kuidas sa ometi võid arvata, et sina oled tark, aga kõik need vägevad võõramaa rahvad, kes jumala nimel tervet maailma valitsevad, koosnevad lollidest? Siis peaks ju Püha Isa paavst ka loll olema, sest temagi ei mõista usside keelt. Tahad sa seda öelda? Parem ära ütle, see oleks hirmus patt. Patt on tegelikult isegi see, et mina sult sedasi küsin. Ma pean kindlasti sellest pihtima."

"Kes see paavst veel on?" küsisin mina.

"Paavst on jumala asemik maa peal," ütles Johannes vaikse häälega ning tema nägu muutus nii magusaks, nagu lakuks ta mett. "Ta elab pühas linnas Roomas ja hoiab oma kätt meie kõigi pea kohal nagu armastav isa. Mina olen tema juures käinud ja tema jalgu suudelnud, siis kui ma olin alles väikene poiss. Raud-mehed võtsid mu endaga kaasa, et mina, väike metslane, nagu ma siis olin, näeksin maailma vägevust. Et ma saaksin aru, kui targad ja tugevad on kristlased. Mind viidi Rooma ja juhatati paavsti ette ning see hiilgus ja toredus, mida ma seal nägin, võttis mul hinge kinni. Kuld, hõbe ja kalliskivid sätendasid kõikjal, kirikud olid kivist ja nii kõrgete tornidega, et ükski kuusk siin metsas ei küüni nendeni. Siis ma sain aru, et see jumal, keda teenivad võõramaalased, on kõige vägevam, ja kui meie tahame elus midagi saavutada, siis on tark tema poole hoida ja unustada kõik tobedad ebausukombed, mille järgimine teeb meist terve ilma naerualused. Ma tulin tagasi kodumaale ja mul oli häbi, et me elame ikka veel nagu lapsed, samal ajal kui teised rahvad on jõudnud täisikka. Me pidime neile järele tõttama, pidime õppima selgeks kõik tarvilikud teadmised, mis mujal maailmas olid ammu igapäevased. Õnneks saabus meie maale aina rohkem rüütleid ja vagasid vendi, kes meid kõiges abistasid ning aitasid meil saada samasuguseks nagu haritud rahvad. Nad näitavad meile teed ja usu mind, ükskord pole me neist halvemad."

"Sellepärast ei pea veel ussisõnu ära unustama," ütlesin mina.

Johannes kummardus mulle päris ligi.

"Kallis poiss, pea nüüd meeles, mida ma sulle ütlen," sosistas ta. "Tegelikult pole mingeid ussisõnu olemas."

See oli nii üllatav väide, et ma ei hakanud isegi naerma, vahtisin lihtsalt külavanemale otsa, et näha, mida veidrat ta veel teeb või ütleb.

"Jah, neid pole olemas!" kordas ta. "Kuidas muidu võib olla nii, et kirik neist midagi ei tea? Kas sa arvad, et kui jumal on teinud paavsti enda asemikuks maa peal, ei ole ta teinud teda kõikvõimsaks? Paavst on kõikvõimas, iga sõna, mis ta ütleb, on tõde, ja jumala abiga võib ta ka jõed tagurpidi voolama panna. Kui ussisõnad oleksid olemas, mõistaks neid ka paavst ja mõistaksid ka teised pühad mehed, aga neid pole olemas, sest jumal ei ole andnud madudele kõnevõimet. Nendega ei pea rääkima, vaid neid peab tapma ehk siis palvega eemale peletama, ja iga püha mees suudabki jumalasõna abil kõik ussid tagasi põrgupõhja kihutada. Nii see on! See, et sa täna mu lapse mao käest päästsid, pole mitte sinu teene, vaid jumala! Tema vaatas taevast alla ja tegi nii, et uss Magdaleena haava puhtaks lakuks."

"Mis jutt see nüüd on?" küsisin mina. "Ma ju ometi tean, et ma rääkisin temaga, täpselt nii nagu ma praegu sinuga kõnelen."

"See pole võimalik!" teatas Johannes ja tema ilme muutus nüüd karmiks. "Ussid ei kõnele! See vaid näis sulle nii! Sa pead metsast lahkuma, seal valitseb kurat ning tema eksitab sind ja laseb sul kuulda ja näha asju, mida pole olemas. Tule külasse, lase end ristida, hakka kirikus käima ja sa saad peagi aru, et ussisõnad on pettus!"

"Seda ei juhtu kunagi!" ütlesin mina ja tõusin püsti. "Ma peaksin siis püsti lolliks minema! Ma ju ometi oskan neid sõnu! Kuula!"

Ma sisisesin pikalt, kõnelesin Johannesega oma kõige paremas ussikeeles, aga tema üksnes põrnitses mind ja kordas kangekaelselt:

"See on vaid sisin, mis mitte midagi ei tähenda! Unusta need lollused! Just seda ma mõtlesin, kui rääkisin, et meie rahvas elab ikka veel nagu laps! On aeg täiskasvanuks saada! On aeg elada nii nagu teised! Ussikeelt pole olemas!"

"See on olemas ja kui kõik seda endiselt mõistaksid, ei elaks meie seas ühtegi võõramaalast!" ütlesin vihaselt. "Põhja Konn oleks nad kõik alla kugistanud ja mere ääres ei vedeleks isegi mitte nende konte!"

"Jälle lapsikused," teatas Johannes. "Missugune Põhja Konn? Mitte keegi ei saa hiilgavate rüütlite ja nende mõõkade vastu!"

Ma olin tige. Johannes ajas päris ilmselt arutut juttu, kuid mul polnud võimalik teda selles veenda. Mul ei olnud ju kusagilt võtta Põhja Konna, kes rüütlid koos nende mõõkadega alla neelaks. Põhja Konn magas kusagil oma salajases urus ja minul polnud tema leidmiseks võtit, üles äratada ei saanuks ma teda nagunii. Ja isegi seda, et ussisõnad on olemas, ei saanud ma mingil viisil tõestada, sest Johannese majja ma ühtegi rästikut kutsuda ei võinud, see oleks lõppenud halvasti, ning isegi siis, kui ma mõne maoga juttu ajaks, kuuleks Johannes ikkagi üksnes tema jaoks arusaamatut sisinat. Me elasime erinevates maailmades nagu kaks tigu, kes ei pääse teineteise kodadesse pilku heitma. Mina võisin ju talle väita, et minu kojas on olemas ussisõnad ja Põhja Konn, tema seda ikkagi ei uskunud, sest oma kojas arvas ta nägevat hoopis jumalat ja Rooma paavsti.

Ma tahtsin ära koju minna, sest mu meel oli must ja raipehais ninas häiris aina rohkem, aga siis tuli Magdaleena minu juurde, puudutas õlast ning palus sööma. Ma aimasin, mida nad söövad. Nagu ma aga ennist olin Magdaleena kutsel tema isa tarre astunud, läksin ma nüüd ka lauda.

18.

Mu aimused ei petnud mind. Laual oli suur päts leiba ja selle ümber erineva suurusega kausid ja kausikesed, täis imelikke ligaselt läikivaid olluseid. Mul hakkas juba nende nägemisest paha, aga Magdaleena istus mu kõrvale ning järsku tundsin ma, kuidas läbi raipehaisu tungib tema juuste lõhn, vallutab mu sõõrmed täielikult ning voolab kurkugi, nii et ma arvangi tundvat suus Magdaleena maitset. Korraga ei hoolinud ma enam laual lebavatest jälkustest ja olin nõus ohverdama oma seedimise Magdaleena nimel.

Johannes sättis end laua otsa, pani käed risti, langetas silmad ja pobises midagi. Magdaleena järgis isa eeskuju. Aimasin, et see on taas mingi abitu nõidus, umbes samamoodi tavatses mõmiseda ka hiietark Ülgas, enne kui kirvega ohvriloomi raiuma hakkas. Johannes ja Magdaleena ei pomisenud kaua, peagi tõstis Johannes pea, võttis ühte kätte leivapätsi, teise noa ning lõikas jämeda kääru.

"See on sulle, kauge külaline!" ütles ta leivaviilakat mulle ulatades. "Leib on ristiinimese põhitoidus. Leib on püha. Leib on vanem kui meie."

Võtsin leivatüki halvasti varjatud vastikustundega vastu, tõmbasin hinge ja haukasin selle küljest tüki. See maitses täpselt nii halvasti, kui ma mäletasin, keerles suus ja kleepus hammaste külge.

"Määri võid ka peale!" soovitas Magdaleena ja ulatas väikese kausikese, mille seest vahtis mulle vastu mingi imelik kollane rasv, midagi mädataolist. Võib-olla üksnes surma ähvardusel oleksin ma olnud nõus seda sööma.

"Võta ometi, see on hea!" rääkis Magdaleena ning määris ise noaotsaga kollast rasva leivatüki peale, hammustas seda ning tegi nii maia näo, nagu oleks söönud maasikat.

Ma võtsin südame rindu, sokutasin endagi leivatükile killu võid ja proovisin seda süüa. Polnudki nii jälk, kui olin kartnud, kuid vastik ikkagi.

"Kas te liha üldse ei söö?" küsisin ma.

"Pühade aegu ikka," vastas Johannes, õgides samal ajal suure isuga leiba. "Siis on meil ikka siga või lammas laual."

"Miks ainult pühade aegu? Miks mitte iga päev?"

"Me pole nii rikkad. Meie rahvas on veel vaene," seletas Johannes. "Iga päev saavad endale liha lubada üksnes rüütlihärrad kindluses. Kui meie sedasi laristama hakkaksime, sööksime end kiiresti puupaljaks."

"Loomi on ju metsas küll ja küll," väitsin mina. "Põtru, kitsi, jäneseid... Miks te neid ei söö?"

Johannes mühatas.

"Kes neid kätte saab! Rüütlihärrad muidugi, nemad peavad jahti, neil on kiired hobused ja teravad välismaal tehtud odad. Aga minusugusel vanal mehel on lausa võimatu kitse kätte saada. Jänes veel, neile võib paelad panna, aga nemad on ka kavalad, ei lähe lõksu."

Mulle tuli jälle masendus peale. Siin istus nüüd mees, kes oli loobunud ussisõnadest ja koguni eitas raevukalt nende olemasolu. Ja ta oli oma otsuse üle uhke, uskus end sammuvat õigel teel ja tahtis mindki sinna kaasa vedada. Tegelikult oli ta nagu inimene, kes on endal käed otsast hammustanud ja vedeleb nüüd maas, abitu nagu pamp. Minu ema polnud Johannesest noorem, pealegi oli ta naine ja üsna paks, ent ometi ei valmistanud talle mingit vaeva kas või iga päev üks suur põdrapull söögiks tappa. Nii palju me muidugi ei söönud, kaugel sellest, aga põhimõtteliselt oli see võimalik. See mees siin, kes kelkis, et ta on näinud mingisugust paavsti, ei suutnud tabada jänestki, mässas naeruväärsete paeltega ja kurtis, et loll jänes on temast kavalam! Ta oli surmkindel, et kitse püüdmiseks on tarvis hobust ja oda ning sellega kaasneb tunde kestev tagaajamine! Miks ta ei uskunud ussisõnadesse, mille abil on väga lihtne seesama kits ühe minutiga kuuletuma sundida? Ma tundsin taas, et olen pärit ühest hoopis teisest maailmast.

"Proovi putru ka," ütles Magdaleena ning ulatas mulle puulu-sika. Keset lauda seisis suur kauss seninägematu möksiga, mida nii Johannes kui ka Magdaleena isukalt sõid.

"Mis asi see on?" küsisin mina ja sonkisin kausi sisu umbusklikult.

"Jahupuder," vastas Johannes. "Hea tihke toit. Vitsutad kere täis, siis jaksad tööd teha."

"Kust sellised toidud pärit on?" uurisin tülgastusega. Ma ei kujutanud ette, et minu ema julgeks külalistele sellist kraami pakkuda. Ta viskaks säärase löga kus see ja teine, viiks metsa ja kaevaks maasse, et see loodust ei reostaks. "Kas Rooma paavst sööb seda?"

Johannes vangutas pead.

"Mis puutub siia Rooma paavst?" küsis ta etteheitvalt. "Tema on jumala asemik maa peal, meie ei saa ennast temaga võrrelda. Meie oleme lihtsad talupojad, tema aga meie Püha Isa! Tema söögilaud on muidugi rikkalikum, tema ei tarvitse jahukördiga piirduda. Teenrid toovad talle parimat sorti linnu- ja loomaliha, kaugetest maadest saadetakse talle külakostiks haruldasi puuvilju. Oleks alp, kui meie samamoodi elada püüaks. Inimene peab oma kohta teadma: meie oleme väike ja vaene rahvas!"

"Mina söön küll iga päev liha," teatasin.

"Anna andeks, aga sina, mu poeg, oled alles metslane," ütles Johannes rangelt. "Ka hunt õgib liha – kuid kas me peame siis temast eeskuju võtma? Meie püüdleme valguse poole ja teenime jumalat, ning tasuks selle eest annab ta meile meie igapäevast leiba ning leivakõrvastki."

"Ma ei näe selles mingit mõtet," laususin ma ja viskasin oma leivatüki käest. Ma ei suutnud seda lõpuni süüa, sest pudru nägemine oli mu südame lõplikult pahaks ajanud. "Pigem ma olen siis hunt ja saan vähemalt korralikult süüa, kui elan siin külas ja nätsutan mingitest kõrtest küpsetatud pabulaid."

Johannes ja Magdaleena jäid vait ning vahtisid mind kummaliselt.

"Ära räägi nii," ütles Johannes lõpuks aeglaselt ja ettevaatlikult. "Poiss, ütle mulle ausalt, ega sa ei ole teinud seda kõige kohutavamat pattu, mida inimene oma hingele võtta võib? Ega sa ei ole käinud libahundiks?"

"Mis asi on libahunt?" tahtsin ma teada.

"See on inimene, kes võtab kurja nõiduse abil hundi kuju," vastas Johannes. "Vagad mungad on mulle kõnelnud, et selline asi on võimalik, nende kodumaal leidub nurjatuid inimesi, kes seda kunsti valdavad. Ütle, ega sa ometi pole seda teinud? See on hirmus kuritegu!"

"Selline asi pole üldse võimalik," ütlesin ma tüdinult. "Inimene on inimene ja hunt on hunt. Hunt on lüpsmiseks ja ratsutamiseks. Ükski inimene ei tahaks muutuda hundiks, sest keegi ju ei taha, et teda lüpstaks või et talle turjale ronitaks. Need mungad on lollpead."

"Nad on õppinud ja targad mehed," vaidles Johannes. "Aga ma usun sind, kui sa ütled, et sina sellise nõidusega ei tegele. Sul on aus nägu ja sinust saab veel kunagi tubli kristlane."

"Vaevalt küll," pomisesin mina ja tõusin lauast. Johannes noogutas Magdaleenale.

"Mine nüüd ja näita poisile küla. Ma loodan, et enam ta metsa tagasi ei lähe. Kahju oleks ju raisata oma noorust!"

"Me võiksime minna kloostri juurde," ütles Magdaleena. "Seal laulavad mungad. Kõik külanoored käivad neid kuulamas, see on imeilus!"

"Jah, minge sinna," nõustus Johannes. "Pühad kirikulaulud kosutavad hinge. Minge-minge, minul on vaja veel tööd teha. Inimene on ju nagu sipelgas, tema saatuseks on palehigis oma leiba teenida."

See võrdlus oli üsna õige, arvestades, et ei sipelgas ega Johannes osanud ussisõnu ning kuulusid seega metsakombeid silmas pidades kõige mannetumate olevuste hulka. Ma ei hakanud seda külavanemale ütlema, sest mul oli hea meel, et saan nüüd minna kuhugi koos Magdaleenaga, ja ma ei tahtnud tüli üles kiskuda. Me kõndisime teineteise kõrval ja iga kord, kui minu õlg või sõrmeots vastu Magdaleenat puutus, võpatas minus miski. Ma oleksin tahtnud oma kätt sel kombel vehkida, et ta aina uuesti ja uuesti vastu Magdaleenat põrkaks, kuid kartsin, et tüdruk võib seda võtta pealetükkivusena ning käitusin vastupidiselt, tõmbudes krampi nagu pulk, ja püüdsin teda võimalikult vähe riivata. Kui rumalalt häbelikuna tundun ma endale nüüd, aastate pärast! Pole ime, et minusugused ujedad olevused välja surid. Me olime veel vaid varjud, mis enne päikeseloojangut korraks pikaks venivad, et seejärel lõplikult kaduda. Mina olengi kadunud. Keegi ei tea, et ma veel elan.

Me kõndisime Magdaleenaga ja mina heitlesin ühelt poolt sooviga teda puudutada ning teiselt poolt hirmuga teda häirida, aga Magdaleena mõtles hoopis teistele asjadele. Ta jäi korraga seisma, tõmbas mu ühe puu taha ning küsis erutunud sosinal:
"Kas sa valetasid isale, kui ütlesid, et sa libahundiks ei käi? Tegelikult sa ju tead, kuidas seda teha. On ju nii?"
"Ei tea," ütlesin mina. "Selline asi pole võimalik. Üks olevus ei saa muutuda teiseks. Rästik ajab küll nahka, aga ega ta sellepärast veel nastikuks või vaskussiks muutu. Inimene pole veel kunagi hundiks muutunud. Sellist asja uskuda on täielik totrus."
"Mina usun seda!" ütles Magdaleena ja mul hakkas otsekohe hirmus piinlik, et ma sõnu polnud valinud. "Mungad ju ka räägivad seda. Leemet, ma saan aru, et sa ei taha mulle sellest rääkida. Isa ju ütles, et see on hirmus patt, ja nüüd sa arvad, et mina ka samamoodi mõtlen. Aga mina ei mõtle, minu meelest on see hirmus põnev. Tead, mina tahaksin osata hundiks muutuda!"
Ma ei mõistnud selle peale midagi muud teha kui õlgu kehitada.
"Ütle, kuidas seda teha?" käis Magdaleena peale.
"Ma tõesti ei tea!" vastasin. Ma oleksin hea meelega Magdaleenat aidanud, ta oli ju nii ilus, ma oleksin teinud tema heaks kõik, aga hundiks ma teda muuta ei saanud, sest see oli võimatu. Kuid siis tuli mulle hea mõte.
"Tahad, ma õpetan sulle hoopis ussisõnu!" pakkusin ma.

"Kas nende abil saab hundiks muutuda?" raius Madgaleena ikka oma.

"Ei, seda küll mitte. Aga nende abil saab kõikide loomadega rääkida. Ma mõtlen muidugi neid, kes ka ise rääkida mõistavad. Paljud ei mõista. Aga nad saavad ussisõnadest ikkagi aru ja kuuletuvad neile. Sa võid näiteks kerge vaevaga endale toitu hankida, lihtsalt kutsud põdra enda juurde ja tapad ta ära. Tahad, ma õpetan! See on lihtne!"

"Kuidas see siis käib?" küsis Magdaleena. Ta ei tundunud olevat erilises vaimustuses, ussisõnad ei olnud hundiks muutumise vastu piisavalt hea vahetuskaup.

Ma sisistasin talle ühe kõige lihtsama sisina ja Magdaleena püüdis seda järele korrata, aga tal tuli suust välja üksnes mingi suvaline susin, mis ei kõlanud ussisõnade moodigi.

"Ei ole hullu," ütlesin mina. "Algus ongi raske, mina ka väänasin oma keelt, nii et valus oli. Katsu uuesti. Kuula tähelepanelikult, kuidas mina sisistan, ja proovi järele teha."

Ma sisisesin taas, hästi aeglaselt ning hoolikalt, et Magdaleenal oleks lihtsam hääle võnkumisi tabada. Ta üritas hoolega, pingutas nii, et nägu läks punaseks ja hammaste vahelt pritsis tatti. Aga need polnud ussisõnad.

"Ei, see pole see," ohkasin mina.

"Ma ju tegin täpselt nii nagu sina," väitis Magdaleena.

"Tegelikult ei teinud," ütlesin mina, katsudes teda võimalikult vähe solvata. Ma oleksin nii väga Magdaleenat oma õpilaseks tahtnud. Me hakkaksime pidama õppetunde metsas kõige ilusamates paikades, mida ma leida suudan, istuksime kahekesi koos puu all ja sisistaksime teineteise võidu. Ja ehk sünniks seal puu all muudki. Ma ei tahtnud sellest imelisest tulevikust mingi hinna eest loobuda, sellepärast võtsin ette uue sisina ja palusin Magdaleenat, et ta prooviks seda.

"See on ju täpselt seesama mis eelmine," ütles Magdaleena, kui oli mu sisina ära kuulanud.

"Kuidas nii?" imestasin mina. "Kas sa siis ei kuulnud vahet? Need sisinad pole ju üldse sarnased. No kuula veel!"

Ma sisisesin talle algul esimese sõna ning seejärel teise. "Minu meelest on see kõik üks ja seesama susin," kostis Magdaleena juba veidi turtsakalt. "Ja mina tegin ka samamoodi." Ta susises jälle, aga see susin ei tähendanud mitte midagi; kui üks rästik oleks seda kuulnud, oleks ta öelnud, et sisisejal on surnud rott suus ning et neelaku see enne alla, kui ta midagi öelda tahab.

Mina muidugi Magdaleenale niimoodi ei öelnud ja tal polekski ju olnud midagi alla neelata. Viga oli tema keeles. Lausa hämmastav, kui kohmakas oli tema ilus roosa keeleke, mille ta minu palvel suust välja ajas, et ma saaksin uurida, miks see ometi ei tööta. Magdaleena keel ei liikunud, see oli mõeldud vaid leiva mälumiseks ja kördi neelamiseks. Mulle meenus, millise nukra pilguga silmitsesid Pirre ja Rääk alati minu tagumikku, kui ma nende nähes ujuma läksin – seal polnud jälgegi sabast. See oli kadunud, niisamuti nagu Magdaleena keelest olid kadunud kõik lihased, ilma milleta ussisõnade hääldamine oli lihtsalt võimatu. Keel istus liiga sügaval, ta oli kinni kasvanud ning nõrk. Inimesed käisid alla meie endi silme ees – minul polnud enam vanaisade mürgihambaid, Magdaleenal polnud isegi mitte õiget keelt. Samuti oli nüristunud ta kuulmine, ta tõesti ei eristanud ühte sisinat teisest, tema jaoks oli kogu ussikeel lihtsalt üks lõputu susin, millel polnud tähendust, midagi merelainete loksumise sarnast.

Ma olin sunnitud alla andma. Magdaleenale ei olnud võimalik ussisõnu selgeks õpetada, ta oli määratud igavesti elama külas, keset rehasid ja vokke. Tõsi küll, just sel kombel ta elada tahtiski. Ta oli kaotanud hindamatu aarde, aga ta ei hoolinudki sellest.

"Ma ei saa sulle ussisõnu õpetada," ütlesin ma kohmetult. "Sa ei suudaks neid iialgi veatult lausuda. Su keel ei paindu."

Magdaleena ei paistnud eriti kurvastavat.

"Sellest pole midagi," ütles ta. "Ma ei tahagi ussidega rääkida, ma kardan neid. Kuule, aga räägi mulle hoopis teist asja – kas sa haldjaid oled näinud?"

"Milliseid haldjaid?" küsisin tõrksalt, sest see teema tuletas mulle kohe meelde hiietarka.

"Metsas ju elavad haldjad!" sosistas Magdaleena. "Ka isa usub seda, ja tema on ometi väga tark mees, kes on käinud võõral maal ja näinud kõiki maailma imesid. Ta oskab ka võõramaalaste keelt ja on nendega rääkinud – nemadki kinnitavad, et mets on täis vaime, haldjaid ning väikeseid härjapõlvlasi, kes elavad maa all. Nad on kõik saatana teenistuses, sellepärast ei olegi inimesel hea metsa minna. Igal juhul mitte sügavale, sest siis eksitavad vaimud ja haldjad ta teelt ning viivad oma lossi. Sina oled neid kindlasti näinud!"

Kas see polnud jube! Ussisõnu need inimesed eitasid; kõik väärtuslik, mida metsas küllaga leidus, oli neile tundmatu ja võõras – aga haldjad, need hiietark Ülgase välja mõeldud muinasjututegelased, olid otsaga külasse välja jõudnud ning siingi kenasti kodunenud! Ma olin nõutu. Mida ma pidin ütlema? Kui ma kinnitan, et haldjaid pole olemas, siis ei usu Magdaleena mind nagunii ja arvab, et ma üksnes varjan seda tema eest, nagu ka inimese hundiks muutmise nippi. Mul oli aga ka vastik ajada sama plära, mida metsas Ülgase ja Tambeti suust niigi ülearu kuulis. Ma kehitasin ebamääraselt õlgu.

"Ma ei ole neid kuigi palju kohanud," sõnasin.

"Aga vahel siiski? Millised nad on?"

"Uhh... Magdaleena, kas me ei pidanud minema mingit laulu kuulama?"

"Sa ei taha mulle neist rääkida!" sosistas Magdaleena. "Ma saan aru! Sa ei tohi! Haldjad ei luba sul nende saladusi paljastada. Aga ma vähemalt tean nüüd, et sa oled neid näinud. Ma võin sellest teistele rääkida – et mina tunnen metsast pärit poissi, kes on näinud haldjaid ja vaime! Oi, nad imestavad!"

Ta haaras mul käest ja vedas kiiresti mööda teed ning ma tundsin tema sooja peopesa ja kartsin üle kõige, et äkki muutuvad mu käed erutusest higiseks. Me möödusime mitmetest majadest ning jõudsime viimaks sinna, kus Ints paljude aastate eest munga oli tapnud. Seal lähedal asuski klooster. Magdaleena vedas mu müüri äärde ja andis märku maha istuda.

"Kas me sisse ei lähegi?" küsisin mina.

"Muidugi mitte! See on ju mungaklooster, sinna ei lubata ühtegi naist. Ka sind mitte, sest sa pole ju rüütel ega munk, vaid tavaline talupoeg. Võõramaalased ei lase talupoegi oma lossidesse."

"Aga sinu isa on ju ometi seal käinud," ütlesin ma. "Ma mõtlen, paavsti juures ja..."

"Isa on erand. Seepärast kõik teda austavadki, ta on kõige lugupeetum mees meie külas. Ta oskab võõramaalastega nende keeles rääkida ja on seda mullegi õpetanud. Tead, mida ma üle kõige igatsen? Et üks rüütel mu oma lossi kutsuks! Ma tahaksin hirmsasti näha, kuidas nad elavad. Nad on ju nii kaunid ja uhked ja väärikad! Millised raudrüüd neil on! Millised sulgedega kiivrid! Tead, ma usun, et see unistus täitub ükskord. Vahel kutsuvad nad talutüdrukuid enda lossidesse, vahel harva ja üldse mitte kõiki. Aga ma loodan, et minul veab. Mul peab vedama! Ma ei ela seda üle, kui mul ei vea!"

Kloostri müüride tagant hakkas kostma venivat laulu. Magdaleena liibus vastu seina ja pani silmad kinni.

"Eks ole jumalik!" sosistas ta. "Kui hästi nad laulavad! Ma armastan seda muusikat hullupööra!"

Mina ei osanud munkade laulust midagi arvata. See kõlas, nagu oigaks ja soiuks keegi kõhuvalu käes, ja pealegi avastasin ma varsti, et munkade laul teeb uniseks. Mulle tuli rammestus peale, laul keerles mu kõrvade ümber ja vajus pähe otsekui samblamüts. Magdaleena lõhnas mu kõrval, ma oleksin hea meelega pea ta õlale toetanud ning õnnelikuna magama jäänud. Loomulikult ei julgenud ma seda teha ja hoidsin silmi väevõimuga lahti. Laul venis ning kumises nagu ägaks keegi sügaval koopas, ma haigutasin ja mulle lendas kärbes suhu. Sülitasin ta jälle välja ning uni andis veidike järele. Silmitsesin Magdaleenat.

Tüdruk ümises munkadele kaasa, ta oli toetanud pea põlvedele ja mähkinud pika seeliku jalgade ümber. Ta nägi välja nii armas ja kena, et munkade laul vajus minu jaoks kuhugi tagaplaanile, ma keskendusin Magdaleenale ja hakkasin end tasahilju talle lähemale nihutama. Kael läks kuumaks ja süda tagus erutusest, aga ma saavutasin sihi ja istusin lõpuks päris Magdaleena kõrval. Ma libistasin oma käe tüdruku palja jala juurde ja puudutasin kergelt ta pahkluud. Seejuures tulvas veri mulle sellise hooga pähe, et silme ees läks uduseks. Ma silitasin veel kord Magdaleena jalga. Aga siis kostsid hääled ja kloostri nurga tagant ilmusid välja külapoisid. Nende seas oli ka mu vana sõber Pärtel, keda ma polnud aastaid näinud.

19.

Poisse oli kolm, lisaks Pärtlile veel kaks temast (ja ka minust) peajagu lühemat mehikest, kellel olid samas hämmastavalt laiad õlad, nii et nad nägid välja peaaegu neljakandilised. Hiljem sain teada, et võimsad õlalihased tekivad sellest, kui päev päeva järel nürimeelselt põldu künda ja adrale toetudes härja taga käia. Lühike kasv on aga kehva toidu tagajärg – paljalt leiva ja pudru mugimisega loomulikult taeva poole ei kerki. Pealegi pole pikkus külainimese jaoks üldse soovitav: selleks, et sirbiga vilja lõigata, peab nagunii kogu aeg köökus olema, ja kui su selgroog on liiga pikk, hakkab see jubedalt valutama. Hoopis hõlpsam on elada neil, kes on kasvus kängu jäänud ning ebaloomulikult jässakad. Nii tekivadki külaeluks sobivad värdjad.

Pärtel kõrgus nende seenetaoliste vennikeste kohal nagu torn, samas ei jäänud ta õlad laiuses kaaslaste omadest sugugi maha. Temast oli saanud tõeline vägilane, kelles polnud säilinud kuigi palju sellest poisist, keda ma kunagi tundsin, kellega ma käisin piilumas kuuvalgel vihtlevaid naisi ning kes oli olnud mu parim sõber. Siiski tundsin ma ta kohe ära. Ning tema tundis minu. Ta jõllitas mulle otsa ning ütles:

"See oled tõesti sina. Mis, kas tulid ka lõpuks külla elama? Mina mõtlesin küll, et ega sina tule."

"Ma pole kuhugi tulnud," kostsin vastu. "Magdaleena kutsus mind lihtsalt siia muusikat kuulama. Tere, Pärtel!"

Pärtel krimpsutas nägu.

"Ma olen ise selle nime juba ära unustanud, aga sinul on ikka meeles. Ma ju rääkisin sulle viimane kord, kui kohtusime. Minu nimi on nüüd..."

"Peetrus," ütlesin mina. "Jah, ma mäletan."

"Just, just!" kiitis Pärtel-Peetrus. "Ja need on minu sõbrad, Jaakop ja Andreas. Aga see on Leemet. Tema on metsast." Jaakop ja Andreas põrnitsesid mind ja ulatasid käe. See on jälle üks külainimeste komme, millest ma aru ei saa – milleks on tarvis teineteist pidevalt katsuda? Ma mõistan, kui sa soovid puudutada armastatud neidu – see on teine asi. Õde Salme on rääkinud ka seda, kui mõnus on sasida karu pehmet karva; mina pole seda küll kunagi teinud, kuid põhimõtteliselt usun, et karu tihe karv tundub katsudes soe ja kõditab peopesa. Ka rästiku nahk on siidine ja seda on meeldiv silitada. Külapoisi kämmal on aga kare, räpane ja kleepuv, küünealused leivapuru täis. Pärast selle katsumist tahaks oma kätt mitu tundi külmas allikavees leotada. Siiski ei näidanud ma oma tundeid välja, vaid surusin kohalikke kombeid austades mõlema mehikese kätt, need olid ebameeldivalt suured ja rohmakad, justkui inimahvide jalad.

"Arvasime, et metsas polegi enam inimesi," ütles Andreas. "Mis sul viga oli, et sa varem ära ei tulnud? Haige olid või?"

Ma tahtsin öelda, et olen elus vaid üks kord haige olnud – pärast vastiku rukkileiva söömist –, aga mul ei ole kombeks olla häbematu ning inimestega kohe esimesel kohtumisel tülli minna. Kehitasin lihtsalt õlgu ja pobisesin midagi ebamäärast.

"Pole midagi," ütles Jaakop isalikult. "Parem hilja kui mitte kunagi. Oled sa selle koha juba välja vaadanud, kus alet teha ja oma põld rajada?"

"Ei ole," ütlesin mina, sedapuhku polnud aus vastus solvav.

Jaakop hakkas mulle kohe soovitusi jagama, aga õnneks sekkus sellesse mõttetusse lobasse Magdaleena.

"Poisid, olge tasa," palus ta. "Mungad ju laulavad praegu! Kuulame!"

Pärtel ja tema semud istusid maha ning olid mõnda aega vait.

"Kihvtilt panevad," nentis Pärtel viimaks. "Sa, Leemet, pole neid vist varem kuulnudki?"

"Kus ta seda ikka kuulda sai, kui kogu aeg metsas elas," ütles Andreas. "Ega siis mungad metsa laulma lähe! Meilgi vedas, et nad otsustasid oma kloostri just meie küla lähedale ehitada. Muidu sõida lausa mere taha, kui tahad õiget koraali kuulata."

"Mis asja?" küsisin mina.

"Koraali!" kordas Andreas. "Selle muusika nimi on koraal. See on igal pool maailmas praegu kõrges hinnas. Sulle ju ka meeldib, eks?"

"Jah," vastasin ettevaatlikult, sest nõustumine tundus kõige ohutum, samal ajal kui "ei" ütlemine oleks täiesti ilmselt lõppenud tüliga. "Ainult ma ei saa ühestki sõnast aru."

"Nojaa, see on ju ladina keel!" ütles Pärtel. "Koraale lauldaksegi ladina keeles, nii on igal pool. See on maailmamuusika!"

"Poisid, te ei suuda üldse vait olla!" nähvas Magdaleena vihaselt, tõusis ja kõndis meist eemale. Seal istus ta uuesti maha, surus kõrva vastu kloostrimüüri ning sulges paremaks keskendumiseks isegi silmad.

"Me oleme mõelnud ise ka koraale laulma õppida," ütles Andreas sosinal. "Plikadele läheb see meeletult peale. Munkadel on ropult naisi, neil pruugib ainult laulma hakata, kui kõik eided viskavad silda."

"Jah, me oleme juba isegi harjutanud," kinnitas Pärtel. "Midagi tuleb välja kah, aga meil on see häda, et meie kooris pole kastraati."

"Kes see on?" küsisin mina.

"Kastraadid on kõige kuulsamad lauljad," seletas Jaakop. "Siin kloostris on ka üks selline, ta laulab heleda häälega nagu lõoke. Sellepärast, et tal on munad maha lõigatud."

"Aga see on ju valus!" väitsin ma siiralt. Ma polnud veel kunagi midagi nii rõvedat kuulnud.

Andreas mühatas põlglikult.

"Kohe näha, et sa oled metsast!" ütles ta. "Valus! Mis see loeb, et valus! Igal pool maailmas lõigatakse munasid! Külavanem Johannes ise rääkis, et Roomas, seal, kus elab paavst, olid pooled mehed ilma munadeta ja laulsid nii ilusasti, et kuku pikali. See asi on seal moes! Johannes rääkis, et tegelikult taheti temal ka munad maha lõigata, üks piiskop oli seda asja ajanud, aga kahjuks tuli midagi vahele, ning siis pidi ta ära sõitma ja nii läkski see plaan nurja. Siin meie kandis ju mune ei lõigata. See on ikka ääremaa."

Ma tänasin mõttes saatust, et külavanem Johannesele munad alles jäid, sest muidu poleks ju olemas Magdaleenat, oleks vaid lõokese kombel lõõritav vanamees – kui kole kujutelm, toob kananaha ihule! Aga Pärtel ja tema sõbrad näisid tõesti nukrad. Nad istusid, kuulasid munkade laulu ja sügasid end jalgevahelt, ning see sügamine tuletas neile pidevalt meelde nende ebatäiuslikkust.

"Võib ju ka munadega laulda," poetasin mina.

"See pole see," vastas Jaakop. "Igas õiges kooris peab olema mõni kastraat. Muidugi, kuskil jõe kaldal või ahju ääres võib iga mees joriseda, aga kuulsaks niimoodi ei saa. Õiged koorid tegutsevad kloostrites."

"Minge siis kloostrisse ja hakake mungaks!" soovitasin mina. Poisid vangutasid pead.

"Sa ei jaga neid asju," ütles Pärtel. "Kloostrisse meiesuguseid ei võeta. Kes siis põldu künnaks ja heina teeks, kui kõik koraale laulaksid? See on sihuke tööjaotus – saad aru?"

"Meil pole kündmise ja niitmise vastu ka midagi," lisas Jaakop. "Täitsa tore on adraga mässata. Kas sina üldse oled adra taga seisnud?"

"Ei ole," kõlas minu aus vastus.

Teised kolm naersid.

"Siis sa oled ikka täitsa tume," ütles Andreas. "Ader on vinge asi, sellega künnad ikka nii et... See on lahe. Kündmine on hea, aga koori tahaks ma teha just sellepärast, et naisi saada. Vaata, kuidas Magdaleena nende koraalide pärast arust ära on! Mulle meeldiks kõige rohkem nii, et hommikul künnan, aga õhtul laulan koraale ja pärast panen eitesid."

"Munga soeng oleks ka mõnus," lisas Pärtel unistavalt. "See meeldib ka tüdrukutele, aga meie ei tohi endale sellist asja pähe lõigata. Mungad ei luba. Talupojad ei tohi munkade moodi välja näha."

"Miks te neid kuulate?" küsisin mina.

"Kuidas siis?" imestas Jaakop. "Nemad on ju võõralt maalt tulnud, nemad teavad paremini, kuidas maailma asjad on seatud. Nemad ikka peavad meid kamandama, mitte meie neid. Meie tulime ju alles äsja metsast välja – mida meil neile õpetada on?"

"Ussisõnu," ütlesin mina. Kolmik põrnitses mind halvakspanevalt.

"Sina oskad neid või?" küsis Andreas.

"Muidugi oskan," vastasin mina. "Ja vähemalt Pärtel – see tähendab Peetrus – oskas neid kunagi ka. Oskasid ju, Peetrus?"

Pärtel krimpsutas nägu.

"Ma ei mäleta," ütles ta kuidagi tõrksalt. "Lapsena mängid ju igasuguseid mänge ja kujutad endale kõiksugust jama ette. See oli nii ammu, mul ei ole enam meeles."

"Sa pead mäletama!" erutusin ma. "Sa ei saa väita, et ussisõnu pole olemas – ma olen ise kuulnud sind neid sisistamas!"

"Noh, võib-olla ma siis sisistasingi midagi," nõustus Pärtel. "Enam ei mäleta ma küll mitte ühtegi ussisõna. Ja mind ei huvita ka. Mida ma teen nende ussisõnadega, ega ma uss ole! Ma olen inimene, elan inimeste külas ja räägin inimeste keelt."

"Teine asi oleks, kui oskaks hästi ladina keelt," ütles Andreas. "Siis laulaks koraale ja saaks kõik naised voodisse." Tema vist millestki muust ei mõelnud.

"Saksa keel on ka tähtis," lisas Jaakop. "Seda räägivad rüütlid. Kui sa saksa keele selgeks saad, siis võib juhtuda, et mõni rüütel võtab su oma teenriks."

"Kas sa siis tahaksid olla teener?" küsisin ma jahmunult.

"Muidugi!" vastas Jaakop. "See oleks uhke! Saaks elada lossis ja reisida koos rüütlihärraga võõrastel maadel. Teenriks on väga raske saada, sest kõik tahavad seda, aga rüütlid, vastupidi, võtavad väga harva enda juurde endiseid talupoegi. Nad eelistavad oma teenrid välismaalt tuua, sest meie inimesed on alles liiga rumalad ja võivad rüütlile peenes seltskonnas häbi teha."

"Külavanem Johannes oli mõnda aega ühe piiskopi teener," ütles Pärtel ja lisas minu jaoks armulikult: "Piiskop on umbes seesama mis munk, ainult et palju rikkam ja tähtsam. See oli siis, kui Johannes oli alles noor, noh, samal ajal kui ta Rooma paavsti juures käis. Johannes tohtis elada piiskopi lossis ja süüa tema laualt. Ta isegi magas piiskopiga ühes voodis, sest võõrastel maadel on kombeks, et tähtsad mehed magavad nii naiste kui poistega."

"Mida?" Ma olin vapustatud.

"No ikka täitsa metsast, täitsa metsast!" irvitas Andreas. "Pane suu kinni ja ära vahi nii lolli näoga! Jah, selline värk on maailmas kombeks! Ainult metsast tulnud mees võib selle üle imestada. Johannes on rääkinud, et Roomas on poistega magamine jumala tavaline asi. Mina olen ise ka selle asja järele proovinud, oma vennaga, aga ei tulnud meil suurt midagi välja, ainult higiseks ajas ja püksid lõhkus ära. Selge see, oleks vaja mõne rüütli või munga juures koolitust saada, muidu jäädki niimoodi põlve otsas nikerdama."

"Ainult et seda juhtub väga harva, et mõni rüütel või munk endale talupoisi voodisse lubab," ohkas Jaakop. "Nad ei pea meid endiga ikka päris võrdseks."

Ma ütlesin neile, et ka metsas pole see komme tundmatu, päris sageli juhtub, et üks kiimas isarebane teisele isarebasele selga kargab. See vihastas kõiki.

"Sa arvad siis, et ma olen nagu mingi isarebane?" küsis Andreas kurjalt. "Keda see huvitab, mida mingid loomad su lollakas metsas teevad? Mina räägin sellest, mis maailmas sünnib. Sina ei tea sellest ju midagi, sina ei oska keeli!"

"Ainult ussisõnu," lisas Jaakop ja muigas. "Ussid vist viimaseid Rooma uudiseid ei tea?"

"Sa, Leemet, ära ärple!" soovitas nüüd ka Pärtel. "Sina alles tulid külasse, kõige parem oleks, kui sa silmad ja kõrvad lahti hoiaksid ja püüaksid võimalikult palju õppida, et elada nii, nagu inimesed elavad, aga mitte nii, nagu loomad metsas. Kus sa üldse elama hakkad? Sa pead maja ehitama, alet tegema, endale kõik vajalikud tööriistad hankima. Mina võin sulle käsikivi laenata, mul on neid kaks tükki."

Ma tahtsin talle öelda, et ma ei kavatsegi külasse elama tulla ja et ta võib oma käsikivi endale tagumikku pista, aga siis lõppes munkade laul, Magdaleena libistas käega üle silmade, otsekui vabastaks end mingist lummusest, ning tuli meie juurde.

"Teie, poisid, olete ikka imelikud," ütles ta. "Mis te üldse tulete koraale kuulama, kui te kogu aeg ise vadistate? Täna laulsid nad eriti ilusasti ja see kastraat kõlas nii kaunilt, et mul tõusis süda kurku. Ma jumaldan seda häält!"

"Eks ma rääkinud, et naised sulavad munkade ees!" porises Andreas. "Mina oskan ju ka laulda. Kas sa siis heinaveo ajal ei kuulnud? Ma laulsin ühe laulu isegi ladina keeles."

"Ah, Andreas, sa saad ise ka aru, et sina pole munk," ütles Magdaleena. "Mul ei ole midagi selle vastu, kui talumehed lõkke ääres laulavad, aga see huilgamine pole tõeline muusika. Tõeline muusika on ainult kloostris."

"Nojah," ohkas Jaakop. "Mis sa meist tahad, meie oleme ju alles metsast välja tulnud, meie häälel on alles metslooma urin küljes. Mina usun küll, et ükskord tõuseb meie rahva hulgast ka kuulsaid koorilauljaid ja kastraate, kes terves maailmas kuulsust koguvad. Selleks tuleb aga kõigepealt meie maal ka nii kaugele jõuda, et siin hakataks mune maha lõikama. See on ju häbiasi – me oleks nagu mingi kolgas, igal pool mujal tehakse seda tööd, aga meil mitte! Sinu isa ikka käib läbi nende rüütlite ja teiste tähtsate meestega, kas ei ole midagi kuulda olnud, millal meil ka ükskord munasid ära võtta saab?"

"Ei, sellest pole isa rääkinud," vastas Magdaleena. "Ma pean nüüd koju minema, mul on seal palju toimetusi."

"Noh, eks meilgi," nõustus kolmik. "Korraks näpistasime aega, et muusikat kuulata, aga nüüd peab jälle tööle minema. Leib tuleb välja teenida, ega jumal midagi niisama anna!"

Minul seevastu polnud kuhugi kiiret. Teadsin, et kodus ootab mind pirakas põdrapraad, aga ma ei tundnud veel nälga. Ka ei raatsinud ma veel Magdaleenast lahkuda, äkki kaela sadanud armastus oli mind otsekui ohelikuga tema seelikusaba külge kinnitanud ja ma ei suutnud ega tahtnud end lahti rebida.

"Ma tulen sinuga kaasa," ütlesin Magdaleenale.

"Õige, külavanem oskab sulle kõige paremini nõu anda, kuidas uut elu alustada," sai Pärtel mu sõnadest omamoodi aru.

Me lonkisime viiekesi küla poole.

Kui me Magdaleena maja juurde jõudsime, tuli Johannes parajasti toast välja, pussnuga käes.

"Mis sa teed, isa?" hüüdis Magdaleena.

"Miiral on halvem," vastas Johannes murelikult. "Ta ei võta enam üldse jalgu alla."

"Kas lehmaga on midagi pahasti?" küsis Pärtel.

"Jah, ta on juba nädalapäevad tõbine," seletas Magdaleena. "Ei taha süüa ega midagi, ainult ammub vaikselt ja kurvalt. Kahju kohe loomast. Isa on teda ravinud, aga miski ei aita."

"Pole midagi, mul on kõige paremad kunstid veel järele proovimata," ütles Johannes. "Neid õpetas mulle üks rüütlite tallipoiss, päris ehtne sakslane. Tema ravis sel kombel oma isandate hobuseid, nii et see on järeleproovitud nipp. Mitte mingi kodukootud tarkus, vaid võõral maal välja nuputatud teadus."

"Kas ma tohin pealt vaadata?" palus Jaakop. Johannes oli lahkesti nõus.

"Muidugi, tulge aga kaasa, noored mehed! Seda tarkust võib teilgi tarvis minna. Nii kaua kuni elad, nii kaua tuleb õppida."

Me läksime kõik koos lauta. Lehm Miira lebas põhul ja nägi õige armetu ja nälginud välja. Mulle oli kohe selge, et selle looma elupäevad on loetud. Ta oli lihtsalt liiga vana. Ka inimene ei ela igavesti, mis siis veel loomast rääkida. Johannes oli küll kõnelnud lehma ravimisest, kuid mina lootsin, et ta lõikab loomal lihtsalt kõri läbi ja lõpetab nõnda eluka piinad. Johannes ilmselt nii ei arvanud. Temal oli saksa tallipoisi õpetusse nii suur usk, et ta oleks pidanud ilmselt võimalikuks selle abil ka surnuid üles äratada. Ta läks lehma juurde, võttis noa ja lõikas loomale saba alla sügava haava. Lehm inises valust.

"Ahhaa!" ütles Johannes võidukalt ning lõhestas seejärel noaga ka lehma kõrvad.

"Mis sa teed?" küsis Andreas aupaklikult.

"Ma teen talle kere sisse pilud, mille kaudu haigus saab välja minna," seletas Johannes ning torkas ka lehma rinna sisse väikese augu. Verd hakkas nirisema ja vaene lehm häälitses kaeblikult. "Pidage meeles, poisid, augud tuleb teha rinda, saba alla ning kõrvadesse!" õpetas Johannes ning Pärtel, Jaakop ja Andreas kordasid neid sõnu pobinal, et kõik ikka hästi meelde jääks. Minul oli seda loomapiinamist kole vaadata, aga ma ei hakanud ka sekkuma – mis see minu asi on, mida külarahvas oma loomadega teeb? Seda ma teadsin küll kindlasti, et metsas poleks ükski inimene oma hunte niimoodi lõikunud. See aga polnud veel kõik. Saksa tallipoiss oli Johannesele palju vigureid selgeks õpetanud.

Johannes otsis välja püti, mille sees läikis mingi imelik ollus. "See on hülgerasv," ütles ta. "Lehm peab seda sööma."

Lehm loomulikult keeldus säärasest maiusest. Isegi surevana oli ta veel piisavalt tugev, et lõuad kangekaelselt kinni pressida ja pea kõrvale keerata, kui talle hülgerasva pakuti. Johannes ohkas. "Rumal loom, sa ei tea, mis sulle hea on!" kõneles ta, hääles leebe etteheide. "Hülgerasv peab halva haiguse su ihust haavade kaudu välja ajama. Poisid, tulge appi! Kiskuge tal noaga lõuad laiali, et ma saaksin rasva sisse pista."

Hetke pärast rabeldi lehma ümber juba neljakesi, üksnes meie Magdaleenaga ei võtnud loomapiinamisest osa. Tõsi, Magdaleena seda vaevalt piinamiseks pidas, tema hoidus eemale, et mitte segada meeste tähtsat tööd. Mina aga lootsin südames, et lehm ükskord ometi ära sureks ning pääseks kõigist neist väntsutustest. Oli ju näha, et tal rippus hing veel ainult niidiga kaelas.

Sellest hoolimata ei olnud meestel kerge teda hülgerasva sööma sundida. Nuga oli talle küll suure vaevaga hammaste vahele saadud, nüüd hoidis Pärtel selle abil looma lõugu laiali, samal ajal kui Jaakop ja Andreas istusid kaksiratsi haige lehma turjal, et ta rabelda ei saaks. Külavanem Johannes oli mingi toki hülgerasva sisse kastnud ja surus seda nüüd lehmale kõrisse, sikutades teise käega eemale pikka tumedat keelt. Lehm tegi hirmsat häält, nagu hakkaks ta lämbuma, ja see polnud ka ime, sest raske on hingata, kui sinu kurku on torgatud pulk. Johannes keerutas pulka ühte- ja teistpidi, kuni veendus, et hülgerasv on lehma kõrist alla voolanud. Siis tõmbas ta orgi välja; lehm kõõksatas ning ta silmad läksid pahupidi. Ta ei suutnud aga ikkagi veel surra ja see oli tema õnnetus, sest saksa tallipoiss oli Johannesele tõesti palju hirmsaid asju selgeks õpetanud.

"Rasv tõukab haigust seest, aga on tarvis, et ka väljastpoolt mingi jõud appi tuleks," seletas Johannes tähtsalt. "Üks ravim tõukab, teine tõmbab! Selleks tõmbajaks saab aur. Magdaleena, mine too toast koldelt see väike pada, mille ma sinna keema panin. Ruttu! Ma näen, et rasv on juba tööle hakanud ja peletab haigust täie jõuga."

Johannes osutas rahulolevalt lehma haavadele, mis suure väntsutamise peale ohtralt veritsema olid hakanud. Ka Andreas ning Jaakop, kes ennist lehma seljas turnisid, olid verega koos. Nad silmitsesid oma vereplekilisi rõivaid kahtlevalt.

"Ega see haigus nüüd meile külge hakka?" küsis Andreas.

"Ole rahulik, ei hakka!" kinnitas Johannes. "Ta on kogu oma väe ja võimu kaotanud. Kohe laseme veel haavadesse kuuma auru ka, siis on lehm täiesti terve."

Mina olin täiesti kindel, et seda piina lehm enam üle ei ela. Magdaleena tuligi juba aurava katlaga ning Johannes asus sinna mingeid kõrsi sisse loopima.

"Pidage meeles, poisid, milliseid taimi ma siia kuuma vee sisse panen!" kõneles ta. "See on suur kunst ja mitte ainsatki taime ei tohi ära unustada. Kõike peab olema õiges vahekorras. Näete, ma panen siia liivateed, raudrohtu ja kõige lõpuks veel vereurmarohtu ka. Seda tuleb lisada kõige lõpus, nii õpetas mind tallipoiss. See on kindel ravim, terve maailm pruugib seda. Katsuge nüüd lehma perset natuke kergitada, ma tahan selle katla talle saba alla pista."

Pärtel ja Jaakop hakkasid kahe teibaga vaese lehma tagumikku maast lahti kangutama. Loom oli juba meelemärkuseta, üksnes hingeldas raskelt. Siiski, kui Johannes talle kuuma paja saba alla torkas, jaksas ta veel viimast korda röögatada. Seejärel ta suri. Üksnes mina märkasin seda, Johannes aga muudkui jätkas lehma ravimist.

"Haigus on peaaegu võidetud!" kõneles ta rahulolevalt ning talitas agaralt kärvanud lehma kallal. "Laseme nüüd talle ka rinnahaava sisse suitsu, sealt voolab seda tõbe kõige ohtramalt välja. Küllap seal see kõige suurem haiguskolle oligi."

Ta kõrvetas korjust igalt poolt, pomises midagi, patsutas laipa ja hakkas alles tüki aja pärast aimama, et midagi on korrast ära.

"Miira!" hüüdis ta ning avas pöidlaga lehma pahupidi pöördunud silma. "Miira, mis sul on?"

"Ta on surnud," ütlesin mina.

"Mis sa räägid?" imestas Johannes ja pani alles nüüd oma paja käest. Ta näis esiti üsna pettununa, kuid manas kiiresti ette alandliku ilme ja pööras oma silmamunad vaguralt taeva poole. "Tõepoolest, sul on õigus. Nojah, mis seal's ikka. Järelikult olid jumalal teised plaanid."

"Ta oli nii hea lehm," ohkas ka Magdaleena. "Kui kurb!"

"Midagi pole parata," ütles Johannes. "Inimene püüab, jumal juhib. Meie tegime kõik, mis meie võimuses, aga lõpliku otsuse teeb ikka jumal."

See jutt tuletas mulle nii väga meelde Ülgast ja tema haldjaid, kelle kaela võis alati kõik oma eksimused veeretada, et mul hakkas lausa imelik. Miski ei muutu. Ikka on olemas mõni väljamõeldud koll, keda saab panna vastutama. Ma küsisin Johannese käest, kas see saksa tallipoiss suutis kunagi oma jubedate ravivõtetega mõne hobuse terveks teha.

"Muidugi!" vastas Johannes üllatunult. "Miks sa üldse küsid? Ega ta siis neid kunste ise välja mõelnud. Ta oli neid õppinud frankidelt, nemad aga omakorda otse Roomast!"

Rooma mängutoomine meenutas mulle kohe ühte teatud piiskoppi ja seda, mida ma kuulsin tema voodikaaslaste kohta, ning ma ei salga, et silmitsesin Johannest veidi aega üsna imeliku pilguga. Tema seda küll ei märganud, tal hakkas korraga väga kiire. Ta arutas Pärtli, Andrease ja Jaakopiga mingeid minu jaoks arusaamatuid töid ja tegemisi ning kuna ma märkasin, et Magdaleena oli laudast lahkunud, läksin teda otsima. Ma leidsin ta väravast. Eemal künkaharjal ratsutas üksik raudmees ning Magdaleena ei saanud temalt silmi.

"Kas ta pole uhke!" sosistas ta mulle. "Vaata ometi, milline raudrüü! Milline kiiver! Milline kallis hobune ja peen sadulavaip!"

Ma ei osanud Magdaleena vaimustust kuidagi jagada; kuna minu meelest olid nii raudrüü kui ka kiiver täiesti kasutud asjandused, ei olnud mul põhjust nende omanikku kadestada. Ma muutusin hoopis veidi kurvaks, sest Magdaleena ei pannud mind enam tähelegi, vaid jooksis hoopis väravast välja, et raudmeest võimalikult kaua imetleda, ning kui too viimaks lõplikult silmist kadus ning Magdaleena tagasi maja juurde tuli, ütlesin talle, et lähen koju.

"Koju?" imestas ta. "Kuhu siis? Kas metsa?"

"Jah, muidugi," vastasin mina. "Seal ma ju elan."

Arvasin, et Magdaleena püüab mind ümber veenda, nagu tema isa või Pärtel kindlasti oleksid teinud, kuid Magdaleena hoopis noogutas ning sosistas mulle kõrva:

"Mine pealegi! Mulle meeldib, et ma tunnen poissi, kes oskab muutuda libahundiks ja on kohanud haldjaid. See on nii salapärane! Tule mind jälle vaatama ja õpeta siis mullegi mõni nõidus selgeks. Ma tean küll, et see on patt, aga see on põnev. Oled nõus, Leemet?"

"Ma oskan ainult ussisõnu," pomisesin ma.

"Ei, sa oskad palju rohkem!" vastas Magdaleena. "Sa ainult ei taha mulle veel kõigest rääkida, küll ma tean. Olgu peale, mine nüüd! Ma ootan sind peagi tagasi. Sa oled ju peale kõige muu minu elupäästja. Aitäh veel kord, mu kallis libahunt!"

Ta suudles mind põsele ja lippas tuppa, aga mina hakkasin läbi hämarduva metsa kodu poole vantsima.

20.

Olin vaevalt puude vahele jõudnud, kui astusin pimeduses millegi pehme peale. See pehme asi röhatas ning vandus seejärel ropult ja ma taipasin, et mu jalg on sattunud maas vedeleva Meeme kõhule.

"Palun vabandust," ütlesin ma. "Siin on nii pime."

"Pime!" osatas Meeme põlglikult. "Jah muidugi, külast tulles silmad enam ei seleta. Seal jääb kõik nüriks, alates mõistusest. Ma just rüüpasin, kui sa mulle makku astusid, neetud lollpea." Ta pühkis näo pealt sinna pursanud veini ja lakkus käsi.

"Mul on kahju," ütlesin ma. "Aga pole ju tarvis keset teed lebada, võiks ometi põõsa varju magama minna."

"Kus siin metsas see tee on?" küsis Meeme. "Metsas pole enam teid, sest loomad kondavad võsas, aga inimesi siin ju enam ei ela. Mets on tühi, ainult sina ja paar teist narri kooserdavad veel ringi ja häirivad rahulike lesijate rahu. Miks sa siia tulid? Sa käisid ju külas, jäänudki sinna. Mida sa siit otsid? Kas külas pole, kelle kõhtu trampida?"

"Ei, seal ei vedele keegi maas ega sarnane lehekõduga," vastasin mina juba vihaselt. Meeme naeris.

"Ma ei sarnane lehekõduga, ma olengi see," ütles ta. "Kas sa ei tunne mädanemise haisu?"

"Tunnen küll," kostsin ma. Tõesti, see lehk oli mu sõõrmetesse naasnud ning ehkki mu rõivastele oli jäänud veel õige pisut Magdaleena magusat hõngu, haihtus see metsas kiiresti. "Ma ei imesta selle üle. Vaata, milline sa välja näed!"

Meeme naeris uuesti.

"Jah, ma kõdunen," ütles ta. "Mitte ainult mina. Sina niisamuti. Sa tunned iseenda lõhna, õnnetu lontkõrv! Me kõik mädaneme ja pudeneme tolmuks, alguses su onu, siis mina ja lõpuks sinagi. Me oleme nagu mullused puulehed, mis kevadel lume alt välja sulavad, pruunid ning pehkinud. Me kuulume eelmisesse aastasse ja meie saatus on vaikselt põrmuks muutuda, sest puu otsas on tärganud juba uus elu ja seal puhkevad uued, värsked ja rohelised pungad. Sa võid ju mööda metsa ringi marssida ja endale ette kujutada, et oled noor ja hakkaja ning et sul on midagi tähtsat teha, aga tegelikult oled sa kõdu nagu minagi. Sa haised! Nuusuta ennast! Nuusuta hoolega! See mäda on sinu sees!"

Ta hakkas köhima ning ma tegin kiiresti sääred, endal selg hirmuhigist märg. Meeme oli öelnud välja selle, mida ma ise ammu olin kartnud – et piinav mädanemislehk lähtus minust endast, ma olin selle onu Vootelelt külge saanud nagu nakkuse. Kui ma külavanem Johannese majas kõdunemist haistsin, haistsin ma tegelikult iseennast!

See polnud muidugi mingi nähtav, lahtine ning mädanev haav, mis seda haisu levitas; see polnud ka sisemine haiguskolle, kõhu-õõnes või rinnas peituv paise, ning võib päris kindlasti väita, et peale minu ei tundnud seda lehka keegi. Ainult mina haistsin end, nii nagu ainult inimene ise võib lugeda ja mõista oma salajasi mõtteid.

Need olid ussisõnad minu suus, mis lehkasid: uues maailmas kasutuks ja ülearuseks osutuvad teadmised, mis vaikselt pehkisid ning imalat lõhna eritasid. Korraga nägin ma hirmsa selgusega oma tulevikku – üksildane elu keset metsa, ainsateks kaaslasteks paar rästikut, kuna väljaspool laant kappavad raudmehed, laulavad mungad ning tuhanded külainimesed käivad sirpidega vilja lõikamas. Ma olin tõesti puu otsast alla langenud mullune leht, mis oli paraku võrsunud liiga hilja selleks, et näha möödunud suve hiilgust. Uus suvi oli aga toonud kaasa uued lehed, need olid veel rohelised ja kahisesid totralt, kuid neid oli palju, terve puu oli nendega kaetud. Möödunud suvi oli unustatud, selle viimasedki jäljed haihtusid olematusse. Ma hingasin sügavalt sisse – polnud kahtlust, see oli kõdulehk.

Kas ma võisin midagi muuta? Minna külasse ning hakata koos teiste külainimestega maad harima ning leiba sööma? Mulle ei meeldinud sealne elu, ma tundsin end külarahvast mõõtmatult parema ning targemana. Ma olingi seda. Ma armastasin metsa, armastasin ussisõnu, armastasin seda maailma, mille juurte all magas Põhja Konn, mis sellest, et mul polnud lootust teda iialgi oma silmaga näha. Aga samas polnud mul siin midagi teha. Tajusin seda praegu eriti tugevalt. Olin veetnud külas terve päeva ja ehkki ma ei nautinud munkade vinguvat laulu ega kiitnud heaks ogarat lehmapiinamist, sain ma korraga aru, et mul oli olnud huvitav. Ma olin suhelnud paljude inimestega, olin vestelnud, vaielnud, kogenud palju uut. Metsas möödusid mu päevad üsna üksluiselt. Jah, lapsena oli siin tore mängida; mida pidin ma aga hiiglaslikus, kuid inimtühjas laanes peale hakkama täiskasvanuna? Kuidas pidin ma siin mööda saatma terve oma elu?

Need vähesed inimesed, kes lisaks minule metsas elasid, olid oma päevad täitnud endi leiutatud kasutute meelelahutustega – nii kasvatasid Tambet ja Mall huntide armeed, mida mitte keegi tegelikult ei vajanud, Ülgas jahmerdas hiies ning tõi ohvreid väljamõeldud haldjatele. Inimahvid aretasid täisid ning üritasid pressida end tagasi kõige ürgsemasse minevikku. Minu ema päevad möödusid küpsetades, Salme omad Mõmmit valvates. Hiie? Tema hulkus mööda metsi nagu minagi ja tundis end ilmselt veelgi üksikumana.

Oli muidugi Ints ja teised rästikud, kuid nemad olid ikkagi maod, neil oli oma elu, eriti nüüd, kui Ints oli saanud emaks. Korraga tundus mulle mets hirmus trööstitu. Külas elati küll totralt, kuid täisvereliselt. Seal elas Magdaleena, keda ma ihaldasin. Ma oleksin pidanud sinna minema, et pääseda kõduhaisust oma ninas. Ja ometi ei tahtnud ma seda teha, ainuüksi see mõte oli mulle vastik. Mul ei olnud metsas mitte midagi peale hakata, mul puudus siin igasugune tulevik – kuid see oli minu kodu. Küla oli võõras. Ja sinna ei olnud mitte midagi parata. Ma ei saanud hakata roheliseks leheks, olin mullune.

See teadmine, see väljapääsmatu olukord ajas mind ahastusse. Ma tahtsin elada metsas, ma tahtsin olla koos Magdaleenaga, ma tahtsin, et minu ümber oleks teisigi inimesi, ma tahtsin, et nad poleks lollpead ja mõistaksid ussisõnu, ma tahtsin, et mu elul oleks mingi mõte, ma ei tahtnud kõduneda. Aga kõik need soovid olid vastandlikud ega sobinud kokku ja ma teadsin, et suuremal osal neist pole määratud täituda. Küllap olnuks kõik teisiti, kui mu ema poleks kunagi külast ära kolinud, kui ta poleks hakanud semmima karuga ning kui see karu poleks mu isal pead otsast hammustanud. Siis oleksin ma kasvanud üles külarahva seas, mu keel oleks leivasöömisest paks ning ma ei mõistaks ainsatki ussisõna. Ma oleksin praegu tavaline külamees ning mu elu oleks lihtne ja selge. Aga ema ja karu pärast sattusin ma tagasi metsa, just viimasel hetkel, ja nüüd ma siin olen. Ma rändasin ajas ja jõudsin minevikku just enne ukse lõplikku sulgumist. Mul ei olnud enam võimalik siit lahkuda, mind sidusid ussisõnad.

Trööstitus meeleolus lonkisin ma koju ning leidsin eest terve oma perekonna – ema, Salme ja Mõmmi, pluss lauatäis küpsetatud põdraliha, millest Mõmmil oli küll juba õnnestunud lai teerada läbi närida. Alguses arvasin, et jutuks tulevad taas karu pahateod ja kõrvalehüpped, mille suhtes mina kui ainus mees perekonnas pean seisukoha võtma. Seda ma küll ei tahtnud. Olin niigi väsinud ja musta masenduse küüsis, ma ei viitsinud päeva lõpetuseks veel rumala karuga jahmerdama hakata. Aga selgus, et sedapuhku polegi asi Salme ja Mõmmi segastes armusuhetes. Olukord oli palju hullem.

Ema oli näost valge ja kohe kui ma sisse astusin, kargas ta mu juurde ning karjus:

"Sa pead midagi tegema! Hiie on ju ikkagi sinu pruut!"

Eriti täna õhtul, pärast kohtumist Magdaleenaga ning temalt saadud musi, ei hoolinud ma põrmugi vestlusest minu ja Hiie suhete teemal. Ema oli aga niivõrd erutunud, et ma mõistsin – sedapuhku pole asi tillukestes titepükstes. Midagi õige halba pidi olema juhtunud.

"Mis selle Hiiega siis on?" küsisin.

"Teda tahetakse ohverdada!" ütles Salme, silmad pisarais. "Kus sa ometi hulkusid terve päeva? Me oleme sind igalt poolt otsinud, Mõmmi ronis isegi kuuse otsa ja vaatas, ega sind kusagilt ei paista, aga ta ei näinud sind. Kus sa olid?" "See pole praegu tähtis," ütlesin mina. "Räägi parem, mis tähendab ohverdada. Kes teda ohverdab ja kellele?" "Heldeke, eks muidugi Ülgas, see kuri inimene!" vastas ema. "Kes siis muu? Eks ta ole endale pähe võtnud, et meie elu siin metsas enne paremaks ei lähe, kui haldjad on saanud ohvriks noore neitsi. Hull vanamees! Mis meie elul viga on? Liha on laual, kõht täis – mis sa inimene veel tahad? Aga näe, temal on ikka vähe. Ja kuna Hiie on ainuke noor neitsi siin metsas, siis valitigi tema välja. Küll on õnn, et sina, Salme, kenasti mehel oled! Väga hea, et sa endale selle armsa Mõmmikese leidsid!"

"Aitäh, emake," tänas Mõmmi vaguralt, katkestamata kondi närimist.

"Mida Tambet ja Mall selle kohta ütlevad?" küsisin jahmunult. "Hiie on ju nende tütar."

"Nad on ju ogarad, neil pole enam tervet mõistust peas!" nuttis ema. "Ülgas on nad hulluks ajanud. Ise on napakas ja muudab teised ka endasuguseks. Ma nägin teda täna hommikul, vanamees korjas kuivanud oksi ja laulis valju häälega. Ma küsisin, mis teda siis nii rõõmsaks teeb, ja ta vastas, et mets saab täna öösel päästetud, sest noor veri uhub minema kogu kõntsa ning ohvrisuitsust kerkib meie ette taas muistne maailm. Näitas mulle neid oksi, mis ta oli korjanud, ja kuulutas, et nende pühade puude peal põletame noore neitsi. Mul hakkas hirm, ma ju ka tütre ema, ja küsisin: mis hullu juttu sa ajad, keda sa siis põlema tahad pista? Tema vastu: Hiie. Et kõigepealt laseb ta haldjate rõõmuks tüdrukust vere välja ja siis põletab laiba tuleriidal ära. Haldjad olevat talle öelnud, et ainult noore neitsi veri võib veel maailma endiseks muuta. Mul hakkas halb, sest ma nägin, et Ülgasel on tõsi taga – ta on ju püsti hull, silmadki läigivad, nagu oleks ta marutõbine! Tõstsin seelikusaba üles ning jooksin Tambeti ja Malle juurde – mina, vana ja paks inimene, süda tahtis suust välja hüpata selle lidumise peale!"

Tambet ja Mall olid oma onni ees ning mina karjusin juba kaugelt: et appi, appi, Ülgas on ogaraks läinud, tahab teie tütre ära põletada! Ja kas sa kujutad ette, Tambet ütles, et ta teab. Oli näost täitsa hall nagu tuhk ja kangesti kühmus. Mall oli samasugune, tal ei olnud ka enam inimese nägugi peas ja kõige koledamad olid mõlema silmad – need justkui ei näinud mitte midagi, jõllitasid niisama nagu surnud kalal. Ma karjusin, et halastaja aeg, kui te seda juba teate, miks te siis midagi ei tee, minge ja lööge see hull Ülgas maha ehk siduge kinni, aga Tambet tõstis käe ja ütles, et nii on vaja. Et nemad on valmis tooma ka kõige suuremat ohvrit, et päästa iidne maailm ja tuua elu metsa tagasi. Ma ütlen, see polnud inimese hääl, mis tal suust välja tuli, seda häält oli kole kuulata; see oli, nagu kõneleks laip. Ei tea, mis Ülgas temaga teinud oli. Ma hüüdsin, et see on ju sinu enda kallis väike tütar – kas sa tõesti lased tal kõri läbi lõigata justkui jänesel? Selle peale hammustas Mall huulde, et mitte nutma puhkeda, aga ei öelnud midagi ning Tambet oli ka vait ja üksnes põrnitses kaugusse.

Siis ma karjusin veel, et Hiie on minu poja pruut, aga see ajas Tambeti raevu, ta tuli aia juurde ja röökis mulle, et Hiie jaoks on palju parem haldjate ohvriks saada ning päästa sel kombel muistne eluviis kui hakata kokku elama külas sündinud reeturiga. "Mis elu teda siin ikka ootaks?" kisendas ta mulle näkku. "Ma pigem tapaks ta oma käega, kui annaks sinu pojale! Las ta siis pigem sureb üllalt, oma rahva parema tuleviku nimel, kui saab sinu poja omaks ja kolib koos selle jätisega külasse, sülitades meie esivanemate luude peale!" Ma nägin, et selle mehega pole millestki rääkida, ta on peast täitsa põrunud. Hakkasin nutma ja tulin koju. Siis hakkasime sind otsima, aga sina olid kadunud, ja nüüd on juba õhtu käes ja meil on nii vähe aega. Nad tapavad Hiie! Nad tapavad su pruudi, Leemet! Ütle, mida sa teed!"

Ma tõesti ei teadnud, mida ma tegema pean. Teadsin vaid seda, et ma pidin püüdma Hiiet päästa. Muidugi polnud ta minu pruut, aga ta oli kena ja armas tüdruk ning polnud ära teeninud sellist õudset lõppu. Kaks hullu vanameest tahtsid ta tuua ohvriks oma haigetele sonimistele – seda ei tohtinud juhtuda! Endisi aegu ei saanud metsa keegi tagasi tuua, liiati siis väljamõeldud haldjad. Isegi kui need haldjad oleksid tõesti olemas, ka siis oli ühe ilmsüüta tüdruku surm liiga kõrge hind ükskõik missuguse ime eest.

Hiie oli mu sõber, me olime koos mänginud, koos kasvanud. Ma olin talle alati kaasa tundnud, sest miski pole lapse jaoks suurem õnnetus kui omada ema ja isa, kes sind ei armasta. Nad olid teda alati väntsutanud ja kiusanud, aga ma poleks siiski iial uskunud, et nad tahavad ta lõpuks tappa. Tambet ja Ülgas olid mulle nii jälgid, et ma tundsin endas ootamatut raevusööstu; sel hetkel oleksin ma olnud võimeline neil küüntega südame rinnust välja rebima, neid peadpidi vastu puud taguma, neid tükeldama ja lõhki kiskuma. See jube vihahoog ehmatas mind ennastki, sest üldiselt olin ma ikka häbelik ja vagur poiss, kes hiilis pigem oma vaenlase eest võssa, kui otsis temaga lahingut. Aga praegu tahtsin ma sõda. Mulle meenus, kuidas onu Vootele oli tookord seal järve ääres Ülgasele kallale karanud nagu vihale aetud rästik. Ma igatsesin taga oma vanaisa mürgihambaid, ma oleksin tahtnud need Ülgasele ja Tambetile kõrri vajutada, ma tahtsin need raisad tappa... Ilmselt märkasid teisedki, et minus toimub midagi kummalist, sest Mõmmi karv tõusis kuklas turri, kui ta mulle otsa vaatas, ning ema ja Salme kiljatasid ühekorraga.

"Mis sul on? Kas sul hakkas paha?" küsis ema. "Sa oled näost nii... imelik!"

"Ei ole mul midagi," vastasin, hingates sügavalt sisse. "Ma lähen nüüd Tambeti juurde ja toon Hiie ära."

Ema ja Salme hüüdsid mulle midagi, ilmselt manitsesid ettevaatlikkusele, kuid mina ei kuulnud neid. Kummaline raev pulbitses minus endiselt, see oli otsekui kusagilt keha sügavusest välja pursanud, ja mul oli tunne, nagu oleksin ma avastanud endas mingisuguse salakoopa, mille olemasolust mul enne aimugi polnud. Kaua kuivas seisnud sammal oli korraga pikselöögist süttinud ja põles raginal. Ma sisistasin pimedasse õhtutaevasse pika sisina, mida rästikud lausuvad vahetult enne seda, kui nad oma hambad välkkiirelt ohvri kehasse löövad. Siis jooksin ma Tambeti hüti poole.

Seal oli pime ja vaikne. Kuulatasin hetke ukse taga, siis kargasin sisse. Onn oli tühi. Seal polnud ei Tambetit, Malle ega ka Hiiet. Järelikult olid nad juba ära läinud. Ma pidin neetult kiirustama, kui tahtsin veel tüdrukut päästa.

Ma tormasin Tambeti lauta. Hundid lamasid seal külg külje kõrval, mind nähes aga kargasid jalule ning pistsid ulguma. Ma sisistasin neile vajalikud ussisõnad, hundid jäid vait, langetasid alandlikult pea ning ma kargasin ühele neist selga ja koos kihutasime tuhatnelja hiie poole.

Jah, nad olid juba seal. Lõkked loitsid, Ülgas seisis tulevalguses, käed taeva poole tõstetud, ning Hiie kükitas sealsamas tillukese kägarana, veidi maad eemal Tambet ja Mall nagu kaks kivikuju.

Ma kihutasin hundi seljas otse keset hiit, mis oli tegelikult kohutav pühaduseteotus, kuna loomadel polnud õigust pühasse hiide siseneda. Enne kui nad arugi said, tõmbasin ma Hiie enda juurde hundi selga ning sisistasin uued ussisõnad, mis tähendasid: "Jookse nüüd nii ruttu, kui suudad!"

Hunt tormas minema ja ma kuulsin selja tagant, kuidas Tambet mind neab ja Ülgas ebaloomuliku, lausa judinaid tekitava häälega karjub. Veidi aja pärast kisa vaibub. Kihutasime tuhatnelja mööda metsaradu. Vihma hakkas sadama ning peagi olime läbimärjad. Hiie oli meelemärkuseta, ta rippus lõdvalt üle hundi turja ja kippus maha libisema. Sisistasin, et hunt hoogu maha võtaks. Tegelikult oleks ta seda teinud nagunii, kaks inimest olid tema jaoks liiga raske koorem. Just samal hetkel kuulsime selja tagant teiste huntide ulgumist.

Need olid Tambeti hundid ja ta ise istus neist esimese seljas, tema selja taga kappas Ülgas ning nad jõudsid meile järjest lähemale, sest minu hunt oli väsinud ja pidi kandma kahte inimest, samal ajal kui meie jälgi ajav hundikari jooksis üldse ilma koormata. Oli selge, et nad saavad meid peagi kätte, ning ma pöörasin end näoga tagaajajate poole ning sisistasin huntidele läbi aina tiheneva vihma uinutamissisina.

Kuid hundid ei uinunud, nende ulgumine lähenes aina ja ma kuulsin, kuidas Ülgas mõnitavalt karjus: "Sisista aga sisista, rästikute õpipoiss! Need hundid sind ei kuula! Nende kõrvad on vaiku täis topitud, nende üle sul võimu ei ole!"

Loomadele vaigu kõrvavalamine oli jälk ning pealegi ohtlik temp, sest seda vaiku polnud sealt enam võimalik välja koukida ning nii ei saanud neid hunte tulevikus mingil moel ussisõnade abil juhtida; nad olid nüüdsest iseenda peremehed ja tegid täpselt seda, mida heaks arvasid. Aga oma pimedas vihas minu vastu ja ületamatus himus Hiie kõri ikkagi läbi lõigata oli Ülgas nõus sellega riskima. Minu hunt hakkas juba komistama ning ma teadsin, et varsti on kõik.

Samal hetkel kappas tihnikust välja veel üks hunt, ta hüppas otse minu looma kõrvale ja ma nägin, et selle hundi seljas istub Mall, Hiie ema.

"Mine vasakule," ütles ta mulle otsa vaatamata, silmitsedes üksnes meelemärkuseta Hiiet, keda ma käte vahel hoidsin. "Seal on meri. Sa näed rannas kivisid, kõige suurema taha on peidetud paat. Võta see ja sõida, siis pääsete."

Järgmisel hetkel juhtis ta oma hundi taas võssa ja oligi kadunud. Polnud aega teda hea nõu eest tänada ja lõppude lõpuks oli Mall teinud vaid seda, mis on ühe ema kohus. Ta polnud Hiiesse kunagi kuigi õrnalt suhtunud, kuid tütre ohverdamine oli ilmselt temagi jaoks liig. Ehkki ta avalikult ei julgenud astuda oma mehe hullumeelsete kinnismõtete vastu, sekkus ta nüüd, mil sai päästa oma lapse minu abil, jäädes ise varju.

Ma suunasin oma hundi vasakule ja hetke pärast olime mere ääres.

See oli mulle tuttav koht, just siin oli aastaid tagasi ära põletatud vana Manivald, rannavalvur. Ma nägin suuri kive ja kuulsin selja taga huntide hingeldamist ning Ülgase ootusärevat kiunumist. Kui Mall eksis või valetas ning paati pole, saavad nad meid kätte, teadsin ma. Viimast jõudu kokku võttes sööstis hunt üle rannaliiva, otse kivide poole.

Seal oli paat. Ma viskasin Hiie sinna sisse ja tõukasin kõigest jõust. Paat oli sügavale liiva vajunud ega tahtnud paigast liikuda. Ma röökisin meeleheitest, surusin hambad huulde, võtsin kokku kogu oma jõu – ja sain ta liikuma. Hetke pärast olime juba vees, ma leidsin paadipõhjast aerud, ning kui hundikari koos Tambeti ja Ülgasega kaldale jõudis, loksusime meie juba turvalises kauguses.

Hundid oleksid muidugi võinud vette hüpata ja katsuda meile järele ujuda, kuid kuna neil olid kõrvad vaiku täis, ei saanud neile vastavat käsku anda ja vabatahtlikult nad loomulikult end märjaks teha ei soovinud. Ülgas ja Tambet siiski sumasid vette, ehkki igerik hiietark libises peaaegu kohe ühel merepõhjas peitunud kivil ning lendas käpuli.

Tambet kahlas edasi, kuni vesi ulatus talle lõuani, siis hakkas ujuma, ujus raevukalt ja kaua, kuid see kõik oli asjatu. Paat oli vanamehest palju kiirem ja tema peanupp muutus aina väiksemaks, kuni sulas viimaks pimedusega ühte. Tambeti häält kuulsime siiski veel kaua.

"Ma tulen teile järele!" karjus ta. "Ma leian teid üles, kuhu te ka ei põgeneks! Ma toon teid tagasi! Ma saan teid kätte!"

21.

Hiie magas paadipõhjas, kägaras nagu väike madu. Olin vahepeal
juba tema pärast muretsema hakanud ja kartnud, et ta sai äkki
põgenemisel viga, kuid kui ma teda lähemalt silmitsesin, nägin
tema suul kerget naeratust ning kuulsin, kuidas ta sügavalt ja
rahulikult hingas. Temaga oli kõik korras.
   Me triivisime aeglaselt täiesti siledal, ainsagi laineta merel.
Vihmasadu oli juba ammu lõppenud. Alguses olin ma sõudnud,
kuid siis jätsin selle töö katki, kuna ei osanud nagunii valida,
kuhupoole sõita. Ootasin päikesetõusu, et siis selgusele jõuda,
kus me täpselt oleme.
   Kummaline ja metsik tigedus ning mingi senikogematu
jõhkrus, mis mind eelmisel ööl olid vallanud, olid ammu hää-
bunud. Ma olin jälle tavaline, ettevaatlik ja vagur Leemet, ning
mul oli üsna jube mõelda üleelatud hädaohule. Olin see tõesti
mina, kes öötaevasse ussisõnu sisistas nagu muistne, lahingusse
sööstev sõjamees? Kust ma võtsin selle ootamatu jõu ning raevu?
Praeguseks oli see täielikult kadunud ning ma mõtlesin heitunult,
et ema juba kindlasti muretseb ja ootab mind, ning kahetsesin,
et olen sattunud säärase supi sisse.
   Lõpuks koitis. Päikese esimesed kiired voolasid mööda merd
laiali, nagu oleks keegi veepeeglile vedelat vaiku tilgutanud, ja
samal ajal ärkas ka Hiie. Ta avas silmad, vaatas mind, vaatas meid
ümbritsevat merd, ja tema pilgus polnud jälgegi üllatusest või
hirmust. Ometi oli ta olnud meelemärkuseta sellest ajast peale,
mil ma ta Ülgase noa eest hundi selga tõmbasin. Viimane, mida
ta mäletada võis, oli öine hiis ja veidralt häälitsev hiietark, käed
taeva poole õieli. Nüüd oli ta ootamatult hoopis paadis koos

minuga. Paistis, et Hiie ei pea seda sugugi imelikuks. Ta naeratas
mulle, tõusis istuli ja ringutas.
"Niisiis sa päästsid mu," ütles ta. "Ma teadsin seda."
"Kust sa võisid seda teada?" küsisin mina. "Ma jõudsin viimasel
hetkel ja põgenemine polnud põrmugi kerge. Nad oleksid meid
äärepealt kätte saanud."

Ma jutustasin Hiiele kiiresti möödunud öö sündmustest – sel-
lest, kuidas me hundi seljas ratsutasime ning kuidas Ülgas oli
teiste huntide kõrvad vaiku täis valanud. Hiie kõkutas naerda,
justkui pajataks ma midagi hirmus lõbusat. Ainult siis, kui ma
mainisin, millist rolli meie pääsemises mängis tema ema, tõsines
ta korraks.

"Vaene memm," ütles ta, kuid puhkes siis uuesti naerma. "Ja
vaene isa!" itsitas ta. "Küllap ta on meie peale maruvihane. Tal
oli kõik nii kenasti ja suurejooneliselt korraldatud, veel veidi ja
mets oleks olnud päästetud, aga nüüd rikkusime meie kõik ära
ja muistset elu ei tule enam kunagi tagasi. Oi, küll ta on praegu
pettunud!"

Naer lausa purskus tal suust. Ma polnud Hiiet veel kunagi
säärasena näinud. Tema silmad särasid, põskedesse olid tekkinud
kelmikad lohud ning kui ta püüdis naeru veidigi tagasi hoida
ning selleks oma väikesed valged esihambad huulde surus, nägi
ta välja nagu hiireke. Ta oli selle öö jooksul tundmatuseni muu-
tunud; lagedal merel, päikese esimeste kiirte kirkas valguses oli
ta kummaliselt ilus. Tundus, nagu oleks ta metsast lahkudes kis-
kunud end vabaks mingite nähtamatute niitide küljest, mis teda
seni ahistasid ja sidusid. Ta oli otsekui kookonist koorunud. Ma
vahtisin teda vist nii jahmunult, et Hiie uuesti naerma hakkas,
käe välja sirutas ja mind veega pritsis.

"Mis sa vahid mind niimoodi?" küsis ta. "Päästsid mu ära,
saatsid metsa hukka ja lõid muistse elu uppi – mis edasi? Mida
sa veel oskad?"

Ta naeris, toetas pea põlvedele ja silmitses mind kavalalt. Sel
hetkel meeldis ta mulle hullupööra, ta oli nii armas ja õhetav ning
tema silmis oli ulakas helk, mis mind lausa vaimustas. Korraga

tundus mulle, et äkki on emal õigus ja mul tasuks tõesti mõelda Hiie äravõtmisele...

Ja seda mõtlesin mina, kes ma alles eelmisel päeval olin armunud Magdaleenasse! Muide, see armumine polnud kuhugi kadunud. Magdaleena ja Hiie olid lihtsalt nii erinevad tüdrukud, et ma võisin rahumeeli imetleda mõlemat. Magdaleena oli ürgselt naiselik, lopsakas, pikkade heledate juustega – kõige ehtsam kaunitar. Hiie aga – vähemalt sel hetkel seal paadis – oli endiselt kleenuke ja poisilik, tema juuksed olid tumedad ja mitte kuigi pikad, aga tema pilgust vaatas mulle vastu eriline, värske, just äsja tärganud sarm.

Võis peaaegu väita, et oma pika une ajal oli Hiie uuesti sündinud. See isegi kohutas mind; ma kartsin, et uus ja särav Hiie võib sama järsku kaduda ning muutuda taas selleks kahvatuks ja ujedaks tüdrukuks, kes sulas võsaga ühte. Juba ainuüksi see hirm oleks mind hoidnud tagasi koduteele asumast, sest ma ei tahtnud, et merel aset leidnud ime hääbuks, kui Hiie satub tagasi vanasse, tuttavasse ümbrusse. Koju sõita polnud aga nagunii võimalik. Polnud kahtlust, et meid ootaks kaldal terve kari ussisõnadele kurte hunte, keda Ülgas ja Tambet ässitaks meile raginal kõri kallale kargama. Me pidime valima mingi muu tee.

"Me võime sõita sinna," ütles Hiie ja osutas käega kaugel ähmaselt mustavale maaribale, mis pidi ilmselt olema mingi saar. "See on küll vist üsna kaugel. Kas sa jaksad sinna sõuda?"

"Kui ma ära väsin, eks ma siis puhkan, kiiret pole meil kuhugi," vastasin mina. "Ainult et mida me seal saare peal teeme?"

"Aga mida me siingi teeme?" küsis Hiie. "Või tahad sa kogu ülejäänud elu paadis elada?"

Ta turtsus jälle.

"Siin on ju mõnes mõttes päris hea," ütles ta. "Pesta on siin lihtne ja ujuma minekuks pole ka vaja kuigi kaugele minna. Söömisega on lugu juba keerulisem ja kui ilm peaks jahedamaks minema, siis hakkab meil vist külm. Eks ole?"

"Jah," möönsin ma. Hiie tögav toon haaras mindki kaasa. "Talvituma jääda oleks siia rumal. Seega hiljemalt lume tulekuks peame sinna saarele jõudma. See on veel selleski mõttes tähtis, et talvel jäätub meri ära ning ma ei saa enam sõuda."

"Jah," nõustus Hiie. "Nii et ära endale väga pikka puhkust luba, kõige rohkem paar kuud, siis pead jälle sõudma hakkama."

"Ma püüan selle ajaga toime tulla," lubasin väärikalt.

"Üritame neid nappe päevi siis võimalikult hästi ära kasutada," ütles Hiie. "Hommik on nii ilus – mis oleks, kui läheks ujuma?"

"Ujuma..." jõudsin ma vaid vastusega algust teha, kui Hiie endal juba hundinahkse särgi üle pea tõmbas ning paljalt vette hüppas. Ma jõllitasin teda jahmunult.

Hiie ujus ringi ümber paadi ja hüüdis:

"Tule ka! Vesi on nii soe!"

Ma ei suutnud kuidagi sundida ennast Hiie nähes alasti võtma, aga võimatu oli ka keelduda. Häbelikult sikutasin vammuse seljast ja püksid jalast ning kukutasin end vette nii, et paat jäi meie vahele.

Esimesel hetkel oli meri siiski üsna külm ja ma ujusin kiiresti mitu tõmmet, et sooja saada. Hiie märg ning kelmikas nägu lähenes mulle, me kohtusime ja ujusime mõnda aega kõrvuti. Meri kattis meid, kuid ma teadsin kogu aeg, et siinsamas minu kõrval ujub paljas tüdruk, ja Hiie tundus mulle korraga nii ihaldusväärne, et ma otsustasin temaga igal juhul abielluda, Magdaleenal aga lihtsalt ehal käia.

Ma võtsin julguse kokku, ujusin Hiiele hästi lähedale ja suudlesin ta nina. Ta naeris ja suudles vastu.

See erutas mind niivõrd, et ma tahtsin teda sealsamas oma embusesse haarata, katkestasin ujumise ja vajusin järgmisel hetkel vee alla.

Kui ma puristades jälle pinnale tõusin, oli Hiie paadi juurde ujunud ja naeris seal.

"Ega sa kala pole!" hüüdis ta. "Tule kuivale maale!"

Ta vinnas ennast tagasi paati ja istus seal, paljas ning märg. Suplus oli ta veelgi ilusamaks muutnud. Hiie oli tõesti nahka vahetanud justkui uss ja see uus Hiie, vaba oma vanematest, huntidest ja kõikidest lapsepõlvemuredest, oli nii armas, nii ahvatlev, nii vastupandamatu, et ma ujusin kõige kiiremas korras paadini ja ronisin tema juurde.

"Pea meeles, meil on aega ainult talveni!" sosistas Hiie, kui ma teda suudlesin. "Siis jäätume kinni!"

"Ma tean," pomisesin mina. "Enne talve hakkan uuesti sõudma."

Ma hakkasin sõudma siiski palju varem, juba sama päeva õhtupoolikul. Me olime loksunud keset merd terve päeva, suudelnud, armastanud, uuesti ujunud ja uuesti paati roninud, et seal teineteise kaisus lebada ja rääkida. Ma polnud veel iial kuulnud Hiiet nii palju kõnelemas! Tavaliselt oli ta ikka vait: isegi siis, kui ta omal ajal minu ja Pärtliga mängis, olime ikka meie need, kes kõnelesid ja uusi mänge välja nuputasid, samal ajal kui Hiie üksnes vahtis meid ümmarguste silmadega, vaimustatud ainuüksi sellest, et me ta kampa oleme võtnud, nõus kõigega, mida me välja pakkusime.

Ta oli meie vaikne vari, pisike tüdrukutirts, kelle suurimaks sooviks oli meie sabas käia – tõsine ja süvenenud, otsekui oleks mäng tähtis töö, mida peab võimalikult hoolsalt tegema, ning justkui pelgaks ta, et juhusliku eksimuse korral võidakse ta meie seltskonnast välja arvata ning ta peab jälle kodus istuma. Kodus oli aga tema isa, kes nõudis vaikust, kuna tal oli tarvis mõtiskleda oma rahva kuulsusrikka mineviku üle ja lapse rumal lalin segas teda. Üldse oli Hiiele kasulikum kodus võimalikult märkamatuks jääda, sest muidu võis Tambetile meenuda näiteks see, et tema tütar ei joo hundipiima – seega oli Hiie jaoks parim liikuda kikivarvul. Seda ta tegigi, kõikjal, alati, kuni ta nüüd siinsamas paadis minu silme all õide puhkes. Ta lebas mu kaenlas, õnnelik ja paljas, ning muudkui rääkis. Ta oli nagu rebasekutsikas, kellele on järsku silmad pähe tulnud ja kes nüüd ahnelt maailma jõllitab ning urust välja kipub, selle asemel et uimaselt ja abitult ema külje all lebada nagu seni. Hiie lobises ja naeris, kuni ma ta suudlustega mõneks ajaks vaikima sundisin, ning jätkas siis taas. Ja mina muudkui kuulasin ning tundsin tema sooja keha enda keha vastas. See oli üks kõige ilusamaid päevi minu elus: me olime täiesti omaette, kaugel kõigist teistest inimestest ja loomadest, päike soojendas meid ning taevas polnud ühtegi pilve.

Vastu õhtut meenus meile, et inimene peab ka sööma ja et ööseks oleks tark otsida endale mõni muu ase kui väike paat, sest merd ei või iial teada ning kui peaks järsku tormiks minema, pole paadikökatsis magamine kuigi mõnus. Ma ajasin püksid ja ürbi selga ning võtsin aerud kätte. Paari tunni pärast jõudsime saarele.

"Huvitav, kas siin inimesi ka elab?" küsis Hiie. "Ma loodan, et ei. Mulle meeldiks kõige rohkem elada siin ainult koos sinuga, kahekesi."

"Mulle ka," vastasin mina. Ma ei muretsenud enam põrmugi, et kodus ootas mind ema, kes ei teadnud midagi meie saatusest. Lõppude lõpuks oli ta ju ise nõudnud, et ma Hiiet, oma pruuti päästma läheksin, ja mina läksingi, ehkki sel hetkel ma veel ei uskunud, et Hiie on minu pruut. Ema pidi rahul olema, sest Hiie oligi päästetud ja peale selle ka viimaks minu pruudiks saanud, nii et väikeseid titepükse polnud valmistatud ehk sugugi ilmaasjata. Ema oli ikkagi targem kui mina, pidin ma rahulolevalt tunnistama, kui ma Hiiel käest kinni hoides mööda saart vantsisin, et leida sobiv koobas, sest onni ei viitsinud me vastu õhtut ehitama hakata. Suur jänes kalpsas üle meie tee, ma hõikasin teda ussisõnadega, jänes peatus ning ma tapsin ta ära.

Veidi aja pärast leidsime ka sobiva ööbimispaiga, ma süütasin lõkke ja Hiie asus jänest küpsetama, samal ajal kui mina koobast vooderdasin ja igal moel mõnusamaks püüdsin muuta. Elu kulgeb vahel ikka hirmus kiiresti: alles hommikul olin ma Hiiesse armunud, nüüd oli meil aga juba oma maja ning mu naine valmistas meile esimest ühist õhtusööki. Minust oli saanud naisemees ja majaomanik, võib-olla aga isegi terve saare valitseja, sest ühtegi inimest me siin seni kohanud ei olnud. Võis tõesti arvata, et oleme saarel kahekesi.

Aga see polnud nii. Tulin just parajasti uue oksakoormaga oma verivärske koopa poole, kui mul jalast haarati, pealegi nii kõvasti, et ma karjatasin ja põlvili kukkusin. Oli juba päris hämar ja ma nägin esimese ehmatusega vaid kahte põlevat silma, mis mulle peaaegu näkku kargasid, ja kuulsin kähedat häält, mis nõudis:

"Kes su isa on? Ütle, kes su isa on!"

"Minu isa..." kokutasin ma. "Ta on ammu surnud."

Nägin jämedat nina, mis tungis välja tervet nägu katvast hallist karvapadrikust otsekui seen samblast.

"Kas tema nimi oli Vootele?" nõudis hääl. "Ütle, kas ta nimi oli Vootele?"

"Ei olnud," ütlesin mina ja oigasin, sest mu jalg püsis endiselt raudses haardes. Kujutasin ette, et umbes säärane tunne võiks olla siis, kui hunt su sääreluud närib. "Mul on valus... Vootele oli mu onu, aga temagi on surnud."

"Ah onu!" hüüdis karvane, põlevate silmadega olend. "Siis sa oled Linda laps!"

Linda oli tõesti minu ema nimi ja seda ma ka ütlesin. Haare lõdvenes jalamaid ning selle asemel tundsin ma, kuidas mulle vajub näkku midagi väga karvast ja torkivat, otsekui surutaks mind peadpidi kuuseokstesse. Mind suudeldi suule ja raputati kõrvadest.

"Seda ma arvasin, ega hais ei valeta!" kõneles tundmatu. "Oma vere lõhna tunnen ma alati ära. Mis su nimi on, tütrepoeg?"

"Tütrepoeg?" kordasin ma jahmunult. "Minu nimi on Leemet, aga kas sina oled siis..."

"Sinu vanaisa!" teatas karvane vanamees ja kaisutas mind kohutava jõuga. "Sinu ema Linda ja sinu onu Vootele on minu lapsed. Ah et Vootele on siis surnud! Kui kahju! Minu armas poeg! Mis tal siis juhtus, kas ta sai taplusesse surma?"

Ma olin liiga üllatunud, et vastata. Minu vanaisa! Ilmselt siis seesama, kellest onu Vootele mulle kunagi ammu oli jutustanud, see pöörane ussihammastega mees, kellel jalad alt raiuti ning kes seejärel merre heideti, et ta seal upuks. Aga ta polnud uppunud, ta oli elus. Ainult jalad puudusid tal tõepoolest – põlvedest all-pool olid püksid sõlme seotud, et tühjad sääred mööda maad ei lohiseks. Vanamees jälgis mu pilku ning kuulutas: "Jalad raiusid mul otsast, raisad. Aga pole viga, küll ma veel neile selle eest kõrisse kargan. Sa tuled õigel ajal, tütrepoeg, mul ongi abi vaja. Aga sellest räägime hiljem. Kas see tüdruk, kes seal jänest praeb, on sinu oma? Ma ei hakanud teda hammustama, mõtlesin, et teen enne mehe vagaseks, aga siis tundsin korraga omaenda vere lõhna. Mida sa siin teed, Leemet? Kas oled sõja-retkel?"

Ma jutustasin vanaisale lühidalt kogu loo. Ätt kuulas huviga. Tema nägu oli üleni karvane otsekui põõsas ja selle võsa seest vahtisid välja kaks väga suurt ja väga valget silma. Need tõesti lausa helendasid pimeduses. Vanaisa käed, millele ta toetus, olid tohutult suured ja hirmus luised, sarnanedes kotka küünistega. Kui ta need samblasse surus, vahtides mulle silmi pilgutamata otsa, sarnanes ta öökulliga. Talle ei meeldinud minu loo lõpp ning ta vangutas laitvalt pead.

"Mees ei põgene!" ütles ta karmilt. "Mina oleksin neile sitastele huntidele kallale karanud ja nad surnuks purenud nagu rotid. Hiietargal oleksin ma hammastega soolikad välja kiskunud ja Tambetil riistast kinni võtnud ning rebinud selle koos kõhunahaga lõua alla. Tee suu lahti, tütrepoeg!"

Ma avasin kuulekalt suu, vanaisa vaatas sinna sisse ja ohkas pettunult.

"Mürgihambaid sul ei ole," ütles ta. "Kahju. Ma ei tea, mis asi see on, et ma ei suutnud neid oma järglastele pärandada. Pojal ei olnud neid ega tütrel... Lootsin, et ehk löövad need kolmandas põlves välja, aga tuhkagi. Jah, siis on muidugi raskem huntidega lahingut lüüa, aga katsuma peab ometi. Põgenemine pole mehele kohane! Mina olen jalutu sant, aga kas ma sellepärast kuhugi urgu poen? Ei, mina kargan igale võõrale kintsu kinni. See on minu saar ja mina kaitsen seda."

"Kuidas sa üldse siia sattusid, vanaisa?" küsisin mina. "Onu Vootele ütles, et sind visati merre."

"Hülged tõid," vastas ätt. "Nemadki mõistavad ju ussisõnu. Nad kandsid mu siia ja ma võtsin selle saare enda valdusse. Eks siia ole aegade jooksul igasugust paska trüginud, terve laevatäis rüütleid randus kümne aasta eest ja mõni aeg hiljem tuli trobikond munki koos sulastega, kellel oli plaan siia midagi ehitama hakata. Ma tegin nad kõik vagaseks. Roomasin rohus nagu madu ja lõin neile oma mürgihambad reide, tõmbasin nad pikali ja lõikasin kõri läbi. Siis nülgisin ja keetsin, kuni kondid lihast puhtad, pealuudest tegin aga ajaviiteks joogikarikad. Õhtuti pole ju siin mingit meelelahutust, siis igavuse peletamiseks nikerdangi kolpade kallal."

"Milleks sa neid keetsid?" küsisin ma kerge jälestusega. "Ega sa ometi inimeseliha söö?"

"Ei söö," vastas vanaisa. "Mul siin jäneseid ja kitsi küllaga. Aga mul oli konte tarvis. Saad aru, ma ehitan neist endale tiibu! Inimese luud on selleks kõige paremad. Puurid neile augu sisse, võtad üdi välja, et kont oleks kergem, ja sead siis õigesti kokku. Ainult et palju läheb tarvis neid luid – vähemalt sada inimest tuleb ära hakkida, et saada korralikud tiivad, mis meest kannaksid. Ma ei kavatse ju siia saarele surra! Mul on kindel plaan raudmeestele veel kibe lahing anda. Langen neile taevast pähe nagu välk ja kolgin neil ajud välja. Ah nemad raiuvad mul jalad otsast ja viskavad merre! Mingu perse, selliste lapsetempudega nad minust küll lahti ei saa. Mina ei anna kunagi alla!"

Vanaisa ajas suu pärani ja kähises, nii et paistsid kaks mustaks tõmbunud, kuid ikka veel teravat mürgikihva. Ma silmitsesin teda imetlusega. Siin minu ees istus tõeline muistne inimene, metsik ja väge täis, omamoodi väike Põhja Konn, kelle meeletu elujõud pritsis sädemeid ning kõrvetas vaenlased tuhaks. Sa raiusid tal jalad alt, aga tema ehitab endale tiivad ja ründab õhust! Millal oli ta kadunuks jäänud? Palju aastaid enne minu sündimist, ja kogu selle aja oli ta siin saarel varitsenud ja haudunud kättemaksuplaane, kordagi lootust kaotamata, ikka sõjakas ning vintske nagu puuoks, mis alla painutades end kohe jälle sirgeks ajab ning sulle vastu vahtimist virutab.

Kujutasin ette, millist segadust ja surma külvanuks vanaisa metsas. Kindlasti ei istuks ta Mõmmi ja minu kombel kusagil võsas ega piidleks eemalt külatüdrukuid, aga samuti ei kükitaks ta koos Ülgase või Tambetiga hiies, kuulatades olematute haldjate hääli. Ei, tema vingerdaks läbi rohu otse maanteele, pureks möödaratsutavaid rüütleid, hammustaks munkadel ninad peast ning salvaks ka külavanem Johannest ning kõiki teisi raudmeeste sõpru ja sulaseid. Küllap löödaks ta lõpuks siiski maha, kuid enne seda suudaks selline tige ja pöörane vanamees hävitada mitu küla. Ta oli ohtlik, ta oli täis muistset rammu, ja tema läheduses tundsin ma, kuidas minus taas tõstab aeglaselt pead seesama trotslik sõgedus, mis oli mind tabanud sel ööl, kui ma päästsin Hiie – soov võidelda ning tappa. Vanaisa oli seda hullust pilgeni täis ning nagu kuumaks aetud ning seejärel vastu keha surutud kivi kiirgas ta oma soojust ka minusse.

"Kas tahad, ma näitan sulle oma pealuudest tehtud karikaid?" küsis vanaisa.

Sel hetkel hüüdis mind Hiie. Ta oli jänese ära küpsetanud ja kutsus sööma.

"Su naine hüüab!" ütles vanaisa asjalikult. "Lähme ja keerame kõigepealt selle jänese kinni, pealuud ootavad. Nemad ei kõnni enam kuhugi!"

Ta naeris, näidates taas oma mürgikihvu.

Päike oli juba loojunud, kui me lõkke äärde jõudsime – mina kõndides, vanaisa aga lausa ehmatava vilkusega maas voogeldes nagu mingi karvane rästik. See oli olnud tõesti imelik päev, mil ma leidsin endale algul naise ning siis veel ka vanaisa.

22.

Hiie muidugi ehmatas, kui nägi karvast vanameest rohu seest välja vingerdamas, aga ma seletasin talle asja kiiresti ära. Vanaisa roomas lõkke juurde, haaras veel tulise jänese ning rebis kärmesti pooleks.

"Väga hea, krõmps!" kiitis ta oma poolt järades ning luid välja sülitades. "Vähemalt jänest osatakse teil seal veel praadida, olgu muuga kuidas on."

Pool jänest kadus imekiiresti vanamehe kõhtu. Ta lakkus sõrmed puhtaks ning põrnitses meid imestunult.

"Mis, teie pole veel sööma hakanudki? Mida te ootate? Jänes on kõige parem kuumalt: kui ta ära jahtub, siis tuleb ristikheina maitse külge."

Me jagasime alles jäänud jänesepoole kaheks ning lõime hambad lihasse. Vanaisa vahtis meid silmade põledes.

"Tore on näha jälle elavaid inimesi," kiitis ta. "Muidu pole mul aega neid vahtida, nii kui liikumist näen, kargan kohe kallale ja puren. Alles siis, kui vennike juba surnud on ja laiba keetmiseks läheb, saab mahti pilgu peale heita. Aga noh, siis on juba hilja, liha hakkab luudelt lahti tulema ja kõik on üks puder."

Hiie krimpsutas nina ja korraks tundus, et jäneseliha edasi-söömine valmistab talle raskusi. Vanaisa märkas seda ja vibutas manitsevalt sõrme.

"Ära tee midagi sellist nägu, plika!" ütles ta. "Kondivaru tahab ju täiendamist ja üldse – tänu minule on see saar veel vaba. Pole siin ükski raudmees oma kanda kinnitanud. Kuulge, rääkige mulle nüüd metsauudiseid! Kuidas mu tütar elab? Kas sul õdesid ja vendi ka on?"

Rääkisin vanaisale, et emal läheb kenasti ning et mul on õde Salme, kes elab koos karuga.

"Miks ta karuga elab?" küsis vanaisa pahaselt. "Kas metsas enam mehi pole?"

"Ei ole jah," vastasin mina. "Kõik on külasse kolinud."

"No siis pole midagi teha, parem olgu tõesti karu kui mingi külamölakas," ütles vanaisa. "Karu on ikka oma, ehkki loll. Mul oli omal ajal karude hulgas palju sõpru, neid oli vahva tillist tõmmata. Karud ju usuvad kõike, mis sa neile räägid. Mina söötsin neile ikka jänesesitta sisse, ütlesin: vaata, need on suured pruunid maasikad, söö! Karud alati sõid ka, kas või terve korvitäie keerasid kinni ja pärast veel kiitsid kah. Naera ennast lolliks! No ma arvan, et su õel on lõbus elu! Süüa pole tarvis tehagi, võta üks jänes ja pane pesale istuma justkui lind, pärast paku karule pabulaid ja ütle, et need on jänese munad, just äsja munetud, lase hea maitsta!"

See üsna lihtsakoeline ja labane trikk vaimustas vanaisa niivõrd, et ta tükk aega õnnest kõõksus.

"Küll on kahju, et ma siin saarel olen, ma tahaksin hea meelega seda su õemeest näha!" ütles ta igatsevalt. "Küll ma alles tillitaks teda! Aga pole viga, kohe kui mul on tiivad valmis, lendan tagasi teie juurde ja siis teeme karuotile selle muneva jänese nalja ära."

"Millal sa need tiivad valmis saad?" küsisin mina. "Palju sul veel konte tarvis on?"

"Enam palju polegi," vastas vanaisa. "Vahest nii kolm-neli meest kulub ära. Küll ma need mõne kuuga kokku saan. Aga mul on palju tähtsam asi puudu. Vaata, ega need tiivad iseenesest õhku tõuse, selleks on vaja tuult."

"Tuult?" kordasin mina. "Tuul puhub ju kogu aeg."

"Puhub küll, aga sellest ei piisa," seletas vanaisa. "Peab puhuma õiges suunas ja siis, kui mul tarvis. Mul on vaja tuulekotti, poiss, ja selle pead sina mulle tooma."

"Kust kohast?" küsisin ma.

"Saaremaalt. Seal elab mul üks vana sõber, tuuletark Möigas. Tema käest saad tuulekoti, kui ütled, et mina su saatsin."

"Oled sa kindel, et see tuuletark on ikka elus?" pärisin ette-vaatlikult. "Millal sa teda viimati nägid?"

"See oli ammu, aga ega need saarlased nii ruttu sure, eriti veel tuuletargad," seletas vanaisa. "Nemad panevad kakssada aastat ikka täis, sest nad lasevad endast aeg-ajalt tuulel läbi puhuda. Suruvad tuulekoti vastu suud ja siis see vuhiseb läbi terve sisi-konna, pühib kõik tõved ja muu prahi minema ja purtsatab persest sellise pauguga välja, et suured mastimännid koolduvad maani ning murduvad pooleks. Pärast sellist tuulutamist oled seestpoolt läbi loputatud ja jälle nii terve, et kui keegi sulle just kirvest selga ei löö, võid rahumeeli veel viiskümmend aastat elada. Ei, selle-pärast ära üldse muretse, et vana Möigas surnud on! Tema elab meid kõiki üle ja karjatab oma tuuli rahumeeli edasi."

Me leppisime kokku, et asume teele kohe homme hommikul, sest vanaisal oli tuulekoti kättesaamisega kiire.

"Mine tea, äkki maabub homme siin terve raudmeeste lae-vastik," rääkis ta õhinal. "Siis on mul vajalikud kondid juba õhtuks koos. Rumal oleks ainult sellepärast saarele passima jääda, et tuulekotti pole. Tead, poiss, ma olen siin juba nii kaua kasutult vedelenud, et lausa häbi. Igal öösel näen unes, kuidas ma raud-mehi klopin, nii et nad vahutavad nagu vedel pask. Ma tahan jälle sõtta minna, tütrepoeg! Ja sina tuled minuga koos, sest kui need raisad kuuse alla peitu poevad, nii et ma neid õhust kätte ei saa, siis pead sina nad jalahoopidega jälle lagedale kihutama, nii et ma võin neile malakaga otse lagipähe lüüa."

Vanaisa õhin oli mind niivõrd sütitanud, et plaan tundus mulle tol hetkel isegi tore. Mulle, kes ma iialgi maadlemisest ega kaklemisest polnud hoolinud! Aga kujutlus, kuidas ma puude alla pakku läinud raudmehi õhus märatsevale vanaisale ette ajan otsekui kitsi, meeldis mulle. Lõkke ääres istuv ussihammastega vanamees süütas minuski võitlushimu ning mu lihased tõmbusid iseenesest pingule, otsekui oleks lahing nüüdsama algamas.

"Aga kõigepealt magame," ütles vanaisa, muutudes korraga verejanulisest röövlinnust hoolitsevaks taadiks. "Teil on homme pikk merereis ees, te peate puhkama. Lapsed, ma rooman praegu

oma urgu, muidu mõni rebane veel tuleb ja hakkab kalleid inim-
konte närima – kus selle kahju ots! Mul on iga luu arvel. Teie
pikutage siin, hommikul ma tulen ja ajan teid üles. Hommikusöök
on minu poolt. Täna kostitasite teie mind, homme mina teid.
Tulete vanaisa juurde sööma!"
   Ta vingerdas põõsastesse nagu mingi suur sisalik, kellel vaen-
lane on saba tagant ära näpistanud.
   "Kui vana ta õieti on?" küsis Hiie.
   "Umbes kaheksakümmend," kostsin ma. "Täpselt ma seda
ei tea, onu ja ema rääkisid temast alati kui millestki iidsest ja
ammu kadunust."
   "Ta ongi iidne," ütles Hiie. "Ma kardan teda natuke, aga samal
ajal mõjub ta mulle kuidagi väga värskendavalt. See on hoopis
midagi muud kui minu isa ja ema vanade aegade tagaajamine.
Nende tegemised lõhnavad kopituse järele, aga sinu vanaisa on
otsekui mingi taim, mis lihtsalt õitseb, hoolimata sellest, et juba
on saabunud talv."
   Me pugesime teineteise kaissu, aga mina ei saanud kaua und,
mõeldes ootamatult leitud vanaisale. Mingis mõttes meenutas ta
mulle onu Vootelet, ehkki muidugi palju metsikumal kujul. Nad
olid tehtud ühest ja samast puust, ainult et onu Vootele oli selle
puu sile ning tugev tüvi, mida torm siiski võib murda, samal
ajal kui vanaisa sarnanes sügavalt maa alt välja tiritud jämeda
ning vintske juurikaga, mille pooleksväänamine pole jõukohane
isegi karule. Ja mina – mina olin selle puu latv, tuules painduv
ning habras. Ma olin tipp, kus oksad muutusid nii peeneks, et
ei kandnud enam isegi väikest lehelindu. Minust kõrgemal ei
tulnud enam midagi, ainult taevas, tühi ja sinine.
   Aga sel hetkel tundus see kõik ebaoluline. Hiie nohises mu
käe peal magada, tal olid natuke peast eemalehoidvad kõrvad
ning ta nägi välja nagu väike rotike. Ma surusin oma nina tema
põse vastu ja jäin samuti magama.

Vanaisa äratas meid hommikul valju sisinaga, mis lõikab kõrva
nagu nuga ja peletab une hetkega. Me kargasime Hiiega istuli,

vanaisa kõhutas meie kõrval, päikesevalguses veelgi karvasem ja veelgi rohkem kortsus, ning pilgutas silma.

"Tulge nüüd sööma!" ütles ta. "Ma küpsetasin teile terve põdra. Sööte nii palju kui jaksate, ülejäägi võtate Saaremaale kaasa."

Vanaisa elas eriskummalises hoones, mis oli ehitatud osalt puust, osalt kividest. Võis vaid kujutleda, millist vaeva oli vanaisalt nõudnud põlvekõrguste kivimürakate kohaleveeretamine. Ta ei saanud ju neid tõsta, vaid pidi kive roomates enda ees lükkama nagu mingi sipelgas. Samuti jäi üksnes imetleda seda rammu, mida vanaisa oli üles näidanud, vedides kohale terveid puutüvesid. Ma ei pidanud vastu, vaid küsisin vanaisalt, kuidas on selline asi võimalik, aga vanaisa üksnes mühatas ebamääraselt ja vastas, et maja peab ju tugev olema, muidu ei pea sõjale vastu.

"Ma ei või ju iial teada, millal siia saarele purjetab mõni selline laev, mis on nii paksult raudmehi ja nende sulaseid täis, et ma ei jõua neid ühekorraga maha tappa," seletas vanaisa. "Siis on mul tarvis üht kindlust, kuhu varjule pugeda, et piiramisele vastu panna. Siin kivide vahel on mul igasuguseid kitsaid käike, kust ma läbi saan vingerdada, et raudmehi ootamatult rünnata, aga nemad mind sellest kivide ja puude rägast kätte ei leia."

"Aga ikkagi, kuidas sa jõudsid?" kordasin oma küsimust. "Sul pole ju jalgu, sa oled üksi, aga need kivid ja palgid kaaluvad ei tea kui palju."

"Äh!" turtsatas vanaisa. "See pole kõneväärtki. Iga õige mees tuli vanasti selliste kivide ja puudega toime. Tulge nüüd edasi, ma lõikan teile põtra ja näitan oma karikaid."

Me läksime lõkke juurde, millel küpses tohutu põdrapull. Sealsamas lähedal seisid virnas sajad kolbad – kõik korralikult läikima nühitud ja liigsed augud kinni topitud, kusjuures toppimiseks oli vanaisa kasutanud kalliskive ja kulda. Ilmselt oli tegemist ehete ning aaretega, mida kandsid endaga kaasas need õnnetud raudmehed, keda kuri saatus oli paisanud saarele, mis paistis esmapilgul nii kaunis ja ohutu, kuid mille rohus luuras kuri vanaisa, mürgihambad suus.

Vanaisa täitis kolm kolpa allikaveega.

"Selle allika vesi on haruldaselt maitsev ja puhas," kiitis ta.
"Olge lahked, lapsed! Jooge! Sinu pealuu, Hiie, kuulus ühele
mungale. Aga sinu oma, Leemet, oli raudmeeste pealiku oma.
Lööme kokku ka!" Me koksasime kolpadest valmistatud peekreid teineteise vastu
ning rüüpasime allikavett. Ei saa öelda, et säärasest imelikust
nõust joomine poleks teatud ebalust tekitanud. Hiie käsi värises
veidi, kui ta kolba oma huultele tõstis, ja minagi pelgasin, et
allikaveel võib olla koolnu maitse. Aga ei, vesi oli tõesti puhas
ning imemaitsev. Tegelikult pidi tunnistama, et vanaisa oli väga
mõistlikult talitanud; mida ta nende raudmeeste kolpadega ikka
peale pidi hakkama? Nüüd oli kasututele asjadele leitud mingi
otstarve. Pealuude seest oli väga mõnus juua. Ma sain oma kolba
tühjaks ning täitsin ta allikas uuesti.

"Eks ole hea?" noogutas vanaisa. "Nende karikate tegemine
on mu kirg. Ega mul ju neid tegelikult nii palju vaja ole, mulle
endale piisaks ühestainsast, aga mulle lihtsalt meeldib niker-
dada. Igal kolbal on oma iseärasused. Mõni on piklikum, teine
ümmargune nagu pohl. Mõnel on muhud küljes. Mõni on hästi
pisike. Vaadake seda! See ajab lausa naeru peale – võiks arvata,
et see on roti pealuu! Ometi oli see mehe kaela otsas ja mees ise
oli täitsa tavalist kasvu. No ta pidi ikka puruloll olema, kui tal
nii väike pea oli!"

"Huvitav," ütlesin mina ja keerutasin käes väikest kolpa, mille
sisse mahtus vaid paari sõõmu jagu vett.

"Kas teil kodus pole selliseid karikaid?" uuris vanaisa. "Ei ole?
No siis ma annan teile, kui te Mõigase juurest tagasi tulete. Võtate
ise nii palju kui tahate ja viite koju. See on minu pulmakink."

Me vaatasime Hiiega teineteisele otsa ja naeratasime koh-
metult.

"Me ei teagi, kas me tohime tagasi koju minna," ütles Hiie.
"Nad ju tahtsid seal mind ohverdada ja otsivad meid ehk veel
praegugi taga."

"Lööge neile kirvega pähe ja asi korras," soovitas vanaisa.
"Mina pole mitte kunagi kedagi kartnud. Käisin alati seal, kus

tahtsin, ja hakkan varsti jälle käima – see tähendab lendama, kui te mulle tuulekoti toote. Kas teil on kõht täis? Hakake siis parem minema, ma olen nagu natuke kärsitu. Mida varem te lähete, seda kiiremini ka tagasi tulete – on ju nii?" Ta käskis meil paadi liha täis laadida, sest "sööma peab, söök annab jõudu". Oli selge, kust mu ema oli omandanud harjumuse kõiki sugulasi ja tuttavaid oimetuks toita. Võtsime kaasa ka paar kolpa – need käskis vanaisa tuuletark Möigasele kinkida. Ja siis olimegi juba paadis ning ma katsusin sõudes hoida sinnapoole, kus vanaisa jutu järgi asus Saaremaa.

Sõit Saaremaale kestis hoopis kauem kui meie esimene mereretk. Vahest oleksime ka veidi kiiremini kohale jõudnud, kuid me ei tõtanud. Vanaisal oli muidugi tuult tarvis, aga üks päev ette või taha ei lugenud enam midagi mehe puhul, kes on üksikul saarel veetnud mitukümmend aastat. Ikka ja jälle panin ma aerud käest ning siis me suplesime ja kallistasime ning sõime külma põdra- liha. See oli meie pulmareis, ehkki me seda tol hetkel ei teadnud. Me olime lihtsalt õnnelikud, et saame olla koos ja et keegi meid ei sega, peale uudishimulike hüljeste, kes pistsid oma pea veest välja ning vahtisid meid teesklematu huviga. Oli veel ka mitut sorti väikeseid ja suuri kalu, kes meres lupsu lõid ja kelle tume- daid selgi võis vette vaadates näha kiiresti mööda libisemas. Me oleksime võinud neid püüda, aga ei viitsinud, pealegi polnud meil võimalik kalu paadis küpsetada, aga põdraliha oli külluses. Püüdsin päikese järgi suunda hoida ning me pigem triivisime kui sõitsime Saaremaa poole.

Õhtuks polnud me ikka veel kuhugi välja jõudnud ning ööbi- sime paadis, keset lainete loksumist ja sulinat, mida tekitasid pin- nale tõusvad ning siis jälle meresügavustesse sukelduvad hülged. Hommikul ärkasime vara ja ma katsusin kindlaks teha, kuhu me oleme juba välja jõudnud. Silmapiiril paistis midagi tumedat, mis oli ilmselt kallas. Panin aerud vette ja hakkasin sõudma, kuid paat ei liikunud paigast.

"Me oleme mingisse mererohtu takerdunud," ütles Hiie.

Vaatasin vette ja nägin, et paati ümbritseb kummaline hall ollus, mis nägi välja täpselt nii, nagu oleks merele karvane nahk peale kasvanud. Sirutasin käe välja, et püüda seda paadi küljest lahti kraapida, ning avastasin oma üllatuseks, et see imelik nahk koosneb pikkadest karvadest, millest igaüks on umbes heinakõrre jämedune ning ulatab ei tea kuhu.

"Ma pole midagi säärast veel kunagi näinud," laususin. "Ja isegi onu Vootele ei rääkinud mulle, et merel võivad karvad kasvada. Võiks peaaegu arvata, et me oleme mingi looma turjal."

"Me ei ole mitte tema turjal, vaid habemes," vastas Hiie. "Vaata selja taha. Me oleme kala habemes, aga paistab, et ta pole selle pärast kuri."

Ma pöörasin kiiresti ringi ja nägin enneolematut vaatepilti. Meist mõnekümne paadipikkuse kaugusel loksus lainetes kõige üüratum olend, keda üldse ette võib kujutada. See oli kala, aga suur nagu mägi. Ja ilmselt hirmus vana, sest terve meri oli täis tema pikki halle habemekarvu. Tema rohekad soomused olid aastate jooksul kattunud tuhandete teokarpide ja muu mere-sodiga, tema hiiglaslikud uimed ripnesid lõdvalt nagu mingi tohutu nahkhiire tiivad ja tema väga vanad ja väga väsinud silmad vaatasid meid kurvalt, kuid samas ikkagi uudishimulikult. Meie põrnitsesime vastu ja siis tegi see imeelukas suu lahti ja sisises puhtas ussikeeles, mille sekka sattus küll ka mingeid mulle tund-matuid sõnu, ilmselt nii iidseid, et neid keegi peale kala enam ei mõistnudki:

"Tere hommikust, inimesed! Kuhu te sõidate?"

"Saaremaale," vastasin mina.

Kala puhus talle suhu ujuvaid habemekarvu endast eemale.

"See on otse ees," ütles ta. "Lõunaks peaksite kohal olema, ehkki ma ei julge seda päris kindlalt väita, sest ma pole veel kunagi näinud inimesi nii väikeses paadis. Kui ma viimane kord veepinnal käisin, sõitis minust mööda kolm sõjalaeva, igaühes vähemalt nelikümmend sõudjat, ja tol korral tegi seegi mulle nalja, sest varasematel aastatel oli neid laevu alati palju rohkem. Nüüd aga vaid üks tilluke paat ja kaks inimest. Ja-jah, mis teha.

Küllap on see siis niimoodi määratud, et just teie olete need inimesed, kes mind viimast korda näevad. Ja keda mina viimast korda näen."

"Miks viimast korda?" küsis Hiie.

"Sest see on viimane kord, kui ma merepõhjast värske õhu kätte tulen. Olen tõusnud pinnale kord iga saja aasta tagant, aga enam ma ei viitsi. Olen vanaks jäänud. Tänagi mõtlesin kaua, kas tasub ikka ennast oma mugavast urust välja lohistada ning siia ujuda, aga siis ma otsustasin, et olgu veel see viimane kord. Mu habe on nii pikaks kasvanud, et seda pole kerge endaga kaasas kanda, see läheb vett täis ja muutub isegi minu jaoks raskeks koormaks. Aga ma sain siiski hakkama. Jah, meri on tühjaks jäänud. Kus on kõik need inimesed, kes omal ajal laevadega ringi kihutasid? Kas teie hulgas on mingi taud liikvel?"

Ma ei hakanud kalale seletama, et paljud meie hulgast on kolinud küladesse, kasvatavad rukist ega käi enam laevadega kaugeid maid rüüstamas nagu meie esiisad. Kuid raudmeeste laevu liikus ometi ringi, aina suuremal hulgal pealegi. Ma küsisin kalalt, kas ta neid pole näinud.

"Raudmehed?" imestas kala. "Ei, neid pole ma kohanud. Kui kahju, oleksin tahtnud nad siiski ära näha, sest enam ma vee peale ei tule. Äkki sõidavad nad veel täna siit mööda? Mul pole küll palju aega, pean varsti tagasi oma koopasse ujuma – aga äkki mul veab? Millised nad on?"

"Umbes nagu inimesed, ainult rauast naha sees," ütlesin mina. Kala mulistas hämmastunult.

"Ennekuulmatu, ennenägematu," pomises ta. "Jah, maailm muutub. Olen liiga harva vee peal käinud ja paljud asjad on minust mööda ujunud. Ometi tundus mulle kunagi, et just iga saja aasta tagant on paras ennast väheke tuulutada. Kõik oli alati just nii nagu viimane kord. Meri oli täis sõjalaevu ning taevas lendas Põhja Konn."

"Kas sa oled näinud Põhja Konna?" hüüdsin mina.

"Muidugi, palju kordi!" vastas kala. "Ja mitte ainult näinud, vahel laskus ta mu turjale, et lendamisest puhata. Ta oli suur ja vägev, kuid mina olin tollal veelgi vägevam ja jaksasin teda kerge vaevaga kanda. Nüüd käiks see mulle vahest juba üle jõu. Sel polegi tähtsust, sest Põhja Konna pole ma juba ammu näinud. Ei tea, kuhu ta jäi?" "Ta magab," ütlesin mina. "Ja keegi ei tea kus." Kala puhistas heakskiitvalt. "Nii ongi õige. Magada, puhata – see on hea. Varsti lähen ka mina puhkama: sukeldun päris merepõhja, poen oma urgu ning enam välja ei tule. Mu habe katab mind üleni ja ma saan rahus tukkuda. Pikk, pikk uni. Ma tunnen, kui hea see on." Ta sulges oma vanad silmad ja liigutas aeglaselt uimi.

"Ma vist lähengi nüüd," ütles ta seejärel silmi avades. "Raud-mehed jäävadki mul nägemata, aga tühja sellest. Ma olen elu jooksul niigi palju näinud; on, mida merepõhjas lamades mee-nutada. Tõtt-öelda mind ei huvitagi eriti need rauast inimesed. Mida ma ikka kaotan, kui ma neid ei näe? Mitte midagi. Kui te neid kohtate, öelge, et suur kala Ahteneumion läks ära merepõhja. Mina ei näe neid ja nemad ei näe mind ja neile on see hoopis suurem kaotus."

See mõte paistis vanale kalale nalja tegevat, ta liigutas saba ja pilgutas meile silma.

"Mõelge vaid, nad muudkui sõidavad oma laevadega ringi, need teie raudmehed, ega oska aimatagi, et kusagil merepõhjas magan mina oma habeme all," ütles ta ja puksus isegi naerda. "Nad mõtlevad, et vees on ainult väikesed kalad ja millimallikad ja muu selline sodi, mis alailma veepinnal hõljub, aga nad ei saa iialgi teada, et seal olen ka mina. Vaesed lollid!"

Ta puhus taas eemale suhukippuvaid habemekarvu.

"Hüvasti, ma nüüd lähen," ütles ta. "Teie olite viimased ini-mesed, keda ma nägin ja kes mind kohtasid. Teie teate, kus on Ahteneumion ja mida ta teeb. Teised mitte. Teie olete nüüd kõige targemad inimesed maa peal. Viimased, kes mind nägid. Elage hästi!"

Järgmisel hetkel suur kala sukeldus. Vesi hakkas lainetama ning paat oleks peaaegu ümber läinud. Habemekarvad voogasid

meie ümber ja ma kartsin, et nad kisuvad meid kala kannul süga-
vikku, kus siis meie kondid võivad koos kõigi oma teadmistega
igavesti pleekida Ahteneumioni kaisus. Kõik läks aga hästi: habe
kadus oma peremehe kannul sügavikku, meri rahunes ja me jäime
üksi.

"Siin me nüüd siis istume, kaks maailma kõige targemat ini-
mest," ütles Hiie. "Viimased, kes nägid suurt kala."

"Mind on see ära tüüdanud – olla igal pool viimane," vas-
tasin mina. "Oma peres olen ma viimane mees, metsas viimane
poisslaps. Nüüd olen ma veel viimane, kes nägi hiiglaslikku kala.
Kuidas see küll ometi sedasi juhtub, et just mina alati viimane
olen?"

"Minu jaoks oled sa esimene," ütles Hiie ja suudles mind.
Ning mõne aja pärast, kui olime jälle riidesse pannud, sõudsin
ma edasi.

Tegelikult olin ma muidugi ka tema jaoks viimane, aga siis
ma seda veel ei teadnud.

23.

Ma olin päris väsinud, kui me viimaks Saaremaale jõudsime, ja kohe torkas mulle pähe, et vanaisa polnud meile jätnud ühtegi juhtnööri, kust kohast tuuletark Möigast otsida. Nagu ikka, oli siingi abi ussisõnadest. Tarvitses vaid paar korda sisiseda, kui juba roomas kadakate vahelt välja tore paks rästik, pea püsti.

"Ma pean ütlema, et olen päris üllatunud," sõnas ta pärast tavakohaseid tervitusi ja viisakusavaldusi. "Nägin teid küll randumas, aga ei tulnud selle pealegi, et te võiksite mõista ussisõnu. Tänapäeval on see kahjuks väga haruldane. Saarele saabub küll igasugust rahvast, aga rääkida pole neist kellegagi, kõik on justkui tummad ja üksnes lalisevad arusaamatult. Nii et ausõna, ma päris jahmusin, kui kuulsin teid hüüdmas. Tuleb välja, et üksnes meil on asjad halvad, aga mujal siiski leidub veel haritud inimesi."

"Ei ole mujalgi asjad paremad," vastasin mina. "Ma otsin tegelikult tuuletark Möigast. Kas sa tead, kus ta elab?"

"Ikka tean," ütles rästik. "Astuge minu kannul, ma juhatan teid tema juurde."

Möigas ei elanud kaugel. Tema onn asus mere ääres ja oli kadakate vahele hästi ära peidetud. Rästik soovis meile head päeva ja vingerdas minema.

Ma koputasin uksele. See tehti lahti ja mulle vahtis vastu – munk! Seda polnud ma küll oodanud. Kargasin mitu sammu tagasi, justkui oleksin sattunud herilasepessa.

"Kas sina oled tuuletark Möigas?" küsis Hiie, kes oli samuti munka nähes ehmunud ja mul käest kinni võttis.

"Ei, armas neitsi, mina olen vaid tema vääritu poeg," vastas munk peenikesel, siriseval häälel, otsekui lüpstaks tal suust piima. Ta oli veel noor mees, kuid ilma juusteta ning mis veelgi imelikum, ka ilma kulmudeta, mistõttu tema nägu sarnanes linnumunaga. Munga selja tagant kostis kobinat ja onnist ronis välja lühikest kasvu vanamees pika punase habemega, mis oli sadadesse väikestesse patsidesse palmitsetud. See pidi nüüd küll olema Möigas ning kohe kinnitaski munk, et nii see on.

"Siin seisabki minu austatud isa," ütles ta ning pani käe punase habemega vanamehe õlale. "Isake, need inimesed on tulnud sinu juurde."

"Jah, ma näen seda isegi!" porises Möigas. "Mis teil oli?"

"Kas te olete kristlased?" küsis munk, enne kui me vastata jõudsime. "Kas teile meeldib Jeesus Kristus?"

"Ole vait, Röks!" käratas Möigas. "Ära tee mulle häbi!"

"Isake, ma ju olen sulle öelnud, et minu nimi pole enam Röks," siristas munk, endal nii lahke nägu peas, nagu valmistaks iga sõna lausumine talle ületamatut rõõmu. "See pole mingi õige nimi, sellist ei kanna kristlikus maailmas keegi. Minu nimi on Taaniel, ma olen seda sulle ju sada korda rääkinud, armas isa. Vend Taaniel, nii kutsuvad mind teised vagad vennad kloostris."

Mulle meenus Pärtel, kellest oli saanud Peetrus, ja mul hakkas vanast tuuletargast hirmus kahju, sest kaotada sõber on ebameeldiv, aga kaotada lihane poeg – see on veel palju hullem. Möigas oleks otsekui mu mõtteid lugenud, ta vaatas mulle mornilt otsa ja ütles vabandavalt:

"Poeg on raisku läinud, andke andeks. Eks see tule sellest, et ta varakult ilma emata jäi. Ju ei osanud mina teda õigesti kasvatada. Aga mis ma teen, oma laps ju, ma ei saa teda maha lüüa sellepärast, et ta, ptüi, vastik öeldagi, mungaks hakkas."

"Isake, sa oled mind väga hästi kasvatanud," siristas munk. "Ma olen sulle surmatunnini tänulik, et sa mu sigitasid ja minu eest hellalt hoolitsesid."

"Mis tead sina sigitamisest, õnnetu!" ohkas vana Möigas. "Endal pole sul munegi!"

"Meie kloostris pole kellelgi, see on praegu moes," vastas munk Taaniel. "Tänu sellele saame heleda häälega jumala kiituseks laulda. Isake, ma olen sind ju kuulama kutsunud – miks sa ometi ei tule? Sul oleks kindlasti uhke kuulata, kuidas sinu poeg koos teiste vagade vendadega laulab."

"Mingil juhul ei taha ma seda kuulda ega näha, ma häbeneksin endal silmad peast!"

"Oh, isake, mis sa ometi räägid! Mis seal häbeneda, terves maailmas tehakse nii. Ja meie kooril on palju imetlejaid, naised nutavad meid kuulates ja mehedki pühivad pisaraid, nii hele ja ilus on meie hääl."

"Ära aja südant pahaks!" ütles Möigas ja pöördus meie poole. "Andke andeks, võõrad, et te niisugust inetut asja peate nägema ja kuulma. Mis teid minu juurde tõi? Rääkige ära! Ja sina, Röks, ole vait ja ära sega vahele!"

Ma seletasin kiiresti, mida me otsime ja kes meid saatis. Vanale Möigasele tulid pisarad silma.

"Ah vana Tölp on ikka elus!" õhkas ta. "No mis seal imestada, tema oli alati üks sitke sell. Või tema on siis nüüd pähe võtnud lendama hakata! Miks mitte, miks mitte!"

"Inimene ei saa lennata," ütles munk vahele. "Ainult inglid lendavad ja Jeesus oskas vee peal käia."

"Ma ütlesin, Röks, ära sega vahele!" kärkis Möigas. "Ja ära räägi lolli juttu! Miks sa teed mulle nende toredate noorte ees häbi? Sa võiksid neist parem eeskuju võtta. Vaata, kui tublid nad on! Austavad oma vanaisa ega semmi mingite raudmeeste või kloostrivendadega. Näed seda noort meest, Leemetit? Temal on munad alles! Eks ole ju, Leemet?"

"On alles," vastasin ma kiiresti.

"Kuuled, Röks! Miks just sina pead olema selline lepaleht, mis lendab sinna, kuhu tuul puhub? Las see suur maailm teeb mis tahes lollusi, pead siis sina kohe kõike omal nahal järele katsuma!"

"Armas isake, alustame kõigepealt sellest, et ma pole Röks," hakkas munk aeglaselt siristama, silmad pooleldi suletud, aga vana Möigas käratas ta vait.

"Mis sa räägid mulle kogu aeg, et sa pole Röks! Minu jaoks jääd sa Röksiks, mina ei hakka sind kunagi Taanieliks kutsuma. Istu nüüd maha ja pea oma suu, ma pean korra sees ära käima ja selle tuulekoti välja otsima. Ja teie, kallid külalised, oodake ka sutike. Ärge pange tähele, mida mu poeg räägib! Ta on kahjuks natuke napakas – terve suguvõsa häbiplekk! Ma olen õnnetu isa!"

Nende sõnadega kadus Möigas oma onni. Munk Taaniel sättis end päikese kätte istuma, noogutas meile sõbralikult ja ütles:

"Isake on juba väga vana, tema pea ei võta enam noorte inimeste asju kinni. Midagi pole teha, aeg on temast mööda läinud. Mida teie kandi noored Jeesusest arvavad? Minule meeldib ta jubedalt. Mul on tema pilt voodi kohal."

"Ma ei tea, kes on Jeesus," ütlesin mina.

Munk tegi imestunud häält, mis kõlas, justkui oleks kajakas kiljatanud.

"Sa ei tea, kes on Jeesus?" kordas ta ning mudis oma käsi, silmitsedes mind lahkelt ja kaastundlikult. "Ristitud sa ikka oled?"

"Ei ole," vastasin.

"Tõesti?" häälitses munk. "Mina arvasin, et kõik noored on tänapäeval ristitud. Ristimine on ju lahe – sulle valatakse vett pähe. Ilma ristimata kloostrisse ei võeta."

"Ma ei tahagi kloostrisse!" teatasin ma nüüd juba üsna ärritunult. Munk tuletas mulle meelde Magdaleenat ning seda, kuidas me olime käinud munkade laulu kuulamas, ja samuti seda, et ma olin olnud temasse kõrvuni armunud. Nüüd, Hiie kõrval istudes, oli seda kuidagi ebameeldiv meenutada. Tundus, nagu võiks see munk korraga öelda: "Hoo, ma nägin sind koos ühe ilusa plikaga meie kloostri müüri taga!" Mida Hiie siis teeks ja ütleks? Ma teadsin, et niisugune asi pole tegelikult võimalik, et see oli hoopis üks teine klooster ja seal laulsid hoopis teised mungad, aga paha tunne püsis. Mind häirisid need moodsad inimesed, kes muudkui kelkisid oma uute kommete ja imelike lemmikutega nagu see Jeesus, kellest ma midagi ei teadnud ja teada ei tahtnudki. Mind ei huvitanud, kelle pilti hoiab oma voodi kohal üks munk, ja ma ütlesingi seda, küll mitte nii järsult, aga ikkagi üsna tõrjuvalt.

Munk jäi endiselt leebeks. "Rumal on sulgeda silmi hariduse ees," ütles ta ainult ja tõstis õpetlikult sõrme. "Sa lihtsalt ei löö tänapäeva maailmas läbi, kui sa Jeesusest midagi ei tea. Sul pole teiste inimestega millestki rääkida. Sa oled ju noor mees, tahad elus edasi jõuda. Olgu, kui sind muusika ei huvita, siis sa ei pea kloostrisse tulema, ka kohitsemine pole tingimata vajalik. Aga sa ei saa ka rüütli kannupoisiks hakata, kui sa pole ristitud ega tunne Jeesust!"

"Miks ma peaksin hakkama kellegi kannupoisiks?" küsisin mina. See oli veel üks võigas joon, mis kõiki neid moodsaid inimesi ühendas – tahtmine olla kellegi teener.

"No aga mida sa siis elult üldse soovid?" küsis munk. "Tahad olla talupoeg, künda ja külvata? See on muidugi õilis, ka Aadam kündis ja külvas ning haris palehigis maad. Jah, kellele pole kõrgemaid vaimuandeid antud, need peavad leppima põllutööga."

"Kes on see Aadam?" küsis nüüd Hiie.

"Meie esiisa, esimene inimene, kelle jumal põrmust lõi," seletas munk. "Enne seda oli maa tühi ja paljas, aga siis tegi jumal kuue päevaga kõik valmis ja nii on see puutumatult alles tänaseni."

"See on ju jama," ütlesin mina. "Ma olen näinud inimahvide ajalugu, mille nad tuhandete ja tuhandete aastate jooksul oma koopaseinale on joonistanud. Seal pole mingit jumalat ega mingit Aadamat. Ja mis tähendab puutumatult? Nii paljud asjad on igaveseks kadunud. Näiteks Põhja Konn. Näiteks suur kala Ahteneumion, kes täna hommikul viimast korda vee peale tõusis ja pärast seda igaveseks ajaks merepõhja sukeldus. Või siis ussisõnad. Kas sa oskad neid, Röks?"

"Ussisõnad on saatanast," teatas munk, esimest korda erutudes. "Inimene ei tohigi neid osata. Saatan lõi ussid ja andis neile kõnevõime, et nad saaksid ahvatleda esimest naist Eevat. Nad on kõik saatana teenrid."

"Nüüd on tõesti näha, kui loll sa oled," ütlesin mina. "Sina ise teenid jumalat ja raudmehi ja mingisuguseid Rooma paavste – ussid aga ei ole kellegi teenrid. Mitte keegi pole neid loonud, nad olid olemas juba kõige ammusematel aegadel, siis kui metsas ei elanud veel ei inimesi ega isegi inimahve. Ma ju ometi tean, mida ma räägin, sest ma tunnen neid hästi. Mina nimelt oskan ussisõnu! Ma arvan, et rästikud saaksid tublisti naerda, kui nad sinu tobedusi kuuleksid. Sulle on lihtsalt kloostris selgeks õpetatud üks moodne muinasjutt, aga muinasjutte on maailmas palju. Mõned unustatakse, nende asemel mõeldakse välja uued..."

"Armas poiss," ütles munk, kes oli tagasi saanud oma esialgse rahu. "Ma ei taha sinuga vaielda, sest sa pole ju koolis käinud ega tea mitte midagi. Inimkond on saanud targemaks, kui sa arvatagi oskad. Mul on lihtsalt kahju, et sa ei taha elada nagu teised noored. Isegi kui sina oskad ussisõnu ja need pole saatanast – no mida sa nendega laias maailmas peale hakkad? Kellega sa neist räägid? Noored on tänapäeval huvitatud hoopis Jeesusest, temast kõneldakse palju, tema on väga menukas."

"Mind ta ei huvita," ütlesin mina.

"Väga kahju," vastas munk naeratades.

Olime mõnda aega vait. Meie Hiiega vahtisime munka, tema aga näis päikesepaistel tukkuvat. Korraga hakkas ta heleda häälega laulma, nii et me mõlemad Hiiega võpatasime.

Kohe sööstis onnist välja ka tuuletark Möigas ja karjus:

"Jää vait! Jää kohe vait! Ära tee mulle terve ilma ees häbi!"

"Isake, see on vaid üks süütu koraal, milles ma ülistan Jeesuse armu ja halastust," ütles munk laisalt. "Kuidas saab see kaunis muusika sind kuidagi häbistada? See koraal lööb praegu maailmas suuri laineid, seda lauldakse kõigil pidudel."

"Aga mitte minu ukse all! Siin mitte!" kärkis Möigas. "Maailmas võivad nad kas või pea peal käia, aga minu majja astutakse õiget pidi!"

Ta andis mulle ja Hiiele märku endale järgneda.

"Mul ei ole ühtegi valmis tuulekotti praegu kodus," seletas ta, "aga sellest pole midagi, me pakime kohe õiged tuuled kokku. Siis on teie vanaisal hea lennata. Las lendab mulle ka külla."

"Jah, tulgu," ütles munk. "Tervitan hea meelega sinu sõpra, isake, ja palvetan tema eest."

"Ei, ärgu siis parem tulgu," ütles Möigas. "Tölp on äge mees, ta lööb su veel suures vihas maha."

"Tore, siis suren ma märtrina," teatas munk, "ja pääsen otse taevariiki, kus saan istuda Jeesuse paremal käel. Märter olla on suur au, sinust kirjutatakse raamatuid ja sinu kuju pannakse kirikusse üles. Isake, mõtle, kui sinu pojast saaks märter!"

"See võib väga kergesti juhtuda," karjus Möigas. "Kui sa oma suud ükskord ei pea, võin ma ise sulle viga teha. Lapsed, lähme ruttu tuppa! Mu poeg ajab mind hulluks!"

Me läksime koos tuuletargaga tema onni. Selle seintel rippus tohutu hulk peenikesi, jämedaid ja veelgi jämedamaid köisi, mis olid kõik suurtesse sõlmedesse seotud. Möigas hakkas nende hulgas sobrama ning valis välja kümmekond köiepundart.

"Need on tuulesõlmed," seletas ta. "Iga köie küljes on üks tuul. Ma käin neid paadiga merel püüdmas, nii nagu mõni teine mees kalal. Ainult et tuult on palju raskem püüda, ta on kiire ja libe, sa pead olema ilmatu osav, et ta sul silmusesse jookseks. Siis kiiresti sõlmed peale ja võid tuule endale seinale riputada, kuni sul teda tarvis läheb. Ja ega tuul pole kala, tema ei lähe halvaks. Võib kas või sada aastat seina peal rippuda, aga kui sa ta siis lahti päästad, ulub ja lõõtsub, nagu oleks alles eile kinni püütud ja täitsa värske. Mul on siin päris vanu tuuli, mis on veel minu isa kinni nabitud, selliseid torme ja marusid, mida tänapäeval mitte kuskilt ei leia. Siin on ka veel alles näiteks see tuul, mille ma ise esimesena kinni püüdsin, siis kui ma olin alles päris väike poiss. See on küll õige nõrk suvetuuleke, selline, mis palaval päeval natuke mõnusat jahedust toob. Näete, seesama siin. Sellist tuult on päris lihtne püüda, aga tol ajal oli mul sellegagi jahmerdamist palju. Poisikese asi, kümne küünega pidin teisest kinni hoidma, köis kippus sassi minema; aga kui ma ta siis lõpuks seinale riputasin, oli uhke tunne küll! Justkui oleks tuulispasa enda kinni nabinud. Neid on mul siin kah mitu tükki, aga neid ma teie vanaisale ei saada, need pole lendamiseks head. Neid kasutati sõjas – lasid sellise lahti ja ta uputas kõik vaenlase laevad või tegi tema külad maatasa. Hullem kui tulekahju! Oh, mul on siin üldse igasuguseid tuuli: talviseid, mis lund kaasa toovad, ja sügisesi, mis puhuvad kohale vihmapilved. Need on kevadised tuuled – lased ühe sellise lahti ja kohe on nii kerge ja värske hingata. On pärituuled, mis meremehi aitavad, ja vastutuuled, millega saab ennast vaenlaste eest kaitsta. Kõike on. Enam ma suurt juurde ei püüagi, ma olen juba vana, päris suurt maru vist kätte ei saagi – hammas ei hakka peale. Ja mis ma neist tuultest ikka kogun, pärast minu surma pole nendega nagunii midagi teha. Poisist tahtsin tuuletarga teha, aga see raisk läks hoopis mungaks. Minu tuultekogu ei huvita teda sugugi. Nii et ma hea meelega saadan mõned tuuled teie vanaisale – vähemalt üks inimene, kes neist hoolib ja neid kasutada mõistab. Ma valisin kümme tuult välja, neist peaks piisama."

"Kas me võtame nad niimoodi köie otsas kaasa?" küsisin mina.

"Ei, nii ei saa," vastas Mõigas. "Tuul on tark ja kaval, justkui elusolend. Nii kaua, kui ta minu käes on, püsib ta vagusi, sest ta tunneb ära, et mina olen tuuletark ja minuga pole tal mõtet vigurit visata. Kui ta aga aru saab, et mõni tavaline inimene köieotsast kinni hoiab, siis hakkab ta rabelema ja pusserdama ja katsub ennast nööri otsast lahti rebida. Ei, ma panen nad kotti, siis ei pääse nad kuhugi ja te jõuate kenasti vanaisa juurde."

Tuuletark otsis laua alt välja mitmekordsest nahast õmmeldud kukru, mille suu sai köiega kinni tõmmata. Ta võttis kätte esimese tuule ja harutas seda kütkes hoidvad sõlmed ettevaatlikult lahti – toas hakkas õhk järsku liikuma ja Hiie juuksed lõid korraga lendlema, justkui oleks äkiline tuuleiil neid sasinud. Siis surus Mõigas tuule kotti. Sedasi toimis ta ka kõigi teiste köiepundardega ning viimaks oli kukkur päris paks. Kui kõrv selle vastu suruda, oli kuulda summutatud vihinat ja ulgumist, nagu möllaks kotis maru.

"Sedasi, nüüd on valmis," ütles Mõigas. "Nüüd pole muud kui paota natuke kotisuud ja lase just niipalju tuult välja, kui tarvis on. Küll su vanaisa hakkama saab. Ta tunneb neid kunste. Jah, on üks tore mees, ise oli tubli ja lastest kasvatas ka mõistlikud inimesed. Näe, mina ei saanud oma pojaga hakkama, läks raisku, nii et kohe vastik vaadata. Oh heldust, jälle on väljas mingi kära! Jälle laulab! Ma ju ütlesin, et kui ta vait ei ole, siis tõmban talle vastu kõrvu. No kuulake! See on ju kohutav!"

Õuest kostis tõesti kisa. Munga heleda lauluhäälega segunes kellegi otsekui tõrrepõhjast tulev sõim. Me kiirustasime uksest välja ning nägime, et munk vaidleb mingisuguse hirmlühikese, kuid kohutavalt paksu vanamehega, kes vehkis raevunult kepiga ja lõugas:

"Kas see vingumine lõpeb juba ükskord? Ei saa üldse enam rahu, muudkui ajab lõuad pärani ja ulub justkui hunt! Mis sul viga on, Röks, valutab kuskilt või?"

"Armas naabritaat," vastas munk vaguralt ning hõõrus oma peopesi aeglaselt teineteise vastu, justkui peseks päikesekiirtega käsi. "Sa võiksid olla ometi veidi leplikum. Selline muusika on praegu noorte seas väga hinnas. Sina oled vana, sinul on omad lemmikviisid, kuid sa peaksid aru saama, et aeg läheb edasi ja see, mis sulle ei meeldi, võib valmistada rõõmu uuele põlvkonnale, kes võtab eeskuju Kristusest."

"See Kristus õpetas sind sedasi laulma või?" karjus jässakas naaber.

"Kristus muidugi," kostis munk. "Tema on minu ja üldse kõigi noorte suur iidol. Selliseid laule laulavad inglid paradiisis, selliseid laule laulavad kardinalid pühas linnas Roomas – miks ei peaks siis ka meie neid laule laulma, nii nagu kogu kristlik maailm seda teeb?"

"Minu uksetagune pole kristlik maailm!" sekkus nüüd ka Mõigas. "Anna andeks, Hörbu, et sind segati. Kindlasti tegid parajasti lõunauinakut."

"No just, muidugi tegin ma lõunauinakut!" kaebas lühike Hörbu. "Ja just siis, kui uni oli kõige magusam, hakkas su poja-raisk vinguma, justkui oleks tal sitt perseauku kinni jäänud. Mis sa lubad tal üldse siia tulla, istugu oma kloostris, kui juba kord sellise tee valis. Mis ta käib siin vanu inimesi segamas!"

"Lihane poeg ju ikkagi," ohkas Möigas.

"Mis siis et poeg! Mina oma tütrele ütlesin küll, et kui sa lipakas juba kord nunnaks läksid, siis ära enam minu majja nägu näita. Lits selline!"

"Asjata õnnistasid oma tütart nii inetute sõnadega, kallis teispere isa," vaidles munk vastu. "Johanna on väga eeskujulik nunn, ma kohtun temaga tihti. Miks ta oleks pidanud jääma siia metsikusse paika? Tänapäeva moodsale tütarlapsele pole paremat teed laia maailma pääsemiseks kui hakata Kristuse pruudiks!"

"Ta oleks pidanud mehele minema!" karjus Hörbu. "Neid Kristuse pruute on seal nunnakloostris viiskümmend tükki. See on ju jäle roppus ning ette ja taha panemine!"

"Sa oled kõigest valesti aru saanud," ohkas munk kaastundlikult. "Kristuse pruut ja lihalik armastus on kaks iseasja. Vagad nunnad elavad päevad läbi sügavas vooruses ega puutu üldse kokku ühegi meesterahvaga."

"Sina ju käid seal! Ise ütlesid, et kohtud temaga tihti."

"Mina olen ju munk. Oh, teispere isa, sa ei saa tänapäeva noorte elust ikka mitte kui midagi aru."

"Mina ka ei saa ja ei tahagi saada," teatas Möigas. "Ära räägi kõigi noorte nimel! Näed, Leemet on ka noor, aga tema selliste jälkustega ei tegele."

"Tema on metsast, täiesti harimatu ja tume," vastas munk, vaevumärgatav põlgus hääles. "Kahju küll, isake, et sinu jaoks on rohkem väärt vaimupimedus ja möödunud aegadesse klammerdumine kui edasipüüdlikkus ja õpihimu."

"Kui sa nii õpihimuline oled, miks sa siis ei tahtnud tuulte püüdmist õppida?" küsis Möigas mornilt. "See iidne kunst läheb nüüd koos minuga hauda. Oleksid saanud ausa ameti, mis alati ära toidab."

"Vastupidi, isake, sellel ametil pole tulevikku. Tuuli pole vaja püüda, piisab vaid sellest, kui alandlikult palvetades jumala poole pöörduda, ning tema keerab kohe tuule sinna, kuhu vaja, vaigistab tormi ning summutab maru."

"Nii lihtsalt see kahjuks küll ei käi," ohkas Möigas. "Aga sinuga vaielda pole võimalik. Sina usud ainult seda, mida sulle kloostris räägitakse, aga mitte oma vana isa."

"Anna andeks, isake, aga nemad seal kloostris on lugenud raamatuid, mis on kirja pandud ladina keeles. Siis kui meretaguste maade targad mehed neid kirjutasid, jooksid meie esivanemad alles metsas koos rebastega ringi," ütles munk naeratades, otsekui rõõmu tundes, et ta nii armetutest oludest nüüd sedavõrd suure tarkuse paistele on tõusnud. Ta noogutas pühalikult pead, vaatas meile kõigile kordamööda otsa ning tõusis ohates.

"Ma palvetan teie eest, vaesed paganad, ja eriti sinu eest, kallis isa," lausus ta. Siis silmitses ta veel kord meid Hiiega ja lisas: "Kui teid Jeesus Kristus huvitama peaks hakkama, siis teate, kust mind leida. Ärksaid noori mehi võetakse meie kloostris alati kahel käel vastu. Ja tüdruku eest võin ma kosta nunnakloostri abtissile."

Ma ei vastanud. Munk noogutas veel kord, tegi sõrmedega õhus ristimärgi ja lahkus väärikalt.

Hörbu sülitas südametäiega.

"Anna andeks, Möigas, aga see su poeg on ikka eriline tõhk."

"Jah," ohkas Möigas kurvalt. "Omal ajal oli ta nii armas väike poiss. Need uued tuuled, need muudavad inimesi, ja neid tuuli mina enam kinni püüda ei oska. Nad on liiga kiired."

"Eks ta ole," muutus Hörbugi leplikumaks. "Minu tütar oli ka nii vahva väike tirtsuke. Aga siis hakkas seal kloostri juures tolknema! Mina küll keelasin, andsin isegi peksa, aga tema hiilis ikka sinna, kuhu polnud lubatud. Mis teda küll sinna tõmbas? Miks ta ometi nunnaks läks? Võib-olla me oleme tõesti vanad ega saa uuest maailmast mõhkugi aru?"

"Jah, kes teab," nõustus Möigas.

Ma tundsin taas ninas seda vastikut raipelehka, mis mind aeg-ajalt tülitas. Oleksin tahtnud tuulekoti lahti harutada ning kõik Möigase tormid ja marud endale ninna lasta, et seda kopitusehõngu eemale peletada; lasta endal sõõrmed läbi puhuda. Aga need tuuled olid mõeldud vanaisale lendamiseks. Jätsime Möigase ja Hörbuga hüvasti ning istusime oma paati.

Teel vanaisa saarele nägime silmapiiril mööda purjetamas raudmeeste laeva.

"Ahteneumion tõusis veidike liiga vara pinnale," ütles Hiie. "Praegu oleks ta raudmehed ära näinud. Ja raudmehed oleksid näinud teda. Nüüd nad aga purjetavad seal ega teagi, kes merepõhjas oma habeme all magab. Ainult meie teame seda! Kas pole vahva?"

Mulle tundus sel hetkel, et me teame ehk juba liigagi palju säärast, mida teised ei tea, ning vastupidi, liiga vähe sellist, mis on kõigile teistele tuttav, aga ma ei öelnud Hiiele midagi.

24.

Esimene asi, mida me vanaisa saarele tagasi jõudes märkasime, oli kaldale tõmmatud võõras paat. Õigemini öeldes oli see paat võõras minule, kuna Hiie näis sõiduki ära tundvat. Ta vajus näost ära, klammerdus mu varrukasse ning hakkas mind sõnagi lausumata tagasi mere poole vedama.

"Mis on?" küsisin mina.

"Sõidame ära, tagasi Saaremaale, ükskõik kuhu, ainult et sõidame ära," pomises Hiie ja vahtis mulle segaste silmadega otsa.

"Ma palun, lähme ruttu!"

"Kelle paat see on?" uurisin ma, ise juba vastust aimates.

"Isa oma loomulikult!" kiljatas Hiie peenikese häälega. "Kas sa siis ise seda ära ei tunne? See on meie pere paat! Ta on meile järele sõitnud, ta ajab meid taga, ta tahab mind ikka veel tappa, ta on hull! Leemet, lähme ometi! Sõidame siit kaugele, nii kaugele, kui sa vähegi jaksad sõuda! Palun!"

Pean tunnistama, teadmine, et Tambet on kusagil siinsamas, tekitas minuski kõhedust. See pöörane vanamees ei saanud kuidagi leppida sellega, et maailma päästmine oli nurja läinud. Kord pähe võetud tobedus oli sinna kinni kasvanud nagu sarv. Ma polnud sugugi kindel, kui hästi suudaksin ma Hiiet kaitsta, kui tema isa järsku võsast välja kargaks ning tahaks tüdrukut minema tassida. Tambet oli ikkagi suur ja tugev mees, mina mõjusin tema kõrval nagu noor pihlakas tamme varjus. Ma katsusin endas äratada seda tigedust ja uljust, mis oli mind haaranud tol õhtul, mil ma Hiie ohverduspaigalt röövisin, aga esiisadelt päritud leek minu hinges ei tahtnud sedapuhku süttida. Ka minul hakkas hirm, kui ma kaldaäärset metsa silmitsesin ja püüdsin ära arvata, kus Tambet parajasti luurab ning kas ta on meid juba märganud. Mulle hakkas tunduma, et Hiie plaan paati istuda ning mõnda ohutumasse paika sõuda polegi nii vale. Hiie oli juba paadis, nuttis seal ja hüüdis: "Tule ometi! Mida sa veel ootad? Me peame ära sõitma, enne kui ta meid näeb – merel sa tema eest ära ei põgene, ta sõuab nii kiiresti! Ma ju tean."

Olin peaaegu nõus tegema nii, nagu ta tahtis. Ainult Möigase tuulekott hoidis mind veel tagasi. Pidin ju selle vanaisale viima! Võis muidugi loota, et kui me praegu jalga laseme, ennast paar päeva kusagil varjame ning siis tasahilju tagasi siia saarele sõuame, on Tambet läinud ja õhk puhas ning ma saan tuulekoti vanaisale rahulikult üle anda. Aga oli kuidagi piinlik põgeneda sedasi ummisjalu, tunnistada end nii nõrgaks ja araks, samal ajal kui su vanaisal on suus ussihambad ja ta valmistub õhusõjaks terve maailmaga. Kui ma juba vanaisa meenutama hakkasin, torkas mulle pähe veel üks mõte – temaga koos saame ehk ka Tambetist jagu. Lõppude lõpuks oli ju vanaisa ehitanud endale tõelise kindluse, kus piiramisele vastu panna. Kui me sinna jõuaksime, ilma et Tambet meid märkaks, oleksime üsna kindlas kohas. Vahest polnud siiski mõtet meeletus hirmus tagasi merele sõuda nagu Hiie plaanis? Ehk oli targem saarele jääda ja ühes vanaisaga Tambetile vastu hakata, öelda talle, et Hiie on nüüd minu pruut ja mingist ohverdamisest ei saa juttugi olla? Sõitku oma metsa tagasi, meie jääme siia saarele. Meie ei tülita teda ja soovime, et ka tema meid rahule jätaks.

"Miks sa ei tule?" küsis Hiie paadist. Ta oli ennast vist juba tühjaks nutnud ja karjunud, sest nüüd istus ta päris vaikselt ja silmitses mind kurva pilguga. Esimene hirmuhoog oli mööda läinud, Tambetit esialgu veel ei paistnud ja Hiie ootas väsinult asjade edasist käiku.

"Me ei sõida ära," teatasin. "Me otsime hoopis vanaisa üles. Ma pean ju talle selle tuulekoti andma ja siis palume, et ta räägiks ise sinu isaga."

"Isa ei kuula kedagi," sõnas Hiie.

"Noh, minu vanaisa lihtsalt sunnib ennast kuulama," ütlesin ma uljalt, et Hiiet julgustada. Ma võtsin tal käest kinni ja tõmbasin tüdruku püsti. "Tule nüüd, kõige tähtsam on vanaisa majani jõuda. Kui me juba seal oleme, siis ei saa su isa enam midagi teha."

Hiie ei vaielnud vastu, ta ainult ohkas, suudles mind ootamatult ning väga tugevasti ja hakkas mu kõrval astuma.

Hiilisime läbi võsa ja iga kord, kui kusagil prõksatas oks või kohisesid lehed, oli meil tunne, et Tambet seisabki juba selja taga, käed puusas ja kulmud ähvardavalt kortsus, haarab meid kaenlasse ja tassib oma paati justkui mingid jänesed. Seda siiski ei juhtunud – me ei kohanud Hiie isa ning jõudsime hirmust higistena vanaisa maja juurde.

Vanaisa lõsutas keset muru ja keetis midagi suures pajas.

"Vanaisa!" hüüdsin ma ja tormasin lõkke juurde. "Me oleme tagasi!"

"Ma tean," ütles vanaisa. "Ma kuulsin, kuidas te metsas hiilisite. Kas te tuulekoti saite?"

"Saime," vastasin mina ja ulatasin vanaisale Möigase koti. "Aga..."

"Ahhaa!" katkestas vanaisa mind võiduka röögatusega. "Tuulekott! Lõpuks ometi! Nüüd veel mõned kondid kokku korjata ning õigesse kohta sobitada – ja siis hoidke alt, raudmehed ja mungarisud! Ma lendan teile pähe, nagu oleks kuu ise taevast alla kukkunud, et teid lömaks litsuda!"

"Vanaisa, minu isa on siin saarel," ütles Hiie. "Mäletad, me ju rääkisime, et ta ajab meid taga. Nüüd ongi ta siia jõudnud."

"Jah, selline õnnetu saatus oli tal tõesti," vastas vanaisa ja õngitses oma pajast välja tohutu suure pealuu. "Sellest tuleb kõige suurem peeker, mis mul on olnud," lisas ta uhkelt. "Ma muidu kingiksin selle peekri sulle, plika, ikkagi sinu isa kolp – aga mida naisterahvas nii suure peekriga teeb? Naisterahvas ei jaksa nii palju korraga juua."

Me olime tummad. Tambet, keda me olime nii väga kartnud ja kelle eest me peaaegu tagasi Saaremaale tahtsime põgeneda, seesama Tambet, Hiie isa, kees siin suures potis, tükkideks raiutuna nagu kits. Tema pealuu oli tõesti otsatu suur ja tugev, polnud ime, et uued mõtted sinna ainult suure vaevaga pääsesid, samas kui iga mõte, mis lõpuks siiski selle kõva kooriku alla sattus, sinna ka pidama jäi nagu lõksu langenud lind.

Ma vaatasin Hiiele otsa, sest tahtsin näha, mis näo ta teeb, kui talle näidatakse tema lihase isa kolpa, millest peagi valmib uhke peeker. Hiie ilme ei väljendanud mitte midagi erilist. Ta silmitses pealuud, näris huuli ja peitis lõpuks näo põlvede vahele.

"Kas sa nutad?" küsisin ma vaikselt.

"Ei," vastas Hiie pead tõstmata. "Miks ma peaksin? Ta tahtis mind tappa, ta oli hull. Ma tunnen end lihtsalt kole väsinuna. Hirm väsitas mu ära. Ma nii kohutavalt ehmusin, kui isa paati nägin. Mõtlesin, et... et nüüd viiakse mind tagasi koju ja isegi kui mind haldjatele ei ohverdata, siis on kõik jälle nii nagu vanasti, nii armetu, nii kurb, nii hale. Aga nüüd ma tean, et miski ei muutu enam endiseks. Teda pole enam, temast on saanud peeker. Ma olen praegu nii rahulik, et see teeb mu lausa uniseks. Ega te pahaks pane, kui ma lähen ja natuke magan?"

"Mis meil selle vastu saab olla, kallis laps!" vastas vanaisa. "Mine ja põõna, palju tahad! Küll me su õhtusöögi ajaks üles ajame."

Hiie tõusis, naeratas meile ning kadus vanaisa koopasse. Vanaisa saatis teda hella pilguga, ise samal ajal suure kulbiga Hiie isa jäänuseid segades.

"Tubli tüdruk," kiitis ta. "Ei tõsta tühjast tüli. Mul oli tõesti konte väga vaja, ma lihtsalt ei saanud lasta sellel turskel sellil minema kõndida. Pealegi tundsin ma ta ära ja sain kohe aru, et ta teid jälitab, seega oli igati mõistlik ta rajalt maha võtta. Ma ei rünnanud teda siiski ette hoiatamata, sest lõppude lõpuks oli ta ju ikkagi oma inimene, mitte mingi sitane raudmees, kes pole rohkem väärt kui sääsed. Ma sisistasin talle: "Ettevaatust! Ma hammustan sind!", et tal oleks võimalus end kaitsta. Aga ta ei teinud teist nägugi, justkui poleks aru saanud, kahlas muudkui läbi heina edasi, sünge nägu ees. Noh, ja siis polnud midagi parata.

Roomasin ta kannul ja kui oli sobiv hetk, hammustasin mehel vasaku põlve läbi. Kui ta siis karjudes pikali kukkus, näksasin korra ka kõri, ja oligi valmis. Nülgisin ta ära, puhastasin kondid lihast ja suuremast sodist ja nüüd siis keedan neid, et nad oleksid valged ja klõbisevad, kui kokku puutuvad. Hiie isal on muide suurepärased sääreluud, ma olen selliseid ammu otsinud, aga raudmeestelt sihukesi ei saa. Nende jalad on kõverad, sest nad istuvad kogu aeg hobuse seljas."

Vanaisa keerutas käes Tambeti kolpa.

"Kõige uhkem on ikka see pealuu," ütles ta. "Ma ei väsi seda imetlemast. Sellest saab minu võidukarikas, siit seest hakkan ma sõja ajal tapetud vaenlaste verd jooma. Muistse vabaduse terviseks!"

Kas oleks Tambet võinud soovida oma kontidele paremat saatust, mõtlesin ma kibedalt muiates. Tema, kes ta nii väga igatses taga vanu häid aegu ja oli nõus nende tagasitoomise nimel ohverdama isegi oma tütre. Nüüd ehitatakse tema luudest tiivad, mis kannavad raudmeeste pea kohale sõjaka vanaisa, tema hiiglaslikku pealuud aga hakatakse pruukima võidukarikana. Tambet tahtis oma sõgeduses Hiiet haldjatele ohvriks tuua, kuid osutus nüüd ise ohverdatuks, kusjuures temast oli kindlasti rohkem kasu, kui oleks olnud Hiie tapmisest. Vägev luukere võis nüüd kanda lahingusse eestlaste viimase armee. See koosnes küll vaid ühest ussihammastega ätist, kuid oli ikkagi parem kui mitte midagi.

Tambet oli alati lootnud, et kord elatakse metsas taas iidsel kombel, ning nüüd oligi ta juhuslikult sattunud saarele, kus roomas ringi kahtlemata kõige muistsem eestlane, kes meie päevini oli säilinud. Tambet oleks pidanud olema siin õnnelik, aga tuli välja, et ta on ise liiga moodsaks muutunud – et ta on unustanud ussisõnad! Või ta lihtsalt ei hoolinud neist, pidas vanaisa hoiatust vaid tüütuks sisinaks ja uskus, kahtlemata Ülgase mõjul, et tema saatust suunavad haldjad, mitte rästikud. Tambet ei saanud muistses maailmas enam hakkama, ta ei mõistnud selle keelt; seepärast ta tapeti ja keedeti ning tema pealuust valmistati peeker.

"Tule, ma näitan sulle oma tiibu," ütles vanaisa ning vingerdas põõsaste taha. Ma järgnesin talle ning nägin kahte suurt valget sõrestikku, mis olid suurematest ja väiksematest kondikestest hoolikalt kokku seatud. Need olid nagu kaks härmas põõsast – tihedad, kuid ometi nii õhulised, et neist sai läbi vaadata. Selliste tiibade ehitamine oli kahtlemata keeruline töö. Vanaisa polnud kõik need aastad laiselnud. Minu jaoks tundusid tiivad olevat täiuslikud, kuid vanaisa kinnitas, et mitmed tähtsad luud on veel puudu.

"Siit ja siit ja muidugi siit," kõneles ta ning osutas sõrmega. "Kõik peab olema täpne, muidu sajan ma taevast alla nagu surnud vares. Mul ei ole enam palju konte vaja, aga paar raudmeest tuleb küll veel kindla peale vagaseks teha. Tuleks nad ometi kiiremini!"

Ta silitas hellalt oma kätetööd.

"Ja kui ma siis ükskord taevasse tõusen," pomises ta, "siis teen ma tasa kõik need aastad, mis ma olen pidanud siin sitsima nagu urgu kinni jäänud mäger."

Ta ajas pea kuklasse, jõllitas vahepeal taevasse tõusnud kuud ja kähises kõri põhjast, nii et mul jooksid üle selja külmajudinad.

"Ma lähen magama," ütlesin ma vanaisale, aga sel hetkel ta ei kuulanud mind.

"See oled sina," ütles Hiie, kui ma vanaisa koopasse ronisin.

"Sa ei maga?" küsisin ma tema kõrvale heites.

"Ei, ma juba ärkasin," vastas Hiie. "Mida me nüüd teeme? Kas läheme koju? Nüüd ju võib."

Ma ei olnud selle peale mõelnudki, kuid kui Hiie niiviisi ütles, sain ma sedamaid aru, et tõepoolest – nüüd me ju võime tagasi koju sõita! Vanaisa oli kõik meie probleemid paari hammustusega lahendanud. Kui lihtne see tegelikult oli! Kui naeruväärsed tundusid nüüd meie plaanid – veenda Tambetit, et ta meid rahule jätaks, ning leppida kokku, et me kolime kuhugi kaugele ega sega kunagi teineteist. Kui tobe! Oli vaja lihtsalt Hiie isa maha lüüa ning kõik sai korda.

Vanaisa teadis seda ning seepärast valitseski ta tervet saart ning pulbitses elujõust veel raugaeaski. Tema oli tõepoolest see juurikas, kelles voolasid kõik puule jõudu andvad mahlad. Meie aga olime latv, mis üksnes kohises vaevukuuldavalt, samal ajal kui vanaisa ulgus. Võib-olla polnud ka sellest ulgumisest lõpp-kokkuvõttes rohkem kasu kui meie häbelikust sahinast, kuid see vähemalt kostis üle metsade ja mägede, vedas kananaha ihule. Selles oli elu ja raevu, see oli ülbe ning õel, hoolimatu kõigi tagajärgede suhtes ning ennast kehtestav. Vanaisas oli Põhja Konna jõudu ja tuld, meis oli see kustunud. Kuid ehk võis see uuesti süttida?

Vanaisa koopas Hiie kõrval lebades tundsin ma taas, kuidas minus hakkas kobrutama see vägi, mis oli täitnud mind sel ööl, kui ma Hiie Ülgase noa eest päästsin. Ma lähen tagasi metsa, rajan seal koos Hiiega kodu ja elan nii, nagu tahan – mees, kes mõistab ussisõnu ning võib lasta soovi korral huntidel kõik raud-mehed, mungad ja külaelanikud puruks närida. Ma mõistsin esimest korda õieti seda võimu, mida annavad mulle ussisõnad maailmas, kus kõik teised inimesed on need sõnad unustanud. Ma võisin lasta ussidel neid salvata ning võisin nad pärast siiski surmast päästa, paludes ussidel haav mürgist tühjaks imeda. Ma võisin teha mida iganes, samamoodi nagu mu vanaisa tegi seda, mis talle meeldis. Tõsi, minul polnud mürgihambaid, kuid ma teadsin, et tulen ka nendeta toime.

Muidugi lähen ma metsa tagasi! Ma kaisutasin Hiiet, naersin talle kõrva ja sosistasin:

"Juba homme sõidame koju ja sinust saab minu naine!"

Hiie nühkis oma nina vastu mu lõuga.

"See on tore!" ütles ta. "Ainus, mis mulle muret teeb, on Ülgas. Tema on ju veel metsas ja tema tahab ehk mind ikka ohverdada. Muidugi, nüüd kus isa pole..."

"Varsti pole ka teda ennast," teatasin mina. "Kui ta julgeb mulle oma nägu näidata, lõikan ma tal pea otsast, keedan ta raibet ning saadan kondid vanaisale. Ülgas on küll väga vana ja läbinisti mäda, aga ehk leidub temas vähemalt üks terve luu, mida kasutada saab. Peekrit me tema kolbast tegema ei hakka, sest see on kindlasti rumalusest pehkinud ja tilgub läbi."

"Leemet, mis sul on?" küsis Hiie ehmunult. "Sa pole kunagi niimoodi rääkinud!"

"Ma sain täna oma vanaisa päranduse kätte," ütlesin mina, haarasin Hiiel tugevasti ümbert kinni ja rullisin end koos temaga mööda koopa põrandat, nii et loomanahad laiali lendasid.

"Mida sa teed!" kiljus Hiie. "Hulluks oled läinud!"

"Ma armastan sind!" teatasin ma selle peale ja suudlesin ta naba.

"See on hea," kostis Hiie. "Aga sa oled ikkagi kuidagi pöörane. Ma loodan, et see läheb üle."

"Ma loodan, et mitte," vastasin mina. "Mulle tundub, et ma alles täna sain aru, kuidas tuleb elada."

25.

Järgmisel hommikul alustasime koduteed. Vanaisa oli meid rannas saatmas, ta kinnitas, et järgneb meile kohe, kui viimased kondid käes ning tiivad valmis. "Tervita oma ema ja minu tütart!" ütles ta mulle. "Ma pole teda nii ammu näinud ja igatsen väga."

"Võib-olla sõidad esialgu niisama korraks meiega kaasa, käid tal külas ja tuled pärast saarele tagasi," pakkus Hiie, aga vanaisa raputas pead.

"Kus sa sellega! Pole aega! Kõige tähtsam on ikka tiivad tööle saada. Naised peavad ootama, kui meestel on ees sõjaretk."

Ta oli meile teemoonaks küpsetanud mitu jänest ning lisaks neile pidime kaasa võtma suure hulga pealuudest peekreid. "Jagage ise," õpetas ta. "Anna oma emale ja õele ja jäta endale ka. Ärge muretsege, kui ma ühel päeval lennates tulen, siis toon neid veel."

Kui me juba paadis istusime ning kaldast eemale sõudsime, lehvitas vanaisa meile ja karjus:

"Ära siis üksinda pihta hakka, poiss! Oota mind ka ära! Siis jahvatad sina alt ja mina puren ülalt, nagu kaks lõuga! Ahoi!"

Peagi kadus ta silmist. Ma sõudsin kiirete tõmmetega kodu poole ja vesi oli taas vaikne, peaaegu ainsagi laineta, nagu ta oli seda olnud kõik need päevad. Tundus tõesti, nagu oleksime vanaisa külastades sattunud tagasi minevikku, mingitele salapärastele vetele, kus aeg seisab ning tuulgi ei puhu. Või oli see kõik uni – alates sellest õhtust, mil me kurtide huntide eest põgenedes paati hüppasime ja merele triivisime. Kas võis olla, et ma lihtsalt nägin unes oma mürgihammastega vanaisa, hiiglaslikku kala, saarlase tuulesõlmi ja ka seda, et ma täiesti ootamatult armusin Hiiesse? Unenäo-Hiiesse, kes oli hoopis teistsugune kui see vaikne ja häbelik tüdruk, keda ma tundsin enne magama jäämist.

Igatahes selles mõttes polnud uni veel otsa saanud, sest Hiie istus siinsamas minu kõrval paadis ning tema silmad särasid endiselt, nii et ma lihtsalt pidin aerud korraks käest panema, et teda kallistada.

"Sa oled minu unenägu," ütlesin ma. "Ja ma kavatsen magada igavesti."

"Vastik unimüts," sosistas Hiie ja tõmbas mu pikali, aga üks terava lõuaga pealuu jäi meile külje alla ning me ajasime end oiates istuli.

"Siin paadis on armatsemiseks liiga palju kolpasid," ütlesin mina ja Hiie näitas oma puusa, kuhu pealuu silmaavad olid pressinud kaks rõngast.

"Ta on sinu sisse piilunud," ütlesin mina.

"Seda ma ei salli, et mingi nilbe raudmees mind sedasi jõllitab," teatas Hiie ja viskas süüdioleva kolba merre. "Vahtigu nüüd karistuseks kalasid."

Aga kolpasid oli paadis endiselt tohutul hulgal, nii et pikaliheitmiseks polnud ikkagi ruumi ja meil ei jäänud üle muud kui edasi sõita.

Esimene, keda me kodukaldal märkasime, oli täi. Ta sibas veepiiril edasi-tagasi ning vehkis erutunult koibadega.

"Miks ta siin on?" imestas Hiie. "Ta ju tavaliselt Pirre ja Räägu juurest minema ei jookse – aga nemad on kogu aeg oma puu otsas. Ega ometi midagi juhtunud ole?"

Kohe sai meile aga selgeks, et täi pole sugugi oma pererahva juurest minema plaganud, sest puude vahelt komberdasid välja ka inimahvid. Pikk puu otsas istumine oli nende kõndimisoskusele kehvasti mõjunud, kahel jalal käies kõikusid nad tugevasti ja pidid aeg-ajalt tasakaalu säilitamiseks kämblad maha toetama. Ma polnud ammu näinud neid puu otsast maha tulemas ja selline ebatavaline vaatepilt pani mind muretsema.

"Mis on juhtunud?" karjusin ma, katsudes ise kiiremini sõuda. "Me nägime teid puu otsast," vastas Pirre, "ja täi muutus nii rahutuks. Me otsustasime teile vastu tulla. Tore, et te jälle elusalt ja tervelt kodus olete." "Me kartsime teie pärast," lisas Rääk. "Meie puu otsa paistab ju ära kõik, mis metsas sünnib. Me nägime, kuidas teid hunti-dega taga aeti ja kuidas teil õnnestus paadiga põgeneda – siis hingasime kergendatult. Aga juba järgmisel päeval sõitis Tambet teid otsima ning me olime jälle mures, sest mere taha ei näe isegi meie, ükskõik kui kõrgele latva me ka ei roni. Täna hommikul märkas Pirre teie paati ja me olime nii rõõmsad, et ronisime alla ja tulime teid tervitama."

"Ehkki see siledal maal kõndimine pole kuigi hõlbus," ütles Pirre. "Vanad inimahvid olid ikka targad, kui nad oma kodud puude otsa rajasid. Kõik haigused ja hädad on tulnud maa peal kõndimisest."

Ta istus ohates ning hõõrus oma väsinud jalataldu.

Me olime selleks ajaks juba kaldale jõudnud ning täi keksis ümber Hiie nagu pöörane. Võtsin paadist kaks pealuud ja ulatasin need inimahvidele.

"Need on minu vanaisa tehtud," lisasin. "Ma kingin need teile."

Inimahvid keerutasid peekreid käes.

"Ilus töö," laususid nad tunnustavalt. "Iidne töö! Tänapäeval enam selliseid karikaid teha ei osata ja kõik pealuud lastakse raisku minna. Aga ära pahanda, kui me neid siiski vastu ei võta. Saad aru, meil on omad põhimõtted ja meie jaoks on need kolbad liiga moodsad."

"Kuidas nii, te ju ise ütlesite, et see on iidne töö," vaidlesin vastu.

"Käsitöö mõttes küll," vastas Pirre naeratades. "Aga sa vaata materjali. Vaata seda koljut, selle kumerusi ja kaari. See on tänapäeva inimese pealuu, selle kolba omanik oli ilmselt mingi raud-mees või munk. Taolisest materjalist esemeid me põhimõtteliselt oma koju ei vii. See ei sobiks."

Ma ei hakanud inimahvidega vaidlema. Seda enam, et mul polnudki selleks mahti. Sest selsamal hetkel tormas rannale hiietark Ülgas ning karjus:

"Oletegi käes! Ma teadsin, et Tambet teid üles leiab ja kõrvupidi koju veab. Haldjad ei lase mitte kunagi oma ohvrit käest."

Oli ilmne, et sarnaselt täiga oli ka Ülgas meid kannatamatult oodanud, ainult et kui täi eesmärgiks oli suurest õnnest Hiie jalgade ees püherdada, siis hiietark tahtis meid kiiremas korras maha tappa. Ta nägi eemaletõukav välja – kestendav nahk kleepus tihedalt ümber kontide, pikad hallid juuksed lehvisid tuules ja silmad istusid nii sügaval koobastes, et eemalt vaadates näis, nagu oleksid need tühjaks jooksnud.

Tema pea on juba valmis karikas, mõtlesin ma. Tarvis see veel ainult kaela otsast maha lüüa. Ma näitasin Ülgasele kolpa, mida olin tahtnud Pirrele kinkida, ja hüüdsin:

"Sinu sõbrast Tambetist pole järel muud kui üks peeker! Tahad, võin selle sulle kinkida? Ainult pole vist mõtet – ma teen sinu peast kohe samasuguse."

Kui ma olin seda öelnud, kargasin Ülgase juurde ja virutasin noaga. Minu sees vahutas vaimustav viha, ma tahtsin Ülgasel pea otsast raiuda ja nautisin juba ette seda kaua igatsetud hetke, mil tema kaelaköndist purskab välja jäme verejuga. Ma olin aga sedasorti töödes ja tegemistes alles liiga kogenematu ning nii juhtus, et olin löönud mööda ja ei raiunud maha mitte hiietarga pead, vaid lõikasin tal üksnes maha parema kõrva ja põse. Ülgase nägu uppus verre ja maas liival vedeles põseriismete kõrval üksik kõrv, millest hall karvatort välja turritas.

Ülgas pistis kiunuma ja põgenes eemale, mina aga olin pettunud, et mul ei õnnestunud vanameest vagaseks teha, ja proovisin teda veel kord noaga lüüa.

"Kurjategija!" karjus Ülgas metsa poole joostes ja tema pea sarnanes nülitud jänesele, kes ajab välja veriseid mulle. "Sa tõstsid käe hiietarga vastu! Haldjad ei andesta sulle! Hiiekoerad tulevad ja purevad su surnuks! Nad ei halasta! Pea meeles, hiiekoerad!"

"Ma olen elanud metsas terve elu ja pole näinud veel kunagi ühtegi hiiekoera," hüüdsin talle järele. "Need koerad on olemas ainult sinu pealuus, Ülgas! Mul on kahju, et mul ei läinud korda seda pooleks lüüa, oleksin ehk lõpuks ka neid imeelukaid näinud. Mine koju ja kui sa verest tühjaks ei jookse, siis katsu niisama võimalikult kiiresti kärvata, sest arvesta sellega – kus iganes ma sind näen, seal ma su ka surnuks löön ja tükkideks hakin! Ma olen tagasi kodus, ma abiellun Hiiega ja sinusugusel rämpsul oleks kõige targem end oma pühas hiies üles puua!"

Ülgas ulgus puude vahel ja kisendas hiiekoertest ning haldjatest, aga mina ei viitsinud seda jama kauem kuulata. Ma ladusin märsi allesjäänud jänesepraadi ning kolpasid täis ning ütlesin Hiiele:

"Lähme nüüd minu juurde. Koju."

"Jah, kallis," vastas Hiie. "Ütle, kas ma võin Ülgase kõrva endale võtta? Ma kuivatan selle päikese käes ära nagu surnud konna ja siis on seda ilus paela otsas kaelas kanda. Kas sulle meeldiks, kui su naisel oleks selline ehe?"

"Jah," ütlesin mina. "See tuletaks mulle meelde tänast päeva ja seda, et ma pean õppima täpsemini lööma. Mulle oleks meeldinud veelgi rohkem, kui sa kannaksid kaelas selle värdja kuivatatud südant, mille sisse on pandud pihlakamarju, et see raputades kõriseks nagu mõni lapselelu."

Me naersime ja suudlesime teineteist.

"Te ei olnud kaua ära," lausus Pirre imetlevalt. "Ometi tundub, nagu poleks ma teid näinud palju aastaid. On selline tunne, nagu oleksid need aastad voolanud tagurpidi. Mulle näib, nagu oleksid jälle tagasi need ammused ajad, mil teie esiisad siin kaldal võõramaalasi tükeldasid ning mere kohal võis näha lendamas Põhja Konna, kes käis viimaseid uppujaid õgimas."

Meie Hiiega puhkesime uuesti naerma ja Hiie ütles:

"Aga muide, võib juhtuda, et Põhja Konn tõesti tuleb peagi lennates."

"Me ei imestaks selle üle," vastasid Pirre ja Rääk ning noogutasid mõtlikult päid. "Lõppude lõpuks on see kõik ju ainult lähiminevik, mis ei pruugi olla sugugi lõplikult kadunud. See on maailm, mida meie esiisad on kujutanud sellel koopaseinal, mida teiegi näinud olete. Tõeliselt iidsed pildid on kinni varisenud, vaat neid päevi ei too küll miski tagasi."

Meie Hiiega ei vajanudki nii ammuseid aegu, meile piisas ka olemasolevatest päevadest. Viipasime inimahvidele, kes jäid randa oma käimisest võõrdunud jäsemeid mudima, ja läksime oma teed. Täi, kes oli ennast Hiie ümber keksides päris võhmale ajanud, lebas lõõtsutades liival ja lakkus Ülgase maharaiutud põske.

Ema avas ukse ja karjatas rõõmust.

"Armas aeg, sina Leemet! Ja sina ka, Hiie, elus ja terve! Kui tore! Kuidas ma teid ootasin! Tulge kohe lauda, mul on kits tulel!"

Astusime sisse. Salme jooksis mulle vastu ja kallistas kõvasti, puhkedes nutma. Nurgas lesiv Mõmmi ajas end istuli ja viipas käpaga.

"Mis su karuga on juhtunud?" küsisin mina. "Miks ta seal nahkade all lebab?"

"Mõmmi on haavatud," vastas Salme. "Sa ei tea, mida me kõik oleme pidanud üle elama. Sa ei kujuta üldse ette!"

"Salmekene, ma olen kindel, et Leemet ja Hiie on ka palju koledaid asju üle elanud ja nad kujutavad päris hästi ette, milliseid nurjatusi inimesed suudavad korda saata," ütles ema. "Ehkki jah, muidugi, see, mida nad meie Mõmmiga tegid, on hirmus. Kujutage ette, selsamal ööl, kui te hiiest ära põgenesite, tulid Ülgas ja Tambet siia. Nad tahtsid teada, kuhu te paadiga sõitsite. Ma kargasin neile kohe ninna ja sõimasin mis jaksasin, ütlesin, et nad on mõrtsukad ja viletsad kirbud ja et nad peavad jalamaid minu onnist lahkuma, sest nii jälke olevusi ma oma majas näha ei soovi. Anna andeks, Hiiekene, et ma su isale niiviisi peale käratasin, aga ta on ikka siga mis siga."

"Pole midagi," vastas Hiie. "Ta on nüüd nagunii surnud."

"Surnud?" imestas ema. "Kuidas ta siis suri? Rääkige mulle, aga oodake natuke, ma jutustan enne oma loo lõpuni. Nojah, ühesõnaga sõimasin neid nagu jaksasin. Nemad olid külmad nagu kalad, ainult seisid ja põrnitsesid – no ma ei tea, kas nad olid kärbseseeni söönud või seda Meeme veini rüübanud või lihtsalt puuga pähe saanud, aga igal juhul nägid nad väga imelikud välja. Sellised süngad ja tigedad."

"Nad ütlesid emale, et ole vait, vanamoor, nagunii leiame nad lõpuks üles ja ohvrdame haldjatele!" pistis Salme vahele.

"Mis sa siis nüüd sellest meenutad, et nad mulle vanamoor ütlesid!" pahandas ema. "Mis sa sellest Leemetile ja Hiiele räägid?"

"No aga nad ju ütlesid!"

"Ütlesid tõesti, lojused sellised! Ma ju pole veel mingi vanamoor! Ma ütlesin neile ka, et sina, Ülgas, näed üldse välja nagu kahel jalal kõndiv laip, sina oled jah õige mees teisi vanaks sõimama. Ja ega sina, Tambet, samuti enam noor pole ja sa ei näe ka hea välja, pea puhta hall! Ah et nüüd on ta üldse surnud? Näed, ja tema tuleb mind vanamooriks hõikama!"

"Ema, see pole tähtis!" sekkus Salme. "Saate aru, siis nad hakkasid ära minema..."

"Oota! Las mina räägin!" õiendas ema. "Ei hakanud nad nii ruttu kuhugi minema, tükk aega seisid veel ja nõudsid, et kuhu te sõitsite ja kuhu te sõitsite! Räägime ikka kõik ära nagu oli! Sina, Salme, mine parem ja vaata, kas kits on juba küps!"

Salme läks solvunult kolde juurde, aga ema pajatas edasi.

"Nojah, kuhu ma nüüd jäin... Jah, seisavad ja pärivad. Mina ütlesin, et kust mina tean, kuhu teie sõitsite. Minule ei rääkinud sa sõnagi sellest, et kavatsete Hiiega kuhugi sõita, mina arvasin, et sa tood Hiie meie juurde ja võtad ta naiseks. Tambet muidugi läks selle jutu peale näost siniseks, aga mina teda ei kartnud. Ütlesin hoopis, et nüüd ma näen, et mu poeg tegi õigesti. Et ta on ikka tark ja tubli mees, sest kui ta oleks Hiie koju toonud, siis oleks ta pidanud siin teiega kemplema ja mis elu see on, kui kogu aeg mõrtsukad ümber maja luuravad ja naist maha tahavad lüüa. Ja veel ütlesin: "Isegi kui ma teaksin, kuhu nad Hiiega sõitsid, teile ma sellest ei iitsatakski! Ja nüüd kasige välja, sest mul tuleb kohe väimees koju ja kui te siis veel mind tülitate, siis ta murrab teid maha.""

"Ja siis tuligi Mõmmi," ohkas Salme, kes parajasti küpsetatud kitse lauale kandis.

"Tuli jah, ja mina ütlesin, et vaat, palun väga, siin ongi minu väimees, tehke nüüd et kaote! Ja kujuta pilti, siis see Tambet tõukas Mõmmit, nii et Mõmmi kukkus istuli koldesse ja põletas oma tagumiku ära. Mõmmi, näita Leemetile ja Hiiele, kust sa häda said!"

"Pole viga, juba on parem," mõmises karu voodist ja keeras end külili, et me võiksime näha tema kõrbenud karvadega taguotsa.

"Kas pole julmad inimesed!" ohkas ema. "Vaene karu! No kuidas võib üks inimene olla nii õel, et lükkab elusa looma otse tulle? Ma oleksin neile hea meelega noa selga löönud, aga polnud aega – Mõmmi kisendas koldes ja tuli välja aidata. Selle ajaga läksid need röövlid minema ja rohkem ma polegi neid näinud. Kas see pole hirmus, mida me kõike oleme pidanud läbi elama? Ma ütlen, metsa on küll vähe inimesi jäänud, aga nendest vähestestki on pooled lollid."

"Mõmmi, kas sa lauda jaksad tulla?" päris Salme oma abikaasalt ja silitas hellalt karu pead.

"Lauda ehk jaksaks," vastas karu kangelaslikult, "aga istujat minust pole. Las see jääb, sööge teie, mina leban niisama."

"Ei ole niisugust juttu!" õiendas ema. "Sa pead sööma, muidu sa ei parane. Me toome sulle liha voodisse ja tõstame laua kah sinu juurde, siis sa ei tunne end üksikuna. Leemet ja Salme, lohistage laud Mõmmi sängi kõrvale, täna sööme seal."

Läks tükk aega, enne kui laua õigesse paika saime, ja siis tuli veel haigele Mõmmile sobiv lihatükk leida ning tema ase sedasi seada, et tal oleks mugav süüa. Alles seejärel saime meie lauda istuda ning ema vaatas mulle imestunult otsa.

"Miks siis teie midagi ei räägi? Me ju ootame! Me tahame teada, kus te olite kõik need päevad ja kuidas te selle vastiku hiietarga käest pääsesite?"

"Ja kuidas su isa surma sai, Hiie?" lisas Salme.

"Sinu vanaisa tappis ta ära," vastas Hiie.

"Minu vanaisa?" kordas Salme. "Mul ei ole vanaisa."

Ma panin lauale ühe pealuupeekri ja nihutasin selle ema ette.

"See on sinu isalt," ütlesin ma. "Ta tervitab sind ja ütles, et tuleb varsti külla."

"Minu isa..." sosistas ema ja vahtis mulle häguste silmadega otsa. "Ta on ju surnud, ta visati merre."

"Oh ei, ta on isegi väga elus," ütles Hiie. "Jalgu tal küll pole, aga ta on endale ehitanud tiivad ja peagi lendab ta nendega meie juurde."

Ema põrnitses pealuust tehtud karikat.

"Ma mäletan, lapsena oli mul selline," pomises ta. "Isa tegi mulle, ma jõin sellest sooja piima. See oli mu kõige armsam tass."

Ta suudles peekrit, surus selle endale vastu põske ja hakkas vaikselt nutma.

"Lapsed, te ei tea, mida see tähendab," sosistas ta läbi nutu. "Leida üles oma isa, ja veel minu eas. Ma arvasin, et ta on ammu surnud... Aga teie ütlete, et ta tuleb tagasi koju. Ma tunnen end jälle nagu väike tüdruk. Ma olingi siis ju päris pisike... Lapsed, see on ime. Ärge pange pahaks, et ma niimoodi nutan, aga ma tõesti... Ma lihtsalt ei saa..."

Ta suudles veel kord oma peekrit ning pisarad tilkusid sinna sisse.

"Kahju, et Vootele seda päeva ei näinud," ütles ta. "Tema oli meie isa üle alati väga uhke. Tema oli ju ka vanem ja mäletas teda paremini. Lapsed, see on kõige imelisem päev minu elus."

"Ema, vanaisa pole ju veel koju tulnud," sõnasin mina. "See on alles tema tehtud peeker, mida sa kallistad. Oota, kuni ta ise kohale jõuab!"

"Ei, ei," nuuksus ema. "See peeker on mulle sama kallis. See tuletab mulle lapsepõlve meelde. Rääkige nüüd ometi, rääkige kõigest! Kuidas te mu isa kohtasite? Kus ta elab?"

Me hakkasime Hiiega teineteise võidu jutustama oma seiklustest. Ema kuulas ja katkestas meid ainult selleks, et vahepeal hüüda: "Sööge ometi ka, te ei söö üldse!" ning kohe seejärel, kui me olime liha hauganud: "Mis edasi sai? Öelge ometi, mis edasi sai!" – nii et me pidime praetüki peaaegu närimata alla kugistama ning edasi rääkima. Salme istus Mõmmi kõrval voodil, silitas oma karu ja tõstis talle ette aina uusi konte, mida Mõmmi aeglaselt, kuid kindlalt puhtaks näris. Tagumik oli tal küll kõrbenud, kuid söögiisu endiselt hea.

Vähehaaval saabus õhtu. Kõik jutud said räägitud. Olime ladunud lauale kõik teisedki pealuukarikad ning ema vaimustusel polnud piire. Ta seadis kolbad ritta ning silitas neid õrnalt.

"Isa on ikka suur meister!" õhkas ta. "Võib-olla õpetab ta sulle, Leemet, ka seda karikavalmistamise kunsti – see oleks küll tore."

"Mis te siis nüüd edasi kavatsete teha?" küsis Salme.

"Me mõtleme abielluda," vastasin mina ja võtsin Hiiel ümbert kinni.

"Seda on nii armas kuulda," naeratas ema. "Loodame, et vanaisa ka teie pulma jõuab."

"Arvan, et me ei hakka teda ära ootama," ütlesin mina. Miski minus ütles, et ehk oleks isegi targem pulmad enne vanaisa saabumist ära pidada, kuna vanaisa teataks loomulikult kohe, et naised võivad oodata, ning viiks mu ära sõtta. Ehkki mul polnud midagi selle vastu, et koos vanaisaga tapelda, soovisin ma enne vähemalt mõned päevad nautida ka rahulikku ning muretut pereelu.

"Me abiellume nii ruttu kui võimalik," teatasin.

Mõmmi oma voodis noogutas.

"Kui minul oleks nii ilus pruut, siis mina teeksin täpselt sedasama," teatas ta ning silmitses Hiiet armunult.

"Kuidas su tagumik elab?" karjus Salme ärritunult ja müksas karu valusasti küünarnukiga.

"Haiget teeb," ohkas karu ning pööras oma merevaigu karva silmad sõnakuulelikult Salme poole.

26.

Magasime meie onnis, kuid järgmisel hommikul tahtis Hiie minna ema vaatama ning mina läksin temaga loomulikult kaasa. Tegelikult oli ju just Mall meie elu päästnud ja me polnud teda veel korralikult tänanudki. Samuti pidime viima talle sõnumi Tambeti surmast. Ema söötis meil kõhud täis ja hoiatas metsas ringi kolavate huntide eest.

"Needsamad loomad, kellel Tambet ja Ülgas kõrvad vaiku täis toppisid," seletas ta. "Nüüd ei kuula nad enam kedagi, jooksevad muudkui ringi, hambad irevil, ja kipuvad hammustama. Sa võid nende peale kui tahes palju sisistada, aga hundiloikam ei tee väljagi, nii et sul ei jää muud üle, kui katsu ainult, kuidas koju peitu saad. Ma ütlen, see oli üks lollimast lollim temp, huntidele vaiku kõrva valada. Varem või hiljem nad veel kellegi ära söövad. Olge hästi ettevaatlikud ja kui sihukest hullu hunti näete, siis ronige puu otsa."

Tõepoolest, vaevalt olime Hiiega metsas veidi maad kõndinud, kui nägimegi hunti. Ta luuras meid võsast ning tema rohelistest silmadest polnud võimalik kuidagi välja lugeda, kas ta vahib meid niisama või kavatseb turja hüpata.

Sisistasin ettevaatuse mõttes kiiresti mõned ussisõnad, mis oleksid pidanud muutma looma taltsaks ning vaguraks, kuid hunt ei teinud teist nägugi, vaid hakkas meile aeglaselt lähemale hiilima. See oli päris kindlasti üks neist ära rikutud ja kurdiks tehtud loomadest, keda Ülgas ning Tambet meile kallale olid ässitanud. Võimalik, et hunt tundis meid ära ja tahtis nüüd täita seda viimast käsku, mis talle veel ajusse oli jõudnud, enne kui tema kõrvad igaveseks kinni müüriti. Ma tõmbasin noa tupest ja valmistusin end kaitsma.

"Võib-olla läheme siiski parem puu otsa, nagu su ema soovitas," pakkus Hiie.

"Kas minu vanaisa läheks mingi hundi eest puu otsa?" küsisin mina.

"Sinu vanaisa kindlasti mitte," ütles Hiie. "Ma arvan, et hoopis hunt oleks see, kes sinu vanaisa nähes katsuks puu otsa ronimisega oma nahka päästa. Aga sina pole ju vanaisa. Kas sa usud, et sa saad hundi tapmisega hakkama?"

"Usun küll," vastasin mina ja kõnelesin tõtt. Ma olin endas tõesti kindel, hoolimata sellest, et ma veel kunagi varem polnud hundiga võidelnud. Aga retk vanaisa saarele oli avanud minus otsekui mingi uue ukse, kust voolas välja enesekindlust ja magusat himu kellegagi võidelda, elavat ihu tükeldada ning oma vaenlaste verd juua. Ma lausa ootasin, et hunt ometi mulle kallale kargaks, ja kui ta seda siis tegi, kiunatasin ma mõnust ja viskusin väledalt pikali. Hunt lendas üle minu ja ma lõikasin tal noaga kõhu lõhki – alates kurgualusest ning lõpetades sabaga. Sisikond pudenes tema seest välja ning ma suutsin hädavaevu ennast kõrvale rullida, et hundi soolikad mind näkku ei tabaks.

"Ilus," hüüdis Hiie ja plaksutas käsi, kuid lisas siis murelikult: "Aga sealt tuleb veel kaks."

Tõepoolest, kaks uut hunti olid lagendikule sörkinud ja hiilisid nüüd verejanulisel ilmel meile lähemale. Hiie sisistas mõned ussisõnad, kuid loomulikult kõlasid need kurtidele või õigemini vaigustele kõrvadele ning hundid ei pööranud peadki. Ma kähisesin neile näkku, nagu seda oli teinud vanaisa, kui ta öösel kuud silmitsedes eesseisvast sõjast unistas, ja seadsin end nende vastuvõtuks valmis.

Kuid ma ei jõudnudki uue huntidega kokku minna. Enne kõlas tuttav sisin ja hundid kargasid ulgudes õhku, et seejärel krampides tõmmeldes maha vajuda ning aeglaselt kärvata. Kaks ussikuningat ilmusid kõrge rohu seest nähtavale ja ma mõistsin, et nad olid hunte kõrri salvanud. Ma tundsin maod kohe ära – need olid Ints ja tema isa, Intsule järgnes terve pesakond väikeseid rästikupoegi.

"Tere, kallis Leemet!" ütles Intsu isa. "Kui tore, et sa tagasi oled!"

"Ma oleksin tahtnud olla tol öösel koos sinuga," lausus Ints. "Ma oleksin kõik need räpased hundid surnuks nõelanud ja Tambeti ning Ülgase samuti, mis sellest, et nad mõistavad ussisõnu. Nad ei ole enam meie vennad. Aga ma tõesti ei saanud oma laste juurest ära tulla. Nüüd on teine asi, nüüd oskavad nad ka ise juba hammustada. Tõesõna, nad tapsid täna päris ise ühe hundi."

"No mitte päris ise, olgem ikka täpsed," vaidles vana ussikuningas vastu. "Sina oled nagu emad ikka, muudkui kiidad oma lapsi. Kõigepealt hammustasin mina seda hunti puusast, nii et ta ei suutnud end enam liigutada, ja siis tegid pisikesed talle lõpu peale. Jaa, tuleb tunnistada, et nad on tõesti tublid."

Väikesed rästikud kuulasid oma vanaisa juttu ning noogutasid uhkelt päid.

"Kuhu te lähete?" küsis Ints. "Vahest tulete koos meiega? Me roomame mööda metsa ja otsime vaiguste kõrvadega hunte, et neile lõpp peale teha. Loom, kes ei mõista enam ussisõnu, peab surema. Nad on liiga ohtlikud ja ettearvamatud. Meie isaga oleme juba kuus elukat vagaseks teinud ja kõik teised rästikud on ka metsas tööl, aga kurte hunte lippab veel suurel hulgal ringi. Lähme koos neid jahtima! Ma pole sind ju nii ammu näinud, Leemet, vana sõber!"

"Praegu ma ei saa, Ints," ütlesin mina. "Teine kord. Me oleme teel Hiie ema juurde. Ints, tead, ma abiellun."

"Vahva," ütles Ints, "et siis sinul algas ka lõpuks jooksuaeg. See on mõnus, ma täitsa ootan järgmist kevadet, et saaks jälle paarituda. Kui kaua sinul see jooksuaeg kestab?"

"Igavesti," ütlesin ma Hiiet kallistades. "Ja terve aasta ühtejärge."

"Oo!" ümises Ints kadedalt. "Mingis mõttes on inimesed meist siiski täiuslikumad."

"Päevad läbi ainult sigimisele mõelda on siiski ehk väheke liig," arvas vana ussikuningas. "Igal juhul soovin ma teile palju õnne! Astuge siis õhtul meie koopast läbi ja rääkige, kus te käisite ja mida nägite."

Me lubasime kindlasti tulla. Ussid roomasid edasi hunte jahtima, meie aga jõudsime peagi Hiie koju. Esimene asi, mis meile silma torkas, oli hundilauda uks, mis kiikus tuule käes. Kui lähemale astusime, võis näha, et hiiglaslik laut, mis oli kunagi mahutanud sadu hunte, seisis nüüd täiesti tühjana. Kõik hundid olid läinud.

"Kas ta toppis tõesti kõikidel huntidel kõrvad vaiku täis?" hüüatas Hiie ehmunult. "Siis on rästikutel küll palju tööd."

"Ei, mitte kõigil," ütles keegi. See oli Hiie ema Mall, kes seisis oma onni uksel ja silmitses meid, silmad niisked. "Neid oli umbes kolmkümmend, kelle kõrvadesse isa vaiku valas. Ülejäänud lasin mina metsa. Ma ei tahtnud neid enam näha, ma ei suutnud elada ühes majas huntidega – pärast seda ööd, mil nad sind taga ajasid, kallis tütar. Sa oled elus! Haldjad hoidsid sind!"

Mall tuli Hiie juurde ja kaelustas oma tütart, armastusega, kuid ikkagi kuidagi kohmakalt. Võis aimata, et ta polnud seda teinud just liiga sageli. Ilmselt tundus ema embus ka Hiiele harjumatuna. Ta küll vastas kallistusele, aga näis olevat segaduses, ja kui Mall temast lahti laskis, tõmbus ta kiiresti eemale.

"Jah," ohkas Mall süüdlaslikult. "Me pole just sageli kallistanud. Sinu isale see ei meeldinud, ta oli väga range. Nii enda kui ka teiste vastu."

"Ema," ütles Hiie. "Isa on surnud."

"Ma tean," vastas Mall meie üllatuseks. "Ma teadsin millegipärast kohe, kui ta siit minema sõudis, et enam ta tagasi ei tule. Siis lasingi ma hundid vabaks. Kas sa arvad, et ma oleksin seda julgenud teha, kui oleksin arvanud, et su isa veel tagasi tuleb? Mitte iialgi! Tema kuulus hundikasvandus," lisas ta kurvalt naeratades. "Sina ei õppinudki kunagi nende piima jooma."

"See oli minu meelest vastik," ütles Hiie, "aga teie sundisite mind, valasite vägisi kurku."

"Nojah," pomises Mall ebalevalt. "Ma olen sinuga liiga kuri olnud, ma tean. Sinu isa tahtis nii, ta soovis, et sinust kasvaks tõeline eestlane."

"Ta tahtis mind hoopis tappa!" hüüdis Hiie.

"Seda tahtis Ülgas," ohkas Mall, kes näis nii pisikeseks ja armetuks puntraks kokku vajuvat, et mul hakkas temast lausa kahju. "Isale oli see väga raske, aga ta oli harjunud ohvreid tooma. Ta teadis, et haldjate soove peab täitma, neile ei saa vastu vaielda. Nemad saavad ikka oma tahtmise."

"Aga me oleme ju siin!" hüüdis Hiie. "Me oleme elus! Meid ei ole haldjatele ohverdatud. Nad pole oma tahtmist saanud."

"Ma uskusin kohe, et nad ei soovi su tapmist," vastas Mall. "Ülgas eksis. Haldjad on head, nad kaitsevad metsa ja selle elanikke, nad ei saa soovida ühe lapse surma. Nad aitasid mind, andsid mulle jõudu, et ma saaksin teile järele ratsutada ning teid paadini juhatada. Lapsed, haldjad päästsid teid!"

Ta noogutas nii ägedalt pead, see pisike, korraga nii vanaks ja tillukeseks jäänud naine, et mul polnud südant talle näkku naerda ja öelda, et mingeid haldjaid pole olemas ning kui ta meid päästis, siis üksnes tänu oma täis roojamata südamele, mida polnud suutnud lõplikult määrida Ülgase muinasjutud. Tema mehe südamest olid need lõputud haldjalood teinud mudatüki, Mall oli siiski veel jäänud inimeseks ja emaks. Ma ei öelnud talle seda. Ta vaatas meile otsa nii lihtsameelse ja samas pühaliku näoga, et mul oli Hiie emast lihtsalt hale. Las ta siis usub oma haldjaid, kui ta teisiti ei saa. Ma kummardasin tema ees, suudlesin kordamööda ta mõlemat kätt ja ütlesin:

"Ema, ma võtan nüüd Hiie endale naiseks."

"Mul on hea meel," vastas Mall arglikult naeratades ja silitas sõrmeotstega mu pead – päris kindlasti ei olnud ta unustanud kõiki neid jutte, mida Tambet minu kohta oli rääkinud, ja küllap tundis ta mu ees ikka veel teatud hirmu. Ma olin ju ikkagi üks väga haldjavaenulik tegelane, juba sellest kuulsast täiujutamisest alates. Üleöö armsaks ei saa, aga ega see mind nii väga ei huvitanudki. Mina abiellusin ikka Hiiega, mitte tema emaga, ja mul oli tegelikult üsna ükskõik, mida Mall minust mõtles.

"Kas ma pean ehk Ülgasega rääkima..." alustas Hiie ema uut lauset, kuid kohmetus samas, sest sai ka ise aru, et ei minu ega Hiie vahekord Ülgasega pole kuigi hea. "Te ilmselt ei taha Ülgast pulma kutsuda?"

"Ei taha," vastasin mina. "Vaevalt temagi tahab tulla meid paari panema. Eile raiusin ma tal maha ühe kõrva ja põse ning lubasin, et kui ta veel mulle ette satub, lendab terve pea."

Mall vaatas mulle ehmunult otsa, neelatas ning pööras siis silmad abiotsivalt Hiiele.

"Kus te siis abiellute, kui mitte pühas hiies?"

"Me abiellume ükskõik kus, ainult mitte seal," vastas Hiie. "Ema, nad tahtsid mind seal tappa! Ma ei lähe enam iialgi sinna ja ainus pulmakink, mida ma Leemetilt palun, on see, et ta selle hiie ülepea maha raiuks ja kõik puud ära põletaks."

"Kallis laps, ära räägi nii!" palus Mall. "Meie esivanemad on seal tuhandeid aastaid käinud ja ohvreid toonud! Iga hiiepuu sees elab haldjas. Kuidas saab neid maha raiuda, need puud on pühad?"

"Ükski puu pole püha!" ütles Hiie. "Hiiepuud kõlbavad sama hästi lõkke tegemiseks ja liha küpsetamiseks kui iga teine palk või oks. Jah, me tähistamegi oma pulmi suure tulega! Me paneme põlema kõik need vanad vastikud hiiepuud, küpsetame põdra ja tantsime lõkke ümber. Leemet, selliseid pulmi ma tahan ja mitte midagi muud!"

"See on väga hea," ütlesin mina. "Ma lähen juba täna hiit maha raiuma ja loodan, et mul õnnestub raiuda maha ka Ülgas."

"Lapsed!" oigas Mall. "Lapsed!"

Ta vahtis meid hirmunult, nagu kardaks meie elu pärast.

"Ema, aitab neist lollustest," ütles Hiie. "Isa on surnud, Ülgas jookseb ehk just praegu verest tühjaks ja meil pole enam tarvis neid mõttetuid puunotte, mis tegelikult mitte midagi ei tähenda. Meid on jäänud siia metsa nii vähe, et me võiksime vähemalt nüüd elada ausalt, ilma vigurite ja valedeta. Ema, kui sina tahad haldjaid uskuda, siis usu, metsas on puid küllalt, mida kummardada ja ehtida, aga mina tahan, et see vastik hiis, kuhu mind nagu jänest tapale veeti, põleks minu pulmas ja pudeneks tuhaks. Ma vihkan neid puid! Saad aru, ema."

"Laps, see jutt on kole!" ütles Mall. Ta värises üle kere. "Sa kutsud õnnetuse välja. Kui haldjad sind kuulevad... Nad kuulevad kindlasti, nad kuulevad kõike!"

"Nad ei kuule," ütlesin mina. "Ema, rahune! Mõne poolmädanenud puu pärast pole mõtet meelt heita. Tähtis on see, et me saame ilusa tule ja toreda pulma, et ma saame süüa hästi pruuniks küpsetatud praadi ja tunneme end mõnusalt."

"Ma kardan teie pärast," vastas Mall. "Ma kardan, et juhtub midagi kohutavat. Püha hiis... Palun, ärge raiuge seda maha!"

"Ma ei kavatse elada ühes metsas selle jõledusega!" teatas Hiie. "Kui Leemet jätab ta raiumata, võtan ma ise kirve, sellesama, millega isa sundis mind lapsena jänestel päid maha kaksama."

"Pole vaja," ütlesin mina. "Ma ju lähen. Rõõmuga."

Võis karta, et püha hiie maharaiumine on raske töö, aga see polnud nii. Tohutud iidsed pärnad olid seest läbini mädad. Need olid vaid lagunenud laibad, millele tuli üksnes auk sisse lüüa ning hiiglane vajus kokku iseenesest. Tüved olid kohati nii pehmed, et kirves takerdus nätskesse ollusesse, nagu oleksin ma raiunud muda. Oli ime, et need puud varem ümber polnud langenud. Pikali kukkudes murdusid nad sadadeks väikesteks tükkideks, lagunesid pehkinud puupuruks, ja igasugused sitikad, kes olid puu sisse oma valgeid mune munenud, sibasid nüüd totralt ringi, saamata aru, miks nende pehme ja püdel kodu korraga lõhki läks.

"Need ongi haldjad," ütlesin ma Hiiele, näidates ähmi täis sajajalgseid ja teisi satikaid, kes ummisjalu rohu sisse jooksid, otsima uusi pesapaiku.

"Nad on puud seest nii tühjaks uuristanud ja pehmeks närinud, et me ei saa siit isegi korralikku lõket. Põder jääb tooreks, kui me teda ainult selle püha hiie peal küpsetame. Me peame tooma lisaks häid kuivi puid. Need pärnad ainult visisevad ja tossavad."

Me kuhjasime selle sodi, mis hiiepuudest alles jäi, ühte suurde kuhja ning otsisime juurde kuivanud oksi, mida metsas piisavalt leidus, mis põlesid hästi ja mis ei olnud põrmugi pühad. Olin lootnud, et hiie maharaiumine toob kohale ka Ülgase, kes püüab oma pesapaika meie eest kaitsta, ning mul avaneb võimalus talle veel kord noaga virutada ja sedapuhku korralikult, nii et kolmandat lööki enam vaja ei lähe. Hiietark aga ei andnud ennast näole, vaid ilmselt põdes kusagil ja tohterdas oma puruks lõigatud põske – või siis lootis, et haldjad selle terveks teevad. Võib-olla isegi käis ta meid kusagilt võsast piilumas ja sahistas nördinult rohus nagu teisedki mardikad, kelle koduks vana hiis oli olnud. Igatahes ei üritanud mitte keegi meid takistada.

Õhtuks olid kõik hiiepuud maha raiutud ja lõkkease valmis. Põtra polnud mõtet enne hommikut tappa, seega võisime nüüd Hiiega puhata. Kavatsesime minna Intsule külla, nagu hommikul lubatud, kui ma korraga nägin Meemet. Ta oli ilmunud niisama vaikselt nagu alati, toetus vastu puud ja rüüpas oma lähkrist. Nähes, et oleme teda märganud, viipas ta laisalt.

"Ütle, kuidas sul alati õnnestub niimoodi ligi hiilida, et keegi ei kuule?" esitasin ma küsimuse. "Sa vedeled kord siin, kord seal, aga ometi pole ma kunagi näinud sind käimas. Miks nõks see on?"

Meeme itsitas.

"Ussisõnad on sul küll suus ja muidu oled kah oma nooruse kohta kole tark, aga kõiki asju sa siiski ei tea ega saagi teada," irvitas ta. "Jah, mõistata aga mõistata, kuidas küll vana Meeme nii vaikselt suudab ühest kohast teise liikuda, et isegi sinu terav kõrv seda ei kuule!"

"Ma ei viitsi mõistatada," ütlesin. "Mul on ükskõik. Muide, ma abiellun homme, oled ka pulma kutsutud."

"Ma juba tulingi," vastas Meeme. "Viimast pulma siin metsas tuleb ikka kaeda. See on, nagu hõõruks keegi enne surma veel oma vanad hambakontsud läikima, justkui see poleks ükskõik, kas põleda matuseriidal pestud või pesemata kihvadega. Kui üldse on enam kedagi, kes selle tuleriida süütab."

Ta kõhistas naerda ja köhis ning sülitas röga endale rinnale. "Jälle viimane!" turtsatasin ma tigedalt. "Viimane pulm metsas! Minu jaoks on see pulm esimene, ainus ja kõige tähtsam, ning Hiie jaoks samuti. Meie ei kavatse veel surra ega tuleriidale pikali visata. Sinul on võib-olla tõesti tervis kehv ja surm silme ees, kui selle lõputu rögistamise järgi otsustada. Kui sina abielluks, siis oleks see tõesti naeruväärne, sinul pole tõepoolest mõtet oma hambakontse särama hõõruda."

"Ahhaa, kui tige!" muigas Meeme habemesse ja rüüpas lähkrist. "Peigmees! Maailma naba!"

"Muide, ma luban sulle, et kui sa ära sured, ehitan ma sulle korraliku tuleriida ja süütan selle oma käega põlema," lisasin ma jutu lõpetuseks.

"Ei, vastupidi!" hüüdis Meeme ja tõstis hoiatavalt oma käpa, mille küüned olid kasvanud hiigelpikaks ja tõmbunud kõveraks otsekui vanad männijuurikad. "Sa pead lubama, et sa ei ehita mulle tuleriita. Ma tahan mädaneda sealsamas, kus ma kärvan. Sa ju näed, et ma olen sellega juba praegu algust teinud, ja sina ära tule vahele oma hea südame ning kaastundega. Põlemine on suurte sõjameeste ja vägevate rahvaste jaoks, minusugused peavad vaikselt pehkima nagu maha langenud tammetõrud."

"Olgu peale, ole siis tammetõru," ütlesin üsna tüdinult. "Mul ükskõik. Mina abiellun homme ning mul on muulegi mõelda kui surmale ja mädanemisele, need on sinu mured. Oleks kena, kui sa homsel peol pidevalt nendest asjadest ei vatraks. Kui sulle meeldib oma peatse elulõpu üle mõtteid mõlgutada, siis tee seda vaikselt ja omaette. Pulmas peab olema lõbus."

"Kas sa veini pakud?" küsis Meeme.

"Vein on raudmeeste jook," vastasin mina. "Metsas pole selle joomine tavaks."

"Poiss, ära aja lolli juttu!" hüüdis Meeme. "Sina tuled mulle tavadest rääkima. Just praegu raiusid sa maha püha hiie – päris ilmaaegu nägid muidugi vaeva, see pask oleks ka ise paari aasta pärast kokku varisenud. Ära tule mängima mingit muistsete aegade prohvetit. Lõpp on käes ja pole mingit põhjust enam suud hea kraami ees kinni pigistada. Mida sa siis oma külalistele pakkuda kavatsesid?"

"Me tahtsime küpsetada põdra," ütles Hiie.

"Pähh! Ma ei räägi söögist – mul on janu, mitte nälg! Teie ise ka – kas te tahate praetükke allikaveega alla loputada nagu loomad? Muretse veini, poiss, see tõstab tuju! Või oli sul kavas kärbseseeni närida? Ma olen mõlemat kraami proovinud ja mitte vähe – usu mind, vein on etem! See on ainus hea asi, mida külast võtta on. Ma ei soovita sul ju metsa leiba tuua, seda sitta näsigu jänesed. Aga veini on nad hästi välja mõelnud. Kuula mind, poiss, ma tean, mida räägin!"

Me vaatasime Hiiega teineteisele otsa. Lõppude lõpuks – miks mitte? Kõik oli nagunii mõne päeva jooksul pahupidi pööratud: ma olin raiunud maha püha hiie ning lõiganud hiietargal pool nägu küljest. Miski polnud enam endine. Mida oleks muutnud veel ühe muistse elu alustala uperkuuti löömine? Tõepoolest, miks ei võinud me juua veini? Mets oli tühi, me ei pidanud arvestama kellegi arvamusega. Me ei kavatsenud elada nagu külainimesed, sirbiga põllul kõrsi lõigates ning kloostrimüüride juures munadeta munkade laulu kuulates, aga meil ei olnud ka plaanis rippuda hammastega iidsete kommete küljes. Me tahtsime Hiiega elada omamoodi, vabalt, täpselt nii nagu meile meeldib, nii nagu on hea.

"Mis maitse sellel veinil on?" küsisin ma Meemelt.

"Proovi!"

Ma võtsin lähkri ja rüüpasin. Vein oli üllatavalt magus ja kõditas meeldivalt kurku. See oli tõesti maitsev, hoopis midagi muud kui leib ja puder. Päris üllatav, et need veidrad võõramaalased suutsid midagi nii head leiutada. Ma võtsin veel ühe lonksu.

"Hakkas mekkima?" irvitas Meeme. "Mis ma ütlesin, see on tõhus kraam."

"Kust seda saab?" pärisin ma veininõud tagasi ulatades.

"Mine suure tee äärde ja passi peale, kui mõni raudmees või munk mööda sõidab, neil on alati lähker ühes," seletas Meeme.

"Siis löö ta maha ning vein on sinu. Kui sul veab, võid saada terve vaadi."

Erutav tapahimu kerkis mul kõhust ja pani meelekohad tuksuma. Ma juba kujutlesin, kuidas rauast pead maanteetolmus veerevad.

"Ma muretsen veini," ütlesin Meemele. "Sellest tuleb siin metsas esimene pulm – pea meeles, Meeme, esimene, mitte viimane –, kus vana hea põdraliha kõrvale rüübatakse meretagust jooki."

"Kui sulle see sõna rohkem meeldib, eks kasuta siis seda," vastas Meeme. "Esimene või viimane, seal pole mingit vahet."

27.

Ööbisime rästikute juures, aga hommikul panime paika töö-jaotuse. Hiie pidi tapma põdra, selle küpsetamise aga usaldasime minu emale. Teisiti polekski see võimalik olnud. Ema oleks sur-mani solvunud. Ta ei lubanud iialgi kellelgi teisel liha praadida ja kui mina või Salme teda abistada püüdsime, luges ta sellest välja üksnes usaldamatust ja hakkas vahel isegi nutma.

"Ah et minu tehtud toit ei kõlba teile!" nuuksus ta.

"Ei, ema, me armastame sinu toitu!" vaidlesime meie.

"Mida te siis siin kolde juures teete? Laske ma küpsetan ise seda jänest."

"Me mõtlesime, et sa oled väsinud," seletasime meie. "Iga päev teed sina süüa, me võime ju ka natuke aidata."

"Ahhaa, selge, teile ikka ei maitse minu toit," hakkas ema uuesti nutma ja me loobusime igasugusest katsest teda söögivalmista-misel abistada. Seega oli loomulik, et ka pulmaprae valmistab ema.

Ütlesime talle, et Hiie hangib põdra, ema noogutas selle peale ja ütles, et tema toob siis kaks kitse ja kümmekond jänest.

"Ei, ema, me mõtlesimegi praadida ainult ühe põdra," sele-tasime meie.

"Nalja teete või?" imestas ema. "Need on ju ikka pulmad! Ühest põdrast ei piisa, tingimata peab olema ka kitse- ja jäneseliha."

"Ema, pole tarvis nii suurelt ette võtta!" katsusin ma teda veenda. "Milleks nii palju, kes seda sööb?"

"Ärgu söögu, aga laud peab olema kaetud rikkalikult," jäi ema endale kindlaks. "Teine asi muidugi, kui teile ei maitse see toit, mida ma teen..."

Tema silm hakkas juba niiskeks tõmbuma.

"Ei, ei!" andsime seda nähes jalamaid alla. "Maitseb väga! Olgu, küpseta siis pealegi lisaks põdrale veel ka kitsi ja jäneseid. Tee täpselt nii, nagu ise tahad!"

Ema oli rahul, kääris käised üles ja asus nülgima ning tükeldama.

Mina läksin veini hankima ja Ints tuli minuga kaasa.

"Tahan end natuke tuulutada," ütles ta. "Lastega kodus istumine roiutab hirmsasti ära."

"Kuhu sa oma lapsed siis jätad?" küsisin mina.

"Lapsed tulevad muidugi ühes," vastas Ints. "Nemad vajavad ju ka meelelahutust. Nad pole veel kunagi ühtegi raudmeest ega munka näinud ja on väga põnevil. Ma just paar päeva tagasi jutustasin neile, kuidas me sinuga selle munga ära tapsime ja kuidas vaskuss tema kõhust sõrmust otsis, lastele tegi see palju nalja. Mäletad veel seda lugu?"

"Miks ma ei mäleta," ütlesin. "Tulge siis pealegi, võib-olla lähebki mul sinu mürgihambaid vaja."

Ma läksime suure maantee äärde, mida mööda ikka munkasid ja raudmehi ratsutas, ja jäime varitsema. Väikesed rästikud ajasid teineteist taga ning mürasid pohlavarte vahel.

Lõpuks ilmuski nähtavale üksik raudrüüd kandev ratsamees.

"Kas see sobib?" küsis Ints.

"Ma ei näe küll, et ta lähkrit kannaks," ütlesin mina, vahtides lähenevat raudmeest mingi isesuguse mõnuga, mida ma olin alles hiljaaegu tundma õppinud. "Aga lööme ta ikkagi maha."

Kui raudmees päris meie juurde oli jõudnud, sisisesin ma pikalt. Hobune mõistis neid sõnu sedamaid ja ajas end hirnudes tagajalgadele. Raudmees pudenes sadulast ja kukkus selili teele.

Järgmisel hetkel olin ma tema juures ja lõin tal vägeva röögatuse saatel noaga pea otsast.

"Niimoodi!" karjusin ma. "Niimoodi tehti Põhja Konna ajal!"

Ma virutasin maharaiutud raudpeale jalaga ning see lendas kolinal võssa.

"Uhke!" kiitis Ints ja tema lapsed susisesid õnnelikult ning tulid surnud raudmees nuuskima. "Kust sa seda õppisid?" "See tuli iseenesest," ütlesin ma. "Vanaisa pärandus." Ma olin ikka veel erutunud ja hingeldasin. Kui mulle sel hetkel oleks öeldud, et ma pean jalamaid pulma tulema ning tee ääres varitsemise lõpetama, oleksin keeldunud. Nüüd mõistsin ma suurepäraselt vanaisa sõnu, et sõja ajal peavad naised ootama. Ma poleks mingi hinna eest nõustunud praegu oma sõda lõpetama. Ma tahtsin veel kord nautida seda tunnet, mis mind valdas, kui vaenlase pea kolisedes mööda teed hüples. Pealegi polnud meil veel veini.

Vedasin surnud raudmehe puude vahele ja viskasin ka ise sinnasamasse pikali, et oodata uut ohvrit.

"Tuleb," ütles veidi aja pärast Ints, kellel oli oluliselt teravam kuulmine kui minul. "Ja see on vanker, mitte ratsanik."

Peagi nägin, et tal oli õigus. Meil vedas lausa uskumatul kombel. Mööda teed astusid kaks härga, kes vedasid enda järel vankrit kahe munga ja kahe suure veinivaadiga.

"See on minu pulmavein, mis seal sõidab," ütlesin Intsule. "Paremini poleks saanudki minna."

Ints keeras end rõngasse.

"Ma arvan, et sa saad ise hakkama," sõnas ta. "Ma ei hakka üldse vahele segama, sa oled nii kärmas. Lapsed, tulge onul jalust ära! Pärast vaatate munkasid, pärast!"

"Aga siis pole neil enam päid otsas," ütles üks väike rästik.

"Mis vahet seal on? Tulge eest ära!"

Kõik läks sama libedalt kui eelminegi kord. Ussisõnu kuuldes ajasid enne nii uimased härjad silmad punni, muutusid korraga üliliikuvaiks ja vedasid vankri otse metsa. Mungad veeresid kisendades koos vaatidega võssa ja mina tegin nendega seda, mida tahtsin.

"Kõik," ütles Ints haigutades. "Lapsed, lähme nüüd koju sööma."

*

Õhtuks olid ettevalmistused tehtud ja pulmapidu võis alata. Hiie-puudest kokku kuhjatud lõke juba lõõmas ning selle kohal küpses tohutul hulgal liha. Veinivaadid seisid sealsamas ning Meeme lebas nende vahel, käes vanaisa valmistatud pealuupeeker. Ta oli juba täiesti purjus, kuid niristas sellest hoolimata endale tünnist üha uut märjukest.

"Proovi ka," ütlesin ma emale ja pakkusin talle veini.

"Ei mina julge seda juua!" ehmus ema. "Mitte kunagi pole sihukest kraami suhu võtnud. Leemet, ära sina ka joo. Ma vaatan, sa oled ikka oma isa moodi, temale ju kah meeldisid need küla-rahva toidud. Mina ei saanud kunagi aru, mida ta neis leidis. Näe, nüüd sina ka!"

"Ema, külarahvas ei joo veini," ütlesin ma. "Neile seda ei anta, nemad on õpetatud pudru ja leivatükiga leppima. Veini joovad raudmehed ja mungad."

"Seda hullem!" arvas ema ja vehkis kätega. "Ei, ei, mina seda ei puutu! Leemet, söö parem jänest, vaata kui ilus läbiküpsenud koib siin on."

"Küll ma söön," vastasin mina, "aga sina proovi veini. Üks tilk!"

"Mis sa kiusad minust!" ohkas ema, pigistas silmad kinni ja rüüpas peekrist väikese piisa. Ta matsutas suud ning krimpsutas nina.

"Nii halb ei ole kui puder, aga hea ta kah ei ole," ütles ta. "Mõtlevad igasuguseid rumalusi välja. Mis siis allikaveel ja hundi-piimal viga on?"

"Las mina maitsen ka!" palus Mõmmi.

Alguses olid ema ja Salme mulle kinnitanud, et haige karu kindlasti pulma tulla ei saa, kuna põlenud taguots teeb hirmsat valu. Salme oli koguni arvanud, et ehk on temalgi targem koju jääda ning tõbist Mõmmit põetada.

"Ta ei saa ju üldse käia, muudkui lebab," rääkis ta kurvalt. "Küll mul on tast kahju! See ilus pruun karv – just selle karva pärast ma temasse armusingi! Nüüd on kõik kõrbenud ja kole."

"Ainult ühest kohast," lohutasin mina. "Ja küll see karv sinna ka tagasi kasvab."

Me läksime Hiiega Mõmmi voodi juurde ja noogutasime talle sõbralikult.

"Kahju, et sa tulla ei saa," ütles Hiie. "Me saadame sulle ka ühe kitse."

"Miks ma tulla ei saa?" üllatus Mõmmi ja ajas end kohe istuli. "Mina tahan ka pulma minna!"

"Sa ju ei saa, kallike, aga sellest pole midagi," lohutas Salme. "Mina jään sinuga koos koju, nii et sul ei hakka igav."

"Ei, Salme, see pole küll hea mõte," ütles Mõmmi otsustavalt ning tuli voodist välja. "Kuidas siis nii, sul vend abiellub, aga sina jääd koju? Tuleb minna ja mina tulen ka."

"Oi, aga sa ei suuda! Sul on valus käia!"

"On muidugi valus," nõustus karu ja tegi paar lonkavat sammu. "Aga kui sina mind toetad, siis ma arvan, et ma saan siiski hakkama."

"Arvad tõesti?"

"Muidugi! Kuule nüüd, Salme, mis mõttega te peaksite mulle pulmast toitu koju tassima, kui ma võin ise kohale tulla ja sealsamas süüa!"

Nii oligi Mõmmi ähkides ja ägades lõkke juurde looberdanud. Nüüd istus ta rahulolevalt ühe puu all ja ajas liha näost sisse.

Ma ulatasin talle peekritäie veini, Mõmmi kulistas selle ühekorraga kurku ja lakkus oma pika roosa keelega nina.

"Mulle maitseb!" kiitis ta. "Ulata üks täis veel."

Kui ta ka teise peekritäie ära oli joonud, luksus ta veidi, pilgutas mulle siis kavalalt silma ja jooksis ülima väledusega Salme selja taha.

"Kuku!" hüüdis ta ja kattis käppadega Salme silmad. "Kes ma olen?"

Äraarvamine polnud eriti raske, sest kõigist pulmalistest olid üksnes Mõmmil karukäpad.

"Mõmmi!" hüüdis Salme. "Miks sa ringi kõnnid? Sa teed oma haavale häda! Ma just tahtsin sulle uue põdrakintsu tuua."

"Ma ei taha praegu rohkem süüa!" teatas Mõmmi uljalt. "Ja mu haaval pole häda midagi, ma lakkusin ta keelega üle. Kas sa siis ei tea, et karu keeles on üheksa rohtu? Oota, musike, ma kohe näitan!"

Ta ajas keele pikalt suust välja ning limpsis Salme nägu. "Mõmmi, mis sa teed!" kihistas Salme. "Teised näevad!" "Sa oled magus kui mesi," kiitis Mõmmi. "Hakkame tantsima!"

"Aga su tagumik, Mõmmi! Alles sa lonkasid!"

"Alles oli hommik, aga nüüd on õhtu! Hommikul luukasin, õhtul lasen kukerpalli, selline karu olen mina!" käratses Mõmmi ja katsus end üle pea veeretada, aga läks kummuli ja lebas siis põrinal naerdes selja peal, neli käppa taeva poole.

"Mõmmi!" palus Salme. "Mis sul ometi hakkas? Mis sa mässad?"

"Tantsime, Salme, tantsime!" nõudis karu, ajas end püsti ning hakkaski vahvasti ringi tammuma, aeg-ajalt kummardusi tehes ning keha väänutades. Ise mõmises ta mingit kummalist karulaulu ja paistis tundvat end ülimõnusalt.

"Ema, vaata, mis Mõmmi teeb!" sosistas Salme. "Nii häbi!"

"Miks häbi?" naeris ema, kes oli hakanud Mõmmi laulu taktis käsi plaksutama. "Just tore ja lõbus! Pulmas peabki nalja saama. Mine tantsi oma mehega!"

"Ei, mina küll ei lähe!" keeldus Salme ja põrnitses oma ringi kakerdavat abikaasat altkulmu.

Ka Hiie ema oli pulmas. Ta hoidis end teistest veidi eemale ja silmitses pelglikult lõõmavaid pärnapuid ning tantsu vihtuvat karu.

"Ema, tule ja söö!" kutsus Hiie.

"Ma ei taha," ütles Mall ja temas oli taas tunda seda ranget naist, kes koos Tambetiga oma last valjult kasvatas. "Hiiepuudega küpsetatud liha minul kurgust alla ei lähe. Ja see võõramaalaste jälk jook on siin hoopis kohatu. Ma olen võib-olla vana ja oma aja ära elanud, aga anna andeks, tütar, see kõik on minule solvav. Minul on põhimõtted."

"Pole mingit vahet, milliste puude peal liha küpsetada, peaasi kui ta saab piisavalt mahlane," ütles Hiie. "Ja kui mingi jook maitseb meile magus, siis pole ju põhjust sellest keelduda. Ema, ma kasvasin kodus, mis oli nii paksult täis põhimõtteid, et mul polnud seal ruumi hingata. Ma vihkan põhimõtteid. Ma tahan ainult seda, et mul oleks hea. Ma tahan olla õnnelik!"

Ta haaras mul kaelast kinni, suudles ja vedas sinna, kus kakerdas Mõmmi.

"Tantsime meie ka!" nõudis Hiie.

Ta lükkas mu endast eemale, ajas käed laiali ning keerutas end lõkketule punases kumas. Just sel hetkel kargas meie keskele suur hunt ning lõi hambad Hiiele kaela.

Ma röögatasin, nagu oleks mind ennast puretud. Kuulsin, kuidas Ints ja teised ussid läbilõikavalt sisisesid. Lõin hunti noaga, kuid erutusest ei suutnud teda tappa, vaid üksnes lõikasin looma turja sisse pika haava. Hunt laskis Hiie lahti ja pöördus valust hullunult minu poole. Just siis tormas Hiie juurde tema ema ja hunt haaras tal lõugadega näost, nii et tema hammaste vahelt purskas verd. Ma virutasin hundile veel kord noaga, aga ta ei kukkunud ometi, üksnes teine pikk haav ilmus ta seljale, moodustades koos esimese sisselõikega punase risti. Siis kostis Mõmmi möirgamist, karu käpp langes ja hundi selgroog murdus vastiku raksakuga.

Kõik see toimus vaid ühe silmapilguga.

Kummardusin otsekohe Hiie kohale. Ta oli meelemärkuseta, tema kael oli katki ning sellest jooksis vulinal verd.

"Ints!" karjusin ma. "Kas sa ei saa midagi teha! Peata veri! Kas pole olemas ühtegi ussisõna, mis seda suudaks?"

"Sellist sõna pole," ütles vaikselt Intsu isa, ussikuningas, kes oli mu kõrvale roomanud. "Voolavat verd ei suuda keegi peatada, niisamuti nagu jõge. Me ei suuda Hiiet päästa. Vaata sammalt, see on verest paks. Suurem osa elust ongi temast juba lahkunud ja see raasuke, mis veel alles, voolab samuti kohe välja. Mul on hirmus kahju, Leemet."

ANDRUS KIVIRÄHK

Ints oli samuti minu juurde vingerdanud, ta surus nina vastu Hiie kahvatut põske. Esimest korda elus nägin ma, kuidas madu nutab.

Hiie kõrval lebas tema ema, keda oli võimalik veel üksnes riiete järgi ära tunda – terve tema nägu oli kadunud hundi hammaste vahele. Ja ometigi oli ta veel elus ja isegi kõneles: "Hiiepuudest lõke," pomises ta. "Ma kartsin, et nii läheb. Õnnetus! Haldjad ei andesta!"

"Ole vait!" karjusin ma enesevalitsemist täiesti kaotades. "Ära inise, lollpea!"

"Haldjad! Haldjad!" kordas see vereklomp, mis oli kunagi olnud inimese nägu. "Nad maksid kätte!"

"Sinu mees on see, kes meile isegi koolnuna kurja teeb!" kisendasin ma. "Tema ajas hundid hulluks! Tema muutis nad kurdiks! Tema pärast ei ole ussisõnadest metsas enam kasu!"

Mall ei kõnelnud enam. Ta oli surnud.

Ma olin nii maruvihane, nii meeleheitel, et lõin tema laipa jalaga. Siis haarasin ma Hiie ümbert kinni ja ulgusin. Ma raputasin teda, nii et katki puretud kael ebaloomulikult ühele küljele vajus ning haav kogu oma sügavuses mulle vastu haigutas. Ma suudlesin Hiiet, kobasin teda, mudisin sellise jõuga, et kui ta oleks veel midagi tundnud, oleks ta kindlasti valust karjatanud. Oh kuidas ma tahtsin, et ta seda teeks! Ma pigistasin teda nii, et murdsin vist Hiiel ribi, aga ei hoolinud sellest. Ma olin täiesti hull ning alles siis, kui Mõmmi kogu oma karujõudu kasutades mu eemale vedas, jätsin ma Hiie laiba rahule.

Jah, ta oli juba laip. Ta oli surnud.

"Kui õudne! Kui õudne!" kordas mu ema, kes oli sealsamas pikali maas otsekui kolmas koolnu ning nuttis ohjeldamatult. "Kui õudne!"

Mul läks süda pahaks. Sõõrmeisse oli taas tunginud vana tuttav mädanemislehk, see ajas iiveldama. Toetusin veinivaadile ning oksendasin pikalt. Seedimata lihatükid segatuna punase veiniga purskusid samblale.

Ma mäletan siiamaani üksikasjalikult, mida ma tegin sel päeval, neil hetkedel pärast Hiie surma. Pärast oksendamist kõndisin ma mitu tiiru ümber alles põleva lõkke. Ma ei mõelnud midagi, ainult astusin, keskendudes hingamisele. Mul oli tunne, et kui ma seda ei tee, unustan ma õhku sisse tõmmata ja lämbun. Mitte keegi ei kõnelnud minuga, mitte keegi ei julgenud mind peatada.

Siis läksin ma ning lõikasin surnud hundil jalad alt ning saba tagant, tehes seda mingi imeliku tuimusega, justkui toimetaks ma mingit igavat, ent vajalikku tööd. Kui jalad ning saba olid ära lõigatud, jätsin ma need sinnapaika, viskasin noa käest ning marssisin metsa.

Ma muudkui läksin ja läksin, hoolimata suunast. Öökullid huikasid, mõned kitsed ja jänesed jooksid üle mu tee. Ma murdsin endale raja läbi kõige tihedama tihniku, tundmata okste ning okaste kraapimist. Mul polnud peas ainsatki mõtet ja mul oli tunne, nagu näeksin ma iseennast kusagilt kõrgelt, puulatvade kohalt – näeksin tillukest inimest, kes pimedas metsas ihuüksi kuhugi rühib.

Siis käis mul korraga peast läbi – Hiie! Ma pöörasin sedamaid ringi, otsekui oleksin alles äsja saanud teate tema surmast, ja kiirustasin tuldud teed tagasi.

Lõke hingitses veel ja kõik pulmalised olid alles. Hiie oli tõstetud oma ema kõrvale ning tema kõrval kükitas täi.

Ta oli liibunud vastu Hiie õlga ja korraks käis mul peast läbi jube mõte, et täi imeb haavast verd.

"Mida ta teeb?" karjusin ma ning sööstsin lähemale, et täid jalahoobiga minema peletada.

"Ta ei tee midagi, ta on surnud," ütles Ints. Ma kükitasin ning puudutasin suurt putukat. Ints rääkis õigust: täi oli juba täiesti kange ning tema peenikesed koivad hoidsid abitult harali.

"Ta tuli kohe, kui sa olid ära läinud," rääkis Ints minu jalgade juurde roomates. "Ta jooksis siia, litsus end vastu Hiiet ja suri."

"Me nägime puu otsast, kuidas hunt teda ründas," ütles nüüd Pirre, keda ma esimesel hetkel polnud märganud. Inimahvid istusid ühe suure puu varjus, nad olid jälle kahel jalal kõndinud ning mudisid nüüd oma krampikiskuvaid varbaid. "Me tulime kohe siia ja täi jooksis meie ees. Ta armastas Hiiet väga. Las ta magab seal, tema kõrval."

"Las ta magab," kordasin mina ja siis läks mul pilt eest.

28.

Ma põdesin mitu kuud. Mul polnud lihtsalt huvi terveks saada, nii hea oli viibida palavikust köetud teadvusetuses, ilma mingite mõteteta, ilma mälestusteta. Uned tulid ja läksid, aga kui neis ka oli midagi kurba või hirmuäratavat, siis ei jäänud see mulle meelde ning hajus kiiresti uute unenägude ees. Mulle meeldis hoida silmi suletuna ja värvilised viirastused, millel polnud nime ega selget kuju, ujusid mu pea sees mingis helendavas hägus ning otsekui hoiatasid mind ärkamast. Isegi siis, kui ma tundsin, kuidas keegi – tõenäoliselt ema – mulle lihaleent suhu tilgutab, ei soovinud ma tagasi tõelisse maailma pöörduda. Mu neel töötas, kuid aju püsis peidus nagu vallatu laps, kes kükitab metsas maani ulatuvate kuuseokste varjus, kuuleb küll, kuidas teda kodu juurest hüütakse, kuid ei tule välja, ei lase end kinni püüda ega tuppa tirida. Seal metsas, kuuseokste all oli parem, ma tundsin ja mõistsin seda, ehkki ise pooleldi teadvusetu; toas oodanuks mind üksnes mure ja ahastus, oma unenägudes olin ma aga vaba ning rõõmus. Ma hõljusin keset olematut ruumi, otsekui lind, kes on sattunud teisele poole pilvi ja nüüd korraga eraldatud kõigest maisest.

See peitusemäng kestis kaua ja ma oleksin hea meelega venitanud oma haiguse igaveseks. Kuid midagi polnud parata, minu keha reetis mu peidukoha, kellegi tugevad käed tirisid mu kuuse alt välja ning ehkki ma silmi endiselt kramplikult kinni hoidsin, otsekui lootes, et see trikk mind nähtamatuks muudab, hakkas maailm oma helide ja värvidega pikkamisi minuni tungima. Aegajalt avastasin ma end lakke põrnitsemas, pead pöörates nägin ema, kes kolde ääres talitas ning midagi pajas keetis. Vahel nägin ma ka Salmet ja tema karu, kes istus laua taga ning näris raginal põdrakonte. Ma üritasin taas minestada, et sellest vaatepildist pääseda, kuid palavik oli taandunud, ta oli minu pealt maha libisenud nagu soe loomanahk ja ilma temata tundsin ma end otsekui alasti, mul oli külm ja paha. Ma pidin päevad läbi kuulama ema ja Salme vestlusi, mis keerlesid peaasjalikult Mõmmi tegemiste ümber, põigates aeg-ajalt ka minu tervise juurde ning ujutades mind üle häiriva kaastundega. Ma püüdsin otsida pääseteed unest, kuid see oli vaid armetu aseaine sellele suurepärasele meelemärkuseta olekule, mis oli mind kaitsnud ja hellitanud mitu kuud. Tavaline uni tundus mulle nüüd liiga lühike; see oli vaid nagu väike veelomp, mille sisse sai parimal juhul pista ainult oma pea, samal ajal kui mina igatsesin mustava veega sügavat järve, kuhu sukelduda ja millesse jäädagi.

Ikka ja jälle saabus hommik; ema hakkas kolistama ning süüa valmistama. Peagi saabusid ka Salme ja Mõmmi ning ma teadsin, et kaugel polnud see hetk, mil nad kõik minu voodi juurde kogunevad, mulle heldinult ning haletsevalt otsa vaatavad ja pärivad: "Noh, kallis Leemet, kuidas sa end tunned?" Ma ei vastanud neile midagi, mitte sellepärast, et ma poleks suutnud, vaid sellepärast, et ma pelgasin seda rõõmujoovastust, mida minu esimesed sõnad pärast pikka haigust neis kindla peale esile kutsuksid. Ma kartsin, et kui nad hakkavad vaimustusest käsi plaksutama ja mind tervenemise puhul õnnitlema, ei pea ma vastu, kargan voodist välja ja hammustan neid – jah, ma uskusin, et oleksin selleks võimeline. Seepärast sulgesin ma üksnes silmad, kui nad jälle mind vaatama kogunesid, jõin sõnakuulelikult kuuma leent ning kuulasin, kuidas nad kurvalt ohkavad. Ma tundsin, kuidas ema mu pead silitab – see ärritas mind, ma oleksin tahtnud, et nad siit onnist üldse ära koliksid ja mu rahule jätaksid. Samas ajas peasilitamine mind ka nutma, see häiris mind veelgi rohkem – just sellepärast igatsesingi ma taga oma pikka tõbe, kus puudusid pisarad, puudus viha, puudus valu, oli vaid vaikus ning ükskõikne unelemine elu ja surma piiril.

Lõpuks sain aru, et mul pole enam jaksu taluda seda pidevat jutuvada, mis mind päevad läbi ümbritses. Sellest pääsemiseks oli vaid üks tee – ma pidin kiiresti jalule tõusma. Siis võisin ma soovi korral siit onnist põgeneda, veeta päeva kusagil metsas, eemal kõigist tüütajaist, ning pöörduda koju tagasi üksnes öösel, kui sedagi. Ma oletasin, et olengi juba piisavalt terve; üksnes hirm rõõmupuhangu ees, mis minu voodist väljumisele pidi järgnema, hoidis mind veel paar päeva tagasi, kuid siis võtsin südame rindu.

Ühel hommikul lükkasin ma kiire liigutusega loomanahad kõrvale, tõusin voodis istuli ja ütlesin emale:

"Ema, kuula mind! Ma olen terve, aga sa ei tohi mulle praegu öelda mitte midagi, mitte ainsatki sõna. Ma panen riidesse, söön ja lähen välja. Ma ei taha kuulda ühtegi hõiset, ma ei taha näha ühtegi pisarat. Ma tahan vaikust. Said sa aru, ema? Ära ütle midagi."

Ema noogutas tummalt ja vahtis mind, silmad pärani. Ta oli katnud suu käega ja tema silmad läikisid nii, et ma mõistsin – oma häält võib ta küll valitseda, kuid pisaraid mitte. See muutis mu kohutavalt närviliseks – ma tahtsin võimalikult kiiresti riidesse saada, et ometi kord kodunt põgeneda. Just nagu kiuste ei läinud riietumine mul kuigi libedalt – ma olin ikkagi veel väga nõrk ja kohmakas – ning mind ajas marru teadmine, et nüüd ema juba kindlasti nutab. Ma ei vaadanud tema poole, haarasin laualt tüki külma kitsepraadi ning tormasin uksest välja.

Päike lõi mu otse uimaseks, ma varjasin käega silmi ning komberdasin sügavamale metsa, puude varju. Ma otsisin üksildast paika, kus mitte keegi kunagi ei käi, et sinna pikali visata ja sedasi päev õhtusse saata. Olin väga rahul, et mul jätkus julgust kodunt jalga lasta – ma tõesti ei talunud enam neid arutlusi selle üle, kas Mõmmil on kõhus ussid või mitte ja kui on, mida nende väljaajamiseks teha. Ma sain muidugi aru, et elu metsas jätkus omasoodu ning kõhuussid olidki mõne inimese või looma jaoks kõige põletavamaks probleemiks, aga mind ajas selline jutt hulluks.

Üksildast paika polnud lihtne leida, igal pool keksis mõni lind või hüppas jänes ja see segas mind. Astusin aina edasi, kuni jõudsin metsaservale. Seal nägin ma külatüdrukuid.

Magdaleenat nende hulgas polnud, tegin ma kohe kindlaks. Tegelikult oleksin ma pidanud ära minema, sest külatüdrukud olid kahtlemata veelgi segavamad kui mõni tihane või jänes ega sobinud sugugi mehele, kes otsib üksindust. Aga ma jäin paigale, viskasin end põõsaste vahele kõhuli ja jälgisin tüdrukuid. Nad olid toonud endaga kaasa mitu lammast ja kavatsesid need nüüd metsaserval asuvale aasale rohtu sööma jätta.

"Ainult et mis siis saab, kui hunt peaks tulema?" küsis üks tüdruk.

"Selle vastu on rohi olemas," vastas teine. "Kas sa siis ei mäleta, mida külavanem Johannes meile õpetas? Tuleb võtta see vöö, mida sa kirikus käies kannad, ja sellega karjamaale ring ümber vedada. Sellisest pühast joonest ei saa hunt üle astuda, sest Jeesus ei lase."

"On sul siis selline vöö?" uuris esimene.

"Muidugi, mina ikka mõtlen ka, enne kui kodunt välja tulen!" ütles teine tüdruk nipsakalt. Ta harutas oma särgi pealt lahti pika kirju paela ning hakkas sellega mööda aasa lammaste ümber nähtamatut ringi vedama. Esimene tüdruk jälgis sõbranna toimetamist lugupidavalt.

"Teinekord võtan ma oma vöö kaasa," lubas ta. "Mõelda vaid, kui lihtne on tegelikult huntidega võidelda! Jeesus suudab ikka kõike."

"Jaa," nõustus teine tüdruk, kes oli kaitsva ringi valmis vedanud ja nüüd vöö jälle piha ümber tagasi sõlmis. "Need on väljamaa tarkused; kui neid tead, siis on palju lihtsam elada."

Nad lippasid muretult minema, olles täiesti kindlad, et lambad on kõigi ohtude eest kaitstud.

Loomulikult oligi üks hunt õige varsti kohal. Kummalisel kombel ei tekitanud tema nägemine minus mingeid tundeid, ehkki see oli esimene hunt, keda ma kohtasin pärast seda õhtut... Mul polnud soovi teda tappa või mingil muul moel tema peale oma viha välja valada. Õieti polnudki minus viha, oli ainult ükskõiksus. Mida võis see hunt veel mulle teha? Mind rünnata? Ma polnud isegi selles kindel, kas ma viitsiksin ennast kaitsta.

Aga hunt ei tulnud minu juurde, teda huvitasid lambad. Loomulikult ei märganudki ta, et tüdruk on mingisuguse vööga lehvitanud, tõenäoliselt ei suutnud see riideriba endast isegi lõhna maha jätta. Hunt kargas ühele lambale turja, murdis looma maha ja vedas puude vahele. Lambad määgisid veidi aega hädiselt, siis sõid rohtu edasi; siis tuli teine hunt ja viis ära järgmise lamba. Ma ei viitsinud neid tapatalguid enam vaadata – polnud kahtlust, et kui tüdrukud varsti tagasi ei tule, teevad hundid puhta töö. Muidugi võis juhtuda ka nii, et kui tüdrukud tagasi tulevad, siis süüakse nemadki ära, koos Jeesuse ja vööga.

See mõte oli mulle korraga väga vastukarva. Ei, seda ma näha ei tahtnud, seda kavatsesin ma takistada! Las hundid õgivad pealegi lambaid, see oli mulle ükskõik, aga veel üks tüdruk nende elajate lõugade vahel – mul hakkas pea kogunevast raevust ringi käima. Seda ma sündida ei luba, ma kaitsen neid külatüdrukuid! Seepärast jäin ma paigale ja nägin pealt, kuidas viimasedki lambad maha murti.

Kulus tükk aega, enne kui tüdrukud tagasi tulid. Nad ei tulnud üksi, koos nendega olid külavanem Johannes ja Magdaleena.

Ma litsusin ennast nii madalaks, kui suutsin. Ma polnud Magdaleenat näinud sellest ajast saadik, kui ma temasse armununa tol õhtul kodu poole lonkisin – see oli juhtunud otsekui mingis teises elus. Pärast seda oli tulnud põgenemine Hiiega ja vanaisa ja kõik muu – aga ka see maailm oli nüüd kadunud, minu küljest maha raiutud otsekui vanaisalt jalad.

Kuhu see vanaisa õieti oli jäänud, ta oli ju lubanud meile kohe järele lennata? Kas midagi on juhtunud, kas ta pole suutnud muretseda viimaseid vajalikke konte?

Samas unustasin ma vanaisa tema kaugel saarel ja mõtlesin Magdaleenale, kes seisis siinsamas, mulle nii lähedal, et kui ma oleksin püsti tõusnud, oleks ta mind kohe näinud. Ta oli veidi täidlasemaks muutunud, kuid endiselt imekaunis, ja ma tundsin oma kohkumuseks, et armastan teda ikka veel.

Ma püüdsin seda tunnet peletada, see tundus mulle alatu ja rõve. Ma olin tulnud metsa üksindust otsima, et vaikuses leinata, eraklikkuses kuhtuda, sulada ühte samblaga nagu Meeme, sest mis elu võis mul olla ilma Hiieta, keda ma nii väga olin armastanud – aga tarvitses mul vaid näha Magdaleenat ja ma ei saanud temalt silmi lahti.

Kõik need tunded, mis olid mind haaranud kloostri juures, kui me munkade laulu kuulasime, see soov teda puudutada, tema läheduses istuda, teda nuusutada, tulid mühinal tagasi, nagu langeb kaela ootamatult alanud paduvihm. Ma olin ühe hetkega jälle läbimärg.

Kas võis olla midagi inetumat! Tundus, nagu oleksin ma voodist põgenenud üksnes sellepärast, et tulla siia metsaservale Magdaleena järele kiimlema.

Kuid – torgatas mulle samas pähe – ei heitnud ju vanaisagi pärast jalgade kaotamist meelt, vaid asus ehitama tiibu. Kui ühtviisi ei saa, tuleb proovida teisiti.

Sedamaid näis too mõttekäik mulle erakordselt vastik. Mind lohutas vaid see, et ma ise sellest aru sain.

Ja ometi tahtsin ma Magdaleenat. Ta meeldis mulle. Ma olin temasse armunud.

Kui vastik see kõik on! Kui hea oli ikkagi hõõguda palavikus, ilma ainsagi mõtteta, ainsagi kahtluseta!

Ja kui hea oli näha taas Magdaleenat!

Sel ajal kui mina võsas iseendaga sõda pidasin, tegelesid tüdrukud ja külavanem lammastega. Või õigemini nende puudumisega. Jäljed murul ei jätnud mingit kahtlust, et lambad on langenud huntide saagiks.

"Ma ju ometi vedasin vööga nende ümber püha ringi!" nuttis üks tüdruk. "See ju pidi aitama!"

"See aitab," kinnitas Johannes, "kuid see aitab üksnes tavalise hundi vastu, kes allub jumala käskudele. Libahundi puhul vööst abi pole, saatan aitab tal selle jäljest üle hüpata."

"Kas siin käis siis libahunt?" hüüdis teine tüdruk ja kiljatas hirmust.

"Teist seletust lammaste kadumisele pole," vastas külavanem. "Kirikuvöö hoiab kõik tavalised metsloomad eemal, seda tarkust tuntakse Saksamaal ning pühas Rooma linnas juba aastasadu. Järelikult pidi siin pahandust tegema libahunt."

"Kas Jeesus tema vastu ei saa?" küsis teine tüdruk nuuksudes.

"Saab ikka!" lohutas teda Johannes. "Ainult et libahundi vastu on vaja palju tõhusamaid relvi kui üks vöö. Ma pean pühade munkadega nõu pidama ja küsima, mida nemad soovitavad ette võtta. Kindlasti on olemas mõni palve või reliikvia, mis selle saatanateenri uppi lööb."

"Ma kardan!" ohkas esimene tüdruk. "Lähme koju!"

"Jah, tulge!" nõustus Johannes. "Kahju lammastest, rohkem meil neid ju külas enam polegi. Aga küll jumal meid jälle järje peale aitab!"

Nad läksid minema ja ma küünitasin end neile järele vaatama, et näha veel Magdaleenat, enne kui ta mu silmist kaob. Kuid Magdaleena ei läinudki külasse. Ta ütles midagi isale, keeras kõrvale ning hakkas astuma hoopis teist teed. Siis aeglustas ta sammu, vaatas ringi, otsekui soovides veenduda, et isa ja teised tüdrukud teda enam ei näe, ning jooksis tagasi metsaserva. Ma arvasin, et ta on midagi kaotanud, kuid kuulsin oma suurimaks üllatuseks, kuidas Magdaleena vaikselt hüüdis:

"Leemet! Oled sa siin? Leemet!"

Ma tõusin püsti ja astusin põõsastest välja.

"Tere," ütlesin ma. "Kas sa nägid mind?"

"Ei, aga ma teadsin, et sa pead kuskil siin läheduses olema," vastas Magdaleena, tuli minu juurde ja pani oma käed mu õlgadele. Ta vaatas mulle otse silma ja naeratas kavalalt. Ma tundsin tema lõhna ja see lõi mu jalust nõrgaks. Tõmbasin Magdaleena oma rinnale ja suudlesin teda.

Magdaleena ei puigelnud vastu; ma tundsin, kuidas ta oma keelega mu huuli lakub.

"Sina murdsid lambad!" sosistas ta.

Ma lükkasin ta jahmunult eemale. "Mis juttu sa ajad?"

"Su huultel pole vere maitset, aga ma tean, et see olid sina," kihistas Magdaleena, nagu valmistaks miski talle suurt lõbu. "Sina ju oskad libahundiks muutuda. Kes siis veel?" "Ma ju ütlesin sulle, et inimene ei saa muutuda hundiks, see on jama," seletasin mina. "Need olid päris tavalised hundid, kes lambad ära sõid. Ma ise nägin."

Oli ilmne, et Magdaleena ei uskunud mind.

"Ma saan aru, et sa ei taha mulle kõigist oma saladustest rääkida," ütles ta. "Ka kirikus on palju säärast, mida ma ei mõista, sest mungad kõnelevad ladina keeles. Vägevad nõidused peavadki olema hästi ära peidetud. Ma ei tahagi enam, et sa õpetaksid mind libahundiks käima, mul pole selleks aega. Aga ma tahan, et sa õpetaksid mu last."

"Sinu last?" kordasin ma jahmunult. "On sul siis laps, Magdaleena?"

"Veel mitte, aga varsti on!" vastas tüdruk. "Kuula, ma jutustan sulle! Mina ei taha salatseda ja pealegi pole see säärane asi, mida varjama peaks. Seda ei saagi varjata, üsna varsti on ju kõigile näha, kuidas minuga lood on. Ma olen nii õnnelik! Tead, see juhtus samal õhtul, kui me sinuga viimast korda nägime. Sina läksid ära metsa ja mina jalutasin tagasi küla poole. Kas mäletad, me olime just enne seda näinud ühte rüütlit, kes nii uhkelt oma täku seljas ratsutas? Kas sa suudad endale ette kujutada, kui ma siis tagasi küla poole sammusin, kohtasin ma teda uuesti! Seekord sõitis ta päris minu juurde, ma kummardasin talle ning tervitasin saksa keeles. Ma ei oska just palju saksa keelt, aga niipalju siiski. Rüütel peatas oma hobuse, vaatas mind ja küsis, mis on minu nimi. Ma suutsin erutusest vaevu vastata, ma polnud ju varem kunagi ühegi rüütliga rääkinud. Ma ütlesin oma nime ja siis võttis rüütel mul lõuast kinni ning vaatas mu nägu. Ta sasis mu juukseid, kompas rindu ning siis – kas sa usud seda? – tõmbas ta mu hobuse selga ja viis otse lossi. Kui uhke seal kõik oli! Puhtast hõbedast joogipeekrid, kallite vaipadega kaetud säng... Ta magas minuga! Leemet, saad aru, võõramaa rüütel magas minuga! Ta tegi mulle lapse!"

Ma vaatasin õnnest õhetavat Magdaleenat nagu nõdrameelset, aga pidin tunnistama, et tema jutustus erutas mind ning ma oleksin hea meelega tahtnud järgida rüütli eeskuju. Mingis mõttes muutus Magdaleena kuidagi hoopis maisemaks – kui võõras raudmees oli tohtinud tema juukseid ning rindu käperdada, miks siis mitte mina? Ainus, mis mind veidi häiris, oli teadmine tüdruku sees peituvast lapsest; see oli, nagu viibiks meie juures nähtamatuna keegi kolmas ning peaks tähelepanelikult Magdaleenat silmas.

"Kas sa elad siis nüüd lossis?" küsisin ma. "Oled selle rüütli armuke?"

"Ei, mis sa nüüd!" turtsatas Magdaleena. "Ta saatis mu loomulikult järgmisel hommikul koju. Miks ta oleks pidanud mu lossi jätma? On ju veel nii palju külatüdrukuid, keda ta võib õnnelikuks teha. Ehkki ma loodan, et ta seda ei tee. Pole küll kuulda olnud, et mõni tüdruk meie külast oleks veel rüütli lossi pääsenud. Mina olen ainus, kelle ta välja valis, mina olen ainus, kellele ta lapse kinkis! Saad aru, Leemet, ma sünnitan jeesuse!"

"Sellest ma küll aru ei saa," vastasin mina. "Kas see teie jeesus pole midagi haldjasarnast? Jumal või kuidas te teda oma külas nimetate."

"Jah, ta on jumal, aga rüütlid on ju jumala sõbrad ja õpilased," ütles Magdaleena. "Minu jaoks on nad sama head kui Jeesus ise. Jumal on neile õpetanud kõiksuguseid tarkusi ning muutnud nad vägevaks ja kauniks. Ta võib ka meid sellisteks muuta, kui me kõiges tema sõna kuulame, aga see võtab aega. Laps, keda ma üsas kannan, tema on juba sündides nende moodi, sest tema isa on ju samuti üks jeesustest! Minu lapses voolab tema veri! Jeesuse veri! Milline vedamine on see mulle, milline au! Temast tuleb rüütel ja ma arvan, et ta hakkab kohe lapsest peale saksa keelt rääkima nagu tema isa. Õnneks õpib ta kindlasti ära ka eesti keele, sest mina olen tema ema – muidu ei oskaks ma ju oma lapsega õieti kõneldagi. See oleks kurb!"

Magdaleena vangutas pead ning rääkis edasi.

"Mu isa on samuti hirmus õnnelik," ütles ta. "Tema jaoks on see kohutavalt tähtis, et meie sugu võimalikult kaugele jõuaks. Tema ise on veel metsas sündinud, mina olen juba külatüdruk, aga minu laps läheb laia maailma ning saab kuulsaks meheks. Võib-olla sõidab ta koguni pühasse Rooma linna ja asub sinna elama. Miks mitte? Tema pole ju enam talupoeg, ta on jeesus ja jeesused valitsevad praegu maailma."

"Palju õnne siis minugi poolt," pomisesin ma. Mulle hakkas tunduma, et mul siiski ei õnnestu Magdaleenaga magada. Milleks talle veel minusugune metslane, kui tema kõhus elas juba ehtne jeesus, tulevane maailmavalitseja? Kahtlemata oli tänapäeval moodsam saada lapsi rüütlilt, mitte mingilt kopitanud ussisõnademehelt. Ma tundsin taas, kuidas mu sisemus kõdu järgi lehkab; see hais oli nii tugev, et näis lausa arusaamatu, miks Magdaleena seda ei tunne.

"Aitäh, Leemet," vastas Magdaleena. "Aga ma tahan sinu käest nüüd midagi paluda. Ma tahan, et sinust saaks minu mees."

See oli nii ootamatu, et ma lihtsalt jõllitasin Magdaleenat. "Miks just mina?" oskasin ma vaid lõpuks pärida.

Magdaleena võttis mul kaela ümbert kinni ja surus end tihedasti mu vastu. See oli meeldiv, kuid ometi ei saanud ma jätta mõtlemata, et kusagil siinsamas, vastu mu kõhtu liibumas, on ka väike jeesus, ja see tekitas minus kerget ebamugavust. Kuid siis libistas Magdaleena oma käe mu vammuse alla ja mina vastasin samaga ning unustasin kõik jeesused maailmas. Minu pärast võis neid olla sama palju kui kihulasi – nii kaua kuni ma sain Magdaleena paljast selga silitada, polnud mul neist sooja ega külma.

"Ma tean, et jumal on vägev," sosistas Magdaleena mulle kõrva. "Aga ma tean ka seda, et vahel jääb ta kuradile alla. Tihtipeale juhtub, et pühad pildid ning ristid ei suuda teda peatada, tänagi polnud ju abi kirikuskäimise vööst – sind see ei peatanud, sa tapsid ikkagi lambad."

Ma ei viitsinud vastu vaielda, mul oli praegu ükskõik, mida Magdaleena rääkis, peaasi et ma sain paitada tema paljast kuuma ihu.

"Külas tuleb selliseid asju tihtipeale ette," jätkas Magdaleena. "Isa on väga tark, ta on õppinud kaugetel maadel palju kasulikke nõidusi, kuid need kõik toetuvad jumala jõule. Kuradi on ta unustanud, kuradit ei tunne ka mungad ega teised võõramaalased. Nad üksnes kardavad teda, sest teavad, et alati pole jumalast tema vastu abi. Sina aga ei karda kuradit, sa tunned teda, sa oskad temaga rääkida. Sa oled näinud haldjaid ning mõistad madude keelt, aga madu ongi peaaegu seesama mis kurat. Minu poeg on jeesus ning tema ees on lahti kogu jumalale kuuluv maailm, aga ma tahan, et sa avaksid talle ka kuradi maailma. Ma tahan, et sa kasvataksid ja õpetaksid teda nagu lihane isa, et sa õpetaksid talle ussisõnu ning libahundiks käimise kunsti – kõike seda, mida sa ise oskad ja tead. Leemet, kas sa täidad mu palve? Sa ei pea meie juures elama, kui sa oma metsast lahkuda ei suuda, aga sa pead meil iga päev külas käima, sest minu pojast peab saama mees, kes mõistab nii jumala kui ka kuradi keelt. Kui sul metsas külm hakkab, siis on minu voodis alati sinu jaoks ruumi."

"Mul ongi juba külm," ütlesin mina.

"Juba?" pomises Magdaleena. "Siin metsas pole mul voodit, kuhu sind sooja kutsuda. See on sinu maailm, libahunt, ja sinu säng. Siin pean mina küsima, kas su voodis ruumi leidub."

"Alati," vastasin ma, ning tõepoolest, meil oli ruumi laialt.

29.

"Kas sa tuled minuga?" küsis Magdaleena pärast, kui me jälle riidesse panime.

"Jah, ma tulen," vastasin mina. Sest miks ei oleks ma pidanud minema? Ma ei tahtnud metsa jääda. Eriti nüüd – pärast seda kui ma olin esimest korda Hiie surma järel voodist tõusnud ning otsekohe läinud ja maganud ilusa külatüdrukuga – tundus mulle täiesti võimatu minna tagasi koju. Ma kujutasin ette, kuidas ema ja Salme mind seal juba ootavad, silmad täis haletsust ja kurbust, ning asuvad mulle teineteise võidu jutustama kõigest, mis on juhtunud pärast seda kohutavat pulmapidu, räägivad mulle Hiie põletusmatusest, tahavad ehk mulle isegi näidata tuleriida jäänuseid, mina aga tulen juba teise naise juurest, kannan endaga kaasas tema lõhna ja tunnen end jätisena. See oleks olnud kohutav, ma ei suutnuks säärast piina taluda. Kui ma mõtlesin ainuüksi ema nutetud silmadele, tema leinavale pilgule, millega ta mind tulevikus kindlasti päevast päeva jälgib, sellele uputavale kaastundele, mis mulle kodunt vastu paiskuma hakkab, kerkis mulle kurku lämmatav klomp. Ma ei tahtnud, et mind haletsetaks, ja külas polnud seda karta. Seal ei tundnud mitte keegi mulle kaasa. Ükski inimene ei aimanud, et ma olen õnnetu mees, kes jäi oma naisest pulmapäeval ilma. See oli võimalus põgeneda omaenda sünge kuulsuse ning leina eest.

Pealegi tahtsin ma endiselt Magdaleenat. Ma mõistsin, et see on labane ja vastik, ma oleksin pidanud jääma truuks Hiie mälestusele, aga kui ma juba nagunii olin käitunud nagu kiimaline karu, siis polnud ju mul enam midagi kaotada. Kolingi siis juba külla, uputan end nende tobedate külameeste keskele, hakkan õgima iiveldama ajavat leiba ning töötama põllul nagu viimane loll – see on mulle paras. See on mu karistus. Ma pole enam Leemet, vaid hoopis keegi teine – nimetu külaelanik; mul on uus elu, uued rõivad ja uus naine. Leemet suri koos Hiiega, külas hakkab elama mingi töllakas mehike, sama jabur kui tema naabridki. Jah, see oli ainus võimalus. Kui ma praegu keelduksin, kärvaksin ma metsas kahetsusest – nii sellepärast, et olin Hiie reetnud, kui ka sellepärast, et loobusin Magdaleena ahvatlevast ilust, mida ta ise nii lahkesti mulle pakkus. Ma ei saanud nagunii elada nii nagu varem, see olnuks võimatu, seega pidin tegema kannapöörde.

Ma kartsin kohutavalt, et veel viimasel hetkel ilmub võsast nähtavale Ints või mu ema või Mõmmi või mõni inimahv ja ütleb midagi, või kui isegi ei ütle, siis näeb mind – aga mina ei tahtnud, et ükski metsast pärit inimene või loom mind enam näeks. Ma tahtsin jäljetult kaduda ja kogu mineviku ühe hoobiga enda küljest maha raiuda, nagu sisalik, kes viskab minema oma saba ja tormab vänderdades edasi kes teab kuhu.

"Lähme," ütlesin Magdaleenale. "Ma armastan sind, ma jään alatiseks sinu juurde. Ma ei lähe enam kunagi tagasi metsa."

"Sa oled nii armas," vastas Magdaleena särava naeratusega. "Ma teadsin, et sa nõusse jääd. Sa hakkad mu last õpetama – eks ole? – ja hoiad teda, nagu oleks ta sinu oma."

"Just," kinnitasin. Ma kavatsesin seda tõepoolest teha. Magdaleena jutud mingitest jumalatest, kuraditest ja jeesustest olid muidugi täiesti arulagedad ning ma ei saanud sellest imelikust jampsist mitte midagi aru, aga ma tahtsin tõesti saada tema lapse isaks. Mulle meenus onu Vootele jutt ussisõnadest ning sellest, et kord jõuab kätte aeg, mil mina pean õpetama välja oma järglase, nii nagu tema oli koolitanud mind. Ainult sel juhul said ussisõnad edasi kesta, üksnes nõnda ei jäänud mina viimaseks meheks siin maailmas, kes mõistab madude keelt. Mul oli vaja last, kellega kõiki oma tarkusi jagada, ning kust mujalt võisin ma sellise lapse leida kui mitte külast. Metsas polnud lapsi ja nüüdseks oli täiesti selge, et neid sinna ka enam kunagi ei sünni. Hiie oli surnud, kogu mets oli suremas – aga ussisõnad elasid veel, kuni elasin mina, ja ma soovisin, et nad elaksid minust vähemalt veidi aegagi kauem.

Mind ei häirinud põrmugi, et Magdaleena lapse isa oli raud-mees, ma ei tundnud mingit armukadedust selle koliseva eluka vastu, kes oli Magdaleena ühe öö jooksul eostanud. Kui mu koolitus korda läheb, võib Magdaleena laps ühel heal päeval oma isa hobuse üheainsa vaikse ussisõna abil lõhkuma ajada ning seejärel vana raudmehe kaela murda. Kui Magdaleena lootused täide lähevad ning tema laps tõesti kodukülast laia maailma rändab, siis võib ta minu ussisõnade abil seal veel nii mõndagi korda saata. Ma ju teadsin omast käest, kui kaitsetud on ussi-sõnu mitte mõistvad inimesed, kui neid õigel viisil rünnata. Ma tahtsin sellest lapsest teha oma pärija, ma tahtsin kinkida talle suurepärase salarelva, mida terves maailmas ainuüksi tema kasutada suudab. See oli ainus mõte, ainus eesmärk, mis minu elul veel olla sai.

Ma lonkisin Magdaleena kannul küla poole ega vaadanud kordagi tagasi. Metsaga oli lõpetatud, ma ei pidanud enam kunagi nägema oma ema ega õde. Ma teadsin, et see kahtlemata kur-vastab neid, aga nad pidid leppima. Õigupoolest oleksin ma asjade õiglase käigu korral pidanud palavikku surema, minu tervene-mine oli mõttetu ning arusaamatu. Ma ei saanud edasi minna sealt, kus ma enne haigust pooleli jäin, isegi mitte sealt, kuhu ma olin jõudnud enne seda ööd, mil ma Hiie tema isa käest päästsin. Kõik oli liialt palju muutunud ja õige teeotsa kätteleid-mine polnud enam võimalik. See oli kadunud ja ainus võimalus oli katkenud rajalt sootuks võssa karata. Seda ma tegingi. Ma nägin enda ees Johannese maja ning hingasin sügavasti sisse, justkui enne sukeldumist.

Johannes tervitas mind oma arust ülima sõbralikkusega.

"Vaene poiss," ütles ta. "Sa näed välja nii kõhn ja kurnatud. Aga sinu näguripäevad on nüüd otsa saanud. Tule tuppa, ma annan sulle leiba. Võid süüa nii palju kui tahad, sest jumal tänatud, leivapalukest meil jätkub."

Vedasin näole teeskleva naeratuse, ise aga mõtlesin: "Nii see algab." Vaevalt jõuad sa jala nende lävepakule toetada, kui nad juba tormavad sind leivaga lämmatama. Aga ma olin oma valiku teinud ja tahtsingi lämbuda. Ma ei tulnud külasse elu nautima ega maiustama, kui jätta kõrvale Magdaleena, ning seda enam oli mul põhjust kõik teised mõnud unustada. Samblaga sarnanev leib oli just sobiv roog – sellest piisas enda elus hoidmiseks ning rohkem ma ei vajanudki.

"Hea meelega võtaks veidi leiba," ütlesin ma Johannesele.

Mulle ulatati värske leivakäär, ma hammustasin seda ning kugistasin läbi närimata palasid endale soolde, otsekui sooviks end võimalikult kiiresti võõra ainega täita, et seeläbi uueks olendiks muutuda. Johannes pani minu ahnuse aga loomulikult meeletu nälja arvele, ta silmitses mind kaastundlikult ja ohkas:

"Kui kohutav elu pidi sul metsas olema. Vaene poiss! Miks ei jäänud sa juba varem meie juurde? Seekord sa ju ometi ei lahku, pealegi on talv tulemas. Sa sureksid metsas külma ja nälja kätte."

Mu silme ette kerkis usside koopa hiiglasuur valge kivi, mida oli nii magus lakkuda, ning see mõnus roidumus, mis sind sedamaid valdab, pikk pehme uni. Ma teadsin, et mina enam rästikute juurde talvituma ei lähe – viimane hädine inimene keset elujõulisi ja edukalt poegivaid madusid. Ma ei soovinud olla vaene sugulane, ma ei kavatsenud etendada harulduse, imekombel meie päevini säilinud isevärki eluka rolli. Kõik oli lõppenud, meie sugu oli välja surnud.

"Jah, enam ma ei lahku," ütlesin Johannesele. "Nüüd jään ma siia."

"Õige otsus," kiitis Johannes. "Peab sulle hakatuseks kuhugi elamise otsima, seniks kuni sa ise endale tare püsti lööd."

"Isa, Leemet jääb meie juurde," ütles Magdaleena. "Temast saab minu mees."

Külavanem Johannesel vajus suu lahti.

"Kallis laps, see on mulle küll uudis..." pomises ta. "Miks just tema? Sulle on ju teisedki silma heitnud, meie oma küla poisid, keda sa juba lapsest saati tunned. Sina oled alati nii turtsakas olnud ja öelnud, et sellistele talupoistele sa küll ei lähe... Aga see siin on ju lausa metsast."

"Just nimelt, isa!" hüüdis Magdaleena. "Miks ma peaksin minema naiseks talumehele, kes ei oska ega tea midagi muud kui seda, mille ta on rüütlite ja munkade tagant üles korjanud? Ma ei soovi endale voodisse õpipoissi, vaid meistrit ennast, ning tema ma saingi – sa ju tead, isa, kelle laps mul kõhus kasvab ning kes temast sirgub!"

"Seda ma tean," ütles Johannes ning silmitses Magdaleena vöökohta nii hardunud pilguga, et mulle meenus jutt selle kohta, kuidas külavanem noore poisina mingisuguse piiskopiga voodit oli jaganud. Vahest lootis vaene mees ka ise rasedaks jääda, mõtlesin ma mürgiselt. Milline pettumus võis talle olla, et isegi mitte tema armastatud jumal ei suuda mehi käima peale aidata ning võõramaalaste lapsi sünnitama panna. Ma ei öelnud midagi, sest nähtavasti pidin ma Johannesega ühe katuse all elama hakkama ja polnud mõistlik temaga kohe esimesel päeval tülli minna.

"Sellest saan ma suurepäraselt aru," ütles Johannes. "Sa oled minu moodi, tütar, ja pürid kõrgele. See on suur asi, et sa tõelist rüütlit tundma said, sellist kogemust pole meie külas ühelgi teisel tüdrukul ja ma olen sinu üle uhke. Aga Leemet? Sa vaata teda! Ta on ju metslane!"

Mind üllatas, et ta ei häbenenud minu kuuldes nõnda rääkida, aga ilmselt pidas vanamees mind sedavõrd nälginuks, et mul jagub tähelepanu üksnes leiva jaoks.

"Isa, mul on selleks omad põhjused, miks ma valisin välja just Leemeti," teatas Magdaleena. "Olgu peale, et sa teda metslaseks nimetad, aga ta on igatahes eriline."

"Eriline on ta muidugi, aga see erilisus pole midagi väärt," väitis Johannes ja silmitses mind ilmse võõristusega. "Ma ei ütle midagi, temast tuleb veel kindlasti tubli talupoeg, kes õpib kündma ja külvama – aga praegu on ta ju eikeegi. Ta on elanud nagu loom. Ta pole isegi mitte ristitud. Magdaleena, see on rumal temp!"

"Isa, mina tean, mida ma teen," ütles nüüd Magdaleena ning ajas end sirgu. "Ära unusta, et ma olen tulevase rüütli ema! Isa, sa oled omal ajal palju reisinud ja palju näinud, aga nüüd oled sa vana ja mina mõistan uut maailma paremini. Mul on vaja just nimelt Leemetit ja mitte kedagi teist. Temast saab mu lapse isa. Ta sobib selleks kõige paremini."

Ta vaatas mulle otsa, kõrgilt ja hindavalt, kuid naeratas siis otsekui vabandavalt.

"Pealegi ma armastan teda," nurrus ta ning istus minu kõrvale pingile ja võttis mul kaelast kinni. "Isa, ära üldse katsugi vaielda. See asi on otsustatud."

"Hea küll," ohkas Johannes. "Las ta siis jääb. Ruumi meil ju on, ega ma sellepärast, lihtsalt... Aga olgu. Nojah, ma pidin nagunii täna veel kloostrisse minema ja pühadelt vendadelt libahundi asjus nõu küsima. Eks ma siis lepin kokku ka ristimise aja. Leemetist peab ju saama ristiinimene ja talle tuleb anda ristiinimese nimi. Ta peab õppima tundma jumalasõna ning issanda poolt inimestele antud käskusid."

"Ei mingit jumalat," ütlesin mina. Tõepoolest, ma olin nõus neelama leiba, lõikuma põllul kõrsi, keerutama käsikivi ja tegema kõiki teisi narrusi, mida külainimesed võõramaalastelt õppinud on, aga jumalast tahtsin ma eemale hoida. Mul oli kõrini kõigist neist haldjatest ja jeesustest ning teistest välja mõeldud olevustest. Nad olid mind tüüdanud metsas ega kadunud kuhugi ka külas, vahetades üksnes nime, kuid jäid ikka sama nähtamatuiks ning mõttetuiks. Sellest tobedusest ei tahtnud ma midagi kuulda, see tuletas mulle meelde Ülgast ja seda, et ma olin suutnud tal maha raiuda ainult pool pead. Ma olin hävitanud püha hiie, et ei peaks enam iialgi jalga sinna tõstma, ning ma ei kavatsenud minna ka kirikusse, mille ainus erinevus hiiest oli see, et Ülgase asemel häälitsesid seal mungad. Võib-olla oli see tõesti moodsam, kuid mina ei näinud siin kuigi suurt vahet.

"Kuidas siis nii – ei mingit jumalat?" ärritus Johannes. "Ma ei saa ju sallida, et minu tares elab ristimata pagan. See on võimatu! Meil on kristlik küla ja me kuulume kristlikku maailma,

oleme selle võrdväärne osa, ehkki veel vaene ning veidi maha
jäänud, aga ka meie pea kohal hoiab oma kätt Püha Isa paavst,
kes elab pühas Rooma linnas. Sa pead laskma ennast ristida ja
võtma vastu õige usu, sa pead käima kirikus ning õppima selgeks
jumala käsud!"
    "Ma ei kavatsegi seda teha," vastasin. "Kuula nüüd! Ma olen
nõus tegema kõiki töid, harima põldu ning valmistama sedasama
leiba, mis ei maitse küll hästi, kuid täidab siiski kõhtu, mis on
käega katsutav ja hamba all tuntav, seega tõeline ning ehtne. Aga
ma ei vaja uusi haldjaid! Ma olen metsas nende väljamõeldiste
pärast niigi palju kannatanud ja mulle aitab."
    "Ma ei räägi ju haldjatest!" hüüdis Johannes. "Haldjad toovad
inimesele loomulikult ainult õnnetust kaela, sest nad on kuradi
teenistuses. Neid tuleb tõesti peljata. Mina räägin jumalast, kes
meid kaitseb!"
    "Külavanem, ma olen elanud metsas terve oma elu ja ma
ütlen sulle – mingeid haldjaid pole olemas!" kostsin mina. "Neid
pole tarvis karta, kartma peab inimesi, kes haldjatesse usuvad.
Sama lugu on sinu jumalaga. See on vaid haldjate uus nimi,
mille on andnud mungad, just nii nagu nad minugi ümber ris-
tiksid. Mis sellest muutub? Mina jään ikka iseendaks, ükskõik,
kuidas mind kutsutakse, ja samamoodi ei saa kunagi olema
haldjaid, hüütagu neid kuidas tahes. Ma ei viitsi seda mängu
kaasa mängida."
    "See pole mäng!" karjus nüüd Johannes ja tõusis püsti. "Sa
pead valima – kas lased end ristida ja saad kristlaseks, nagu kõik
inimesed siin külas, või lähed tagasi metsa? Mina ei luba paganal
meie keskel elada, mitte mingil juhul!"
    "Isa, ole vait!" hüüdis nüüd Magdaleena. "Leemet ei pea
minema kirikusse, kui ta ei taha. Teda pole tarvis ristida. Ma
tahan teda just sellisena, nagu ta on."
    "Ta on ju pagan!" karjus Johannes. "Kõik paganad teenivad
kuradit!"
    "Isa, miks sa arvad, et meil vahel ka kuradi abi tarvis ei lähe?"
küsis Magdaleena. "Kas sa arvad, et jumal on kõikvõimas?

Näed, täna ei päästnud püha vöö meie küla lambaid. Võib-
olla oleks kuradi poole pöördumine sedapuhku kasulikum
olnud?"

"Laps, see, mida sa räägid, on hirmus patt!" ütles Johannes
näost valgeks minnes. "Kurat ei suuda kedagi kaitsta, tema
mõistab vaid purustada ja rünnata. Küll sa näed, ma lähen veel
täna pühade vendade juurde ja nad annavad mulle rohtu, et hävi-
tada see neetud libahunt, kes meie lammastele surma tõi."

Magdaleena vaatas pelglikult minu poole, olles ilmselt mures,
kas munkade rohi äkki tõesti mind, libahunti, maha ei löö. Ma
muigasin talle vastu ja ta näis rahunevat. Kui rumalad nad ikkagi
olid! Magdaleena oli vähemalt kaunis, aga külavanem Johannest
ei vabandanud miski. Mul oli järsku kohutavalt igav. Magdaleena
ja tema isa vaidlesid ikka veel selle üle, mida jumal võib ja kurat
ei suuda – või oli see vastupidi; ma ei suutnud nende lora jäl-
gida. Kuivõrd teistsugused olid olnud minu ja Hiie vestlused!
Mul hakkas endast korraga nii kahju, et nutt kippus peale. Aga
tagasiteed polnud. Siin ma nüüd istusin, keset moodsat lollust,
ja pidin siia jääma elu lõpuni. Igatsesin sel hetkel, et Magdaleena
nüüdsama sünnitaks ja et laps mingi üleloomuliku kiirusega nii
suureks sirguks, et ma saaksin hakata talle õpetama ussisõnu. Ma
teadsin, et seda lootes olen ma sama loll kui külainimesed oma
jumalatega. Üleloomulikke asju pole olemas, kõik käib looduse
poolt seatud korra järgi ja sünnid ning surmad leiavad aset ette-
määratud ajal.

"Noh?" küsisin ma tüdinult. "Kuhu te olete oma jutuga välja
jõudnud? Kas ma võin jääda siia või pean minema tagasi metsa?
Mis sa ütled, Johannes?"

Ma vaatasin külavanema ärritusest punasesse näkku ning
korraks käis mul peast läbi hea mõte – tapaks ta lihtsalt ära ja
lõpetaks kogu selle naeruväärse vaidluse, valmistaks tema kol-
bast peekri ja elaks rahumeeli koos Magdaleenaga, ilma et peaks
taluma tobeda vanamehe vadinat. Aga ma ei olnud tulnud külasse
sõdima – ma olin tulnud, et ennast siia matta, ja seepärast kin-
kisin külavanemale elu. Ma ootasin vastust ja kuulasin, kuidas

Johannes tigedusest hingeldas – kuid ta ei öelnud midagi, hoopis Magdaleena oli see, kes rääkima hakkas.

"Muidugi jääd sa siia," ütles ta rahulikult. "Sa oled minu mees ja minu lapse isa, ja sinust ei pea saama kristlast. Kristlasi on siin külas isegi palju – kui ma oleksin tahtnud leida endale meest nende hulgast, oleks ta mul ammu olemas. Mina tahtsin sind. Kuulsid, isa? Mina tahan Leemetit ja minu laps – kes on rüütli laps ja kelle soontes voolab jeesuste veri, ära seda unusta! – tahab samuti Leemetit."

"Olgu peale," ütles Johannes ja mulle tundus, et kuulen, kuidas ta hambaid krigistab. "Las ta siis jääb. Aga ma ütlen sulle, Magdaleena, ta toob meie majja õnnetuse! Jumal ei andesta, et me anname peavarju paganale, ta karistab meid selle eest. Ei saa teenida kahte isandat! Mina olen kogu oma elu olnud jumala ori ja ta on mind selle eest õnnistanud, nagu ta on õnnistanud kõiki inimesi ja rahvaid, kes teda alandlikult teenivad, ning kinkinud neile võimu ja väe. Magdaleena, mõtle järele enne kui hilja! Ma ei taha ju sellele poisile halba, ma tahan, et ka temal oleks vägev isand, keda ta võiks teenida ja kes talle selle eest tasuks."

"Ma ei teeni kedagi," ütlesin mina. "Ma ei vaja endale isandat, veel vähem hakkan ma teda enda jaoks välja mõtlema."

"Olgu peale, aga tea, et sa oled ainus ja viimane pagan meie külas!" kuulutas Johannes.

Ma ei vastanud. Mida oli mul öelda? Ma olin juba harjunud teadmisega, et ma olen viimane. Igal pool ja alati.

30.

Õhtul kutsus Magdaleena mind kiigele. Ma ei kandnud enam oma vana loomanahkset kuube, selle oli Magdaleena mul seljast koorinud ja andnud asemele mingid isa vanad hilbud. Need polnud halvad, aga ka mitte paremad kui mu endised riided – ja oli päris selge, et sääraste rõivaste valmistamiseks tuli palju vaeva näha, samas kui korralikke loomanahku jäi meil metsas üle igast lõunasöögist.

Kiigeplatsil kohtasin ma kõigepealt oma kunagist sõpra Pärtlit, kes nüüd Peetruse nime kandis, ning tema semusid Jaakopit ja Andreast, kellega ma kunagi kloostri juures kokku trehvasin. Lisaks neile oli seal veel suurel hulgal külapoisse ja külatüdrukuid, kes kiikusid, istusid tule ümber ja ajasid teineteist naljaviluks mööda kiigeplatsi taga.

Oli päris selge, et Magdaleenasse suhtuti siin seltskonnas ülima lugupidamisega. Kui muidu oli tavaline, et poisid tüdrukuid juustest sikutasid ning püüdsid neil seelikusabasid üle pea tõmmata, siis Magdaleena suhtes ei lubanud keegi endale taolist käitumist. Tüdrukud katsusid tema lähedusse hoida, püüdsid iga tema sõna teravdatud tähelepanuga ning esitasid aeg-ajalt arglikke küsimusi. Tundus, et üle kõige kardavad nad Magdaleena ees häbisse jääda ning öelda midagi silmatorkavalt rumalat. Magdaleena kohtles neid omakorda emaliku rangusega ega unustanud kunagi oma sõnade kinnituseks rõhutamast asjaolu, et ta kannab kõhus rüütli last. Iga kord, kui ta seda meenutas, kostis tüdrukute seast imetlevat üminat.

Poisid, vastupidi, hoidusid Magdaleenast aupaklikku kaugusse ja üksnes piidlesid teda silmanurgast, umbes nii nagu väike nirk vahib ahnelt ilvese murtud saaki, limpsab keelt, kuid ei julge siiski

ANDRUS KIVIRÄHK

ligi minna, kuna teab, et see lihatükk pole tema jaoks. Rüütliga magamine oli muutnud Magdaleena nende kõigi jaoks kättesaamatuks ning ma võisin tunda kõrki rahulolu teadmisest, et mina olen ainus, keda säärasel kombel pühitsetud ihu kallale lastakse.

Minu saabumine kiigeplatsile võeti vastu uudishimulike pilkude ning vaikse pominaga, aga kuna Magdaleena mul uhkelt käest kinni hoidis, leidsid kõik tüdrukud üheaegselt, et kui juba rüütliga maganud ülitark Magdaleena on arvanud heaks suhelda metsast pärit mehega, siis peab see olema viimane moeröögatus, ning nad tõttasid üksteise võidu minuga tutvust sobitama. Magdaleena peletas tüdrukud mõne jäise pilgu ning teraval toonil lausutud sõnaga eemale. Kogu oma olemisega andis ta mõista, et metsmees on küll moes, kuid teda võivad omada üksnes väljavalitud naised – need, keda on magatanud võõramaalane.

Ma jätsin tüdrukud ning läksin teretama Pärtlit, kelle nägemine äratas minus ilusaid lapsepõlvemälestusi ning toitis petlikku unistust, et meie elust lahkunud inimesed on siiski kusagil alles, ehkki võib-olla muutunuina ja teise nimega, nii nagu Pärtel-Peetrus. Paraku teadsin ma, et see kehtibki ainult tema puhul ja õigupoolest ei ole mul ka Pärtlist mingit rõõmu.

Pärtel teretas mind üsna ükskõikselt, aga see ei tulenenud mingist erilisest ebasõbralikkusest, vaid sellest, et Andreas oli kusagilt leidnud mõlkis rüütlikiivri. See kolakas käis nüüd käest kätte, seda prooviti pähe ja imetleti ülimas harduses.

"Ma tean, see on hispaania teras," ütles Jaakop, koputas õrnalt sõrmeküünega vastu kiivrit ja naeratas õnnelikult, kui kiiver kergelt vastu kumises. "Ah, milline töö! Nemad seal ikka oskavad!"

"Ei ole see mingi hispaania teras," vaidles vastu keegi paks külamees, võttis kiivri enda kätte ja painutas seda oma kahe jämeda käpa vahel. "See on saksa seppade töö. Selge ju – kes siis saksa seppade tööd ei tunne!"

"Ära vääna seda niimoodi, Nigul!" käratas Andreas. "See on minu oma, mina leidsin selle. Sa lõhud selle ära, kui sa sedasi pigistad."

"Noo!" naeris paks Nigul. "Seda ma tahaksin küll näha, et üks meiesugune talumees paljaste kätega saksa seppade töö suudab pooleks väänata. Saad aru, saksa sepad on selle teinud! Selline kiiver kannatab kui tahes tugevat mõõgahoopi. Ega saksa sepad sitta tööd tee."

"Ikkagi pole tarvis nii kõvasti muljuda," ütles Andreas ja võttis kiivri enda kätte. "On ju ilus, mehed, midagi pole ütelda. Maailma tase! Ah, neil rüütlitel on ikka uhkeid asju."

"Mis seda rääkida," nõustusid kõik kooris. "Hoopis midagi muud kui meie mütsilotud."

"Mis te üldse võrdlete sellist peent kiivrit mingi mütsilotuga!" hüüdis Andreas. "See ju särab ja on tehtud metallist. No meie külas pole küll ühelgi mehel midagi vastu panna. Panen selle pähe ja kõik naised keeravad ise perse ette."

Kõik naersid, ainult Pärtel küsis kahtlevalt:

"Julged sa siis sellisega käia? Aga kui mõni rüütel näeb?"

Kohe jäid kõik vait ja ka Andreas tundus mõtlikuna. Aga ta tegi siiski uljast nägu ja praalis:

"No miks ma siis ei peaks julgema? Muidugi mitte päeval ja suurel teel, aga õhtul, siis kui pimedaks läheb – kes see siis ikka näeb, kui ma kiivri pähe panen ja sellega tädiranda purjetan? Ma lähen lautade tagant, sinna sõnniku sisse ei tule ükski rüütel nuuskima."

"Sinna muidugi ei tule," kiitsid teised takka, hirmus õnnelikud, et nende sõber keerulisest olukorrast väljapääsu leidis, nautides juba ette tema tulevasi vallutusi. "Nad ei taha oma hobuste jalgu sõnnikuga kokku määrida. Kui sa lautade tagant hiilid, siis nad kindlasti ei näe."

Neis polnud kadedust, ilmselt pidasid nad igati õiglaseks, et nii uhke väljamaa kiivri omanik võib karata kõiki küla naisi. Ainus, millest nad unistasid, oli see, et neid kiivreid oleks rohkem. Paks Nigul ütles selle soovi ka välja.

"Oh, leiaksin minagi sellise!" õhkas ta. "Aga ma tean, sellist vedamist tuleb ette üks kord saja aasta jooksul – selline kallis asi pole seen, mis igal pool kasvab. Rüütlid hoiavad oma kiivreid."

"Minu arust on neid lihtne hankida," ütlesin nüüd mina. "Tuleb lihtsalt üks rüütel maha lüüa – ja kiiver on sinu."

Minu sõnadele järgnes kohkunud vaikus. Külamehed vahtisid mind sellise õudusega, nagu oleksin ma soovitanud neil koju minna ja oma ema ära süüa. Viimaks ütles Jaakop: "Mis lolli juttu sa räägid. Kuidas saame meie rüütlit tappa?"

"No miks mitte?" imestasin mina. "Kas te arvate, et nad on surematud? Igavesed nagu kivid?"

"Ei, seda mitte, aga ega siis meie neist jagu saa," ütles Jaakop. "Nad istuvad hobuse seljas ja neil on raudrüü. Neil on mõõk ja piik. Nad on meist palju tugevamad ja võimsamad. Me ei tohi sellise asja peale mõeldagi, et neile kallale kippuda. See on nõdrameelse sonimine."

"Võib-olla sina pole metsas kükitades neid lihtsalt näinud," lisas Andreas põlglikult. "Meie siin külas kohtume rüütlitega iga päev ja teame hästi, mis nad väärt on. Nad on suured isandad. Mäletad, Nigul, alles paar päeva tagasi ei võtnud sa mütsi küllalt kiiresti maha ja rüütel virutas sulle lapiti mõõgaga. Hea, et sa kraavi hüppasid, muidu oleksid hea tou saanud."

"Miks peaks mütsi maha võtma?" küsisin mina.

Talumehed muhelesid.

"Nojah, sa oled ikka tõesti metsast. See on ju vana ja kuulus väljamaa komme! Seal tehakse ikka nii, et kui rüütel mööda teed ratsutab, siis talupoeg võtab mütsi maha. Nii on viisakas. See, kes mütsi maha ei võta, on mats."

"Mina ei ole mats," õiendas paks Nigul. "Ma võtan mütsi alati ära, kui rüütel mööda ratsutab, ja kummardan maani kah. Ma olen korralik inimene, kes teab, kuidas peab peenema rahva hulgas käituma. Tookord ma lihtsalt ei näinud rüütliisandat – neetud päike paistis silma!"

"Jah, ja said õppetunni!"

"Sain jah. Edaspidi olen hoolsam."

"Näed nüüd, kui tobedat juttu sa ajad," ütles Jaakop laitvalt minu poole pöördudes. "Issand jumal, sa tahad rüütlit tappa! Mille eest? Kas selle eest, et ta meie maale nii ilusaid kiivreid toob? Me ei näeks muidu mitte kunagi kõiki neid laia maailma imeasju, kui rüütlid ja mungad meie eest ei hoolitseks. Elaksime pimedas nagu mutid!"

Ma ei viitsinud nendega vaielda. Ma ei hakanud rääkima, et olen tapnud mitmeid rüütleid ja visanud nende kiivrid metsa nagu tarbetu kola. Võinuksin meestele isegi täpse koha kätte juhatada, kus need kiivrid ja raudrüüd kõduneva laiba ümber siiamaani roostetavad, kui hundid ja rebased pole raipeid närides neid mujale vedanud. Aga ma ei soovinud neid aidata ning pealegi tahtsin ma end säästa vaatepildist, kuidas õhtuhämaruses väljub igast majast veidrat peakatet kandev tegelane ja sumpab läbi sõnniku tüdrukuid kabistama.

Ma jätsin mehed kiivrit imetlema ja kõndisin naiste poolele. Kuulsin juba kaugelt Magdaleena häält, mis seletas: "Jah, ta tunneb kuradit." Päris kindlasti pidi see minu kohta käima. Tüdrukud ahhetasid ja vahtisid mind hirmust ümmarguste silmadega, kuid kui ma nende keskele maha istusin, nihkusid eemale üksnes mõned, ilmselt kõige aremad. Teised aga, vastupidi, libistasid end tasakesi lähemale ja piilusid mind ahne uudishimuga, otsekui lootes, et ma jalamaid midagi kohutavat korda saadan.

Mina aga üksnes istusin ja närisin rohukõrt. Panin tähele, et veel nii mõnigi tüdruk endale maast samasuguse kõrrekese murdis ja suhu pani, küllap nad oletasid, et seegi on mõni haldjatemp ja nõidus. Lõpuks julges üks pisike linalakk mind ka kõnetada, ta köhis esmalt natuke aega, et tähelepanu pälvida, ja piiksus siis:

"Mul oleks üks küsimus! Palun ütle, kas see on tõsi, et kui anda kuradile kolm tilka verd, siis saab sinust nõid ja sa võid taevas lennata."

Mõnele eriti kombekale tüdrukule tundus juba ainuüksi see küsimus nii kole, et nad kohkunult püsti tõusid ja kiikuma läksid, eelistades süütut meelelahutust niivõrd ohtlikele teemadele. Julgemad aga jäid paigale ning ootasid hinge kinni pidadas mu vastust. Minu arust olid nad hirmus lapsikud. Metsas suutsid ehk vaid kolmeaastased põngerjad midagi samasugust välja mõelda. Ütlesin tüdrukutele, et mina pole kunagi ühtegi inimest lendamas näinud. Oma vanaisast ja tema inimluudest tehtud tiibadest ma neile rääkima ei hakanud, see oleks tekitanud liiga palju uusi küsimusi ja ma tundsin, et mul pole tahtmist oma perekonnalugu neile lollikestele tutvustama hakata.

"Siis olen ma veel kuulnud, et kui tappa ussikuningas ja süüa ära tema kroon, siis õpib inimene mõistma lindude keelt," jätkas linalakk. "See on ju küll tõsi – Magdaleena rääkis meile, et sina oskad loomadega kõnelda."

"Mingit lindude keelt pole olemas," vastasin mina. "Ma oskan ussisõnu. Nende selgeks õppimiseks pole tarvis kedagi tappa, ammugi mitte ussikuningat. Tema krooni söömine ei aita, ussisõnu tuleb õppida. See võtab kaua aega, aga kui need viimaks selged on, siis on tõesti võimalik loomadele üht-teist selgeks teha. Ja lindudele samuti. Aga rääkida nendega ei saa, sest vaid väga vähesed loomad oskavad sulle vastata. Nad mõistavad ja kuulavad sõna, aga ise ei räägi."

"Mingit väge see ussikuninga krooni ärasöömine ometi annab," ei olnud linalakk minu vastusega rahul. "Ega siis ilmaasjata sellist juttu aeta. Siin peab ikka oma tõetera olema."

"Pole siin mingit tera," ütlesin mina. "Lihtsalt lollus. Inimesed, kes pole ühtegi ussikuningat kunagi näinudki, ajavad tobedat plära."

"Kas sina oled ussikuningat näinud?" küsis Magdaleena, aimates ilmselt vastust ette ja soovides oma sõbrannadele muljet avaldada.

"Olen küll," kostsin ma napilt. See oli jälle üks teema, millel ma pikemalt peatuda ei soovinud, liiga selgelt kerkisid silme ette Ints, tema isa ja kõik teised rästikud. Nad olid mu parimad sõbrad, aga nüüd istusin ma inimeste keskel, kes tahtsid neid tappa ja õgida üksnes sellepärast, et õppida selgeks olematu lindude keel – keegi loll oli sellise jutu välja mõelnud. Kuhu ma olin sattunud?

"Ma ei soovita kellelgi minna ussikuningat torkima!" ütlesin ma vihaselt. "Enne kui te käe tema krooni järele sirutate, jõuab ta teid kümme korda surnuks nõelata. Nagu ma juba ütlesin, poleks teil selle krooniga midagi peale hakata. Te võiksite neid kas või tünnitäie ära süüa, lindude keel ei saa teile kriipsu võrragi selgemaks. Niisugused nagu te olete, niisugusteks te ka jääte. Sööge leiba, mitte ussikuningaid, ja leppige oma mageda eluga."

Ma tõusin püsti ja jalutasin eemale, südames tülgastus ja valu. Ma olin tahtnud end siia matta, kogu oma senise elu unustada – kuid kas see võis õnnestuda? Nõmedus lausa pritsis mulle näkku ja tuletas pidevalt meelde õnnelikke hetki metsas. Kaua ma suudan seda taluda? Ma olin liiga teistsugune kui need külainimesed ega võinud iialgi nendesarnaseks saada. Ma olin põgenenud külasse leina eest, praegu olin ma aga väga lähedal sellele, et põgeneda lolluse eest – ainult et kuhu?

Keegi paitas mu pead – see oli Magdaleena. Ta oli mulle järele tulnud ja suudles nüüd mu kukalt.

"Ära hooli neist!" sosistas ta mulle kõrva. "Ma tean, et nad on rumalad. Sellepärast ei tahtnudki ma endale talupojast meest. Nad ei tea midagi ei metsast, kust nad on tulnud, kuid mille nad on unustanud, ega laiast maailmast, kuhu nad pole jõudnud ega jõuagi. Neil poleks minu pojale midagi õpetada ega kinkida. Sina oled teine asi, sina tunned vana maailma ja kõiki tema saladusi. Ma tean, et need on seda väärt, et neid mitte unustada. Sina õpetad mu pojale selgeks ussisõnad, tema rüütlist isa on juba kinkinud talle oma vere – ja mina lisan sellele emaarmastuse ning kasvatan temast suure mehe. Leemet, unusta need lollpead seal lõkke ääres! Ma nägin su näost, et sa tahaksid hea meelega jälle ära metsa joosta, aga sa ei tohi seda teha. Me peame koos sinuga üles kasvatama mu poja, kes õpib võrdselt tundma nii uut kui ka vana maailma. Siis on olemas vähemalt üks selline mees ja mitte ainult säärased, kes ei tunne õieti kumbagi."

"Miks sa nii kindel oled, et sünnib just poeg?" küsisin mina.

"Aga kuidas siis?" vastas Magdaleena imestunult. "Tema isaks on ju rüütel. Rüütlid ei saa tütreid."

Ma silitasin ta pehmet põske ja suudlesin õrnalt kõrvalesta. Ise aga mõtlesin: "Oh, ta on täpselt niisama rumal kui need teised. Aga olgu, ma jään. Kuhu mul ikka minna."

Me jäime kiigeplatsile, kuid istusime Magdaleenaga teistest eemal ja meil oli hea olla. Külainimesed kiikusid suure hooga, kõikudes edasi-tagasi maa ja taeva vahel, ning huilgasid täiest kõrist. Niimoodi paistsid nad isegi üsna meeldivatena, sest nende nägusid polnud ööhämaruses võimalik eristada. Lõkkevalguse kumas oli näha vaid ühte suurt lõbusalt häälitsevat pundart.

Niisiis, ma jäin külasse. Käisin koos teiste külaelanikega põllul rukist lõikamas, aitasin seda peksta, tuulata ning jahvatada. Minus tekitas lausa aukartust see tohutu vaev, mida inimesed olid nõus välja kannatama selleks, et jäljendada võõramaalaste kombeid ning mugida leiba, mis minu meelest maitses ikka veel nagu puukoor.

Vahetevahel ma siiski lubasin endale ka tõelist toitu ja püüdsin nurmelt ussisõnade abil jänese, viisin koju ja küpsetasin ära. Sõin jänest koos Magdaleena ja Johannesega, kes polnud ikka veel leppinud sellega, et tema majas elab ristimata pagan, ning põrnitses mind altkulmu, meenutades neil hetkedel kadunud Tambetit. Jänest ta siiski sõi, suutmata looma hõrgule lihale vastu panna.

Kui ta ahnelt jänese konte järas, püüdsin sundida vanameest tunnistama, et hoopis targem oleks leib sohu uputada ning maiustada iga päev võrratu loomapraega. Johannes vaidles mulle aga vastu, endal lõug rasvast läikimas, ja seletas, et just leib on inimese peatoidus, kuna nii on määranud jumal ning igal pool arenenud maailmas on inimestel kombeks palehigis oma igapäevast leiba välja teenida. Pealegi olevat leivasöömine hoopis peenem, kuna liha õgivad ka loomad, samal ajal kui rukist lõigata ning vilja-terasid käsikivis jahvatada ei mõista ükski elajas. See oli muidugi tõsi – ükski hunt ega karu poleks nii napakate asjade peale aega raisanud, ja kui Johannes uhkelt kuulutas, et just rukkileiva söö-mine eristab meid neljajalgsetest, siis ütlesin ma talle, et kena on, järgmine kord, kui ma jälle jänese koju toon, imegu tema nurgas oma varbaid või söögu leiba, aga liha ta enam ei saa. Seepeale põrnitses Johannes mind tigedalt ja katsus kondi seest kiiresti üdi kätte saada, otsekui kartes, et ma oma ähvarduse kohe teoks teen.

Külarahvas sõi liha harva, sest nad jahtisid loomi kummaliste püünistega, kuhu läks üksnes haige või erakordselt rumal loom, ning vibudega, mis enamasti märki ei tabanud. Minu edukust jäneste püüdmisel pandi väga imeks, aga keegi ei soovinud aru saada, et mind aitavad tavalised ja igapäevased ussisõnad, vaid kõik pandi ikka mingi salapärase nõiduse arvele. Magdaleena tundis minu üle suurt uhkust, ta käis mööda küla ringi ja jutustas, mida ma kõike korda saata suudan, liialdas kohutavalt ning kujutas mind mingisuguse hiietargana, kes suudab nõiasõnade abil pilvi liigutada ja äikest välja kutsuda. Seletasin talle, et ma pole hiietark, aga kui ma ka oleks, siis ei oskaks ma ikkagi pilvi laiali ajada, sest selline asi pole lihtsalt võimalik. Ütlesin, et hiietark on tavaline petis, kes oma pühade pärnade all vigurit teeb – samasugune suli nagu need mungad, kes Johannesele ja külarahvale igasuguseid lollusi õpetasid. Ma lisasin, et olen ühe hiietarga juba peaaegu pooleks raiunud ning kui mulle veel mõni sihuke tegelane ette satuks, siis raiuksin veel. Magdaleena naeratas – talle meeldis mu metsikus. Külas ringi liikudes nimetas ta mind aga endiselt hiietargaks, kuna see sõna, mille õiget tähendust enam ükski külaelanik ei teadnud, äratas neis mingeid imelikke ähmaseid mälestusi ürgsetest aegadest ja tõi judinad seljale – nii Magdaleena mulle ütles. Mind kurvastas väga, et kõige selle hea ja ilusa asemel, mis kunagi olemas oli, kleepus inimeste mällu just hiietarga kuju; miks ei võinuks nad mäletada hoopis ussisõnu ja Põhja Konna? Aga ei, üksnes hiietark oli neil meeles!

Kõige krooniks küsis paks Nigul minu käest ühel päeval põllul, kas see on tõsi, et ma olen oma hiies kuradi meeleheaks ka noori neitsisid ohverdanud. Ma lõin talle vastu nägu, nii et tal ninast verd purskas – liiga valusalt oli ta mulle meenutanud Hiiet ning neid päevi, mil ma olin veel õnnelik.

Tõepoolest, hoolimata sellest, et mulle kuulus Magdaleena, ei tundnud ma end külas õnnelikuna. Meie ööd olid kaunid, kuid päevad rusuvad. Ehkki ma hoidsin külarahvast võimalikult eemale, polnud mul võimalik neid täielikult vältida. Ikka tolgendas mõni mul jalus ning pani oma arutu lobaga mu sapi keema.

Ainus, mis mind külas peale Magdaleena huvitas, oli tema laps. Ma ootasin kannatamatult tema sündi. Mul oli tõepoolest tunne, nagu hakkaksin ma isaks saama, ehkki too titt, keda Magdaleena kandis, polnud minu sigitatud. Aga temast pidi saama minu õpilane ja see oli sama tähtis.

Tuli talv ja Magdaleena kõht kasvas nii suureks, otsekui peidaks end tema särgi all karupoeg. Kui ta mööda küla ringi liikus, saatsid teda imetlevad pilgud; paljud naised tulid lähemale ja panid kõrva vastu ümarat kõhtu, otsekui loodaksid kuulda sealt seest saksa keelt ning raudrüü kolinat. Paistis tõesti, nagu arvaks külarahvas, et raudmehe poeg ratsutab ema kõhust välja hobuse seljas, valge sulg kiivri küljes lehvimas. Inimeste ebausul polnud piire, ka Magdaleena ise oli surmkindel, et tal sünnib poeg, kuna mina, vastupidi, ootasin just kiusu pärast tütart, et näidata Magdaleenale, kui arulage ja ekslik on tema usk. Samas, südame põhjas, lootsin minagi poissi, sest mulle tundus, et teda oleks kergem õpetada; ma nägin silme ees iseennast onu Vootelena ning Magdaleena poega iseendana. Ma igatsesin seda last, ainsat inimest külas, kes on veel rikkumata ja puhas, kes ei tea midagi võõramaalaste hullutavast lobast ega külarahva tobedatest kommetest. Temast pidi saama inimene, kellega ma saan rääkida ussikeeles, minu õpilane, minu sõber, minu laps.

Kevadel ta sündis – ja muidugi oli ta poiss. Magdaleena rumal ebausk oli juhuse tõttu kinnitust saanud. See ei häirinud mind. Ma kummardusin imiku kohale ning paitasin õrnalt ta nägu. Laps tegi lahti oma suu ja ajas välja imetillukese keele ning ma nägin oma suureks rõõmuks, et see keel on liikuv ja väle, just selline, mida on vaja ussisõnade lausumiseks.

Ma sisistasin talle paar sõna. Laps vaatas mind suurte silmadega, tema ilme oli tõsine ja tähelepanelik.

31.

Loomulikult ei saanud ma sedamaid ussisõnade õpetamisega algust teha. Olin lapse sündi nii läbematult oodanud, et polnud mõelnudki selle peale, kui kaua tegelikult kulub aega, enne kui poiss on võimeline õppimist alustama. Ma pidin kannatama veel mitu aastat! Ainus, mida ma kohe teha sain, oli seletada Magdaleenale, et lapse keelt ei tohi leiva ja pudru abil tuimaks muuta. Esialgu pidi ta muidugi toituma rinnapiimast, kuid hiljem tahtsin ma poisi söögi eest ise hoolt kanda. Magdaleena nõustus minuga.

Lapsel polnud veel nime. Magdaleena tahtis teda muidugi ristida Jeesuseks, aga Johannes väitis, et selleks ei anna mungad luba, kuna Jeesuse-nimelisi tohib maailmas olla vaid üks. Lõpuks ristiti laps Toomaseks, ka see pidi olema rüütli pojale sobiv kristlik nimi. Mina muidugi kirikusse kaasa ei läinud, sest minu meelest saab inimene nime hetkel, kui teda sellega esimest korda kutsutakse, ja mingit pikka narrimängu pole tarvis. Kuna ristimine Magdaleenale ja tema isale nii tähtis oli, ei öelnud ma aga midagi. Kahju see lapsele ei teinud ja sel ajal kui kõik kodunt ära olid, sain ma teha väikese mõnusa uinaku.

Kui värske Toomas koju toodi, proovisin ma tema nime ussikeeles sisistada ja see kõlas päris hästi. Poiss naeratas mu häält kuuldes ning kui ma tema nägu paitasin, pööras ta pead ning hakkas mu sõrme lutsima, pidades seda ekslikult rinnanibuks.

"Ta tahab süüa," ütlesin ma Magdaleenale.

Magdaleena tuli ja tõstis Toomase enda juurde.

"Rüütel Toomas peab saama kõik, mida ta soovib!" sosistas ta lapsele kõrva ning pani poisi oma rinnale. Mind üllatas sageli viis, kuidas Magdaleena imikuga suhtles – see polnud tavaline emalik õrnus, vaid midagi hoopis enamat, tema hääletoonist kostis alandlikkust ning ülimat andumust. Olin kindel, et kui poiss suuremaks kasvab, ei suuda Magdaleena teda iialgi keelata või lüüa, tema jaoks oli pisike Toomas tõesti kõrgem olend. Muide, sedasama suhtumist võis märgata kõigi külaelanike hulgas. Kui nad meie juures imikut vaatamas käisid, ei julgenud nad ukselävest kaugemale astuda, vaid kõõritasid sealtsamast kätki poole, kus väike poiss magas, ning kui too järsku ärkas ja koogama kukkus, tõmbusid kõik kössi ja kuulasid lapse lalinat aupaklikult. Külainimesed tundsid otsekui piinlikkust, et nad tite vadinat ei mõista – ilmselt kujutasid nad endale ette, nagu kõneleks rüütli poeg nendega saksa keeles. Panin tähele, et isegi Magdaleena kuulatas oma poja häälitsusi pingsa huviga ja kui ta arvas tabavat lalina seast midagi saksa keelt meenutavat, siis naeratas ta vaimustunult.

Kõige naeruväärsem oli aga minu meelest Johannese käitumine. Tal oli kombeks vahetevahel lapse sängi kõrvale istuda ning kui väike Toomas omaette lobisema hakkas, kuulas ta lapse seosetuid kilkeid hirmtõsise näoga, noogutas ja ütles aeg-ajalt: "Ahhaa!" Ma ei saanudki aru, kas ta lihtsalt püüdis meile jätta muljet, et tema, pühas Roomas käinud ja piiskopiga aset jaganud mees, mõistab väikese rüütlisigidiku lalinat, või oli külavanem tõesti vanast peast ogaraks läinud. Ta ei seletanud oma teguviisi kunagi – kui laps vait jäi, vangutas Johannes alati pead, nagu oleks ta saanud ülitähtsaid uudiseid, läks oma nurka ja istus seal tunde, otsekui millegi üle juureldes.

See aupaklikkus ja lugupidamine, mida inimesed rüütliverd tite vastu ilmutasid, oli niivõrd tobe, et mina, vastupidi, käitusin lapsega võimalikult vabalt; kõditasin teda lõua alt, hüpitasin kätel ja puhusin talle vastu kõhtu, nii et ta laginal naeris ning rõõmsalt oma jalgu ning käsi siputas. Kui ma temaga sel kombel mürasin, seisis Magdaleena alati kuidagi kohmetult kõrval, ta justkui ei jõudnud otsusele, kas säärane käitumine rüütli pojaga mitte liiga ülemeelik pole, kuid ei keelanud mind siiski kunagi. Ma märkasin, et pärast meie hullamist väikest Toomast enda juurde võttes katsus ta olla eriti õrn ja hoolitsev, otsekui üritaks välja vabandada minu ulakat käitumist nii kõrgest soost isikuga. Nad olid tõesti veidrad, need külainimesed.

Peagi ei jäänudki mul enam palju aega väikese Toomasega mängimiseks, sest saabus kevad ja tuli alustada kurnavate ning minu silmis täiesti kasutute põllutöödega. Ma ei nurisenud, vaid tegin, mida kästi, sest ma olin elus üle elanud palju raskemaid hetki kui tühipaljas kündmine, ja kui külainimesed soovisid, võisin ma ju neid kõrte kasvatamisel aidata. Hoopis rohkem kui kündmine väsitas mind mu kaaslaste jutt.

Nende eriliseks lemmikteemaks oli viimasel ajal hobusesitt. Külameestel endil oli hobuseid vähe, üksnes mõned vanad ja kondised olevused pulstunud lakaga. Künti härgadega. See-eest kappasid ju kõikjal ringi raudmehed, nad ei valinud teed, vaid traavisid soovi korral ka üle põllu. Sageli juhtus, et keset kündmist avastas mõni külameestest hobuse sitajunni, andis oma leiust valju hõikamisega märku – ning hetke pärast olid kõik kündjad ninapidi pabula ümber koos.

Nad kõik pidasid end hobuse sita suhtes suurteks asjatundjateks.

"No see on puhastverd araablase junn!" kinnitas Jaakop. "Araablase junni tunnen ma alati ära, see on niisugune otsast kõver ja parajalt mure."

"Mm..." mõmises paks Nigul kahtlevalt, surus oma nina peaaegu sita sisse ja nuuskis ägedalt. "Lõhna järgi peaks see küll olema hoopis hispaania ratsu."

"Hispaania ratsu ei tee selliseid pabulaid!" vaidles Andreas. "Uskuge mind, mul on üks tuttav tallipoiss, kes vahel toob mulle mõne rüütlihärra hobuse junni. Te ju teate, et ma kogun neid. Tulge minu juurde, ma näitan teile hispaania ratsu sitta. Väike sarnasus siin muidugi on võhiku silma jaoks, aga mina sain kohe aru, et see hobune on hoopis Inglismaalt pärit. Pange tähele neid vahelduvaid pruune toone."

Nigul leppis Andrease seletusega, vabandades end sellega, et tal on nohu ja nina kinni, aga Jaakop ei andnud nii kergesti alla.

"Lollus!" õiendas ta vihaselt "See on araablane! Ma ju ometi tunnen rüütlite hobuseid, väikesest peale olen nende pabulaid uurinud!"

"Proovi maitse järgi, kui ei usu," ütles Andreas. "See on inglise hobune ja minu hinnangul mära."

Ta torkas näpu sita sisse, pistis suhu ja noogutas rahulolevalt pead.

"Täpselt nii," kinnitas ta. "Tõeline inglane. Kaunitar!"

Jaakop mekkis ka junni, oli natuke aega vait ja lausus siis mornilt:

"Sul on vist õigus, araablase sitt on natuke soolasem. On jah, kuramuse inglise mära."

"Mis ma ütlesin!" naeris Andreas. "Mehed, mina juba tunnen hobuseid ja nende junne! Kuradi ilus sitt! Oleks meil sellised hobused, kes sihukesi pabulaid mõistavad lasta!"

"No kust me peaks neid võtma?" sekkus nüüd ka Pärtel vestlusse. "Need maksavad roppu raha ja neid saab ainult välismaalt."

"Ma tean, et ainult välismaalt," ütles Andreas. "Pange tähele, mehed, mina toon endale ükskord sealt mere tagant ühe hobuse ära! Kogun raha ja toon. Siis lähete kadedusest roheliseks."

"Ei usu," lõi Pärtel käega. "Nii palju raha ei saa meiesugune kunagi kokku. Ja kes meid sinna mere tahagi laseb."

"Küll sa näed, mina lähen!" jonnis Andreas, aga oli näha, et ta isegi oma sõnu eriti ei usu. Mehed jagasid inglise mära pabula omavahel ära, rääkides et "teinekord ilus vaadata" ja "asi seegi, kui hobust ennast pole". Siis mindi tagasi kündma.

Sellised jutuajamised leidsid aset iga nädal, sest raudmehi oli palju ja nad ratsutasid laialt ringi. Algul oli meeste kirglik huvi hobusesita vastu mulle nalja teinud, aga edaspidi ajas vaid haigutama. Ma kündsin tasakesi edasi, kui korraga nägin, et üks külatüdruk hirmsa valuga üle põllu minu poole lidub.

"Appi, appi!" karjus ta. "Uss nõelas! Uss nõelas Katariinat!"

Katariina oli seesama linalakk, kes minu käest kiigemäel ussikuninga krooni kohta oli pärinud. Ma mõistin hästi, mida minult oodatakse – kõik ju teadsid, et olin kunagi Magdaleena jala terveks ravinud. See polnud tõesti raske, ma pidin välja kutsuma vaid tüdrukut hammustanud ussi – aga just seda ma teha ei tahtnudki. Ma kartsin kohtuda mõne rästikuga, kes mind tunneb ja mäletab. Mida ta võib mulle öelda? Mida ta võib minu käest küsida? Mis pilguga ta vaatab mind, Leemetit, kes on korduvalt koos rästikutega talvitanud, olnud üks nende seast, kuid kannab nüüd külariideid ja haiseb jahupudru järele? Ma vaatasin, kuidas tüdruk mulle aina lähemale jõuab ning oleksin kõige parema meelega ise teises suunas minema jooksnud.

Loomulikult ei teinud ma seda. Hammustus võis olla tõsine ja ma ei saanud lasta sellel rumalal linalakal Katariinal surra.

"Kus ta on?" küsisin tüdrukult, kes nüüd kohale oli jõudnud ja kohutavalt lõõtsutas. "Vii mind tema juurde, ruttu!"

"Äh, äh!" ähkis tüdruk. "Ma jooksin nii kiiresti, et ei jaksa enam püsti ka seista!"

Ta kukkuski põllule pikali ja lehvitas endale seelikuga tuult. "Noh!" nõudsin mina. "Sul oli hirmus rutt, aga nüüd kavatsed vist magama heita."

"Äh, äh, hing on päris väljas," ägas tüdruk ja suutis lõpuks vähemalt nii palju end kokku võtta, et seletas mulle ära, kuskohas Katariina nõelata sai.

Jätsin totaka sõnumitooja põllule hingeldama ja ruttasin ise minema. Katariina polnud kaugel, päris ime, et nii lühikese maa jooksmine lolli sel kombel ära väsitas. Aga eks ta oli muidugi lihav ja lühikeste jalgadega.

Katariina istus kivi otsas, näost valge ja sellise moega, et kohe minestab. Mind nähes ei suutnud ta isegi rääkida, osutas vaid jalale, millel oli näha kaks suurt verist hambajälge, ja niuksus nagu mingi väike loomapoeg.

Ma sisisesin kiiresti sobivad sõnad ja järgmisel hetkel roomas põõsast välja ei keegi muu kui Ints.

"Sina!" pomisesin ma jahmunult. Ma olin küll olnud valmis kohtuma mõne tuttava rästikuga, kuid Intsu nägemine oli ootamatu. Hambajäljed Katariina säärel viitasid mõnele väiksele ussile – Ints oli ju ussikuningas ning kui ussikuningas kedagi salvas, siis ainult kõrri, pärast seda pole enam võimalik kedagi ravida.

"Seesama madu oli jah!" kukkus Katariina korraga kiljuma. "Seesama jube loom!"

"Ole vait!" käratasin ma üle õla tüdrukule, silmitsedes kohmetult Intsu. Ma tundsin hirmsat häbi oma külamehe rõivaste pärast, aga Ints ei paistnud neist erilist numbrit tegevat, ta keris end rõngasse nagu ikka ja lausus:

"Tere, Leemet! Tore sind jälle näha. Ma just sellepärast suskasingi plikale ära, et sind kohale meelitada, muidu sa ju ennast näole ei anna. Tead, ma imen alguses tüdrukul mürgi välja, siis saame kahekesi rahulikult juttu ajada, ilma et see plika siin vinguks."

"Ole nii hea," vastasin mina ja Ints roomas Katariina juurde ning puhastas kiiresti haava.

"Enam pole valus?" küsisin ma tüdrukult.

"Ei ole," ütles Katariina ja vahtis lummatult Intsu pead, kus kasvas uhke kroon. "See ongi siis ussikuningas!"

"Jah, aga tema krooni sa ei saa," kostsin mina. "Mine nüüd koju."

"Aga sina?" küsis Katariina.

"Mis mina? Minu tegemised ei puutu sinusse. Lase jalga!"

Katariina eemaldus aeglaselt. Me ootasime, kuni ta puude taha kadus, siis siugles Ints mu põlvede juurde ja pani oma pea mu sülle.

"Me pole nii kaua kokku saanud," ütles ta. "Kuidas sa oled elanud, vana sõber?"

"Pole viga," vastasin ebamääraselt. Elu külas polnud asi, millest ma oleksin tahtnud või osanud Intsule rääkida. Pärisin vastu: "Kuidas mu emal läheb?"

"Temal läheb kenasti," ütles Ints. "Ta elab praegu meie juures. Talvel tuli ja jäigi. Ütles, et pole harjunud üksinda elama. Võiksid teda vaatama tulla, ta ootab sind väga."

Ma noogutasin, aga Ints ei lasknud mul midagi öelda, vaid rääkis edasi. Ta jutustas Salmest ja Mõmmist ning sellest, kuidas mu õde oli õmmelnud karule sünnipäevaks püksid, mis käivad jalas nii paljude pannalde ja haakidega, et Mõmmi ei suuda neid ise jalast ära võtta ja Salme võib nüüd kindel olla, et karu talle omapäi jäädes truudust ei murra. Ints rääkis, et Pirre ja Rääk on talve jooksul väga vanaks jäänud ja nende karv on nüüd üleni hall, nii et kui nad oma puu otsas konutavad, näevad nad välja nagu kaks suurt ämblikuvõrku, ja et tema pojad on juba suured ning elavad oma elu ning et neil on uus ja imeilus nahk. Kui ta seda kõike mulle jutustas, taipasin korraga, kui hirmsasti ma tunnen puudust metsast ja kui väga ma igatsen ema. Intsu nägemine lõi mul pea selgeks. Kogu see maailm, mida ma olin enda jaoks igaveseks ajaks kadunuks pidanud, siugles ning vookles Intsu saledas isikus taas minu ümber ja ma tundsin end järsku nagu tagasi vette kukkunud kala.

Ühtäkki ei suutnud ma üldse mõista põhjusi, mis sundisid mind metsast lahkuma ja külasse kolima. Mille nimel olen ma siin sitsinud terve talve, palju pikki kuid, keset tüütuid ja rumalaid külainimesi, samal ajal kui metsas ootab mind mu oma lihane ema, ootab õde, ootab sõber Ints? Hea küll, Magdaleena pojast, väikesest Toomasest saab minu õpilane, aga see ei tähenda, et ma pean kogu oma ülejäänud elu külas veetma, et ma ei võiks külastada ema ja sõpru. Ma püüdsin meenutada tundeid, mis olid sundinud mind ummisjalu metsast põgenema, ega suutnud neid enam mõista. Ma ei kartnud enam kaastunnet, minu jaoks poleks olnud hirmus ka see, kui Ints või ema oleksid hakanud rääkima Hiiest – vastupidi, praegu ma peaaegu et isegi soovisin seda. Olin tükk aega elanud otsekui paistes silmadega ja arvanud, et see niimoodi jääbki, nüüd korraga paistetus taandus ning ma nägin jälle kõike just nii nagu enne.

"Ints, ma tulen veel täna oma ema vaatama," ütlesin ma. "See on suurepärane, et sa mind üles otsisid. Muidu oleksin ma kes teab kui kauaks siia kopitama jäänud."

"Jah, ma arvasin ise ka, et sind tuleb lihtsalt siit välja tõmmata," vastas Ints. "Nüüd võid tagasi metsa tulla ja selle küla unustada."

"Ei, mitte päris," ütlesin mina ja kõnelesin Intsule Magdaleena pojast, kellele ma pean õpetama selgeks ussisõnad, et maailmas oleks vähemalt üks inimene, kes neid pärast minu surma mõistaks. Ints kuulas ja ohkas.

"Ikka loodad," ütles ta. "Leemet, vanapoiss, ära solvu, aga minu arust on inimesed omadega läbi. See on kurb ja kole, aga midagi pole parata. Sina ja su perekond on erandid ja kui sa selle poisi välja õpetad, siis on tema ka erand, aga ülejäänud inimesed on nagu mingid tihased, kes endal ise tiivad maha on hammustanud ja nüüd mööda maad ringi keksivad nagu kollased sulgedega hiired."

"Just sellepärast," ütlesin mina. "Vähemalt üks neist tihastest peab õppima ka lendama, et ka tulevikus teataks – tihane on lind, mitte kollane hiir. Vähemalt üks!"

"Nojaa, aga mingi külalaps..." alustas Ints põlglikult, kuid ma katkestasin teda.

"Ints, ma mõistan, et see laps oleks pidanud tegelikult olema minu ja Hiie poeg," laususin ma. "Aga seda last pole sündinud ega sünnigi."

"Jah, ma tean," lausus Ints vaikselt. "Ma mõtlesin, et sa ei taha Hiiest kõnelda."

"Sel pole enam tähtsust," vastasin mina. "Nagu sa ütlesid – sa tõmbasid mu juba välja. Lähme nüüd metsa, ma tahan kangesti ema näha."

Ema oli vanemaks jäänud, aga muidu ikka endine. Ta sõna otseses mõttes kukkus mulle kaela, kui ma usside koopasse sisse pugesin, pigistas nagu jaksas ja laskis siis lahti, vaatas korra kuidagi ehmunult otsa, hüüdis "Oi!" ja jooksis minema.

"Ema, mis juhtus?" hõikasin talle järele. "Kuhu sa lähed?"

Ma isegi järgnesin talle, kuid ema oli kadunud. Ta oli koopast välja tormanud ning puude vahelt teda üles leida polnud võimalik.

Läksin tagasi koopasse, et rästikutega juttu ajada, Intsu lapsed üle lugeda ning kiita, kui pikaks nad on kasvanud, ja mõne aja pärast ilmus ka ema välja.

"Ema, kus sa käisid?" küsisin ma ja märkasin siis, et ema põsk on verine ja rõivad siit-sealt katki. "Mis juhtus?" hüüdsin ma kohkunult.

"Ei midagi, ei midagi!" raputas ema pead. "Kõik on korras."

"Kuidas korras, sul on ju põsk katki! Kas keegi tuli sulle kallale?"

"Oh, pole ta midagi katki, niisama väike kriim," vaidles ema ja katsus verd käisega ära pühkida. "Mitte keegi ei tulnud mulle kallale – kes see peaks tulema, see on ju minu kodumets! Ma lihtsalt kukkusin."

"Kuhu sa kukkusid?" imestasin mina.

"Puu otsast alla. Jalg libises oksa peal, näe, vägisi hakkan vanaks jääma," rääkis ema otsekui vabandavalt. "Vanasti ronisin ma nagu orav, mitte üks puu polnud minu jaoks liiga kõrge."

"Ema, aga miks sa ometi puu otsa pidid ronima?" küsisin mina. "Ma ei saa aru, ma pole sind nii kaua näinud ja siis kui ma tulen, ronid sina puu otsa."

"Ma tahtsin sulle öökullimune tuua," vastas ema ja võttis taskust välja kaks suurt ja ilusat muna. "Need olid ju su lemmikud, kui sa laps olid, ja kõik see aeg, mis sa ära olid, mõtlesin ma kogu aeg, et kui mu kallis poiss jälle koju tuleb, siis pakun ma talle öökullimune, nii nagu vanasti, siis kui ta veel väike oli. Nüüd sa tulidki ja minul polnud ühtegi öökullimuna! Ma nii ehmatasin ja jooksingi kohe neid tooma – siinsamas lähedal on üks öökullipesa –, aga näe, suure ähmiga koperdasin ja sadasin puu otsast alla. Õnn, et mul veel munad taskus polnud, muidu oleksid ju needki katki läinud. Nüüd ronisin uuesti üles ja sain munad ikkagi kätte. Ole hea, poja, need on sulle."

Ma võtsin ema käest öökullimunad ja lihtsalt hoidsin neid natuke aega, oskamata isegi tänada. Ema nühkis ikka oma põske – haav oli sügav ning verd muudkui immitses.

"Näed nüüd, poeg tuleb üle hulga aja külla, aga mina, loll, jooksen verd!" pomises ta peaaegu vihaselt. "Küll ma olen saamatu! Anna andeks, Leemet, ma tean küll, kui kole see on, kui ma niimoodi katkise põsega..."

"Ema, mida sa rääaid!" hüüdsin mina. "Mina pean sinult andeks paluma, et ma nii kaua ennast näole pole andnud. Saad aru..."

"Ma saan aru!" pistis ema vahele. "Leemet, ma saan kõigest aru. Sa mu vaene laps..."

Ta istus mu kõrvale, võttis mul ümbert kinni, nuuksatas ja küsis:

"Aga miks sa öökullimune ei söö? Kas sulle ei maitse enam öökullimunad? Kas külatoidud on paremad?"

"Ema, mis sa nüüd!" ütlesin mina. "Kuidas sa üldse võid niimoodi küsida? Miski ei saa öökullimuna vastu!"

"Aga joo nad siis tühjaks!" palus ema. "Praegu on nad kõige paremad."

Ma koksasin munale augu sisse ja imesin rebu endale suhu. Ema silmitses mind nukra rahuloluga.

"Vähemalt öökullimune saan ma sulle ikka veel pakkuda, kallis laps," ütles ta. "Kui ka kõik muu hukka läheb, siis oma ema juures saad sa kõhu täis süüa."

Ta tõmbas veel kord käisega üle verise põse ja tõusis otsustavalt.

"Joo teine muna ka ära ja siis tule sööma," ütles ta. "Küpsepõder ootab sind, kullake."

32.

On tõeliselt naljakas, missuguse kangekaelsusega minu elus kõik kiiva on kiskunud. See meenutab mulle lindu, kes ehitab endale kõrgele okstesse pesa, kuid samal hetkel, kui ta hauduma istub, variseb puu ümber. Lind lendab teisele puule, proovib veel kord, muneb uued munad, haub neid, aga samal päeval, kui tibud kooruvad, tõuseb torm ja seegi puu raksatab pooleks.

Kui ma praegu oma elu tagasi kerin ja ei teaks, et kõik need sündmused on päriselt aset leidnud, siis ütleksin ma, et see pole võimalik. Tavaliselt ju nii ei ole. Selles just asi ongi – ma ei elanud tavalist elu. Või õigemini, ma küll elasin, püüdsin elada – kuid maailm ise minu ümber muutus. Piltlikult öeldes: seal, kus varem oli kuiv maa, lainetas nüüd meri ja mina polnud veel jõudnud endale lõpuseid kasvatada, mina ahmisin ikka õhku oma vanade kopsudega, mis uues maailmas enam millekski ei kõlvanud, ning sellepärast oli mul pidevalt õhust puudus. Ma püüdsin pealetungiva vee eest pääseda ja endale kaldaliiva sisse pesa uuristada, kuid iga järgmine merelaine nurjas mu pingutused, kuni polnud enam ei pesa ega kallastki. Mida ma sain sinna parata? Ega lindki, kellel haudumine puude murdumise tõttu alati äpardub, ise selles süüdi ole. Tema toimib, nagu kõik linnud tuhandeid aastaid on toiminud, ja pesitsuspuudekski valib ta needsamad tammed, mille ladvas tema esivanemad alati on oma poegi välja haudunud. Kust peab tema teadma, et nende puude aeg on otsa saanud, et nad on seest mädad ja iga vähegi tugevam tuuleiil võib need kunagi nii võimsad hiiglased pooleks kaksata nagu kuivanud rao?

Tol päeval madude koopas olles näis mulle tõesti, et olen jälle kord leidnud kuiva maalapikese, kuhu üleujutus ei ulatu. Ema säras rõõmust, ta muudkui tõstis mulle ette ja mina nautisin põdra hõrku liha, mida ma nii ammu polnud saanud maitsta, kusjuures see polnud mitte niisama tavaline põdrapraad, vaid ema küpsetatud – ning midagi maitsvamat ei osanud ma soovidagi. Ints ja teised rästikud olid minu kõrval, me lobisesime tühjast-tähjast ning üle poole aasta kuulsin ma ennast jälle naermas.

"Ema, kas sa jäädki nüüd siia Intsu juurde elama?" pärisin ma.

"Oh ei, nüüd, kui sa tagasi oled, lähen ma muidugi oma koju," vastas ema. "Üksinda oli seal lihtsalt nii kurb, aga sinuga koos on teine asi. Sa ju hakkad jälle metsas elama?"

Ma mõtlesin hetke. Külasse tagasikolimine tundus tõesti vastik. Kogu sealne elu näis siin ussiurus istudes nii jabur ja võõras. Praegu oli mul juba raske mõista, mis küll ajas mind igal hommikul põllule – kasvatama vilja, mida ma ei hinnanud; tegema töid, mis olid mulle vastumeelsed. Selline ebaloomulik elu pidi iseenesestki mõista lõppema.

Aga Magdaleenast ja väikesest Toomasest ma loobuda ei kavatsenud. Eriti Toomasest. Kuid ka Magdaleenast. Ta meeldis mulle endiselt. Ma uskusin, et Magdaleena andestab mulle, kui ma edaspidi tal üksnes külas käin – vahel päeval, et väikese Toomasega tegelda; vahel öösel, et veeta aega Magdaleenaga. Lõppude lõpuks uskus ta ju, et ma olen libahunt ja hiietark ja mis kõik veel. Mul oli tarvis metsas asju ajada, ta pidi seda mõistma. Ta oli kutsunud mind endaga selleks, et ma õpetaksin tema pojale iidseid tarkusi, mitte selleks, et ma põllul härja taga käiks. Selle tööga said külainimesed ise hakkama.

"Jah, ema, ma hakkan kodus elama," ütlesin ma. "Aga vahel käin ma siiski ka külas. Mul on seal natuke tegemist."

Ema noogutas kiiresti.

"Jaa-jaa-jaa! Muidugi, muidugi!" kiitis ta mulle takka. "Tee täpselt nii, nagu tahad. Sina oled meie pere ainus mees ja sina otsustad. Ära karda, mina sind ei keela! Kui sul on tarvis, võid ka pikemaks külasse jääda, see on kõik ainult sinu enda asi, mina sulle tüliks ei ole."

"Ole nüüd, mis tüliks," ütlesin mina. "Ema, ma tegelikult väga tahan sinu juures elada. Ausalt öeldes on mul sellest külast kõrini."

Just sel hetkel tonksas Ints mind ninaga ja lausus:

"Leemet! Meile tuleb külalisi. Sinu sõbrad on vist mööda meie jälgi koopani jõudnud ja poevad praegu urgu."

"Sa mõtled külainimesi?" küsisin ma. "Kas nad ei anna mulle isegi siin rahu!"

"Küll annavad," vastas Ints ja naeris hääletult nagu rästikutel kombeks, lõuad pärani ja vägevad mürgikihvad kaugele näha.

"Ma ei usu küll, et nad siia välja jõuavad, nii et kui sa ei soovi neid näha, siis võid rahulikult ootama jääda. Me käime ja klaarime selle asja kiiresti ära."

"Ei, ma tulen ka," sõnasin. "Ma tahan näha, kes seal on. Äkki on nendega Magdaleena... Ma ei taha, et temaga midagi juhtuks."

"Siis tule tõesti kaasa, sest meie su Magdaleenat ei tunne ega oska ka hoida," kostis Ints. "Lähme, viskame kallitele külalistele pilgu peale."

Roomasime mööda tunnelit väljapääsu suunas, mina neljakäpukil ning rästikud minu ees ja kõrval siueldes. Õige varsti kuulsingi ma hääli. Keegi ütles:

"Ei tea, kui kaua peab veel ronima?"

"Päris hirmus on siin pimedas," arvas üks naisehääl, mis kuulus minu arvates Katariinale.

"Pole midagi," lausus kolmas võõras, minu meelest Andreas. "Mis need ussid meile ikka teha saavad, meil on ju kõigil püha ristike kaelas. Kohe, kui seda ussikuningat näeme, krahmame tal krooni peast ja laseme jalga."

"Eks ta hakkab meid vist taga ajama," arvas esimesena kuuldud hääl, mille ma nüüd omistasin Jaakopile.

"Ei hakka," vastas Katariina. "Munk ju rääkis, et kui ussikuningal kroon peast tõmmata, siis muutub ta kiviks."

Ma lausa ohkasin. Vaene lollpea! Andis ikka välja mõelda sellist tobedust.

"Kuidas me selle krooni ära jagame?" küsis Andreas. "Kas igaüks saab kolmandiku?"

"Mina peaksin ikka rohkem saama!" ütles Katariina. "Mina ju panin tähele, kuhupoole Leemet koos selle jälgi maoga kadus, mina hiilisin neile järele ja nägin, kuidas nad siia urgu pugesid."

"Jah, aga sa ei julgenud üksi neile järele minna, sellepärast sa ju meid kutsumas käisidki," kostis Jaakop. "Nii et tuleb ikka võrdselt kolmeks jagada. Sinule leidmise eest ja meile selle eest, et me sulle appi tulime ning krooni ära toome. Sina, plika, ei julgeks ju nagunii ussikuningal krooni peast kiskuda!"

"Julgeks küll!" vaidles Katariina. "Näe, mul on ju kirves ka ühes. Kui see kroon niisama ära ei tule, siis raiun maol pea maha, pärast on aega seda lahti kangutada."

"See on ju seesama tüdruk, keda ma täna nõelasin," sosistas Ints mulle kõrva. "Mitte kunagi pole mõtet mürki tühipalja säärde hammustamise peale raisata. Kui salvata, siis ikka kõrri."

Ja seda ta tegigi. Välkkiirelt sööstis ta pimedusest välja ning lõi oma hambad Katariina lõua alla. Kõik kolm kroonijahtijat röögatasid, kuid Katariina karje kustus kiiresti.

"Võta püha ristike välja ja vehi sellega!" kisas Andreas. "Võta püha ristike..."

Järgmisel hetkel ründas Intsu isa. Suur ja vägev ussikuningas paiskus Andreasele otsa nagu langev puu ning haaras mehel näost, nii et mürgikihvad läbi silmamunade tungisid.

Jaakop, kes seda pealt nägi, kiljus ebaloomulikult peenikese häälega ning pages traavi lastes tagasi koopasuu poole.

Paar noort rästikut tahtsid teda taga ajama hakata, kuid Intsu isa ütles, et seda pole vaja.

"Las läheb oma külasse ja räägib seal, mis juhtus," ütles ta. "Siis nad teavad ega tule rohkem tüütama. Kõnts selline! Või nemad tahavad mu krooni! On nad tõesti nii näljased, et neil enam muud süüa pole?"

"Nad usuvad, et see annab neile võime mõista lindude keelt," ütlesin ma mornilt. Mul oli millegipärast hirmus piinlik, justkui oleksin ma ise olnud kroonivaraste seas. Olid nad ju välimuselt minuga petlikult sarnased.

"Lindude keelt?" imestas Intsu isa. "Milline narrus! Aga pole ka ime, et neile kummalised mõtted pähe tulevad. Elavad oma külas, kellegagi neil rääkida pole, sest ussikeelt nad ju ei oska... Siis lähevadki üksindusest tasapisi segaseks. Vaesed kärbsed."

Silmitsesin Katariinat, kelle olin just täna hommikul aidanud maohammustusest terveks ravida. Nüüd oli teda uuesti salvatud ja sedapuhku ma enam aidata ei saanud. Ta oli surnud, täpselt samamoodi nagu hobusesita asjatundja Andreas. Mul oli neist korraga hirmus kahju. Miks pidid nad siia ronima, miks ei püsinud nad külas, keset oma rehasid, leivalabidaid ja käsikive? Kui nad juba kord olid endale uue maailma ehitanud, siis oleksid nad pidanud selle vana päris rahule jätma, ära unustama. Seda nad ilmselt siiski ei suutnud, ikka peibutasid neid ussikuninga kroon ja lindude keel ning muud salapärased metsaasjad, mis olid küll nende mälus imelikult väändunud ja omandanud sootuks teise, tobeda tähenduse. Päris vabaks nad oma minevikust ikkagi ei saanud – see ahvatles neid, ilma et nad isegi oleks teadnud miks. Kui nad aga tõesti millegi iidse peale sattusid, ei osanud nad seda õigesti kohelda, nad olid kui väikesed lapsed, kes allikat imetledes liiga kaugele kummardavad ning pea ees vette kukuvad. Siin nad nüüd vedelesid, haavad näos. Ussikuningad oleksid võinud olla nende vennad, kuid neist said nende mõrtsukad.

"Ma pean minema," ütlesin Intsule. "Käin korra külas ära. Ütle mu emale, et hiljemalt homme õhtuks olen ma tagasi."

"Mis sul on?" küsis Ints. "Kas sul on neist kahju? Nad ju tulid siia vargile, nad tahtsid mul kirvega pea maha raiuda. Kas me oleksime pidanud neil selle eest jalataldu lakkuma?"

"Ei, kõik on õige," ütlesin ma. "Nad said, mis tahtsid. Mul on lihtsalt tarvis külas mõned asjad korda ajada, enne kui pikemaks ajaks metsa kolin."

"Kas ma võiksin äkki koos sinuga tulla?" küsis Ints. "Ma tahaksin näha seda poissi, kellele sa tahad ussisõnu õpetada.

Praegu on öö ja inimesed peaksid magama, nii et ma pääsen ehk ilma sekeldusteta tuppa."

"Tule pealegi," ütlesin ma. "Ärme kiirusta, ma tahan natuke metsas jalutada. Ma pole siin ju nii ammu käinud."

Me tõepoolest ei tõtanud ning jõudsime külasse alles siis, kui käes oli südaöö. Kõik oli vaikne ja nii pidigi olema, sest inimesed kahtlemata magasid.

Kõndisime tasakesi Johannese taluni. Ma lükkasin ukse lahti ja sosistasin Intsule:

"Laps magab kätkis. Vaata ta üle, siis lase jalga, ma ei taha, et vana Johannes üles ärkaks ja sind näeks."

"Ega minagi sellest hooli," vastas Ints ja roomas Toomase hälli juurde. Ta siugles selle servale ning vaatas alla magava lapse peale.

"Leemet!" sisises ta järgmisel hetkel nii valjusti, et ma olin kindel – nüüd ärkavad kõik ja algab ebameeldiv segadus. "Leemet!"

"Mis sul ometi on?" sisistasin ma vastu. "Sa ju äratad inimesed üles!"

"Leemet, tule siia!" nõudis Ints. "See laps on surnud!"

Mul oli tunne, nagu oleks keegi mulle kõrvetavalt kuuma vett näkku läigatanud. Olin selsamal hetkel Intsu kõrval. See oli nii kohutav, et ma hakkasin röökima. Imikul oli kõri läbi hammustatud. Terve häll oli verd täis.

"Magdaleena!" karjusin ma täiest kõrist. "Magdaleena, mis see ometi on?"

Ma sööstsin Magdaleena voodi juurde, mis oli viimased pool aastat olnud ka minu ase. Kuid täna öösel magas Magdaleena seal üksi, ta lamas selili, juuksed näo peal ning kõri puru.

Ma ei mäleta, mis edasi juhtus. Mingil hetkel põlvitasin ma igatahes keset tuba ja otse minu silme ees kõikus Intsu pea, ta oli end püsti ajanud ning sisises mulle rahustavaid ussisõnu, mis muudavad loiuks ning uniseks. Ma tõmbasin käega üle näo ja vaatasin ringi. Tuba oli täiesti segi pekstud, pingid ja laud pilbasteks lõhutud ning kõige otsas vedeles pooleks murtud vokiratas.

"Mis juhtus?" küsisin ma Intsult ja haigutasin, sest ussisõnad mõjusid nagu ikka tõhusalt.

"Sa läksid hulluks," vastas Ints. "Kisendasid ja möirgasid ning lõid takka üles nagu kitsikusse sattunud põdrapull. Sa märatsesid, tagusid kõik asjad puruks ning keerasid kummuli, ainult laipu ei puutunud."

Ma heitsin pilgu Toomase kätkile. See näis eemalt päris süütu ega paljastanud oma võigast sisu mingil moel, kuid ma tundsin, kuidas mul uuesti sees põõrama hakkab.

"Kas ma pean sind veel rahustama?" küsis Ints, kes ilmselt nägi mu silmist, et mulle tuleb jälle hoog peale.

"Ei, pole tarvis," vastasin ma ning tundsin ise, kuidas mu huuled mingiks jubedaks irveks kõverduvad. "Enam pole siin ju midagi puruks peksta."

"Mul on kahju," ütles Ints. "Ma küll ei tundnud neid inimesi, kuid mul on tõesti kahju. Milline jäle värdjas!"

"Kes?" küsisin ma. "Kes on värdjas? Ütle, Ints, kes nad surnuks pures! Mingi hunt? Jälle mingi neetud hunt!"

"Üldsegi mitte," kostis Ints. "Sa läksid otsekohe peast segi, kui neid laipu nägid, ega uurinud hambajälgi korralikult. Siin pole käinud ühtegi hunti ja õieti pole need ka üldse mingid hamba-jäljed. Selliseid hambaid pole ühelgi loomal. Mine vaata ise!"

"Ma ei lähe, Ints," ütlesin mina. "Ma ei taha neid rohkem näha, ma ei suuda neid näha. Ütle sina, kes nad tappis, siis ma lähen ja püüan selle elaja kinni ning piinan surnuks."

"Sinu vana sõber hiietark Ülgas," vastas Ints.

Ma puhkesin ootamatusest naerma ja tundsin, kuidas ma üle kere raevust värisen.

"Kas tema on siis elus?" hüüdsin ma.

"Jah, kahjuks on," kostis Ints. "Sa küll lõikasid tal pool nägu küljest, aga see väike asi teda ei tapnud. Ma olen Ülgast metsas paar korda näinud – vanamees näeb jõle välja, aga elab. Ta on minu meelest nõdrameelseks muutunud, liigub ringi alasti, mudas

ANDRUS KIVIRÄHK

magamisest must ja rõve, ning kui ma teda viimati kohtasin, oli ta endale sõrmede külge kinnitanud teravaks ihutud puuokstest valmistatud küüned. Ta vehkis kätega, naksutas oma võltsküüsi ja pomises midagi segast. Leemet, just nendesamade puust küüntega ongi ta nende inimeste kõrid puruks rebinud!"

"Siis lähme kohe praegu teda otsima," röökisin ma nagu sõge, kargasin püsti ja viskusin vastu toaseina, nii et maja vappus. Mul tekkis taas kange tahtmine midagi ümber paisata ja pisikesteks pilbasteks hakkida, aga Intsu rahustav sisin lõi mul jälle pea veidi selgemaks.

"Kus on siis vana Johannes?" meenus mulle korraga. Selles õnnetus, verre uputatud majas oli ju veel üks elanik. "Kas tema on ka surnud?"

Ma heitsin pilgu Johannese voodi poole, kuid see oli tühi. "Teda polnud ilmselt kodus," arvas Ints. "Huvitav, külainimesed ju tavaliselt ei luusi öösiti ringi. Igatahes päästis see tema elu. Sinu oma samuti. Kui sa oleksid siin maganud, poleks ka sinu kõrist kuigi palju järel."

"Minu kõri kallale see lojus tuligi," ütlesin ma ning paiskasin ukse pärani. "Püha hiis! See on see püha hiis, mida ta mulle andeks anda ei suuda, ning pool nägu takkapihta. Noh, ma tänan seda püha meest, ta on mulle tõesti kõige eest ausalt ära maksnud, raasukestki võlgu jäämata. Ta on mulle isegi rohkem tasunud, kui ma väärt olen – aga pole viga, ma leian ta kohe üles ja teen arved klaariks. Ta maksis mulle täna terve näo maharaiumise eest, aga mina olen ju raiunud ainult ühe poole, oi, seda on vähe, ma pean kiirustama ja ka teise poole maha lõikama. Ükski töö ei tohi jääda pooleli ja mis täna tehtud, see homme hooletu, ütles onu Vootele. Ta mädanes minu kõrval, Ints, ja sellest ajast peale on mu sõõrmetes imelik hais, ma pole sulle sellest veel varem rääkinudki, aga nüüd sa igatahes tead – see on selline lõhn, nagu mädaneks ma ka ise. Aga näe, ei mädane ma ühti, hoopis kõik teised kärvavad! Kõik teised, kes on minu ümber! Surevad ja mädanevad ja mina pean koos selle jäleda haisuga edasi elama. No mis mul üle jääb, eks ma siis elan!"

Ma jooksin toast välja ning lõin noa maja ees kasvava puu tüvesse.

"Eks ma siis elan!" karjusin ma. "Olge õnnelikud!"

"Leemet, tule nüüd!" kutsus Ints. "Lähme otsime Ülgase üles."

"Ülgase!" urisesin ma. "Jah, tema tuleb tõesti üles otsida ja maha lüüa, sest tema on veel elus ega olegi surnud – aga ta peaks olema, sest mina olen viimane! Mina olen viimane, mitte tema!"

Ma kähisesin kuu poole, nagu oli teinud mu vanaisa oma saarel, ja marssisin Intsu kannul metsa, raiudes enda ümber noaga oksi, vihast ning masendusest sõge.

33.

Puude vahele jõudes ajas Ints pea kuklasse ning sisises läbilõi-
kavalt. Ta kutsus teisi rästikuid.

Mõne hetke pärast hakkaski meie juurde madusid roomama.
Ints esitas neile kõigile vaid ühe küsimuse:

"Kus on Ülgas?"

Esimestena kohale vingerdanud ussid ei osanud vastata. Sellest
polnud midagi, rästikuid oli palju ning mitte keegi ei saanud
metsas liikuda madudele nähtamatult.

Umbes kümnes rästik noogutaski Intsu pärimise peale ja
ütles:

"Ma nägin teda just mõne hetke eest. Ta kössitas selle vana
pärna all, kuhu välk kaks aastat tagasi sisse lõi, ja sõi jänese-
kapsast."

"Suur tänu sulle," lausus Ints. Ta vaatas mulle otsa.

"Noh, Leemet?" küsis ta. "Kas kuulsid?"

"Kuulsin," ütlesin mina. Ma olin kannatamatult oodanud ja
mudinud peos oma nuga, olin endale isegi kogemata peopessa
haava lõiganud, kuid ei tundnud valu ega hoolinud sellest, et veri
mööda sõrmi alla nirises. "Ints, pea meeles, ma tapan ta ise. Täna
pole mul sinu hambaid tarvis."

"Saan aru," sõnas Ints.

Siis jooksin ma põlenud pärna poole, kõige otsemat teed, nii
kiiresti kui jaksasin, hoolimata näkku peksvatest okstest, ning
Ints püsis mul kannul.

Ülgas oligi seal. Kui ma poleks olnud raevust sõge, oleks tema
välimus mind kahtlemata kohutanud. Hiietark oli alasti ja tema
luukõhna keha kattis otsekui kuivanud puukoor, mis oli tekkinud
mudast, selle külge kleepunud okastest ning muust metsa all vede-

levast prahist. Pool nägu oli puudu ja kunagist haava kattis suur ja jäle arm, pruuni ihu kõrval silmatorkavalt roosa ning kuidagi niiskelt läikiv. Sõrmede külge oli Ülgas sidunud lühikesed teravaks ihutud ogad, nendega kiskus ta maast jänesekapsast ning toppis seda endale mullaga läbisegi suhu, ise vaikselt mõmisedes. Osa jänesekapsast oli hiietargale habemesse pudenenud ja ripnes lõua küljes nagu roheline hallitus. See polnud inimene, see oli mingi koletu loom või koguni taim, mingi rõve liikuv puu harali okstega. Ellu ärganud hiiepuu, kes õgis rohtu ja põrnitses mind üheainsa hullumeelse silmaga. Ta tundis mu siiski ära ja kriiskas:

"Sina! Sina raiusid maha püha hiie! Hiiekoerad ei andesta, nad närivad su puruks! Nad rebivad liha su kontidelt!"

Ta tõstis ähvardavalt käed, siputas oma puust küüntega sõrmi ja haukus.

"Näed, hiiekoerad tunnevad su lõhna!" kiljus ta. "Nad tulevad ja purevad su surnuks!"

Märkasin, et puust küüned on paakunud verest pruunid. Kahtlemata oli see elajas just nendesamade ogadega purustanud Magdaleena ja väikese Toomase kõri. Ma tundsin, et maailm mu silme ees muutub uduseks. Viha lämmatas mind, ma astusin lähemale ja raiusin üheainsa hoobiga Ülgasel vasaku käelaba maha. Hiietark viiksatas heledalt, aga ei taganenud, vaid püüdis mind krabada parema käega; ma hüppasin eemale ja puust küüned kriipisid mind tabamata õhus. Järgmisel hetkel langes ka teine käelaba jänesekapsa keskele, ma astusin sellele peale ja karjusin:

"Need pole mingid hiiekoerad, tõbras! Need on su enda käed, millega sa tapsid kaks süütut inimest! Sa oled elajas, elajas!"

"Ma tahtsin tappa sind," kähises Ülgas ja surus oma verd tilkuvad köndid vastu kõhtu. "Ma luurasin sind ja varitsesin, aga just sel ööl, kui ma koos oma ustavate hiiekoertega sulle järele tulin, polnud sind kodus. Aga koerad tahtsid süüa, haldjad olid neile verd lubanud, ja nii nad siis jõid oma janu täis. Keegi ei saa haldjate vastu, nemad on kõige võimsamad!"

See jutt oli niivõrd kohutav, et ma tõmbasin Ülgase püsti ja lõikasin tal ühe ropsuga kõhu lõhki. Ta vingatas ja varises maha.

"Värdjas!" lõõtsutasin ma. "Saa juba ükskord aru, et pole olemas ei haldjaid ega hiiekoeri, on vaid sinu haige aju, mis nuputab välja üha uusi kuritegusid. Miks ma sind ometi juba tookord ei tapnud? See kõik on minu süü!" Ma toppisin oma käe Ülgase haava ning kiskusin soolikad välja. Hiietark röökis ja ulgus. Ma sidusin sooled vana pärna külge ja virutasin vanamehele jalaga näkku.

"Rooma nüüd ümber oma püha hiiepuu, lurjus!" karjusin ma. "Rooma, kuni kõik sinu soolikad on ümber selle püha puu keerdus! Rooma, kas kuuled, rooma!"

Ja ta hakkas roomama! Verine ja jäle rada jäi temast maha, pikad limased sooled ripnesid välja ta kõhust ja venisid aina pikemaks. Jänesekapsas puu all oli Ülgase verest pruun. Siniseks tõmbunud keel suust ripnemas, vedas ta end aeglaselt edasi, kähinal hingates, ainus silm punnis ja elutu. Kaks ringi jõudis hiietark ümber pärna roomata, siis voolas ta verest tühjaks.

"See on rõve," ütles Ints vastikustundega pead kõrvale pöörates.

"Tulge nüüd sööma ja maiustama, auväärsed haldjad ja hiiekoerad!" karjusin ma täiest kõrist. "Laud on kaetud! Tulge ja laske hea maitsta, see roog peaks teile ju mekkima! Tulge kindlasti, sest täna toidetakse teid viimast korda! Homme ei tuleta teid enam keegi meelde, homsest alates olete te mõistetud unustusse ja näljasurma! Viimane võimalus, lugupeetud haldjakesed! Hiiekoerad, auu! Kus te olete? Tulge ja kugistage!"

Ainult kärbsed lendasid mu hüüdmise peale kohale, suur pilv kärbseid, ja peagi kattis Ülgase laipa tihe sumisev must koorik.

"Lähme ometi siit ära," ütles Ints. "See ajab oksele."

Ma sülitasin kärbeste ning hiietarga jäänuste peale, keerasin järsult selja ning marssisin minema.

"Kuhu sa nüüd lähed?" küsis Ints mu kõrval roomates.

"Ma ei tea," ütlesin mina.

"Kas sa lähed külasse?"

"Ei."

"Tuled meie juurde?"

"Ma ei tea. Ma ei tea."

Ma oleksin tahtnud aina edasi minna ja oma tee lõpus kuristikku lennata, nagu sel päeval, kui hunt tappis Hiie. Jälle oli kõik otsas, jälle oli kõik möödas, jälle oli kõik kadunud. "Tule ikka kõigepealt meie juurde," soovitas Ints. "Sa peaksid puhkama. Lakud natuke valget kivi ja jääd magama."

"Ja siis?"

"Mis siis?"

"Siis kui ma ärkan?"

"Ma ei tea, Leemet. Selle peale mõtleme hiljem. Ole hea, tule minuga."

Ma ei hakanud Intsuga vaidlema. Olgu peale, lähen siis usside juurde. Tegelikult oli see ju päris ükskõik, kuhu ma lähen ja mida ma teen.

Keerasime rästikute koopa juurde viivale rajale ning läksime mõnda aega vaikides. Siis sisises Ints korraga ärevalt.

"Ma tunnen suitsulõhna!" susises ta. "Kiirustame! Midagi imelikku on lahti!"

Ka mina haistsin tuld. Hakkasin jooksma ning mu enesetunne läks veidi paremaks. Ma vajasin tegevust. Oleksin meelsasti soovinud, et Ülgaseid oleks olnud mitu, terve parv, ja ma oleksin saanud neid kõiki piinata ning tappa. Suits ja puude vahel vilkuv lõkkelõõm võisid tähendada, et mul avaneb taas võimalus võidelda, matta oma masendus sõgedasse kättemaksuraevu. Kes võisid seal tuld teha? Vahest mõned raudmehed ja mungad? Ma võtsin noa kätte ja pigistasin ahnelt selle käepidet.

"See suits tuleb meie koopast!" sisises Ints minu kõrval hirmunult. "Mida see peab ometi tähendama?"

Tormasime edasi ja olime järgmisel hetkel kohal. Ning mida me nägime! Need polnud sugugi mitte raudmehed või mungad. Need olid külainimesed eesotsas külavanem Johannesega, seal oli Pärtel ja paks Nigul ja Jaakop ja kõik teised mehed. Nad seisid ringis ümber vägeva lõkke, mis oli tehtud otse madude koopasse viiva uru ette ning tules oli näha mitmeid söeks kõrbenud rästikuid, kes olid ilmselt katsunud koopasse tungiva suitsu eest värske õhu kätte pääseda. Ainus, mida neil õnnestus saavutada, oli vahetada lämbumissurm elusalt praadimise vastu.

Koopas oli ju ka minu ema! Ja Intsu isa, uhke ussikuningas! Ning tema lapsed, kellele kroon alles hakkas pähe kasvama! Nad kõik olid seal ega pääsenud välja.

Ints sisises kohutava häälega ning sööstis külarahvale selja tagant kallale. Üks poiss karjatas ning langes Intsu salvatuna maha, siis röögatas üks vanamees, kattis näo kätega ja varises kokku. Ints nõelas vasakule ja paremale ning külarahva seas tekkis segadus ja süttis hirm.

"Appi! Appi!" karjuti. "Üks põrgumadu on välja pääsenud!"

Ma ei kavatsenud lasta Intsul üksi võidelda. Huilgasin mis kopsud kandsid ja tormasin talle appi. Esimese löögiga lõikasin ma läbi paksu Nigula kõri ja rasvane mees vajus kokku kui kott. Ma raiusin noaga hoolimatult enda ümber ja pidin vahepeal silmad sulgema, kuna veri pritsis mulle näkku ja pani silmad kipitama. Inimesi oli liiga palju ja kui ma end nende summa sisse lõikusin, ei saanud ma kaitsta oma seljatagust. Keegi virutas mulle kiviga kuklasse, mu pealuu raksus ja ma kukkusin põlvili ning sülitasin teadmata kust suhu ilmunud verd. Maailm pöörles mu silme ees ja enne, kui ma jõudsin end koguda, olin kinni seotud. Minu kõrval lebas Ints. Ta oli veel elus ja liigutas end aeglaselt, kuid tema selgroog oli murtud.

Nägin oma vana sõpra Pärtlit meie kohale kummardumas, vägev malakas käes.

"Need ussid pole tegelikult üldse nii ohtlikud," kuulsin ma teda lausuvat. "Neile tuleb lihtsalt keset selga lajatada, siis on nad kohe kutud. Ta on ju peenike nagu puuoks, korra virutad ja selgroog ongi pooleks."

"Pärtel," pomisesin ma verd süljates. "Kas sa siis ei mäleta? See on ju Ints! Ta oli kunagi su sõber!"

"Madu ei saa olla ristiinimese sõber," vastas Pärtel. "Ära aja pada! Sina oled see, kes ussidega sõbrustab, sest sa oled pagan. Selle eest põletatakse sind tuleriidal."

"Oled ikka lojus," ütlesin ma vaikselt. Pärtli sõnad mind ei hirmutanud – kui tahavad, põletagu pealegi, mis mul sellest. Kõik oli ju nagunii läbi, oli juba varemgi, ja nüüd on nad veel ka mu ema tapnud ja kogu Intsu pere ja üldse kõik minu vanad sõbrad rästikud. Enam polnud kedagi, ainult murtud selgrooga Ints minu kõrval, kahtlemata tehakse temalegi kohe lõpp peale. Väga hea, tehku pealegi, mul oli lausa valus vaadata, kuidas Ints abitult tolmu sees siputas nagu mingi vilets vihmauss ja mitte vägev ussikuningas.

"Pea vastu, sõber!" sisistasin talle. Ints vaatas mulle otsa, ta sai aru, mida ma olin öelnud, aga vastata ta enam ei suutnud. Kramplikud tõmblused läbistasid ta kõhetut, kuid sitket keha. Oli näha, et tal on väga valus.

"Kas viskame ussi lõkkesse?" küsis Jaakop lähemale astudes ja Intsu jalaga tonksates.

"Ei, viime ta parem sipelgapessa," vastas Pärtel. "Siis saate nalja näha – sipelgad närivad tal liha luudelt nii puhtalt maha, nagu oleks ussiraiska katlas keedetud."

"Elajas, lurjus, pask!" kähisesin ma maas, samal ajal kui Pärtel külameeste naeru saatel Intsu viskleva keha kaheharulise puu- oksaga üles tõstis ja kuhugi ära viis. Mulle meenus, kui põlglikult oli Ints omal ajal sipelgatesse suhtunud ja kuidas ta nüüd selle- sama prahi saagiks pidi langema. Needsamad vastikud ja rumalad putukakübemed pidid sööma tema liha, kandma tema ihu raas- haaval laiali oma pisikestesse käikudesse ning jätma järele vaid valge luustiku. Tillukesed ja armetud olendid, kes ei mõistnud ussisõnu – täpselt nagu need külainimesedki, tänu kellele nad nüüd nii priske kõhutäie osaliseks said. Oli ju Ints ka külarahvast põlastanud – nüüd aga praadisid need inimesed kogu tema rahva ning viskasid ta enda sipelgatele söögiks. Nad olid saanud tuge- vaks, olid avastanud mooduse rästikute tapmiseks, ning nüüd ei peatanud enam miski uue maailma pealetungi. Ussisõnadest polnud nende kurtide kõrvade puhul kasu – need ei pakkunud mingit kaitset jämeda kepi vastu, millega oli nii lihtne rästiku õrna selga lömaks tümitada.

Pärtel oli öelnud, et mind põletatakse ning ma ootasin, et mind sealsamas lõkkesse heidetaks. Ilmselt olid külameestel teised plaanid. Johannes astus minu juurde, silmitses mind tükk aega tõsiselt, kummardus siis mu kohale ja lausus:

"Näed nüüd, Leemet, mis sinuga juhtus, sellepärast, et sa püha ristimärgi ära põlgasid. Oleksid sa lasknud end vagadel vendadel ristida, poleks kurat sind oma võimusesse saanud. Ei, siis oleksid sa jaksanud talle vastu panna ega oleks paharetti teeninud."

"Ma ei teeni kedagi," pomisesin ma.

"Aga miks sa meile siis kallale kargasid?" küsis Johannes. "Miks sa surmasid mitu ausat ristiinimest?"

"Sest need ristinimesed tapsid mu sõpru," kostsin mina. "Kas sa tead, loll vanamees, et te mõrvasite täna mu ema."

"Sinu ema?" imestas Johannes. "Me hävitasime madusid, saatana kõige ustavamaid teenreid. Eile õhtul tapsid need koledad loomad kaks meie küla inimest, noore Andrease ja armsa Katariina. Seda kuritööd ei saanud ju karistamata jätta ning me lämmatasimegi kogu selle jälgi soo nende endi koopas."

"Ka minu ema oli seal koopas," ütlesin mina.

"Madude koopas?" hüüdis Johannes ning lõi risti ette. "Siis oli ta ise samuti madu, või veelgi hullem – nõid! Sellisel juhul sai ta paraja palga!"

"Vanamees," ütlesin mina. "Ma lasksin täna ühel sinusugusel haldjaid kummardaval ebardil soolikad välja. Ma tahaksin kangesti ka sulle noa kõhtu susata ja sealt maksa välja kiskuda, et siis sulle sellega vastu nägu peksta."

"Sa räägid nagu metsloom," ütles Johannes põlglikult. "Ja see sa oledki. Sinu hing on nii kõvasti kuradi haardes, et sul pole lootustki jumala armust osa saada ning tema heldust mõista. Sa kargasid meile kallale koos oma semu, põrgust pärit maoga, aga jumal kaitses meid ja juhtis tubli Jaakopi kätt, kes sulle kiviga pähe lõi. Sinu peremees on küll vägev, kuid jumala vastu ta siiski ei saa. Kohe, kui koidab, põletame su kiigemäel. Ära arva, et ma sedapuhku Magdaleenale järele annan. Ta võib sinu eest paluda, palju tahab, mina lasen su ikka hukata. Liiga kaua olen ma saatana sulast oma majas sallinud, olen ka ise olnud nõrk ja patune."

Ma purskusin tigedalt naerma, ehkki oleksin meelsamini nutnud – kuid mul polnud enam pisaraid.

"Ei, ära seda küll karda, vanamees!" karjusin ma Johannesele näkku. "Magdaleena minu eest paluma ei hakka. Sellepärast ära küll muretse! Ah sellepärast sind polnudki kodus, kui surm teie maja külastas! Sa olid metsas usse tapmas! Tõesti, sinu jumal hoidis ja juhtis sind ning päästis suurest ohust. Hõiska nüüd, vanamees, ja täna oma armulist jumalat, kes sind nii väga armastab ja kaitseb!"

"Mis juttu sa räägid?" küsis Johannes rahutult. "Millal külastas surm minu maja?"

"Eks ikka öösel!" irvitasin ja nuuksusin vaheldumisi. "Surm tuleb ikka öösel, koputab tasakesi ja küsib: kopp-kopp, kas külavanem Johannes on kodus? Aga ei ole – kus ta siis on? – külavanem küpsetab ju metsas rästikuid! Tal on palju tööd, tema jumal on ta selle jaoks välja valinud! Surm ei taha aga tühjade kätega koju minna, midagi tahab ta siiski põske pista! Ei ole Johannest, ei ole Leemetit – aga Magdaleena ja Toomas on kodus! Ah kui tore! Ilus tüdruk, väike poiss! Kui maitsev! Haldjad ja hiiekoerad tahavad ju süüa, mitte ainult jumal! Jumal juba õgib rästikuid, keda Johannes talle praeb, noh, eks siis haldjad ja hiiekoerad mekivad inimeseliha. Kõik need olevused on ju nii näljased! Neil on nii suur kõht, et see ei saa kunagi täis."

Viimaseid sõnu ma lausa röökisin, väherdes maas, otsekui lebaks ma tulistel sütel. Külainimesed seisid ehmunult mu ümber, oskamata kuidagi käituda. Johannes värises.

"Kas sa oled..." kokutas ta. "Kas sa oled mu lapsele häda teinud?"

"Mitte mina!" lõugasin ma. "Ikka hiiekoerad, haldjad ja teised jumalad! Nemad joovad verd, mitte mina! Mina oskan ainult ussisõnu, muud midagi, ja ma olen viimane, kes neid mõistab. Päris viimane, sest enam pole ju isegi usse!"

Ma puhkesin naerma ja püüdsin järgmisel hetkel kõige lähemal seisvat meest jalast hammustada. Mees kargas hirmunult eemale.

"Ära karda, värdjas!" karjusin ma. "Minu hambad pole mürgised, selle kätte sa ei sure!"

"Ta on hulluks läinud," ütles Johannes, näost kaame. "Võtame ta kaasa ja lähme ruttu külasse. Mul on Magdaleena pärast suur mure."

"Hilja, vana lollpea, hilja!" ulgusin ma tõesti nõdrameelse kombel ja peksin oma pead vastu maad. "Hilja!"

"Rutem!" karjus Johannes ning sasis oma habet. "Rutem!"

34.

Kui ma praegu sellele ööle tagasi mõtlen, on ainus tunne, mis mind valdab, kerge piinlikkus oma taltsutamatu käitumise pärast. Kui palju asjatut kisa ning meeleheidet! Pärast seda, kui hunt Hiie surnuks pures, oleksin ma ju võinud olla harjunud sellega, et kõik lähedased minu ümbert kaovad. Kes on korra kuristikust alla lennanud ja end vastu maad lömaks kukkunud, sellele ei tohiks enam kuigi palju korda minna, kui tema lõtva keha ikka ja jälle tagasi mäetippu tassitakse ning üha uuesti sügavikku lennutatakse. Inimesed ja loomad, kellest ma hoolisin, kadusid otsekui korraks veepinna lähedusse eksinud kalad – üksainus uimelöök ja juba polnud neid enam näha, üksteise järel sukeldusid nad sinna, kuhu ma neile järgneda ei saanud. See tähendab – loomulikult oleksin ma saanud neile järgneda, nii nagu on võimalik ka merre kala püüdma viskuda; kuid kätte ei saa sa teda siiski. Kord järgnengi ma kõigile oma kallitele, aga ehkki me läheme samas suunas, ei kohtu me enam ealeski. Nii suur on see meri ja nii tillukesed oleme meie.

Täna suudan ma sellele mõelda täiesti rahulikult, isegi ükskõikselt. Mind ei eruta mälestus sellest, et ühel ja samal ööl jäin ma ilma Magdaleenast ja väikesest Toomasest, Intsust, teistest rästikutest ning oma emast. Nii see pidigi minema, sest mädanenud puu lõpp on alati kiire – üks vägev raksak ning pikali ta ongi. Tema lai võra, mis palju aastaid metsa kohal kõrgus, on ühekorraga kadunud, metsa katuses on auk. See kasvab kiiresti täis, nagu poleks midagi juhtunud.

Ma ei kurvasta enam sellepärast, et mul pole mitte kellelegi edasi anda oma ussisõnu. Vastupidi, ma tunnen isegi kahjurõõmu.

Las nad elavad ilma ussisõnadeta, need tulevased inimpõlved, keda mina kunagi ei näe ja näha ei tahagi! Rumalad ja vaesed putukad, ma ei kadesta neid. Nad muidugi ei oska ussisõnade mittemõistmist kahetseda, nad ei tea, millest on ilma jäänud – aga mina tean. Ma tean veel palju muudki, aga minu tobedad järeltulijad ei saa neid asju iialgi teadma.

Sellele mõtlemine pakub mulle mõnu. Just seda uut maailma püüan ma endale ette kujutada, kui ma tundide kaupa oma koopas leban – maailma ilma ussisõnadeta. Vahel naeran ma omaette, sest nii naeruväärne tundub mulle see tulevik, kus minul enam kohta pole. Veider ja ebameeldiv. Päris hea, et ma sellest nõmedusest pääsen.

Ei, ma ei kurvasta mineviku pärast. See on minust juba liiga kaugele jäänud. Inimesed, keda ma tollal tundsin ja armastasin, on tänaseks muutunud vaid piltideks Pirre ja Räägu koopa seinal. Ma vaatan neid, kuid ei tunne midagi.

Tol varahommikul, kui mind köidetuna külasse veeti, olin ma säärasest meelerahust kaugel. Ma lõrisesin ja kiljusin nagu hundikutsikas ning sõimasin kõiki, keda nägin, kuni üks turjakas külamees mulle kaikaga vastu suud virutas, nii et hambaid lendas. Siis jäin ma vait ja üksnes sülitasin verd, aga raev kees minus endiselt ning ma ei tundnud valu ei puruks löödud suu ega liikmetesse soonivate köite pärast.

Minu kisa polnud aga midagi selle röökimise kõrval, mis puhkes siis, kui ussipõletajate kamp viimaks Johannese maja juurde jõudis ning võis hinnata kogu tööd ja vaeva, mida hiietark Ülgas öösel kambrites oli näinud. Külavanem Johannes tormas välja minu juurde, raputas mind ja karjus:

"Sina tapsid nad! Sina puresid nad surnuks! Sa oled libahunt, ma olen seda alati teadnud!"

Mind ei üllatanud ega vihastanud need süüdistused, ma aimasin neid ette. Ma ei kavatsenud Johannesele üldse vastata, aga kui ta mind rahule ei jätnud ning muudkui edasi sakutas, pomisesin ma läbi veriste huulte:

"Jäta mind rahule, loɬlpea. Mina ei tapnud neid, see oli üks sinusugune hull rauk, ja kui see sind rahustab, siis ma lasin tal juba soolikad välja. Tema on oma jälkuste eest maksnud ja ükskord maksad ka sina."

"Sina või mõni teine pagan sealt metsast, mis vahet sel on!" lõugas Johannes. "Kõik te olete libahundid! Mis teil ometi viga on, milline jube nõidus sunnib teid tegema nii jõledaid asju?"

"Pole midagi, viskame ta tulle ja põletame ära," ütles Jaakop.

"Seda me teeme, aga mis kasu on sellest Magdaleenale ja tema pojale, kes oli pealegi väike rüütel!" halas Johannes. "Neid ei päästa ükski kättemaks."

"Selles on sul õigus, vanamees," ütlesin mina ja mõtlesin Ülgasele. Ma oleksin võinud teda kas või sada korda tappa, Magdaleenale ning Toomasele ei tõusnud sellest mingit tulu. See oli igas mõttes ebavõrdne vahetus – viletsa hullu hiietarga elu ei läinud ju kellelegi korda, teda ei leinanud mitte ainuski inimene ega loom. Ta oleks pidanud juba ammu surnud olema, aga selle asemel käis ta hoopis ringi ja tappis neid, kes pidid elama ja keda kõik taga nutsid.

Karjumist ja hala oli tõesti palju. Inimesed käisid ja ringutasid nuttes taeva poole käsi. Kindlasti nad imestasid, kuidas küll kõik need jumalad ja jeesused, kelle abile nad lootsid ja kelle kaitsva selja taha nad ju tegelikult olidki metsast ära kolinud, nüüd korraga nii hirmsal kuritööl sündida lubasid. Eriti veel selsamal ööl, mil nemad jumala käskudele kuuletudes vahvasti usse põletasid. Ma teadsin, et pole sugugi raske neid vaevavatele küsimustele vastuseid leida. Olin ju ikkagi elanud aastaid metsas koos Ülgasega ning mäletasin hästi, millise kergusega ta Tambetile kõik asjad selgeks tegi, kasutades just selleks otstarbeks välja mõeldud haldjaid ning oma riuklikku mõistust. Ka külainimesed ei jäänud kauaks pead murdma, peagi oli neil tänu Johannesele selgus majas.

Loomulikult osutusin süüdlaseks mina. Jumal ei võinud ju sallida, et külas elab ristimata pagan, kes on lisaks veel libahunt, ning karistuseks selle eest võttis ta oma kaitsva käe Magdaleena pealt ära. Mis puutub väikesesse Toomasesse, siis teda jumal ei karistanudki, vaid hoopis õnnistas. Võõramaalasest rüütli lapsuke oli jumalale lihtsalt nii armas, et ta kutsus ta kõige kiiremas korras enda juurde ja pani istuma oma põlvele. Nii väga armastas ta seda imikut!

Külainimesed jäid muidugi suure rõõmuga seda möga uskuma, nii nagu kadunud Tambet oli võtnud puhta kullana kõike, mis Ülgase kasimata hammaste vahelt välja voolas. Lapsukese pärast polnud enam vaja muretseda, tema oli heades kätes. Tunti koguni salajast uhkust, et siinsamas, lihtsas eesti külas, sündis säärane titt. Räägiti imest ning arutati, kas lapse vanade rõivastega saab nüüd rebaseid kanadest eemal hoida.

Magdaleenat muidugi leinati, aga kõik olid ka ühel meelel, et jumala käskude vastu eksida ei tohi ning et minu majjavõtmine oli suur patt. Kuna ma olin kenasti käeulatuses, siis käisid kõik ükshaaval ja üheskoos minu pihta sülitamas ning kuhjasid kokku kõrge haohunniku, mille otsas nad tahtsid mu ära praadida.

Mulle meenutas see tuleriit aga minu pulmalõket, mille ma ise ehitasin maharaiutud hiie jäänustest. Tol korral küpsetas mu ema sellel põtra, nüüd pole enam ema ja põtragi ei suuda need tölplased oma armetute odadega metsast kätte saada – nii ei jäägi neil üle muud kui praadida mind.

Ma ei kartnud surma – ja miks oleksingi ma seda kartma pidanud, pärast kõiki neid õiseid sündmusi? –, kuid ma oleksin tahtnud veel möllata. Vähemalt külavanem Johannese oleksin ma tahtnud kindla peale maha lüüa ning oma vana sõbra Pärtli, keda ma nüüd küll meelsamini Peetruseks nimetasin. Ma oleksin tahtnud oma raevu välja valada, sõdida ja märatseda, mitte abitu tombuna tuleriidal söeks küpseda. Ma olin aga kõvasti kinni seotud, nii et ei saanud end liigutadagi. Ainult suu oli mul vaba, kuid just praegu polnud ussisõnadega midagi peale hakata. Külarahva tuimadele meeltele polnud neil mingit mõju. Need inimesed olid kui vaiku täis kõrvadega hundid ja ma pidin nende käe läbi surema, nii nagu mu nainegi.

Mehed haarasid minust kinni ja tassisid haohunniku poole. Nägin, et ühest mu jalast hoiab kinni Peetrus ja ütlesin: "Kes oleks võinud arvata, et kunagi viskad sa Intsu sipelgapessa ja minu tuleriidale?"

"Mis parata," vastas Peetrus. "Igaüks valib ise oma saatuse. Ma kutsusin sind juba ammu külasse, aga sina tulid liiga hilja ja jäid ka siis metslaseks."

"Kas sa tõesti usud, et ma olen libahunt?" küsisin ma nüüd ussikeeles. "Sa ju tead, et libahunte pole olemas!"

Peetrus ei vastanud tükk aega midagi ja ma juba uskusin, et ta ei saanud mu sõnadest aru, sest on ussikeele unustanud.

"Tänapäeva maailmas usutakse, et nad on olemas," ütles ta siis korraga – aga inimkeeles, mitte ussisõnadega, sest ilmselt ei paindunud tema külatoidu peal pehmeks läinud keel enam neid lausuma. "Kõik uued inimesed usuvad. Järelikult usun seda ka mina."

"Millest sa räägid, Peetrus?" küsis Jaakop, kes mu teisest jalast kinni hoidis. Tema polnud mu küsimust mõistnud.

"Ma räägin, et libahundid on kohutavad koletised!" hüüdis Peetrus. "Hoplaa!"

Ma lendasin haohunnikusse. Päike paistis mulle näkku; ma pöörasin näo kõrvale ja nägin oma vanaisa külahoonete kohal lendamas.

Esimene, kelle ta kätte sai, oli Jaakop, kes valmistus parajasti tuleriita süütama. Vanaisa lihtsalt kahmas tal peast, vinnas enda juurde taevasse ning vajutas mürgihambad mehe kuklasse. Jaakop langes tõmmeldes tagasi maa peale ning oli hetke pärast surnud.

Siis haaras vanaisa vöö külge seotud kirve ja raius sellega mitu korda ülalt alla. Külarahvas kisendas ja põgenes õudusega laiali.

"Kas sa oled surnud, Leemet?" karjus vanaisa.

"Ei, vanaisa, ma olen elus!" hüüdsin ma vastu. "Ainult kinni seotud. Päästa mind lahti!"

Vanaisa hõljus mu kohale. Tema tiivad olid laiad kui kotkal ning inimluud olid kokku punutud imelise meisterlikkusega.

Vanaisa sirutas välja oma pika küüne ja lõikas sellega nöörid läbi.

"Kui ma sind verisena tuleriidal nägin, mõtlesin, et sa oled surnud ja see on sinu matuselõke," ütles vanaisa. "Aga nüüd ma saan aru, et need lurjused tahtsid sind elusalt põletada. Noh, ma arvan, et seda sa neile ei kingi! Tule, poiss, mürgeldame natuke!"

Ta võttis vöölt pika noa ja viskas mulle.

"Et sul oleks, millega susata," selgitas ta. "Korralikke hambaid sul ju pole, vaene laps."

Ta ajas pea kuklasse ja ulgus, ning sööstis siis külainimeste kallale. Ma kargasin haohunniku otsast alla, süda täis vaimustust. See oli just see, mida ma olin igatsenud. Vanaisa saabus õigel ajal. Tundsin, kuidas ainuüksi noa käeshoidmine mind hulluks ajab. Ma möirgasin rõõmust, kui sain tappa sellesama turske talumehe, kes mulle enne vastu suud oli lajatanud, ja kihutasin teisi püüdma.

Külainimestest polnud meile vastast. Õieti ei püüdnudki nad võidelda – lendava vanaisa saabumine oli neis tekitanud sellist hirmu, et nad põgenesid nagu jaksasid. Me jälitasime neid ja lõime mättasse, aga sel ajal kui me ühte taga ajasime, lidusid teised kes teab kuhu ja neid polnud enam võimalik üles leida. Ma otsisin kõikjalt külavanem Johannest ja Peetrust, aga nad olid kadunud nagu vits vette. Lõpuks jäin ma lõõtsutades seisma, sest kõik külamehed olid pakku läinud ja peale õhus loperdava vanaisa polnud näha ainsatki hingelist.

"Pole viga!" karjus vanaisa, kui nägi, et ma nõutult peatusin. "Siit kõrgelt on paremini näha. Ole valmis, siia ratsutavad raud-mehed!"

Hetk hiljem nägin neid minagi. Raudmehi oli kuus ja nende keskel ratsutas ülimalt uhkel hobusel ning ehteid täis riputatud rõivastes paks mees kõrgi ja põgliku ilmega. See oli kahtlemata mingi tähtis isand, võib-olla piiskop või midagi sellesarnast, ma täpselt ei tea, sest mina tundsin seda uut maailma ainult Johannese juttude järgi. Paavst ta igatahes olla ei saanud, sest Johannes oli öelnud, et paavst elab Rooma linnas. See, kes ta täpselt on, meid nii väga ei huvitanudki. Ma läksin ja seisin keset teed, nuga käes, samal ajal kui vanaisa suure kaarega raudmeeste selja taha lendas. Nad polnud teda veel märganud ja ega nad tahtnud märgata mindki, igatahes juhtisid nad oma hobuseid otse minu suunas, nagu oleks ma vaid õhk, millest võib rahumeeli läbi ratsutada. Ilmselt lootsid nad, et ma alandlikult kõrvale hüppan, aga seda ma ei teinud ning tabasin tähtsa isanda raevuka pilgu. Ta oli mind tähele pannud, krimpsutas vihaselt nägu ja tegi käega liigutuse, nagu tahaks mind teelt minema pühkida otsekui prügi või kärbest. Ta lausus midagi rahulolematult. Üks rüütel võttis vöölt mõõga.

Siis ma sisisesin – ja hobused hakkasid lõhkuma. Kaks rüütlit kukkusid kohe sadulast, teised suutsid siiski hobuse selga jääda, kuid see oli nende õnnetus, sest sedasi oli vanaisal hoopis lihtsam kirvega nende päid raiuda. Ta tuli tuhisedes ja ulgudes otsekui see iidne lind, kelle pilti ma olin näinud inimahvide koopas. Kaks korda lõi ta kirvega ja kaks raudset pead veeresid mööda maad. Ta keeras otsa ringi ja läks uuesti ning kordas oma hoope. Samal ajal torkasin mina surnuks kaks sadulast maha paiskunud raudmeest.

Elus oli veel vaid too uhke isand kallis rüüs. Tema ilme polnud enam sugugi kõrk ega halvakspanev, nüüd jõllitas ta üsna jahmunult seda imepärast tiivulist peletist, kellesarnaste olemasolust ta seni midagi kuulnudki polnud. See peletis nägi tõesti hirmuäratav välja, lisaks kontidest tiibadele pikk hall habe ja kaks veripunast raugasilma, teravad konksus küüned nagu linnul ning ebaloomulikult lühikesed jalad, tegelikult vaid köndid – see pidigi näima ebaloomulikult jube kõigi teiste silmis peale minu, kelle jaoks see koletis oli lihane vanaisa.

Ma astusin uhke isanda juurde ja tapsin ta. Vanaisa lendas lähedal kasvava puu juurde ja klammerdus selle oksa külge, nüüd sarnanes ta veelgi enam linnuga.

"Kõik!" ütles ta rahulolevalt. "Hakatuseks päris hea. Oh, poiss, kui kaua ma olen seda päeva oodanud!"

"Kuhu sa nii kauaks jäid?" küsisin mina. "Ma juba arvasin, et sind ei tulegi."

"Ma ei saanud ju kusagilt neid viimaseid vajalikke konte!" hüüdis vanaisa. "See oli päris õudne! Pärast seda, kui te minema sõitsite, ei sattunud minu saarele enam ainsatki inimest. Ma varitsesin päevade kaupa mere ääres, aga ühtegi laeva ei tulnud. Kuud möödusid, terve aasta möödus, ma mõtlesin, et lähen hulluks. Mul olid ju need tiivad peaaegu valmis, teie tõite mulle veel tuulesõlmed kah, ja sellest hoolimata ei pääsenud ma minema. Loomi ju saarel oli, aga nende kondid ei kõlvanud, ehkki ma katsusin järele ja mässasin mitu nädalat põtrade ja kitsedega. Ei saanud asja. Oh, ma kisendasin valju häälega selgest vihast! Tead, poiss, ma ütlen sulle ausalt ja ära pahanda, aga kui sa oma plikaga oleksid sel hetkel mulle ette sattunud, ma oleksin teid ära tapnud ja teie kondid kasutusele võtnud, mis sellest, et sa oled mu tütrepoeg ja mulle armas. Ma olin täitsa sõge, mõtlesin juba, et äkki saaks iseendal mõne kondi küljest kaksata ja tiiva sisse panna, aga polnud midagi võtta. Lõpuks ma isegi ei söönud ega joonud, istusin nagu kivitükk kaldal ja jõllitasin merd. Kümme päeva tagasi, siis lõpuks nägin kaugel merel ühte laeva, aga see ei sõitnud sugugi minu saare poole, vaid hoopis teises suunas. Ma hüppasin vette, ujusin nagu meeletu ja püüdsin selle laeva kinni. Vinnasin ennast pardale ja tapsin kogu meeskonna, roomates ringi nagu vähk, kummaski käes pikk nuga. Aga kohe oli uus häda – kuidas laev saarele juhtida? Ma olin ju üksi! Küll ma siis mässasin ja sõudsin ja tegin kõik trikid ära, aga ikkagi kulus terve nädal, enne kui koju sain. Siis kulus veel paar päeva kontide puhastamise ja tiibade viimistlemise peale. Mu käed värisesid, kui ma neid luukesi paigale sättisin, tead, mul oli selline tunne – nagu kaua nälginud mehel, kellele lõpuks tubli lihakäntsakas nina ette visatakse. Pisarad tulid rõõmust silma. Lõpuks olid tiivad valmis, sidusin neile tuulesõlmed külge ja tõusin lendu. Ulgusin ja kriiskasin rõõmust ning raiusin paar kajakat puhtast lustist sulepudruks. Lendasin otsejoones siia ja leidsin su tuleriidalt. Miks nad sind õieti põletada tahtsid?"

"Nad arvasid, et ma olen libahunt," vastasin ma. "Inimene, kes oskab hundiks muutuda."

"Miks peaks üks täie aruga olevus muutuma hundiks?" imestas vanaisa. "See oleks ju lollus. Mina küll ei taha, et minu seljas ratsutataks või et mind lüpstaks."

Ta naeris kõlavalt.

"Ega minu seest muide piima välja ei pigistagi!" möirgas ta. "Mida pole, seda pole! Mina pole mingi hunt, vaid ehtne inimene, ja ma veel möllan nii, et maa on must!"

Ta vaatas mulle arupidavalt otsa.

"Kas tuled minuga kaasa?" küsis ta. "Kas lähme ja sõdime, nii et on sõditud? Või oled sa eide tagumiku küljes kinni ja eelistad kodus istuda?"

"Pole ühtegi tagumikku, mille küljes kinni olla," ütlesin mina.

"Aga see plika, kellega sa minu juures käisid?" päris vanaisa. "Hiie või mis ta oli? Kas sa teda ära ei võtnudki? Ta oli ju kena küll."

"Oli jah, vanaisa," vastasin ma, "aga ta on surnud."

Vanaisa ümises.

"Ah sedasi," ütles ta. "Nojah... Kahju muidugi, aga siis oled sa vähemalt vaba ja võid teha, mida tahad. Tuled minuga? Enne muidugi peame käima kodus ja su emale ja minu tütrele tere ütlema. Seda ei või edasi lükata, sest mine tea, mis tulevik toob ja kas minust mõne aja pärast üldse ongi teretajat."

"Ka ema on surnud," ütlesin mina. "Üldse on peaaegu kõik surnud, nii et lähme kohe, vanaisa. Mis siin ikka oodata."

Vanaisa jõllitas mind.

"Tema kah surnud..." kordas ta. "Jah, te pole siin vahepeal aega raisanud. Sel ajal kui mina saarel sitsisin, jõudsite teie terve oma elu ära elada. No mis mul üle jääb, pean selle ruttu tasa tegema! Hakkame minema, poiss, meil on tõesti kiire!"

Ma torkasin noa vöö vahele ja hakkasin astuma, vanaisa suure nahkhiirena mu pea kohal lehvimas. Kokku kuhjatud haod jäid meist maha, nagu ka hulk surnukehasid. Sedasi sai haohunnikust lõpuks siiski tavaline matuselõke, vähemalt ma loodan seda. Selleks ajaks, kui ellu jäänud külaelanikud söandasid oma peidu- urgastest välja roomata ning surnuid põletama asuda, olime meie vanaisaga aga juba kaugel.

35.

Me läksime sõtta. See oli isevärki sõjaretk, sest meil polnud vähimatki lootust võita. Lõppude lõpuks oli meid ju vaid kaks – terve laia maailma vastu. Olime nagu kaks lehetäid, kes võivad küll aplalt üksikuid lehti õgida, kuid kellel pole siiski mingit võimalust langetada tervet puud. Me liikusime lahingust lahingusse ja meil polnud paika, kuhu pärast edukat löömingut tagasi pöörduda, et seal puhata ning kojujäänutele kuulutada – meie võitsime! Keegi ei oodanud meid, ükski inimene ei vajanud meie võite. Me sõdisime vaid omaenda lõbuks ning seetõttu, et midagi muud me uues maailmas teha ei osanud. Me ei vajanudki kellegi tänu ega paika, kus oma haavu lakkuda. Me tormasime aina edasi, rünnates kõike, mis teele ette jäi, tappes, salvates, pekstes ja lajatades. Me mõlemad põlesime pöörases lahingupalavikus ning teadsime, et kui see palavik kaob, siis tuleb surm.

Me olime hulljulged ega löönud taganema ühegi vastase ees, sest meil polnud mõtet end säästa. Polnud ju vahet, kas langeda nüüd või hiljem. Me ei pööranud mingit tähelepanu kaitsele, meil oli ükskõik, kas mõni nool tungib meie rinda või kas mõni raudmees suudab meid oma piigiga läbi torgata, ja see hoolimatus tõi meile edu. Me saime jagu vastastest, kes olid meiega võrreldes mitmekordses arvulises ülekaalus, ja jätsime nende laibad puruks hakitult teele. Nooled, mida nad meie suunas lennutasid, ei tabanud meid, mõõgahoobid vihisesid meist mööda. Me mõirgasime naerda, ulgusime kui hundid ja sisisesime kui maod, me ei pesnud end iialgi ja vaenlaste verepritsmed katsid meid peagi üle kere, nii et me nägime välja otsekui nülitud raiped. Me polnudki enam inimesed, vaid elavad koolnud, kes

ANDRUS KIVIRÄHK

olid surnust üles tõusnud, selleks et kimbutada uut maailma, ja see uus maailm ei suutnud meist kuidagi vabaneda.

Me möödusime oma retkedel ka küladest ja kui mõni külainimene meile teele ette jäi, siis äigasime tallegi – kui just kiired jalad teda ei päästnud, taga ajada me neid leivaõgijaid enamasti ei viitsinud. Me nägime, kuidas nad meid märgates oma rukkipõllud maha jätsid, sirbid üle õla viskasid ja ummisjalu põgenesid, ning röökisime neile solvanguid. Ma karjusin neile, et Põhja Konn on tagasi tulnud, ning vanaisa tegi taeva all vägevaid tiire, mispeale külainimesed põlvili laskusid ja oma uuelt jumalalt metshaldjate vastu kaitset palusid. Keegi ei aidanud neid ja kui me oleksime tahtnud, võinuksime nad kõik maha nottida.

Ma vaatasin, kuidas nad seal kobaras värisevad, ja mulle meenus aeg, mil ma koos Mõmmiga metsaserval ilusaid külatüdrukuid piilumas käisin, neid salamisi ihaldades, ja kuidas ma vihkasin lolle külapoisse, kellega tüdrukud kelmikalt juttu ajasid, samal ajal kui mina, kes ma olin nii tark ja mõistsin iidseid ussisõnu, pidin ihuüksi laanes käppa imema. Ma istusin metsaserval, igatsesin ja häbenesin ning tundsin end nii üksikuna. Ja sedasama tundsin ma ka nüüd, kui ma nägin neidsamu tüdrukuid – või õigemini küll mitte päris neidsamu, aga täpselt samasuguseid – mind ja vanaisa silmates oma nürimeelsete poiste selja taha pugemas ja neilt kaitset otsimas.

Kaitset minu vastu! Naeruväärne! Mida võis minu vastu üks armetu olevus, kelle keel on liiga paks ja tuim, et lausuda ussisõnu! Kui rumalad olid need tüdrukud ja kui sügavalt nõme oli nende valik! Ma ei pidanud mõnikord siiski vastu, vaid tormasin külasse ja tapsin nii palju mehi, kui suutsin, ning vanaisa, kes kunagi taplusest ära ei öelnud, järgnes mulle huilates. Las need uued inimesed näevad veel kord vägevat Põhja Konna, mis sest et mitte tõelist, neile piisab sellestki! Las nad kogevad veel viimast korda tema rünnaku jõudu! Ainult et kui varem oli Põhja Konn võidelnud nende eest, siis nüüd võitleb ta nende vastu, kuna nad on poolt vahetanud ja unustanud ussisõnad. Iidsed mälestused, mis vahepeal pelgalt muinasjuttudeks manduda jõudsid, on korraga ellu ärganud ja osutuvad tõeks. Teie valik oli vale, tüdrukud! See uus maailm on nõrk, ta puruneb vana maailma hammustuste läbi otsekui ämblikuvõrk. Kas kõik need uued vigurid suutsid kaitsta teie tobedaid mehi? Ei, nad lebavad läbisegi maas ja nende peadest nikerdab vanaisa õhtul tule ääres peekreid. Nad tahtsid elada moodsalt, kuid lõpetavad ikkagi muistselt – nende kolpadest juuakse vett, täpselt nii nagu tuhandeid aastaid tagasi.

Kas te näete, kui tugev ja võimas on vana maailm? Imetlege ja armastage seda, tüdrukud!

Kuid nad ei imetle ja armastusest pole mõtet rääkidagi. Nad nutavad, kisendavad ja põgenevad tagasi vaatamata. Ja neil on õigus, sest vana maailm pole tegelikult tugev. Me oleme vana-isaga vaid nagu ootamatult suve hakul maha sadanud lumi, mis võib küll ühe ööga hävitada pungad ja lehed, kuid mis järgmisel hommikul jälle sulab, kuna päike on liiga kuum. Me tapsime ja põletasime, aga siis me lahkusime külast, tüdrukud tulid peidust välja ja elasid edasi, leidsid endile uued mehed ja sünnitasid neile lapsi, kellest ükski ei mõistnud ussikeelt.

Ma mõistsin suurepäraselt, kui mõttetu on meie võitlus, ja mul oli iga kord pärast järjekordse küla hävitamist sant tunne. Aga lahingupalavik oli mul endiselt veres ning ma ei põdenud kaua.

Lõppude lõpuks, ükskõik! Pole siin midagi kahetseda. Käigu kogu see uus maailm perse!

Põhiliselt keskendusime siiski raudmeestele. Me leiutasime uusi viise nende küttimiseks. Panime enda heaks tööle kitsed ja põdrad, keda me ussisõnade abil rüütlite teele ette kihutasime. Iialgi ei suutnud raudmehed vastu panna himule jahti pidada ning tormasid oma ratsude seljas loomi jälitama. Me suunasime põdrad ja kitsed tihnikusse, kus ise varitsesime, ja tegime raud-meestele kiirelt otsa peale.

Õhtuti poleeris vanaisa pealuid ja mina küpsetasin tule kohal kitseliha, sest päev läbi kestnud tapatöö väsitas ja tegi näljaseks. Meil polnud nende kolpadega midagi peale hakata, sest kaasa me neid võtta ei saanud, muidu poleks me enam olnud sõdalased, vaid mingid kahel jalal kõndivad peekrimäed, kelle ninagi ei paista välja kaunilt nikerdatud kolpade hunnikust. Ma ütlesin kohe meie teekonna alguses vanaisale, et meil pole mõtet pealuudega jännata, kuid vanamees polnud nõus.

"See on vana sõjakomme, et vaenlase kolpa ei jäeta mitte niisama vedelema, vaid poleeritakse kenasti ära ja tehakse temast peeker," ütles ta. "See on viisakas. Kui sul oli nii palju aega, et inimene ära tappa, siis leia ka see aeg, et tema pealuud lihvida."

"Me ei saa ju kõiki neid kolpasid endaga kaasas tassida," vaidlesin mina vastu.

"Seda küll," nõustus vanaisa. "Ma pole seda öelnudki, et me neid kaasas peame kandma. Teeme lihtsalt karikad valmis ja jätame tee peale. Kes tahab, see võtab endale ja joob nende seest."

Nii valmistaski vanaisa kõikide meie käe läbi surma saanud inimeste pealuudest öö jooksul karikad ja me jätsime nad hommikul teepervele, otsekui isevärki pabulad, mis kuulutasid: "Siit on läinud läbi kaks vana maailma sõdalast!" Kolbad pidid näitama, et vana maailm on veel alles; need peekrid olid nagu kusi, millega hundid oma radasid märgistasid, kuulutamaks teistele loomadele, et nad on lähedal.

Ühel õhtul jõudsime metsa vahel keerutavat rada mööda lagedale väljale, mille keskel kõrgus raudmeeste kivist kants. Vanaisa maandus puuoksale ja pilgutas mulle silma.

"Kas võtame ette, poiss?"

"Muidugi, vanaisa!" vastasin mina ja me kraaksusime naerda nagu kaks varest. Oli täiesti ogar mõte rünnata kahe mehega kindlust, mille müüridel liikus kümneid raudrüüs sõdalasi. Vanaisa võis muidugi üles nende juurde lennata, kuid minul oleks talle appitõttamiseks tarvis vähemalt redelit ja enne kui ma seda mööda müüriharjale pääseks, lastaks minu keresse kindlasti rohkem nooli, kui on linnul sulgi. Mida vanaisagi seal üleval üksi teha suudaks, kui raudmeestel on võimalus tornidesse peitu minna ja lendav vanaisa laskeavade kaudu nooltega üle külvata? Otsus rünnata kindlust oli hullumeelne, kuid me ei hoolinud sellest.

"Millest me alustame, vanaisa?" küsisin ma.

"Ootame ööd," vastas vanamees. "Ma tunnen karude lõhna. Neid peetakse seal kantsis kinni. Kui karud meile seestpoolt appi tulevad, anname meie väljastpoolt pihta, ja homme on mul palju tööd kõikide nende pealuudega, mis meile täna saagiks langevad."

Me redutasime metsas, kuni päike oli loojunud, siis hiilisin ma kantsini ja sisistasin mõned ussisõnad. Need sõnad kostavad ka läbi müüride ja neile lihtsalt peab vastama, isegi kui sa ei soovi end reeta; seega polnud mingi ime, et ma kuulsin otsekohe nõrka ja veidi segast sisinat, just sellist, mida toovad kuuldavale karud.

Ma roomasin sinnapoole, kust sisin kostis ja litsusin end vastu müüri.

"Palju teid seal on?" sisisesin ma karudele.

"Kümme," tuli vastus.

"Tore!" teatasin ma. "Meil on plaanis kindlus vallutada ja kõik raudmehed tappa. Kui te meid aitate, saate vangist vabaks ja võite tagasi metsa joosta."

"Me polegi vangis," kostus läbi müüri minu suureks üllatuseks. "Meile meeldib siin. Raudmeeste ülem toidab meid hästi."

"Lollpead!" sisistasin ma vihaselt. "Kas teil metsas vähe süüa on? Mis mõnu on istuda kivist kantsi keldris trellide taga! Kas te päikest ei igatse näha?"

"Me käime iga päev jalutamas," vastasid mulle karud. "Meil on kõigil tugev, nahast kaelarihm. Oi, kui ilus see on! Sinna on kinnitatud hõbedast naaste ja seotud värvilisi paelakesi. Metsas pole ühelgi karul nii ilusat kraed. Need on toodud mere tagant, välismaalt. Ei, meie küll ei kavatse kindlusest põgeneda."

Ma sisistasin neile paar solvavat sõna, aga karud ei paistnud neist hoolivat – nad olid ilmselt väga rahul, et said kellelegi oma uskumatust õnnest pajatada ning vatrasid läbisegi.

"Siin on väga peen!" seletasid nad. "Kõikidel naistel on kohutavalt uhked kleidid, mis muudavad nad nii ilusaks, et mine või lolliks. Vahel viiakse meid pidusaali, kus kõik inimesed söövad

ANDRUS KIVIRÄHK

ja tantsivad ning meie tohime seda pealt vaadata ja meile antakse konte. Vähe sellest, ka meile õpetatakse tantse! Siin on üks küürakas mees, kes kannab peas suurt kaheharulist punast mütsi, mille mõlemas tipus on kuldne kelluke. See on üks võõramaalane, kahtlemata tähtis ja kuulus mees, kes pidudel alati kõige rohkem räägib ja põrandal kukerpalle teeb. Siis kõik naeravad ja plaksutavad talle. Ta mängib pidudel ka vilespilli ja mitte ainult suuga – oh ei! Ta oskab seda pilli puhuda ka oma taguotsaga. Jah, ta laseb püksid alla, viskab selili, torkab vile endale perseauku ning mängib nii kenasti, et kõik teised isandad ja daamid suurest rõõmust naerda möirgavad ja käsi kokku taovad. Seesama mees on ka meie õpetaja, ta puhub oma vilepilli ja näitab, kuidas me selle taktis peame tammuma. Ta on väga lahke ja kui meil tants hästi välja tuleb, paitab ta meid ning jagab maiustusi. Meie muidugi püüame üliväga, sest me saame aru, et tantsimine on tänapäeval moes. Kõik suured isandad tantsivad, ehkki mitte nii hästi kui see kuldsete kellukestega küürakas mees. Oh, kuidas me tahame tema moodi olla! Me tahame hästi tantsima õppida, siis ehk saame endale kah kaheharulise punase mütsi ja kuldsed kellukesed, mis nii ilusasti helisevad. Meil on veel üks suur unistus – nimelt sooviksime ka meie õppida suu ja perseauguga vilespilli puhuma, kuid me kardame, et selleks oleme me liiga kohmakad ja harimatud, liiga kaua metsas elanud. Aga eks näis! Võib-olla saame ka selle kunsti selgeks!"

"Te peate kõik need isandad ja daamid tapma ja selle küüraka kõigepealt," teatasin mina.

"Mitte mingil juhul!" vastasid karud. "Me armastame ja imetleme neid, eriti oma kallist õpetajat. Üldse ei tapa me enam kedagi, see on vana ja iganenud komme, ainult tumedas metsas tehakse veel nii. Me oleme nüüd tantsukarud."

"Te peate kõik need isandad ja daamid tapma ja selle küüraka kõigepealt," kordasin mina halastamatult.

"Oh ei, seda me ei tee!" kostus müüri tagant. "Lõpeta juba! See on rumal jutt. Kes sa üldse oled, et meilt selliseid jubedaid asju nõuad?"

"Ma olen mees, kes mõistab ussisõnu," ütlesin mina ja sisistasin ühe õige pika ja keerulise sisina. Müüri taga jäi korraks vaikseks, seejärel hakkas kostma hullumeelset möirgamist. Nii see pidigi olema, sest see ussisõna võttis karudelt nende vaba tahte ja äratas pöörase tapakire.

Ilma et ma neid läbi müüri näinud oleksin, teadsin ma, mis karudega praegu sünnib. Nende silmad põlevad, nende mokkadelt tilgub vahtu, nad väänavad trelle, purevad oma kaelarihmu ja tungivad röökides lossi. Nad murravad iga inimese, kes nende teele jääb, peksavad segi toad ja paiskavad müüridelt alla vahimehed. Kindlasti hakkavad raudmehed neile vastu, katsuvad ootamatult hulluks läinud loomi peatada, maha rahustada, ning kui see ei õnnestu, siis surmata. Nad võitlevad karudega ja siis, kui mõlemad pooled on verest tühjaks jooksmas, siis kui karud on kogu lossi segi pööranud ja enamuse raudmeestest maha murdnud, tuleme meie vanaisaga ja viime töö lõpuni.

Ma kuulsin kindlusest jubedaid karjeid ja mõistsin, et karud on inimeste kallale pääsenud. Võib-olla söövad nad just praegu seda punase mütsiga vilepillimeest, kes neile tantse on õpetanud. Nüüd tantsib ta ussisõnadest hulluks aetud karukarja käppade vahel.

Ma nägin, kuidas üks vahimees pea ees müürilt alla lendas, ja taipasin, et vähemalt mõned karud on üles jõudnud. Viskasin talle pilgu peale – kõik oli korras, mees oli kaela murdnud – ja sisistasin vanaisale. Ta oli ka juba ise aru saanud, et aeg on käes, ja tuli lennates nagu suur öökull.

"Haara minust kinni, ma vean su üles!" karjus ta ning ma klammerdusin vanaisa puusade külge ja tundsin, kuidas õhku kerkin. Hetk hiljem olin ma juba müüridel ja minu poole tormas suur karu, lõuad pärani.

Sisistasin talle kiiresti, mida vaja, ning loom pööras ringi, et otsida teist ohvrit, sellist, kes ei mõista ussisõnu ega suuda teda käsutada. Ta leidiski ühe raudmehe ja kargas selle kallale, kuid raudmees torkas karule oda otse südamesse ning loom veeres mööda treppi alla kindlusehoovi.

Hetk hiljem järgnes talle ka võidukas raudmees, nüüd juba kasutu oda ikka veel peos, sest vanaisa oli teda otse õhust põske salvanud.

Meil oli tegelikult üsna vähe teha jäänud, sest karud olid tublisti märatsenud, ja ehkki ka nende endi laipu vedeles kõikjal, olid nad maha murdnud peaaegu kõik kindluse elanikud. Viimastele tegime ise otsa peale.

Siis jäi üle veel ainult karud maha rahustada. Neid oli alles kaks ja nad olid nii marus, et tahtsid juba isekeskis kisklema minna. Üksainus vaikne ussisõna peatas nad ning karud vahtisid mõistmatult ringi, kohkudes oma veriste käppade nägemisest.

"Korras, karud!" teatas vanaisa. "Valmis! Kindlus on langenud ja kõik raudmehed ning nende eided surnud. Võite metsa tagasi lipata."

Karud põrnitsesid meid tummalt.

"Kas te ei saanud aru?" küsis vanaisa. "Minge metsa tagasi! Te olite tublid, murdsite kõvasti. Võite koolnud kinni pista, kui tahate, ainult pead kuuluvad mulle. Neid ma teile närida ei anna."

Ta hõljus madallennul kindluse hoovi kohal ja õngitses laibakuhjast ühe pisikest kasvu, küüraka mehe surnukeha, kellel tolknes pea küljes punane kaheharuline müts. Vanaisa tõmbas tal selle peast.

"Imelik pea sellel siin," ütles ta. "Muhklik justkui kuusejuur. Sellest kolbast tuleb uhke karikas."

"See on ju vilepillimängija!" hüüdis üks karu. "Tema õpetas meid tantsima ja andis meile suhkrut. Mida te olete ometi teinud?"

"Meie pole sellel mehikesel ainsatki konti murdnud," vastas vanaisa. "Tal on kõri peal karu kihvajäljed. Võib-olla oled sina ise teda purenud."

Ta lõikas vilepillimängijal pea otsast ja torkas oma märssi.

"Pea mulle, kere teile," ütles ta reipalt. "Head isu!"

Karud astusid aeglaselt vilepillimängija surnukeha juurde. Nad tonksasid teda koonuga, üks karudest võttis hambusse punase mütsi kahe kuldse kellukesega ja tõstis selle laiba rinnale. Nad lakkusid mehikese käsi. Nad nutsid.

"Sööge kiiresti, lollpead!" karjus vanaisa ülalt õhust. "Me paneme selle krempli nüüd kohe põlema! Hõissa! Poiss, tule alla, ma torkan neile tule räästasse!"

Mõne aja pärast lõõmas vallutatud kindlus ning sädemete pilv tõusis kuuni. Ma sammusin mööda tulekumast valgustatud teed, vanaisa pea kohal laperdamas, ja kuulsin teda lausumas:

"Hea, et nad oma majad keset lagedat välja ehitavad, nii pole karta, et mets põlema läheks."

Mina mõtlesin parajasti, kas karud lahkusid kindlusest või jäidki lakkuma oma õpetajat, kes mõistis puhuda vilet nii suu kui tagumikuga. Ehkki samas – mis see minu asi oli? Kõrbegu ja kärvaku, kui tahavad, koos oma kuldsete kellukestega küüraka ja tema vilespilliga.

Kes jõuab kogu maailma haletseda! Kogu seda uut maailma. Küll nad toibuvad, raisad. Aga meie teeme selle neile nii raskeks kui võimalik.

"Vanaisa, seal on veel üks kindlus!" hüüdsin ma ja osutasin ettepoole. "Nüüd on selle kord!"

"Just nimelt!" vastas vanaisa heakskiitvalt. "Tungime kohe peale, praegu on ihu veel eelmisest madinast soe."

"Karusid siin pole?" küsisin ma.

"Ei tunne küll nende haisu," kostis vanaisa. "Aga mis sellest, saame ka ise hakkama."

"Küll me juba saame!" nõustusin mina ja tundsin, kuidas veri pähe tõuseb. "Läksime, vanaisa! Vea mind jälle müüridele nagu eelmine kord!"

Ma haarasin vanaisast kinni ja me lendasime. Pimeduses seni ebamäärase tumeda kamakana mõjunud kants oli korraga siinsamas. Ma olin valmis viskuma keset raudmeeste odasid ja mõõku, et võidelda oma elu eest ning vajaduse korral ka kõngeda – see oli mulle täiesti ükspuha –, kuid ülalt hoonet silmitsedes mõistsin ma korraga, et see polegi rüütliloss, vaid hoopis klooster.

"Vanaisa, meil vedas!" karjusin ma. "Siin pole üldse raudmehi, ainult mungad! Vanaisa, see siin on sama mis seenel käimine, ainult lõika noaga!"

Üks munk jõllitas mind alt kloostriõuelt. Ta tõstis käed ja karjus midagi oma arusaamatus keeles. Kloostri kellad hakkasid lööma. Ei möödunud poolt tundigi, kui need jälle vait jäid.

36.

Me võtsime riided seljast ning kuivatasime neid tule paistel, sest verest märgades ürpides hakkaks öösel külm. Vanaisa tegeles kolpadega ning kui ta ühe karika valmis sai, heitis ta selle üle õla ning hakkas meisterdama uut. Pealuudest karikad veeresid justkui käbid mööda metsaalust laiali.

Mina jäin peagi magama ning kui ma koos esimeste päikesekiirtega ärkasin, oli vanaisa ikka veel ärkvel ja mässas endiselt pealuudega.

"Vanaisa, sa ei maganud üldse," ütlesin ma uniselt ja ajasin end haigutades istuli.

"Mul pole selleks aega," kostis vanaisa. "Ma olen liiga kaua saarel kükitanud, kui ma nüüd ka veel osa ajast magamise peale raiskaks, ei jõuaks ma midagi. Poiss, söö kõht täis ja pane riidesse, ma lõpetan kohe viimase karika ja siis läheme aga muudkui edasi ning teeme jälle raudmeestele säru."

"Jah, vanaisa," ütlesin mina. "Me läheme edasi."

Ometi juhtus nii, et aina edasi minnes liikusime me samas ka tagasi, sest metsateed olid käänulised ja ega me üritanudki mingit kindlat suunda hoida, vaid rändasime sinna, kuhu jalad viisid ning kus oli lootust kohata raudmehi või munkasid. Sel kombel avastasin ma ühel järjekordsel õhtul, et ümbrus on kuidagi tuttav, ning kõndinud veel veidi aega, tundsin ma ära paiga, kus hundid olid murdnud maha külarahva lambad, kus ma olin kohtunud Magdaleenaga ning temaga esimest korda armastanud.

"Vanaisa, me oleme jõudnud jälle kodumetsa," ütlesin ma, "ka meie vana onn pole siit kaugel."

"Kas sa tahad sealt läbi astuda?" päris vanaisa.

Ma ei tahtnud.

Mis mõtet sellel oleks? Ema ju seal enam polnud. Siis meenus mulle, et Salme peaks ju ometi oma koopas veel alles olema, koos Mõmmiga. Ma polnud oma õde ammu näinud. Kui me koos vanaisaga viimati siitkandist lahkusime, polnud mul aega ega tahtmist temaga hüvasti jätta, tõtt-öelda ei tulnud ta mulle meeldegi, sest selles kohutavas varingus, mis oli ühe öö jooksul matnud enda alla kõik mu kallid, unus mul hoopis, et Salme on ju endiselt elus. Tol hetkel tundus, et kõik on kadunud, jäänud on vaid vanaisa ja pöörane, mitte millestki hooliv sõda kõikide vastu. Hiljem oli Salme mulle aeg-ajalt meenunud, kuid siis olin ma juba kodust kaugel ja mul polnud ka kõige parema tahtmise juures võimalik teda vaatama minna. Nüüd oli see võimalik, nüüd olime taas tagasi kodus.

"Vanaisa, mis oleks, kui läheks ja külastaks minu õde?" pakkusin ma. "Saad ka oma teise lapselapsega tuttavaks."

"Kas sellega, kes abiellus karuga?" küsis vanaisa. "Lähme pealegi, sugulastega tuleb läbi käia. Ikkagi oma liha ja veri."

Me pöörasime teerajalt metsa. Vanaisal polnud seal kuigi mugav lennata, sest tema tiivad olid liiga laiad ja ta kippus okstesse takerduma. Seepärast tõusis ta kõrgemale ning hõljus puulatvade kohal nagu kotkas.

"Hõika, kui me kohale jõuame, siis ma laskun alla!" karjus ta mulle ülalt.

"Teeme nii, vanaisa!" hüüdsin ma vastu. "Meil polegi enam palju minna – muidugi kui Salme ikka oma vanas koopas elab. Loodame, et ta pole ära kolinud."

Vanaisa ei vastanud, ta tiirutas metsa kohal, kord allapoole vajudes, siis jälle vägevate tiivalöökidega kõrgemale tõustes.

"Poiss!" karjus ta siis. "Metsas on raudmehi! Ma näen neid! Mis sa arvad, kui nüpeldaks neid enne natuke? Siis oleks meil su õele mõned kenad kolbad külakostiks viia ja tema karule paar kintsu."

"Miks mitte, vanaisa!" hõikasin ma vastu. "Kus nad on?"

"Sealpool!" hüüdis vanaisa ja röögatas järgmisel hetkel kohutava häälega, sest "sealtpoolt" oli tema juurde lennanud vibust lastud nool, mis läbistas ta õla. Vanaisa ulgus, haaras hammastega noolel sabast, et seda välja kiskuda, kuid pures üksnes noole pooleks ja langes keereldes taevast alla, purustades puuokste vastu oma tiivad ning jäädes lebama keset tiibadest tekkinud kondihunnikut.

"Vanaisa, oled sa elus?" karjusin ma ning tormasin tema juurde, aga samal ajal kappasid puude tagant välja ka ratsamehed koos nende kannul jooksvate vibuküttidega. Nad olid metsas jahti pidanud ja see jaht oli neil korda läinud, sest ehkki nad polnud tabanud ainsatki põtra ega kitse, olid nad saanud pihta minu vana-isale. See oli olnud tõesti hea lask ja ma pidin möönma, et ka raudmeeste relvad suudavad midagi. Sel hetkel polnud mul mui-dugi aega nende vibusid imetleda, ma pidin kaitsma oma abitult maas lebavat vanaisa ning iseennast, sest juba asusid raudmehed rünnakule. Ma sisistasin ja hobused hakkasid lõhkuma nagu alati ning raudmehi pudenes sadulast. Ma sööstsin neile kallale ja mõne hetkega oli mu nuga verest punane. Kuid neid oli liiga palju ning minul polnud vanaisa abiks. Ma tapsin neist vähemalt pooled, aga nad olid kõikjal mu ümber ja ühel hetkel tundsin ma, kuidas mulle langeb pähe midagi kohutavalt rasket ja teravat, mu pealuu praksatas ja enne meelemärkuse kaotamist jõudsin ma mõelda, et sellest kolbast ei saa head karikat, kuna tal on nüüd tõenäoliselt auk sees. Ilmselt oli mulle selja tagant mõõgaga pähe löödud, ma kukkusin pikali ega mäletanud enam midagi.

Pea valutas kohutavalt. See oli ainus, mida ma tajusin. Hea mee-lega oleksin ma uuesti minestanud, et sellest piinast pääseda, kuid mind ei lastud. Keegi loopis mulle külma vett näkku. Ma avasin vaevaliselt silmad ja nägin enda ees raudmehe irvitavat lõusta. Ta kõneles midagi ja naeris.

Nähes, et ma olen teadvusel, haaras ta mul koos ühe teise mehega kraest kinni ning sikutas püsti. Nägin, et mu riided on üleni kaetud peahaavast voolanud verega. Ma olin väga nõrk ega suutnud ise seista, kuid seda polnudki vaja. Raudmehed sidusid mu puu külge ja nöörid hoidsid mind kukkumast.

Nüüd sain ma silmitseda ümbrust. Olime mere kaldal – umbes selles paigas, kust kunagi algas minu ja Hiie mereretk, mis viis meid vanaisa saarele. Siis oli rand olnud täis vihaseid hunte ning kusagil lainetes oli seisnud tige Tambet ja karjunud meile needusi. Nüüd olid nende asemel raudmehed. Neid oli palju ja nad vahtisid kõik minu poole, ajasid omavahel juttu ja näisid midagi ootavat.

"Poiss, kuidas läheb?" küsis keegi kähinal. Pöörasin pead, niipalju kui köidikud lubasid, ja nägin vanaisa. Ka tema oli puu külge seotud, nii et pärast jalgade kaotamist sai ta esimest korda taas püsti seista. Temagi rõivad olid verised, katkine nooleots turritas endiselt õlast välja ning tal oli üks silm peast välja torgatud.

"Nüüd teevad nad meile lõpu peale," ütles vanaisa. "Sitakärbsed sellised! Ma sain kukkudes kõvasti põrutada ja kui ma toibusin, olid need mägrad mu juba kinni sidunud. Mul läks siiski korda mõnda neist hammustada, nii et nad sealsamas kärvasid. Siis lõid nad mul silma välja ja peksid kaikaga vastu suud, et mu mürgihambad välja kukuksid – aga neil on tugevad juured. Lõpuks kutsusid nad mingi paksu mehe suurte tangidega, et see hambad välja kisuks, aga mina salvasin teda kätte, ja siis nad mulle enam ligi ei tulnud. Nii et ma suren koos oma kihvadega, nii nagu ma koos nendega olen elanud. Poiss, meil oli sinuga tore. Me hakkisime neid pasaloomi tublisti. Kahju, et ma nii lollilt noole õlga sain, muidu oleksime võinud neile veelgi valu anda."

"Pole midagi, vanaisa," lohutasin teda. "Ükskord pidi see nagunii lõppema."

"Sinu õde ma nüüd ei näinudki," jätkas vanaisa. "Sellest on ka kahju. Meid on ju nii vähe alles ja näe, needki vähesed ei saa omavahel kuidagi kokku."

Ta oli mõnda aega vait, põrnitses raudmehi ja sisises valjusti. Kaugemal hakkasid mõned puude külge seotud hobused hirnuma ja püüdsid end lahti rebida.

"Ussisõnadest pole ka mingit kasu," ütles vanaisa. "Hobused võib lõhkuma ajada, aga need sitapunnid ei istu ju sadulas. Ja neile endile ei mõju ükski ussisõna, nad ei saa neist mõhkugi aru."

Trummid hakkasid põrisema. Kaks meest tulid meie juurde. Neil oli käes nahkrihm, millega nad vanaisa suu kinni sidusid – küllap selleks, et vanaisa ei saaks kasutada oma hirmsaid mürgi-kihvu. Vanaisa ümises tigedalt. Mehed sidusid ta puu küljest lahti ning ilma jalgadeta vanaisa varises kõhuli. Raudmehed naersid ja huilgasid rahulolevalt.

"Pea vastu, vanaisa!" ütlesin mina. "Tead, ma olen sinu üle väga uhke. Kui sinusuguseid mehi olnuks rohkem, lendaks Põhja Konn siiamaani taevas ja õgiks neid irvitavaid lontruseid nagu pääsuke sääski."

Vanaisa vaatas minu poole ja pilgutas oma ainsat silma. Siis lohistati ta minema.

Väikesele künkale oli ehitatud midagi puust põranda sarnast. Sinna vanaisa veetigi. Tal kisti riided seljast ning lükati kõhuli.

Seejärel aheldati ta käed põranda külge ning üks mees istus tema jalaköntidele, et hoida paigal alakeha.

Siis võttis üks meestest suure noa ja lõikas vanaisa selja lõhki, alates kuklast ning lõpetades tagumikuga.

Vanaisa korskas valust ja vingerdas.

Noaga mees pistis oma käed haava sisse ja sobras seal. Vanaisa silmad läksid pahupidi, kuid ta ei kaotanud teadvust. Veri voolas mööda puust põrandat ning tilkus sealt alla liivale.

Mees vanaisa seljas oli üles leidnud roided. Ta võttis väikese kirve ja asus neid lahti raiuma.

Seejärel haaras ta neist kinni ja painutas väljapoole, nii et roided turritasid vanaisa seljast välja justkui linnutiivad.

Raudmehed kaldal kukkusid heakskiitvalt hirnuma ja karjusid midagi, vehkides kätega, justkui üritaks lendu tõusta.

Vanaisa oli ikka veel elus, ta peksis peaga vastu põrandat. Korraga katkes suud kinni hoidnud rihm. Vanaisa röögatas ning lõi hambad oma piinaja jalga, mille see ettevaatamatult tema näo ette oli unustanud.

Mees kiljatas kummaliselt heleda häälega ja varises vanaisa kõrvale. Teised tõttasid küll talle appi, kuid pärast mõningaid kiireid tõmblusi jäi salvata saanud mees vait. Ta oli surnud.

Vanaisa sisises samal ajal nagu pöörane, laksutas igasse suunda oma lõugu ja sülgas tumedat verd.

Üks raudmeestest kargas vihaselt lähemale, haaras mõõga ja raius vanaisal pea otsast. See veeres puust põrandalt alla ning kuna see oli üleni verest märg ja kleepuv, kattus otsekohe liivaga, nii et seda võis pidada lihtsalt üheks suureks liivaseks kiviks.

Vanaisa kere jäi kummaliselt moonutatuna vereloigu sisse lebama – sel kehal puudusid jalad ning lõhkisest seljast kasvasid välja kondised tiivad. Need olid inimluud, seega täiesti lennukõlbulikud, kui oleks ainult tuulesõlmi.

Neid polnud aga muidugi enam kuskilt võtta.

Siis oli järjekord minu käes. Mehed tulid ja sidusid mu puu küljest lahti. Ma olin ikka veel väga nõrk ja lõin taaruma, kuid nad ei lasknud mul kukkuda, vaid lohistasid endi vahel kiiresti puust piinamisplatsile. Üks meestest libastus seda katvas suures vereloigus ja mu haavatud pea põrkus vastu tema õlga. Ma ei suutnud karjatust tagasi hoida.

Mehed naersid ja rääksid midagi oma keeles, mida ma ei mõistnud, kuid ma oletasin, et nad laususid umbes midagi säärast:

"See pole veel midagi, see on alles nali, õige valu alles tuleb!"

Ma ei kahelnudki selles, sest päris selgelt peab see olema üsna ebameeldiv, kui su selg lõhki lõigatakse ning roided kõveraks väänatakse. Midagi polnud teha, ussisõnad siin enam ei aidanud.

Nad sidusid mu kinni täpselt nagu vanaisagi ja üks meestest võttis kätte noa. Pigistasin silmad kinni ja hammustasin huulde, oodates esimest valusähvatust turjas ja kõike, mis sellele järgnema pidi.

Aga torget ei tulnud. Keegi ei puudutanud mind ja kummalised hääled, mida ma raudmeeste poolt kuulsin, ahvatlesid mind jälle silmi avama.

Nad seisid kõik sealsamas kus varemgi – lagedal rannaribal, kust oli kõige parem jälgida laudpõrandal aset leidvat verist vaatemängu. Nad ei naernud enam ega ajanud kaela tapalava poole õieli. Pead olid viltu hoopis mere poole ja näis, nagu oleksid need kaelte jaoks ootamatult raskeks muutunud. Igatahes oli nende asendis midagi ebakindlat, jäi mulje, nagu ähvardaks pea õlgadelt alla veereda ning selle takistamiseks ning tasakaalu säilitamiseks pidid nad tegema sammu mere suunas. Ja siis veel ühe. Kuid see ei aidanud, kael ei läinud ikkagi sirgeks, pea vedas omasoodu mere poole, ja ehkki raudmehed oma pead lausa käte abil sirgeks püüdsid painutada, ei läinud see neil korda ja nad olid sunnitud liikuma pea valitud suunas.

Vaatasin selja taha – ka need mehed, kelle ülesanne oli mind surnuks piinata, olid nüüd oma peaga kimpus. Nad ei seisnud enam tapalaval, vaid vaarusid nagu teisedki raudmehed samm-haaval mere poole, sest sinna sikutas neid ülemeelikuks muutunud pea. Nende näolt peegeldus ülim hämmastus ja hirm, nad ei mõistnud, mis on ometi lahti nende siiani nii sõnakuuleliku peakoluga ja kuhu ta neid tirib. Nad karjusid ja hoidsid endal kätega kõrist, üritades pead teise suunda keerata, kuid tundmatu jõud, mis sel hetkel pea üle valitses, oli neist tugevam.

Ma olin endiselt kinni seotud ega suutnud kuidagi oma käsi ja jalgu köidikuist lahti kiskuda, ehkki ma punnitasin kõigest jõust. Oli ju käes suurepärane võimalus põgenemiseks, sest raudmeestel polnud enam aega mind tähelegi panna – neil oli küllalt tegemist, et taltsutada omaenda mässulist pead. Ma ei võinud ju teada, kaua säärane ime kestab ja rabelesin mis suutsin. Aga köidikud olid tugevad ja mul ei jäänud üle muud kui abitult lebada ja loota, et see pentsik sündmus, mis mu hukkamise just viimasel hetkel katkestanud oli, raudmehed minust võimalikult kaugele viib.

Tõepoolest, nad ei saanudki oma kaelasid sirgeks. Pea vedas neid aina enam mere poole, juba seisid esimesed raudmehed jalgupidi vees ning pidid ikka aina edasi astuma. Nüüd kisendasid nad juba surmahirmus. Ikka kaugemale merre tiris neid pea ja nad komberdasid tema kannul nagu köie otsa seotud lambad. Nad punnisid vastu, kuid läksid siiski, sest neil polnud jõudu pea sunnile vastu panna. Üks lühikest kasvu raudmees oli jõudnud juba nii kaugele merre, et vesi talle kaelani ulatus: ta röökis nagu hullumeelne, kuid ei saanud seisma jääda ning järgmisel hetkel tungis vesi talle suhu. Ta kadus lainetesse.

Nüüd mõistsid kõik raudmehed, milline lõpp neid ootab, nad ulgusid ja kiunusid ja üks mees tõmbas vöölt noa ja lõikas endal sellega kõri läbi, et rebida enda küljest lahti mõrtsukast pea, mis teda armutult märga hauda lohistas. Sellega pääses ta küll uppumisest, kuid mitte surmast, ning tema keha kukkus merre ja värvis vee punaseks.

Teised raudmehed nii otsusekindlad polnud. Nad kiljusid ja kisendasid, vehkisid kätega taeva poole ja anusid abi oma jumalalt, keda nad ilmselt kujutlesid pilvede taga lesimas ja seda veidrat vaatepilti imetlemas. Miski ei aidanud, üksteise järel kadusid nad merre ning kui lained olid viimase raudmehe pea kohal kokku löönud, saabus randa ootamatu vaikus.

Ma hingasin sügavalt välja. Olin elus, olin pääsenud, ehkki ma ei mõistnud, mil kombel. Milline vägi oli ajanud need mehed vette, ennast vabatahtlikult uputama, mis oli juhtunud nende peadega, et need järsku lakkasid oma isandale kuuletumast ja merre sööstsid? Ma ei teadnud seda ja hetkel polnudki see minu kõige suurem mure. Oli vaja köidikuist vabaneda ja tõusta üles sellest verelombist, kuhu raudmehed mind pikali olid lükanud. Ma vingerdasin nagu ussike, kuid köied ei tahtnud järele anda.

"Oota, me aitame!" kostis kellegi hääl. Ma pöörasin pead ja nägin kahte lumivalget kogu vaevaliselt enda poole komberdamas. Need olid Pirre ja Rääk! Esimesel hetkel oli neid isegi raske ära tunda, nii vanaks olid nad jäänud. Pikad valged karvad lehvisid meretuule käes ja muutsid inimahvid suurte udusulis linnupoegade sarnaseks. Nad kõndisid raskelt, kõikudes ja komberdades, ent jõudsid viimaks siiski minu juurde ja näppisid oma pikkade kollaste küüntega sõlmed lahti.

Ma tõusin istuli ja oigasin samas, sest haavatud pea tegi taas valu ning ka lahtinööritud jäsemed tuikasid päris kõvasti. See oli aga tühiasi õnne kõrval, et mu selg oli ikka veel terve ja roided kenasti keha sees peidus. Ma kaelustasin inimahve ja laususin:

"Ma tänan teid. Kuidas te küll oskasite siia tulla ja nii õigel hetkel?"

"Meie puu otsast on kõik näha," ütles Pirre. "Ainult et me pole juba ammu kõndinud, sellepärast läks meil palju aega. Kui me oleksime olnud veidi kiiremad, oleksime jõudnud päästa ka su vanaisa."

"Jah, see on meie süü, et ta pidi surema," lisas Rääk. "Me oleme liiga vanad ja hirmus aeglased."

"Mis nende raudmeestega juhtus?" küsisin mina. "Mis neid ometi sedasi merre uppuma ajas?"

"Täid," vastasid inimahvid uhkelt. "Meie armsad täid, keda me oleme kogu elu uurinud ja õpetanud. Me saatsime nad raud-meestele juustesse ning andsime käsu mere poole liikuda. Täid hakkasidki minema ja vedasid mehedki kaasa. Pole võimalik paigale jääda, kui tuhat täid sinu juustes kuhugi minna soovivad ja kui neile annavad jõudu ka õiged ussisõnad, mida teie, inimesed, enam ei mäleta, isegi mitte sina, mu poiss. Erilised, vanade inim-ahvide ussisõnad, mis mõjuvad ka putukatele. Need päästsid su ja viisid raudmehed vette, kahjuks küll koos vaeste täidega, kes ohverdasid end sinu heaks, Leemet."

"Ma olen neile väga tänulik," tunnistasin. "Ja mul on kahju, et nendega niimoodi läks. Keda te nüüd uurite ja õpetate, kui kõik täid meres otsa said?"

"Küllap sünnivad uued," arvas Pirre. "Aga vaevalt et me neid enam treenima hakkame. Me oleme juba tõesti liiga vanad. Pea-legi poleks sellel enam mõtet, sest pärast meid ei oska nagunii mitte keegi täidega rääkida. Need täid, kes täna suure väe merre viisid, olid viimased, keda sai ussisõnadega juhtida, tulevased täid elavad juba omaenda elu ega kuula enam kedagi."

"Nii see on," kostsin mina. "Kõik asjad saavad otsa. Täna suri ka viimane maohammastega inimene, kes pealegi oskas lennata. Tulevikus arvatakse, et sellised asjad on võimalikud vaid mui-nasjuttudes."

Ma süütasin merekaldale suure lõkke, kus põletasin oma vanaisa surnukeha. Siis jätsin ma inimahvidega hüvasti, lubades neid peagi vaatama tulla, ning läksin metsa, et üles otsida oma õde ja mõelda, kuidas üldse edasi elada.

37.

Pirre ja Räägu jutu järgi pidi Salme elama ikka oma vanas koopas ja sinnapoole ma oma sammud seadsingi. Ehkki ühed puud olid vahepeal kõrgemaks kasvanud ja teised sügistormides murdunud, leidsin ma õe eluaseme hõlpsasti üles. Lükkasin eemale koopasuu ette riputatud põdranaha ning astusin sisse.

"Tere!" ütlesin ma valju häälega. "Kas tunned mu veel ära, õde?"

"Sina, Leemet!"

Salme ajas end ehmunult püsti. Koopas oli hämar, kuid ikkagi oli selgesti näha, et õde on vahepeal väga vanaks jäänud. Juuksed ripnesid korratult, koltunud ja puntras nagu lume alt välja sulanud mullused rohukõrred. Nahast ürp oli mitmest kohast rebenenud ja nõgine, nagu Salme nägugi. Ma silmitsesin õde vist lausa kohkunult, igatahes näis ta oma välimuse pärast kerget piinlikkust tundvat, kohendas oma vammust ning lükkas juuksesalgud näo eest minema.

"Ma ei osanud sind oodata," pomises ta segaselt. "Nii kaua aega... Kus sa ometi olid? Ma tõesti ei teadnud... Meil ei käi ju enam mitte kedagi. Mõmmi, vaata, kes tuli!"

Mõmmi vaatas mind ja mina vaatasin teda ning ma nägin kõige paksemat karu, keda mul kunagi on olnud juhust kohata. Pool koobast oli teda täis. Rasv oli neelanud ta koonu, nii et Mõmmi nägu näis lameda ja ümmargusena, justkui polekski ta enam karu, vaid hoopis kassikakk. Jämedad voldid ripnesid kõikjal. Näis, et vanadest karvadest ei jätku selle niivõrd hiiglaslikuks paisunud kere katmiseks ja nii haigutasid tema nahal mitmes kohas paljad, karvutud laigud, justkui mingid plekid või suured kärnad. Mõmmi jalgu polnud üldse näha, vohav vats kattis need nagu pruun pehme sammal.

"Tere, Leemet!" mõmises see rasvamägi, piiludes minu poole oma tillukeste silmadega, mis vaevu üle paksude põskede kiikama ulatusid. "Pole ammu näinud. Tore, et läbi astusid! Salme, paku oma vennale ometi midagi süüa."

"Ei, aitäh!" laususin ma kiiresti. Nii paksu looma juuresolekul poleks mul ainuski suutäis kurgust alla läinud. Pealegi tundsin ma nüüd mingit vänget lehka, mis täitis terve koopa ja ajas iiveldama. Oletasin, et Mõmmi on nii rasvaseks muutunud, et ei suuda enam koopast väljas asjal käia, ning pasandab seetõttu otse enda alla. Kujutlesin, mida kõike võib varajata see paks karvane kõht, mis otsekui nülitud nahk karu jalgu kattis, ja mul läks süda pahaks. Lisaks nägin ma kõikjal vedelemas näritud konte roiskunud lihajäänustega, Salme polnud neid mingil põhjusel viitsinud välja visata ning need haisesid samuti. Suured mustad kärbsed kõndisid igal pool ja hõõrusid oma esimesi koibi vastamisi, justkui avaldades rahulolu nii rikkaliku toidulaua üle. See oli hirmus, ema poleks oma onnis küll iialgi säärast korralagedust ning mustust sallinud. Peale selle, et see oli vastik, oli see ju ka häbiväärne – mida võinuksid seesuguse räpasuse kohta öelda naabrid!

Samas mõistsin aga, et just naabreid ju Salmel ja Mõmmil enam polegi. Nad elasid metsas ihuüksi. Mitte keegi ei astunud nende juurest läbi, mitte keegi ei suhelnud nendega. Nad olid ainsad metsa alles jäänud inimesed – ja tegelikult oli ju ka Mõmmi kõigest karu. Ei olnud siis mingi ime, et nende elamine metsistus ja rohkem looma urka kui inimese eluasemega sarnanes.

"Kas sa tõesti süüa ei taha?" küsis Salme. "Meil on põtra. Ainult et see pole nii läbiküpsetatud kui ema valmistatud praad. Tead, Mõmmile maitseb pisut toorem ja sellepärast ma ei praegi enam liha nii kaua. Sedasi on mahlasem. Äkki proovid?"

Ta tõi kusagilt kolde tagant välja tohutu liua külma põdralihaga, mis minu arust oli küll peaaegu toores. Mingi vägi poleks suutnud mind seda maitsma sundida.

"Ei, Salme, ma just sõin," valetasin ma. "Ajame niisama juttu. Mõmmi on kõvasti juurde võtnud, vaatan ma."

"Jah, seda küll," nõustus Salme. "Ta ei saa ju väljas käia. Sina ei teagi, milline õnnetus temaga juhtus – raudmehed tahtsid teda tappa! Nad pidasid tema peale jahti ning üks neist viskas teda odaga, mis haavas Mõmmi puusa. Ta suutis siiski nende eest padrikusse pageda ja minu juurde liibata, aga see haav oli kole. Ma küll tohterdasin teda nagu mõistsin, aga Mõmmi jalg läks ikkagi mädanema ja ta ei saanud enam üldse liikuda. Ei saa siiamaani. Ainult istub. Mul on temast nii kahju, aga ma ei oska teda kuidagi aidata, sest ma olen juba kõik ravimtaimed ja teised vigurid ära proovinud. Ma vähemalt toidan teda hästi ja hoolitsen, et tal millestki puudust poleks. Eks ta ole natuke paksuks läinud küll, aga mis sellest, vähemalt on tal kõht täis. Eks ole, kallis?"

"Jah, kõht on mul täis," mügises Mõmmi, kes oli hakanud ajaviiteks lauale toodud põdraliha õgima. "Sa oled armas ja hea naine."

"Niimoodi me jah siin kahekesi elame," ütles Salme. "Päris õnnelikult, ehkki Mõmmi muidugi tahaks vahel ka metsas ringi käia. Igav meil ei ole, me sööme mitu korda päevas ja kui kõht on täis, siis magame teineteise kaisus. Ma loodan, et raudmehed meid siit koopast üles ei leia, nii sügavale metsa nad tavaliselt ei tule. Küll nad on hirmsad! Kuidas võib pidada jahti karule? Mis see karu neile teinud on? Karu on ju nii hea loom. Oi, Mõmmi, kas sa oled juba põdra ära söönud? Äkki tahad veel?"

"Anna pealegi," mõmises karu ja lükkas puhtaks näritud kondid hooletult põrandale, nii et kärbsepilv erutunult lendu tõusis, rõõmustades uute rasvaste luude üle, mida mööda sibada.

Mul hakkas kurb ja masendus tükkis peale. See polnud mind tabanud siis, kui vanaisal ribid selgroo küljest lahti raiuti, ega siis, kui ma tema jäänuseid tuleriidale seadsin. Vanaisa oli saanud mis tahtis – ta oli uhkelt võidelnud, palju raudmehi tapnud ja tapeti nüüd ka ise. Ta oli seda ette teadnud. Varem või hiljem pidi ta juba kas või oma ea tõttu väsima, ükskord pidid nürinema isegi tema mürgikihvad. Me teadsime, et ei suuda võita, meie võimuses oli ainult võimalikult palju pahandust teha ja segadust külvata. Et vibuküti nool oli tabanud vanaisa just tol korral, oli juhus, aga selles polnud midagi häbiväärset. Sõjamees oli lahingus lüüa saanud, nüüd pidi ta karistust kandma. Poleks raudmehed teda surnuks piinanud, oleks tema teinud seda nendega. Mitte kellelegi polnud midagi ette heita, vanaisa elu oli lõppenud just nii, nagu ta ise seda soovis, ja meie näruse aja kohta oli tema saatus ilus ja ülev.

See, mis toimus minu õega, oli hoopis midagi muud. See oli hirmus, see oli häbistav. Vahel juhtus, ka meie kodus, et ema unustas kuhugi nurka tükikese jänesekintsu või mingit muud rooga, mis värskest peast oleks olnud maitsev ning mahlane, kuid mis unarusse jäetuna roiskus ning kattus hallitusega. Minu õde oligi nüüd nagu selline unustusse vajunud jänesekints, nii kurb kui mul ka seda tunnistada oli. Mets oli tühi, vaid tema oli alles jäänud – täpselt nii nagu meelest läinud toiduraas, mida pole märgatud õigel ajal ära süüa ja mis nüüd enam süüa ei kõlbagi. Ta oli halvaks läinud – oh, kui vastik on mul sääraseid sõnu omaenda õe kohta lausuda! Tema aeg oli otsas, ta polnud enam inimene. Ta polnud veel ka karu, aga liikus sinnapoole. Juba oli ta nõus sööma toorest liha, juba sarnanesid tema juuksed pulstunud karvaga. Ja ma ei saanud teda kuidagi aidata, sest ka mina ise olin ju vaid üks täpselt samasugune hallitama läinud lihatükk, kes püüdis küll kramplikult säilitada endist värskust ja kujutada ette, et ta veel millekski kõlbab. Milleks? Õde oli sellest õigesti aru saanud – ta võis veel vaid süüa ja oma karu kaisus magada. Muud midagi. Minul polnud karugi, mina pidin magama üksi.

Ah siis selline on minu tulevik siin metsas, mõtlesin ma õudusega. Kas poleks olnud parem, kui inimahvid oleksid veel rohkem hilinenud, nii et minugi verisest seljast kasvanuks välja uljad tiivad ja ma lennanuks koos vanaisaga ära – sinna, kuhu olid läinud juba kõik minu kallid, kõik minu eelkäijad, kogu mu rahvas. Sinna, kuhu oli kadunud kogu see hõrk praad, mis kunagi keset lauda, aukohal, kõikide nina, silma ja keelt hellitas, aga millest on nüüdseks alles vaid paar põrandale pudenenud pala – minu õde ja mina.

"Miks sa ometi ei söö?" küsis Salme uuesti, närides isukalt pooltoorest põtra, nii et mingi punakas ollus tema suunurgast alla nirises. "Sa kardad, et see pole piisavalt küps? Kuule, kui sa seda kardad, siis sinu jaoks võin ma ju ühe tüki läbi praadida!"

"Ei, Salme, ära tee endale tüli," kostsin mina. "Ma tõesti pole näljane."

Ma ei jäänud õe juurde kauaks. Haisuga ma harjusin, kuid meil polnud millestki rääkida. Pärast meie viimast kohtumist oli küll palju juhtunud, kuid mul polnud kõnelemiseks jõudu ega tahtmist.

Seepärast ei lausunud ma sõnagi vanaisast, ma ei rääkinud oma elust külas ega sellele järgnenud lahinguist. Mulle tundus, et Salme ei saaks neist asjadest nagunii aru. Minu jaoks kallid või ka valusad mälestused olnuks tema jaoks vaid mingid arusaamatud sõnumid tundmatust, kaugest maailmast – võõras kummaline lõhn, mis tungib järsku su koopasse ning segab tukkumist vana hea koduse leha soojas embuses. Ma aimasin, et peaksin Salmele ja Mõmmile kõike üksipulgi seletama ja sellestki poleks abi.

Seetõttu ütlesin vaid, et olen vahepeal ringi rännanud. Salmele sellest piisas, ta ei pärinud rohkem ja Mõmmi noogutas rahulolevalt oma pekist pead. Siis meenus Salmele meie ema surm, mille põhjustest tal oli üsna udune ettekujutus – nimelt arvas ta, et ussipesa, kus ema elas, oli lihtsalt mingil põhjusel põlema läinud – ja ma ei viitsinud talle öelda, et asi polnud nii lihtne. Lasksin tal veidi aega kurta ja kaevelda ning panin tähele, et samal ajal kui Salme hädaldas, uinus Mõmmi, pooleldi paljaks näritud kont suust välja tolknemas, nagu oksendaks ta välja oma skeletti.

Salme lõpetas oma jutu pika ohkega ning haigutas siis magusalt. Ma sain aru, et ta tahab nüüd samuti magada, oma hiiglaseks paisunud karu kaisus, ning ütlesin, et hakkan minema.

"Kus sa elama hakkad?" küsis Salme. "Kas ema vanas onnis?"

"Eks näis," vastasin mina. "Ma pole sellele veel mõelnud. Võib-olla tõesti seal, aga võib-olla ehitan ma endale uue maja."

"Senikaua võiksid ju meie juures magamas käia," arvas Salme.

"Meil ruumi on."

"Ei, ma tahan ikka omaette elamist," selgitasin. Salme noogutas uniselt.

"Astu siis ikka läbi," sõnas ta. "Süüa saad sa meie juurest alati. Meil oleks Mõmmiga hea meel, kui sa meid vaatamas käiks. Meie ei saa ju kuhugi tulla, Mõmmi vaeseke on täitsa sant."

Ta silmitses haletsevalt oma karumäge ja lisas sosinal:

"Selles mõttes on see muidugi hea, et ta ei saa enam metsas liiderdamas käia. Noh, neid külaplikasid vahtimas. Nüüd on ta ainult minu karu ja ma ei pea üldse muretsema, et kus ta on ja mis ta teeb. Kogu aeg kenasti silma all."

"Jah, see on küll hea," nõustusin mina ja tulin tulema. Värske õhk purskus mulle näkku, nagu oleks mind külma veega pritsitud – see tundus pärast läppunud koobast lausa maitsev, nii et ma oleksin tahtnud seda isukalt hammustada. Ma kõndisin tükk aega lihtsalt hingamisest mõnu tundes. Siis istusin maha, sõin pohli, sest kõht oli väga tühi, ja pidasin aru, mida endaga peale hakata.

Uuesti sõtta minna ma ilma vanaisata ei soovinud. Küllap olin ma end juba välja märatsenud – pöörase viha ja kättemaksuhimu asemel, mis mõni aeg tagasi mu soontes kobrutas, oli mind vallanud täielik ükskõiksus. Õigupoolest ei viitsinud ma enam midagi teha. Kõige parema meelega oleksingi ma jäänud igaveseks siia puhmaste vahele päikese kätte peesitama nagu end rõngasse kerinud rästik. Pohlad olid käeulatuses ja neid oli palju – mida mul veel tarvis peaks minema? Peas polnud ainsatki mõtet, ma vajusin mõnusasse tardumusse ja toibusin sellest alles siis, kui päike oli puulatvade taha vajunud ja mul hakkas vilu.

Tõusin püsti, ringutasin ja vehkisin kätega, et sooja saada. Ma pidin otsima endale siiski mingi varjualuse, sest sügisene mets polnud nii soe, et lageda taeva all magada. Õe juurde ma

ANDRUS KIVIRÄHK

minna ei tahtnud, uue elamu ehitamisega olnuks rumal öösel pimedas vaeva näha, seega jäi üle vaid mu vana kodu. Mul oli olnud kaua aega tõrge seda külastada, kuid nüüd tundsin ma korraga, et see on kadunud. Miks mitte sinna minna ja veidi magada? Lõppude lõpuks on see ju vaid üks onn, mis sellest, et täis minu jaoks nukraid mälestusi. Või kas nad üldse on veel nukrad? Ma mõtlesin emale ja Hiiele, kuid ei suutnud leida endas mingit meeleliigutust. Minevik tundus vaid kauge muinasjutuna, mis võib olla kurvem või lõbusam, kuid millel pole mingit seost käesoleva hetkega. Ema ja Hiie olid vaid tegelased ühes lõpuni jutustatud loos, praegu oli olemas aga vaid pime ja jahe mets, mis äratas minus vastumeelsust, ja tühi onn kusagil selle metsa teises servas, kuhu oleks olnud nii mõnus sirakile visata. Miski muu polnud tähtis.

Ma hakkasin oma vana kodu poole astuma ja tee viis mind mööda metsaservast. Ma ei suutnud vastu panna kiusatusele heita üks pilk Magdaleena külale, see pidi siit hästi paistma. Ma keerasin rajalt kõrvale ning jõudsin mõne hetke pärast sinna, kus lõppesid puud ning algasid põllud ja heinamaad.

Siit pidanuks ma nägema külamajade katuseid, kuid neid polnud. Küla oli kadunud ja hämaruses ei seletanud mu silm päris täpselt, kas see on maa pealt täiesti ära pühitud või on hoonetest jäänud alles vähemalt mingid jäljed, varemed või midagi seesugust. Ma olin jahmunud, sest ei taibanud tõesti, kuidas terve küla korraga haihtuda sai. Meie vanaisaga polnud seda maha põletanud, meid olid eksitanud raudmehed ja pärast nende mahanottimist ei olnud meil enam viitsimist maju süütama hakata. Kuid ometi küla polnud. Kas nad olid ära kolinud ja majad endaga kaasa võtnud?

Siis nägin ma ühte inimkogu eemal liikumas. Läksin talle uudishimulikult lähemale, lootes kohata mõnda tuttavat. Tuttav oli see mees tõepoolest. Külavanem Johannes ise komberdas mööda kitsukest teerada, kepp käes ning räbaldunud vammus seljas.

"Tere, külavanem," ütlesin ma pimedusest välja astudes. "Kas pole kena kohtumine üle hulga aja?"

Johannes jõllitas mind ja haaras kepist mõlema käega kinni, et ennast sellega minu eest kaitsta. Kuid mul polnud mõtteski talle kallale karata. Minu viha oli raugenud ja hetkel tundsin ma üksnes heameelt, et olin kohanud inimest, kellelt küla salapärase kadumise kohta pärida.

"Ära vehi oma kepiga," ütlesin ma. "Ma ei tulnud sind tapma. Räägi, mis on juhtunud külaga! Kas teid tabas tulekahju? Kus kõik majad on?"

"Neetud põrgusigidik!" urises külavanem Johannes. "Nüüd sa siis tuled ja pärid, kus on majad! Jah, meid tabas tulekahju! Jah, meie küla põletati maani maha ja see on sinu süü!"

"Mina pole teile küll tuld räästasse torganud," kostsin vastu. "Ausalt öeldes oleksin ma seda küll hea meelega teinud, sest teie ju tahtsite mind põlema panna, aga see läks mul suure madinaga meelest. Nii et ära süüdista mind, vanamees. See nali jäi minu poolt tegemata."

"Meie küla põletati maha karistuseks ennekuulmatu kuritöö eest ja selle kuritöö saatsid korda sina," vastas Johannes. "Sa tapsid koos oma lendavast kuradist semuga püha piiskopi enda ja selle jõleda veretöö eest tuli tasuda meil. Auväärsed rüütlid tulid ja panid meie küla põlema, sest püha mehe tapmine on jube patt. Sa põled selle eest põrgus! Ma küll katsusin lugupeetud rüütlihärradele selgeks teha, et meie pole püha isa vastu kätt tõstnud, et meil ei tuleks iial pähegi korda saata nii kohutavat roima. Ma seletasin, et piiskopile tungis kallale üks metslane, ristimata elajas, libahunt, kelle elupaik on paks mets ja kes oli enne veel purenud surnuks minu õnnetu tütre ja kõrge rüütliisanda lihase poja. Aga härrad ütlesid, et nende jaoks on ükskõik, milline mats selle kuritöö korda saatis. Nad ütlesid, et me kõik oleme alles elajad ja metslased, kellel pole kultuuri ega au. Nad ütlesid, et nendel pole aega vahet teha, kes meist on ristitud ja kes mitte, ning et igal juhul tuleb meil oma kaaslaste sigaduste eest vastust anda. Siis panidki nad meie küla põlema ning sõitsid oma suursuguste ratsude seljas ära."

"Miks te vastu ei hakanud ja neid ära ei tapnud?" küsisin mina – mitte sellepärast, et mul külast kahju oleks olnud, vaid et aru saada, mis põhjusel lubasid need inimesed end raudmeestel alandada ja piinata, nagu oleksid nad lambad. "Sest meie oleme ristiinimesed!" kuulutas Johannes ning tõstis käe taeva poole, nagu tal ikka kombeks oli, kui ta hoogu läks ja kisendama hakkas. "Meie pole metsloomad nagu sina ja teame, kuidas uues maailmas käituda tuleb. Lõppude lõpuks oli õilsatel rüütlihärradel õigus – piiskopi tapmine on kõige hirmsam roim ja selle eest tuli kedagi karistada. Selline on tava. Kui me hakkaksime mässama ja rüütlihärradele kallale kippuma, siis me ju ainult kinnitaksime nende arvamust, et meie ei kuulu veel sugugi ühte ritta haritud rahvastega, et meie oleme alles metslased. Aga see pole tõsi – me pole teistest halvemad! Seepärast võtame me vaguralt, kristlikus alanduses vastu õiglase karistuse ning ehitame üles uue küla. Just täna käisin ma selleks lossist luba palumas ja rüütlihärra oli nii lahke ning andiski meile uue võimaluse end tõestada. Me veel tõuseme tuhast ja ükskord seisame uhkelt teiste moodsate rahvaste kõrval ning oleme täpselt sama head."

Ma tundsin tüdimust. Olin sellist juttu kuulanud kogu see aeg, mis ma Magdaleena juures elasin, sellist lora ajasid nad kõik. Ma ei viitsinud enam Johannesega kõnelda, tahtsin ära minna ja teda enam mitte kunagi rohkem näha.

"Väga tore, ehitage pealegi uus küla ja saage haritud rahvaks," ütlesin. "Olge moodsad ja palvetage oma uue jumala poole. Soovin südamest edu. Hüvasti!"

Ma tahtsin lahkuda, kuid Johannes oli end juba üles kütnud ega tahtnud jutuajamist nii kiiresti lõpetada.

"Ära pilka, saatan!" lärmas ta. "Ah sina soovid edu! Küll ma tean, hukatust ihkad sa meile! Kuhu sa praegu lähed? Pimedasse metsa, et kummardada seal oma jõledaid haldjaid ning paluda neilt põrguväge meie kiusamiseks!"

"Armas mees," ütlesin mina tüdinult. "Ma luban sulle, et ma ei kummarda seal pimedas metsas ühtegi haldjat ega palu neilt mitte midagi. See mood on otsa saanud, nii nagu kunagi lähevad moest ka sinu jumalad ja jeesused. Eks siis leiutatakse jälle midagi uut, aga meie silmad seda õnneks ei näe. Mina lähen praegu lihtsalt magama ja soovitan sullegi sedasama. Praegu on öö."

"Uskmatu!" karjus Johannes.

"See on küll tõsi," vastasin ma. "Seda nime ma ei häbene."

"Mõrtsukas!"

"Ka see pole vale. Aga sedasama võib öelda ka sinu enda kohta, vanamees. Kas sa mäletad, kuidas te kõik rästikud tulle ajasite? Muide, mis on saanud Peetrusest, kes mu sõbra sipelgapessa viis? Ma loodan, et ta põles sisse, kui raudmehed teid nuhtlesid."

"Peetrus on meie küla uhkus!" teatas Johannes. "Tema oligi see, kes avastas püha piiskopi ja tema teekaaslaste surnukehad ning kutsus kiiresti kohale rüütliisandad, et need korra majja lööksid ja kohut mõistaksid. Tänutäheks sai temast ühe rüütli kannupoiss. Alles mõned päevad tagasi lahkus ta koos oma isandaga siitkandist, et rännata pühale maale – võitlema paganatega. See on tervele meie rahvale suur au, Peetrus on esimene meie hulgast, kes on nii kaugele jõudnud. Koos suurte ja vägevate rahvastega annab nüüd ka meie poiss oma panuse uue maailma loomisel. Kas see ei tõesta veel kord, et me pole teistest kübetki halvemad?"

"Ma loodan, et need paganad tal naha maha nülivad," ütlesin mina. "Head ööd nüüd, vanamees. Ma loodan, et sa endale enne surma kah raudrüü saad, sa oled selle igati ära teeninud."

"Selline au mulle vaevalt osaks saab," vastas Johannes, kelle toonist oli siiski tunda, et ta tundis end minu sõnadest meelitatuna. Ta hääl muutus pidulikuks. "Eks mine siis, poiss, ja ela edasi oma pimedas minevikus nagu mõni ürgloom, kellel kasvab ikka veel tagumiku küljes saba. Mina lähen teisele poole ja senikaua, kuni ma hingan, püüdlen valguse ja uue, parema maailma suunas!"

"Anna minna," kostsin mina. "Ja et see teekond sul kergem oleks..."

Ma tõmbasin noa ja raiusin külavanemal perse küljest.

"Sedasi," ütlesin ma ja naersin, sest ausõna, selles hoobis polnud raasugi viha, ma olin seda teinud lihtsalt ootamatult pähe tulnud vallatu mõtte ajel. "Nüüd pole sul tõesti vaja karta, et sul saba taga on. Nüüd marsi rahumeeli otse edasi, nüüd oled sa tõepoolest moodne inimene!"

"Libahunt!" karjus Johannes ja hoidis kätega kinni oma verest tilkuvat tagapoolt. "Mõrtsukas! Põrgus on su koht, seal sa kord kõrbed! Sa tapsid mu! Ma jooksen verest tühjaks!"

"Kas siis tõesti saba maharaiumine nii hullusti mõjub?" imestasin ma. "Moodsal inimesel pole seda ju vaja. Ära nüüd ometi kisa nii hirmsasti nagu mõni metslane! Mida rüütliisandad sinust arvama peavad, kui sa ei oska haritud rahvaste kombel käituda? Tasa, tasa, ära üldse vaata selja taha, vaata ainult ette! Nina on sul ju alles, nii et tuult nuusutada saad sa küll – mida sulle veel tarvis? Hüvasti, külavanem, ela hästi!"

Ma jooksin naeru pugistades eemale, aga Johannese kohutavat kisa oli kuulda veel kaua.

38.

Temp Johannese persega tegi mu tuju heaks. Sammusin üht vana inimahvide laulu ümisedes kodu poole, kuid selle öö kohtumised ei olnud veel lõppenud.

Keegi hõikas mind ussikeeles. Esialgu arvasin, et see on mõni tulesurmast pääsenud rästik – mitte kõik maod ei lämbunud ju tookord suitsu kätte. Sisisesin vastu ja otsisin pilguga ussi, kuid nägin hoopis Meemet, kes nagu ikka mätaste vahel vedeles.

Tema olemasolu oli mul hoopis meelest läinud. Nii et mina ja mu õde polnudki viimased inimesed! Oli olemas ka Meeme, ehkki teda inimeseks nimetada tundus ilmse liialdusena. Ta oli kaotanud viimsedki piirjooned ning kui ma talle lähemale astusin, ei suutnud mina küll päris täpselt öelda, kus lõppes tema keha ning algas sammal. Omajagu oli selles süüdi ka metsas valitsev pimedus, kuid Meeme nägi tõesti välja kuidagi loodusesse lahustununa. Ta oli otsekui üles sulanud ja laiali valgunud lumehang. Seesama sammal, mis kasvas tema külje all ning kõrval, kasvas ka tema peal. Liiati tundus, et ta pole kaua aega paigast liikunud, sest teda katsid paksu kihina puude otsast pudenenud sügisesed lehed. Tema nägu oli tume nagu muld ja siit-sealt lõhenenud ning silmad läikisid selle kooriku seest mulle vastu nagu kastepiisad.

"Sa oled ikka veel elus," ütles Meeme ja tema hääl kõlas summutatult, otsekui maa alt, ning sõnadest oli keeruline aru saada – tundus, justkui oleks tema suu sisse varisenud või kinni tuisanud. "Ma ei lootnudki, et ma sind veel näen."

"Tahtsid sa mind siis näha?" küsisin ma, oodates, millal Meeme tõstab suule oma lahutamatu veinilähkri, rüüpab ja läkastab. Uskusin, et see loputaks veidi tema kõri, nii et mul oleks tema juttu kergem mõista. Kuid Meeme ei joonud ja tõtt-öelda poleks ma osanudki öelda, kas tal on üldse veel käed otsas või on need ära mädanenud ja tal polegi millegagi veininõud hoida.

"Mul ükskõik," kostis Meeme vastuseks mu küsimusele. "Ma mõtlesin, et kui sa peaksid siiski elus olema ja välja ilmuma enne seda, kui ma lõplikult laiali lagunen, siis tahan ma sulle midagi rääkida. Mitte et see tähtis oleks – ei, see kõik on mõttetu. Aga nii on nagu kombeks."

"Millest sa siis tahad mulle rääkida?" pärisin ma.

"Põhja Konnast," ütles Meeme.

See oli ootamatu. Ma kükitasin Meeme juurde ja tundsin sedamaid jälki kõdunemishaisu, mida hoovas tema laiali pudenenud kerest – et mitte öelda raipest, millel mingi ime läbi oli otsas elav pea. Ma tõmbusin vastikusega eemale ja Meeme irvitas seda märgates oma mullase suuga.

"Haiseb, jah?" küsis ta. "Haiseb! Ma ise ei tunne enam midagi, aga ma tean, et mind polegi tegelikult olemas. Ma olen ära mädanenud. Juba mitu kuud pole ma siit liikunud, ma pole söönud ega joonud. Ma ei mäleta enam isegi veini maitset ja kui keegi mulle seda suhu valaks, imbuks see maasse otsekui vihm, sest mul pole enam selga. Ma tajun, kuidas minu sees idanevad taimed, kevadel kasvavad nad minust läbi otsekui mättast ja kitsed söövad neid ega aimagi, et nende sõrgade all lebab surnud inimene. Ma ei tunne enam oma käsi ega jalgu. Pea on veel vastu pidanud, sest see on kõva kui kivi, aga kui sa oleksid tulnud mõni päev hiljem, poleks ma enam kõnelda suutnud. Ma poleks kurvastanud, sest see, mis mul öelda on, pole kuigi oluline. Asi on selles, et ma olin valvur. Ja valvurid peavad valima enne surma endale järglase. Nagu sa aru saad, pole mul seda raske teha – peale sinu polegi kedagi. Sa ei pea vaeva nägema, kui sa ei taha. Põhja Konn tuleb ka ilma sinuta toime. Mina pole teda juba aastaid vaatamas käinud. Ta magab ja tal on ükskõik, kas keegi teda sel ajal patsutab. Aga ma siiski mõtlesin, et kui ma veel peaks sind kohtama, siis ma räägin ja eks sa ise vaata, mida sa teed. Minul ükskõik."

"Kuidas ma Põhja Konna leian?" küsisin ma erutunult.

"Sa mäletad seda sõrmust, mille ma sulle kunagi andsin?" küsis Meeme. "Jah, muidugi sa mäletad, sa ju käisid minu käest selle kohta aru pärimas, aga siis polnud mul põhjust sulle vastust anda. Valvur tohib oma saladuse avaldada alles enne surma. Tegelikult poleks ma tohtinud sulle ka võtit anda, sest sa olid alles laps ja oleksid võinud selle ära kaotada, aga see ei huvitanud mind. Kõik see oli nagunii mõttetu, kõik oli ju juba ammu otsas ja polnud mingit vahet, kas viimaseks valvuriks jään mina või tuleb pärast mind keegi veel. See on ainult agoonia ja pärast seda tuleb nagunii vaikus ning Põhja Konn magab täielikus üksinduses oma igavest und. Võib-olla ma isegi lootsin, et sa võtme ära kaotad, siis lõpeks see narrus kiiremini. Ütle, oled sa oma võtme ära kaotanud?"

"Ma ei usu," vastasin mina. "Ma pole seda sõrmust küll ammu näinud, kuid see peaks ema onnis alles olema. Ma leian selle kindlasti üles. Kuidas seda kasutatakse?"

"Asi pole sõrmuses," ütles Meeme. "See on ainult kasutu vidin, tõmmatud mõne maha löödud võõramaalase sõrmest. Selle sõrmusega võid sa lindude pihta märki visata, muud midagi. Aga sõrmuse ümber oli kotike – õhuke ja nii kerge, et kõige nõrgemgi tuul võinuks selle minema kanda. Sõrmus oli pandud sinna kotti raskuseks, et kott paigal püsiks. Kas see kotike on sul alles?"

"Jah, kindlasti," kinnitasin ma. "Mis selle kotikesega on?"

"See on tehtud Põhja Konna nahast," kostis Meeme. "Kord kümne tuhande aasta jooksul ajab Põhja Konn kesta, ta on teinud seda juba lugematu arv kordi ja teeb ka edaspidi. Sellest nahast peab valvur lõikama välja tillukese tükikese, mille ta oma järglasele kingib. See ongi võti. See viib su Põhja Konna juurde."

"Kuidas?" nõudsin ma.

"Sa pead selle naha ära sööma," vastas Meeme. "Edasi läheb kõik iseenesest."

"Ma otsin juba täna öösel selle kotikese üles," lubasin ma. "Üle kõige siin maailmas olen ma tahtnud näha Põhja Konna ja nüüd on see võimalik."

"Ära unusta, et tema ei näe sind iialgi," ütles Meeme. "Tema magab ja pole olemas mitte midagi, mis teda äratada suudaks.

See on kasutu, totter amet, mille sa endale võtad, ja ma soovitan sul pigem see nahatükk tulle visata ning kõik perse saata. Mina pidin sulle rääkima, aga sina ei pea mind kuulda võtma."

"Aga ma tahan!" hüüdsin ma. "Ma tahan!"

"Lase siis käia," pomises Meeme. "Ole õnnelik ja tervita minu poolt seda elajat. Sul on õnn tema najal surra."

Ta sulges silmad. See oli viimane kord, kui ma teda elusana nägin, sest läbematu nagu ma olin, tormasin ma otsekohe ema osmiku juurde sõrmust ja kotikest otsima, ning kui ma mõned päevad hiljem taas sinnakanti sattusin, ei kõnelnud Meeme enam, tema nägu oli laiali pudenenud ja kehast polnud järel muud kui nätske ollus, lomp mätaste vahel, millest võis üle hüpata, kui ei tahtnud jalgu märjaks teha.

Kiirustasin kodu poole ja leidsin oma vana eluaseme eest vaikse ning jahedana. Ammu polnud keegi selle koldes tuld süüdanud ning praetud liha lõhn, mis meie koduseinte vahelt iialgi ei lahkunud ja juba tuppa astudes suu vett jooksma pani, oli nüüd hajunud. Ehkki ma olin arvanud, et kodu taasnägemine ei suuda mind liigutada, tundsin ma seda pimedat ja tühja, kuidagi nii kurba tuba vaadates, kuidas kurgus midagi kraabib. Aga ma olin hetkel siiski liialt haaratud soovist Põhja Konn kiiresti üles leida, nii et mul polnud mahti nukratele mälestustele anduda. Ma hakkasin kirstudes ning laegastes sorima ja mõne hetke pärast oligi sõrmus ühes kotikesega mul käes.

Läbematult raputasin ma sõrmuse väärtusliku nahatükikese seest välja ning see veeres kõlinal põrandale nagu kasutu praht. Ma uurisin ahnelt kotikest, silitasin seda sõrmedega, tulin ukselävele, et Põhja Konna nahka kuuvalguses paremini silmitseda. Naharibake oli tõesti õhuke; kui see silme ette tõsta, kumas kuu temast selgelt läbi. Ma olin nii erutatud, et mul oli raske hingata. Voltisin nahatükikese kokku tillukeseks ruuduks ja pistsin suhu. Ma ei pidanud seda õieti neelamagi, Põhja Konna nahk otsekui lahustus mu keelel, sulas ära ja valgus laiali. Ma hoidsin hinge kinni ja ootasin, mis minuga nüüd juhtub. Ma poleks imestanud, kui minu keha korraga heledalt leegitsema oleks löönud või kui ma oleksin järsku metsa kõige kõrgemate puude pikkuseks sirgunud. Kuid minuga ei juhtunud midagi. Seisin ikka oma vana kodu lävel ja kuu paistis mu peale, aga ma teadsin, kus magab Põhja Konn.

See teadmine ei tulnud mingi ootamatu raksatusega ega tunginud välgulöögina mu ajusse. See lihtsalt otsekui meenus mulle – nagu mingi asi, mida oled kunagi ammu mäletanud ja mis sulle täiesti juhuslikult jälle meelde tuleb. Umbes nii et – ahjaa, sellega oli ju nii, kuidas ma võisin sedavõrd lihtsa asja vahepeal ära unustada? Mulle tundus praegu üliveider, et ma olin Põhja Konna mööda metsa taga otsinud, suutmata teda leida, kui tema peidupaika oli ju ometi nii kerge avastada! See peaaegu et polnudki peidupaik, pärast nahatüki söömist näis mulle, et Põhja Konnale võis lausa otsa komistada – ta oli ju siinsamas. Terve senise elu olin ma käinud mööda koopasuust, mille taga ta oma igavest und magas, ja kordagi ei märganud ma sealt sisse astuda.

Ma panin oma koduukse enda järel kinni ja astusin sisse laiast avausest, mis haigutas otse minu vana osmiku vastas – ja mida ma ometi varem polnud märganud. Avar käik viis mind otse edasi, laskudes aeglaselt maa sügavusse. Eestpoolt kumas valgust. See oli soe ja mahe ega muutunud ka lähemale jõudes liialt eredaks ega häirivaks. Põhja Konn hõõgus kui kustuv lõke.

Nüüd nägin ma teda. Ta oli tõesti olemas, see kuulus Põhja Konn, kellest ma olin nii palju kuulnud ja keda ma lapsest saadik nii väga kohata igatsesin. Ta oli veelgi suurem ja uhkem, kui ma eales osanuks ette kujutada, majesteetlik ning hirmuäratav. Tegin tema ümber ringi, erutunud ja õnnelik. Lõpuks ometi olin ma siin! Ma ei olnud julgenud lootagi, et ma Põhja Konna siiski ükskord näen; ütles ju ka onu Vootele, et ta on igaveseks kadunud ega tõuse enam eal. Iial ei pidanud ükski inimene teda enam näha saama, kuid mina nägin teda siiski.

Põhja Konn lebas kõhuli, suured tiivad selja peal korralikult kokku volditud, silmad kinni. Kohutavad küüned olid vajunud pehmesse liiva. Põhja Konn magas ning tema uni oli rahulik ja sügav. See polnud mingi raugastunud elukas, kes oma päevi tukkudes surma poole saadab, liiga jõuetu ning väsinud, et oma raskeid lauge liigutada. Ei, Põhja Konn oli suur ja tugev, tal oli veel küllalt väge ning võis vaid kujutleda, mida kõike suudaks ta korda saata, kui mingi võim ta unest ärataks.

Kuid seda võimu polnud. Tuhanded ühiselt lausutud ussisõnad oleksid võinud tema salapärastesse unenägudesse tungida, aga olemas olin vaid mina, tema viimane valvur. Kõik ülejäänud olid leidnud huvitavamat tegevust, nemad elasid juba uues maailmas, kus Põhja Konn oli vaid tegelane iidsest muinasjutust, mida vanaemad õhtuti vokki tallates pajatasid.

Ma kükitasin Põhja Konna kõrvale ja silitasin teda, patsutasin tema tugevat, kuid samas nii siledat nahka. Ta oli väga soe ja kui ma oma selja tema vastu surusin, hakkas mul mõnus. Mul oli hea ja kindel tunne, kui ma vastu seda magavat hiiglast toetusin. Teadsin, et võin talle kas või selga ronida, Põhja Konna und see ei häiri. Miski siin maailmas ei saanud teda häirida ega tappa. Ta oli ju igavene, ta oli ja jäi – ning samal ajal lahutas teda lõplikust haihtumisest ülihabras ämblikuniit, ja see niidike olin mina. Maailm oli temast ära pöördunud, ta reetnud ja unustanud ning jätnud vägeva Põhja Konna tühjusse. Ainult mina olin talle seal seltsiks. Pärast mind pidi ta kaduma, sest seda, millest keegi midagi ei tea ja mida keegi kunagi näinud pole, ei olegi ju enam tegelikult olemas. Ta oli hingav surnu.

Ometi oleks kõik võinud minna teisiti! Mida kõike oleks ta veel suutnud korda saata! Ma ei tundnud viha, vaid abitut kurbust, kui ma mõtlesin, kui lihtne olnuks meil võidelda ja võita, kui me poleks mingis hullumeelsushoos hüljanud oma tõhusaimat relva, seda üüratut väge, mis magas siinsamas minu kõrval ja oleks praegugi veel võinud kõike – kõike! – kui ainult meie poleks unustanud ussisõnu. Sajandeid oli see vägi meid teeninud, lehvinud ähvardava ning kaitsva tormipilvena meie peade kohal. See oli olnud meie salarelv, mida keegi teine kasutada ei saanud ega osanud. Nüüd olime ka meie nende teiste seas ja Põhja Konn üksnes magas ja magas ning keegi ei kutsunud teda.

Kõik oleks võinud minn.; teisiti! Aga küllap siis polnud see võimalik. Maailm muutub, midagi vajub unustusse, miski kerkib pinnale. Ussisõnade aeg on läbi saanud, kord unustatakse ka see uus maailm oma jumalate ning raudmeestega ja leiutatakse midagi muud. Ma sättisin end mugavamalt Põhja Konna najale ning panin silmad kinni. Minul oli siin hea, mina ei kavatsenud siit enam kunagi lahkuda.

Muidugi käisin ma aeg-ajalt siiski ka koopast väljas, kas või selleks, et Põhja Konna eest hoolitseda. Mul sai kombeks teda pesta, et tema nahk kaunimalt läigiks – ma tahtsin, et ta oleks võimalikult kaunis, ehkki mitte keegi peale minu teda näha ei saanud. Ma käisin endale süüa hankimas ja jalutasin vahel niisama metsas, et pärast pikka koopas viibimist päikest näha ning värsket õhku hingata. Muide, Põhja Konna koopal oli imelik omadus – sa võisid sealt väljudes sattuda suvalisse paika metsas, just sinna, kuhu sa parajasti minna soovisid. Nüüd sain ma aru, kuidas Meeme nii märkamatult liikus. Ta tuli Põhja Konna juurest – väljus koopast, mida keegi peale tema, valvuri, ei märganud, ja roomas pärast sinna tagasi. Nii et ka selle saaduse võti oli mul nüüd lõpuks käes.

Käisin vahetevahel vaatamas ka oma õde ja tema Mõmmit, kuid mitte liiga sageli, sest õhkkond nende koopas oli minu jaoks liiga rusuv ning hais väljakannatamatu. Mõmmi oli end juba nii paksuks õginud, et pekk tungis talle ajudesse ning ta ei mäletanud enam ussisõnu – nii suhtlesid nad Salmega üksnes mõmisedes. Viimane kord, kui ma neid nägin, lebasid nad teineteise kaisus; koobas oli väga hämar, aga ma mäletan siiani nende nukraid silmi, mis mind sealt pimedusest põrnitsesid. See oli kurb ja jube ning rohkem ma enam Salme ja Mõmmi juurde ei läinud. Ma ei tea, kas nad veel elavad või mitte, kuid kaldun arvama, et Mõmmi lämbus oma rasva ning Salme hääbus vaikselt tema korjuse kõrval. Igal juhul oli Mõmmi viimane karu, kes ussisõnu mõistis, need elajad, kes praegu mulle ette satuvad, täidavad küll jahmunult urisedes mu käske, kuid vastata ei suuda. Neist on saanud tavalised metsloomad. Kõik mandub.

Paar päeva pärast Põhja Konna leidmist läksin ma külastama Pirret ja Rääku. Nägin inimahvide vanu kõhetuid kogusid ülemistel okstel lebamas ja hüüdsin neid, kuid keegi ei vastanud ja ma mõistsin, et nad on kas surnud või siis liiga väsinud ja jõuetud, et veel suud avada, mis tegi sama välja. Lõppude lõpuks olid nad isegi hästi vastu pidanud; nende maailm, nende lugu oli ju juba ammu otsa saanud. Sinna, oma puu ülemistele okstele nad ka jäid, terveks talveks, nagu kaks väikest valget karvast lumehange. Kevadel läks puu lehte ja ma ei näinud neid enam, ning kui tuli uus talv, olid oksad jälle tühjad ja paljad, nagu poleks maailmas kunagi elanud ainsatki inimahvi.

Nii jäin ma üksi – koos Põhja Konnaga. Olen olnud tema valvur juba nelikümmend aastat ja jäänud päris vanaks. Viimasel ajal käin ma üha harvemini väljas. Ma magan palju ja näen und. Kõige sagedamini seda, et olen taas laps, istun onu Vootele keldris ning onu Vootele õpetab mulle ussisõnu. Siis läheb ta korraga näost valgeks, kukub pikali ja sureb, aga mina ei ehmu, vaid poen talle külje alla ning mul on soe ja mõnus. Ma ei hooli kõdunemise lehast, mida onust hoovab, see ei sega mind, see tundub hoopis nii tuttav ja turvaline. Siis ma ärkan ja leian end Põhja Konna najalt, aga seesama hais on ikka veel mul sõõrmetes. Ma tean, et see lõhn ei tule Põhja Konnast, sest tema on igavene, vaid minust, vanamehest.

Ma sisistan tühjusesse mõned ussisõnad, needsamad, mis onu Vootele mulle kunagi selgeks tegi, ja need ussisõnad puhastavad õhu. Kõik muu minus võib mädaneda, kuid ussisõnad jäävad ikka värskeks. Ussisõnad ja rahulikult tukkuv Põhja Konn.

Ega minagi millegi pärast muretse, ka mina võin päris rahulikult silma uuesti looja lasta. Keegi ei häiri mu und. Me saame segamatult puhata – Põhja Konn ja viimane mees, kes mõistab ussisõnu.